Hernandes Dias Lopes

MATEUS

Jesus, o Rei dos reis

1ª edição: março de 2019
4ª reimpressão: agosto de 2021

Revisão
Andréa Filatro
Josemar de Souza Pinto

Diagramação
Catia Soderi

Capa
Equipe Hagnos

Editor
Aldo Menezes

Coordenador de produção
Mauro Terrengui

Impressão e acabamento
Imprensa da Fé

Editora Hagnos Ltda.
Av. Jacinto Júlio, 27
04815-160 — São Paulo, SP
Tel.: (11) 5668-5668

E-mail: hagnos@hagnos.com.br
Home page: www.hagnos.com.br

Editora associada à:

Dados Internacionais de Catalogação na Publicação (CIP)
Angélica Ilacqua CRB-8/7057

Lopes, Hernandes Dias

Mateus: Jesus, o Rei dos reis / Hernandes Dias Lopes — São Paulo: Hagnos, 2019. (Comentários Expositivos Hagnos)

ISBN 978-85-243-0563-4

1. Bíblia NT - Mateus: comentários 2. Jesus Cristo 3. Jesus Cristo: história 4. Jesus Cristo: milagres I. Título

18-2276 CDD 226.2

Índices para catálogo sistemático:
1. Evangelho de Mateus: Jesus Cristo 226.2

Dedicatória

DEDICO ESTE LIVRO ao presbítero e empresário Antonio Cabrera Mano Filho, homem de Deus, servo do altíssimo, encorajador dos santos, parceiro na evangelização do mundo, bênção de Deus em minha vida e em meu ministério.

Sumário

Prefácio

Tenho a imensa alegria de apresentar aos nossos leitores o comentário expositivo do evangelho de Mateus. Faço-o com entusiasmo e gratidão a Deus. Esse evangelho é considerado por alguns *scholars* a mais importante obra literária da humanidade. Traz um registro minucioso da vida, obra, morte e ressurreição de Jesus. Apresenta de forma eloquente seus discursos; registra de forma portentosa seus milagres; mostra com clareza gritante a perseguição implacável dos escribas e fariseus e revela de forma contundente os confrontos de Jesus com a liderança religiosa de Israel.

Mateus é o mais conhecido dos evangelhos sinóticos. Apresenta de forma vívida Jesus como o Rei dos judeus. Destaca a mensagem do reino. Registra as parábolas ilustrativas do reino. Narra os sinais da chegada do reino por meio do ministério do Rei.

Mateus escreve como testemunha ocular dos fatos. Jesus o chamou de uma coletoria para ser um apóstolo. Ele caminhou com Jesus. Ouviu os ensinamentos de Jesus. Viu os milagres de Jesus: os cegos viram, os surdos ouviram, os mudos falaram, os aleijados andaram, os leprosos foram purificados, os cativos foram libertos e os mortos ressuscitaram. Embora Mateus tenha repetido grande parte do conteúdo de Marcos, o primeiro evangelho a ser escrito, o livro mantém sua própria característica e ênfase. Enquanto Marcos, escrevendo para os romanos, apontou Jesus como o servo perfeito, Mateus, escrevendo para os judeus, destacou Jesus como Rei dos judeus. Por essa causa, Mateus é o evangelho com a maior quantidade de citações do Antigo Testamento. Seu grande propósito foi provar que Jesus é o Messias prometido por Deus a Israel, que veio ao mundo, em cumprimento das profecias, para ser o nosso redentor.

Minha ardente expectativa é que, ao ler este comentário, seu coração seja inflamado pelo Espírito Santo, assim como o meu foi aquecido ao escrevê-lo. Boa leitura!

Hernandes Dias Lopes

Introdução

O Antigo Testamento fecha suas cortinas cerca de quatrocentos anos antes de Cristo, estando Israel debaixo do domínio do império medo-persa. O período entre o Antigo e o Novo Testamentos é conhecido como Período Interbíblico. Durante esses quatrocentos anos, Israel viu o declínio do império medo-persa e a ascensão do império grego-macedônio. Viu também a queda do império grego e seu território sendo dominado alternadamente pelos ptolomeus e pelos selêucidas. Ainda contemplou, no século 2 a.C., a Revolta dos Macabeus e o domínio da família hasmoneia. Israel vê, finalmente, o domínio de Roma, no ano 63 a. C., quando Pompeu conquistou seu território e nomeou como governante Antípatro, pai de Herodes, o Grande.

Israel viu o governo da família herodiana desde o ano 37 a.C. com a ascensão de Herodes, o Grande, e o governo de seus filhos nas diversas tetrarquias após sua morte (Lc 3.1-3). Quando o Novo Testamento abre suas cortinas, Israel está sob o domínio do império romano e debaixo do reinado de Herodes, o Grande.

A importância

Renan, o grande crítico francês, afirmou que "Mateus é o livro mais importante que já foi escrito".[1] Michael Green, nessa mesma linha de pensamento, diz que o evangelho de Mateus é, talvez, o mais importante documento no Novo Testamento, porque nele encontramos o mais completo e sistemático registro do nascimento, vida, ensino, morte e ressurreição do fundador do cristianismo, Jesus, o Messias.[2] Em grandeza de concepção e no rigor com que uma massa de material se subordina a grandes ideias, nenhum livro dos dois Testamentos, tratando de um tema histórico, deve ser comparado com Mateus.[3] Michael Green diz que, entre os pais antigos, o evangelho de Mateus é citado mais do que qualquer outro evangelho.[4] O mesmo autor, ainda, entende que Mateus não é um livro biográfico propriamente dito, embora contenha biografia. Não é um livro basicamente histórico, embora reflita o aspecto histórico. Mas é a proclamação das boas-novas: as boas notícias da salvação aguardada no judaísmo e que para os cristãos havia chegado em Jesus de Nazaré.[5]

Mateus foi testemunha ocular e auditiva do conteúdo que registrou em sua obra. Ele se apoia na fonte mais segura de toda historiografia, a saber, o verdadeiro testemunho presencial dos fatos. Quando a obra foi escrita, os apóstolos e os irmãos de Jesus ainda viviam. Logo, não é admissível falar que Mateus usou lendas e sagas, uma vez que lendas e sagas se formam somente depois que se rompeu a ligação com os acontecimentos. Muito menos se pode falar em mitos, uma vez que mitos são ideias transformadas em histórias. Os apóstolos, os parentes de Jesus e as testemunhas presenciais certamente impediriam na raiz o surgimento de qualquer lenda ou mito nos evangelhos.[6]

O autor

Como os outros evangelhos, esse também é anônimo. O nome do escritor não é mencionado em sua obra. Esse evangelho começa com as palavras do texto, sem um título e sem o nome do autor. Há um consenso unânime, entretanto, sobre sua autoria. Desde os pais da igreja até hoje, reconhece-se Mateus como o autor do evangelho que leva seu nome. William Hendriksen afirma: "A tradição é unânime em apontar Mateus como o autor. Ela nunca menciona outro".[7] D. A. Carson afirma que o testemunho universal da igreja primitiva é que o apóstolo Mateus escreveu esse evangelho.[8] Entre os pais da igreja, Ireneu, Orígenes e Eusébio, se citarmos apenas as primeiras fontes, todos atestam isso.[9] Por que Mateus não usou seu nome em sua própria obra? Talvez por modéstia ou mesmo porque não julgou importante, uma vez que a comunidade primitiva, que recebeu sua obra, bem sabia quem ele era.[10]

Sabemos muito pouco acerca de Mateus. À luz do seu chamado (9.9-13; Mc 2.13-17; Lc 5.27-32), somos informados de que ele era "cobrador de impostos". Consequentemente, devia ser um indivíduo odiado, uma vez que os judeus odiavam profundamente os membros de sua própria nação que prestavam serviço a seus conquistadores. Barclay diz que "Mateus deve ter sido considerado um traidor de seu próprio povo".[11]

Em todo o Novo Testamento, Mateus é citado apenas cinco vezes. No primeiro evangelho, ouvimos dele em 9.9 e 10.3 e depois em Marcos 9.28, Lucas 6.15 e Atos 1.13. O nome "Mateus" significa "dádiva de Deus". A história do chamado de Mateus não aparece apenas em Mateus 9.9, mas é mencionada por Marcos (2.14) e Lucas (5.27). Marcos e Lucas usam o nome Levi, e não Mateus. Por quê? Rienecker sugere que Mateus certamente foi um segundo nome que o Senhor deu ao publicano por ocasião do seu chamado. Com esse cognome, que significa "dádiva de Deus", Jesus queria expressar a importância da partida imediata e do seguimento sem delongas.[12]

É digno de nota que, em todas as outras listas de apóstolos, o nome Mateus aparece sem o título "publicano". Somente o próprio Mateus conservou a designação da profissão de "publicano" como uma evidência de que Jesus veio para chamar pecadores e especialmente aqueles que eram mais pecadores do que os pecadores comuns.[13]

Os pais da igreja Papias, Ireneu, Orígenes, Eusébio e Jerônimo afirmaram que Mateus escreveu esse evangelho primeiramente em hebraico.[14] Já Tasker, erudito professor do Novo Testamento, defende a tese de que, sendo Mateus bilíngue, ele mesmo traduziu sua obra do hebraico para o grego.[15] Embora alguns pais da igreja, como Ireneu, Clemente de Alexandria, Orígenes, Jerônimo, Agostinho e quase todos os outros autores antigos, tenham defendido a tese de que Mateus foi o primeiro evangelho a ser escrito,[16] e escrito em hebraico, outros estudiosos, em face das evidências internas, questionam essas informações e afirmam que Marcos foi o primeiro a ser escrito[17] e que tanto Mateus como Lucas o usaram como fonte de seus escritos.[18] Nessa mesma toada, Bittencourt, afirma: "Partindo do trabalho de Marcos, cuja conexão com Pedro e a cidade de Roma lhe dava grande autoridade, Mateus escreve seu evangelho, provavelmente em Antioquia da Síria".[19]

William Hendriksen registra: "A convicção de que Mateus e Lucas, cada um independentemente, usaram Marcos é compartilhada por eruditos de todo o mundo".[20] William Barclay, corroborando a tese de que Marcos foi o primeiro evangelho a ser escrito, destaca o fato de que Mateus reproduz em seu texto nada menos que 606 versículos de Marcos, enquanto Lucas reproduz 31 versículos dos 55 versículos de Marcos que Mateus não usa. Assim, há somente 24 versículos de Marcos que não aparecem em Mateus ou Lucas.[21]

Michael Green destaca cinco aspectos da vida de Mateus, como vemos a seguir.[22]

Primeiro, Mateus recebeu um novo nome. Marcos 2.14 chama-o de Levi, filho de Alfeu, e Lucas 5.27 faz o mesmo. Seu nome original era Levi, filho de Alfeu. Depois que começou a seguir Jesus, ele recebeu o nome de Mateus, "dádiva de Deus", como aconteceu com Simão, que passou a ser chamado de Pedro. Jesus viu o que Levi era e antecipou o que ele deveria ser, "dádiva de Deus". É digno de nota que apenas o próprio Mateus registra isso em seu chamado (9.9).

Segundo, Mateus pertenceu a uma fascinante família. Marcos e Lucas nos falam que ele era filho de Alfeu. Outro apóstolo também era filho de Alfeu, ou seja, Tiago (Mc 3.18). Provavelmente eles eram irmãos. Esse Tiago, filho de Alfeu, não deve ser confundido com Tiago, irmão de João, filho de Zebedeu. Na lista dos apóstolos, Tiago, filho de Alfeu, vem sempre próximo de Tadeu, Simão, o zelote, e Judas Iscariotes. Se considerarmos que os zelotes eram revolucionários e estavam prontos a pegar em espadas para resistir ao governo de Roma, e se considerarmos que Iscariotes pode vir de *sicarius* [sicário], palavra latina para "zelote", então, provavelmente, Tiago, filho de Alfeu, recebeu influência desses revolucionários resistentes ao governo de Roma. Se isso é fato, dentro dessa mesma família, Levi se apresenta como um publicano, um cobrador de impostos, alguém que vai na contramão dessa posição ideológica, uma vez que coopera com Roma em sua dominação.

Terceiro, Mateus era um cobrador de impostos que deixou tudo para seguir Jesus. Um publicano era um colaboracionista de Roma. Não apenas trabalhava na área aduaneira, recolhendo impostos, mas também explorava o povo, recebendo mais do que o devido. Por isso, os publicanos eram tão odiados pelos judeus que os classificavam como ladrões e assassinos, negando-lhes a participação nas sinagogas (Lc 18.9-14). É importante ressaltar que Levi trabalhava na coletoria de Cafarnaum, a principal estrada de Damasco para o Egito, que passava através de Samaria e da Galileia. Assim, ele trabalhava para o governo de Herodes Antipas, o tetrarca da Galileia. Certamente esse trabalho era assaz lucrativo. De publicano, colaboracionista de Roma, torna-se um seguidor de Jesus, um apóstolo de Jesus e o autor desse importante evangelho.

Quarto, Mateus ofereceu uma festa para Jesus (9.10). Tão logo teve um encontro com Cristo, ele demonstrou amor aos outros publicanos, abrindo sua casa para recebê-los, a fim de que pudessem ouvir Jesus. Provavelmente todos os seus amigos estavam entre seus pares, uma vez que, na comunidade judaica, os publicanos eram desprezados. Mateus não apenas foi transformado; também se tornou instrumento nas mãos de Cristo para a transformação de outros.

Quinto, Mateus trouxe consigo sua caneta quando atendeu ao chamado de Cristo. Tinha habilidade para escrever. Era homem dos livros e colocou essa habilidade a serviço do evangelho.

Os destinatários

Mateus escreveu principalmente para os judeus crentes, provavelmente de Antioquia da Síria,[23] uma cidade de fala grega, mas com uma substancial população judaica.[24] Sua grande ênfase é provar que Jesus é o Messias prometido nas Escrituras. Embora a mensagem desse evangelho se destine a todos os povos, de todos os lugares e de todos os tempos, seu endereçamento primário foi ao povo judeu.

Michael Green está certo em dizer que não há *apartheid* na igreja a quem Mateus endereça esse evangelho. Eles clamavam pelo nome do Messias (10.40-42; 19.29; 24.9). Eram escravos, irmãos, filhos, pequeninos de Jesus (5.22-24,47; 7.3-5; 12.49; 18.1-14; 19.13,14; 23.8). Esses haviam recebido Cristo como Messias e Senhor. Tinham sido batizados em seu nome. E agora desejavam saber como viver melhor para ele entre seus compatriotas, que os consideravam inimigos da lei, da religião e do povo de Israel.[25]

A data

Embora não haja como definir categoricamente uma data, é quase certo que esse evangelho foi escrito antes da destruição de Jerusalém, uma vez que esse fato é profetizado por Jesus, no monte das Oliveiras, mas não há nenhum registro de seu cumprimento. A destruição de Jerusalém ocorreu no ano 70 d.C., e Mateus 24.15-28 deixa claro que as advertências proféticas de Jesus ainda não tinham ocorrido. Portanto, o evangelho de Mateus deve ser anterior ao ano 70 d.C.[26]

Vale ressaltar ainda que Mateus é o evangelho que contém mais advertências e críticas contra os saduceus que qualquer outro livro do Novo Testamento. Uma vez que os saduceus deixaram de ser uma força viva no judaísmo depois do ano 70 d.C., o evangelho deve ser datado antes da destruição de Jerusalém.[27] Fritz Rienecker tem razão ao dizer que Mateus precisa ter surgido antes do ano 66 d.C., quando iniciou a Guerra dos judeus e a comunidade teve de emigrar, atravessando o rio Jordão.[28]

A questão sinótica

Mateus, Marcos e Lucas são conhecidos como os evangelhos sinóticos. O termo "sinótico" vem de duas palavras gregas que significam "ver conjuntamente". *Sinótico* significa, literalmente, "que se pode ver ao mesmo tempo". A razão desse nome é que esses três evangelhos oferecem o relato dos mesmos acontecimentos da vida de Jesus.[29] Fritz Rienecker esclarece: "A questão recebe o nome de sinótica porque, compilando-se os textos paralelos de Mateus, Marcos e Lucas, possibilita-se uma visão de conjunto, ou seja, uma sinopse da vida de nosso salvador".[30]

Os evangelhos sinóticos evidenciam uma ampla concordância textual, não obstante mantenham algumas peculiaridades e diferenças. Mesmo olhando para Jesus, sua vida e sua obra por um mesmo ângulo, cada evangelista destaca aspectos específicos da obra e dos ensinamentos de Jesus.

O que podemos ver em Mateus que não se encontra em Marcos e Lucas? 1) O convite aos cansados e sobrecarregados (11.28-30); 2) as parábolas do joio entre o trigo, do tesouro, da pérola, da rede (13.24-30,36-52); 3) o imposto do templo (17.24-27); as parábolas do credor incompassivo (18.23-35), dos trabalhadores na vinha (20.1-16), dos filhos desiguais (21.28-32), das dez virgens, dos talentos e do julgamento do mundo (25.1-46); 4) o relato sobre os guardas do sepulcro (27.62-66).[31]

As características de Mateus

Nenhum livro do Novo Testamento influenciou mais os escritores do século 2 do que o evangelho de Mateus.[32] D. A. Carson diz que, durante os três primeiros séculos da igreja, Mateus é o mais reverenciado e o mais frequentemente citado evangelho sinótico.[33] Michael Green explica que Mateus organizou seu material em cinco blocos distintos:[34]

- Capítulos 1–4 – *Introdução: genealogia, infância* (1–2); batismo e começo do ministério (3– 4).
- Capítulos 5–7 – *Ensinamento 1* – O sermão do monte.
- Capítulos 8 e 9 – Os milagres de cura operados por Jesus.
- Capítulo 10 – *Ensinamento 2* – O comissionamento dos discípulos.
- Capítulos 11 e 12 – A rejeição de João e de Jesus pelos judeus.
- Capítulo 13 – *Ensinamento 3* – As parábolas do reino.
- Capítulos 14–17 – Milagres, controvérsias com fariseus, a confissão de Pedro e a transfiguração.
- Capítulo 18 – *Ensinamento 4* – A igreja.
- Capítulo 19–22 – Jesus vai a Jerusalém e ensina.
- Capítulos 23–25 – *Ensinamento 5* – Julgamento e fim dos tempos.

- Capítulos 26–28 – Os últimos dias, morte e ressurreição de Jesus.

A principal divisão desse evangelho vem de Mateus 13.57. A primeira parte está conectada com seu ministério na Galileia, e a segunda parte, com seu ministério na Judeia. A passagem anteriormente citada sintetiza a primeira parte e aponta para a segunda. Assim, a rejeição de Jesus na Galileia nos prepara para ver uma maior rejeição em Jerusalém, ou seja, como Israel virou as costas para o seu rei. Embora um profeta seja rejeitado em sua terra, ele é aceito fora de sua terra, e isso nos prepara para o fato de que a cruz e a ressurreição começam a forjar um novo povo de Deus entre os gentios.[35]

As ênfases de Mateus

Mateus traz algumas ênfases em sua obra, como as que passamos a destacar a seguir.

Em primeiro lugar, *Mateus foi escrito primordialmente para os judeus.* Mateus, como nenhum outro evangelista, mostra a estreita conexão entre o Antigo e o Novo Testamentos. Michael Green diz que Mateus providencia uma maravilhosa conexão para o correto entendimento do Antigo Testamento, mostrando sua continuidade e a diferença entre cristianismo e judaísmo.[36]

Warren Wiersbe diz que, em seu evangelho, Mateus apresenta pelo menos 129 citações ou alusões ao Antigo Testamento. Ele escreveu principalmente a leitores judeus para mostrar-lhes que Jesus Cristo era, de fato, o Messias prometido. Seu nascimento em Belém (1.22,23) cumpriu a profecia de Isaías 7.14. Sua fuga para o Egito e seu retorno da terra dos faraós (2.14,15) cumpriram a profecia de Oseias 11.1. Quando Jesus se estabeleceu em Nazaré (2.22,23), cumpriram-se várias profecias do Antigo Testamento.[37] Mateus é o evangelho que foi escrito para os judeus. Quando a mulher sírio-fenícia buscou a ajuda de Jesus, a resposta que recebeu foi esta: *Não fui enviado senão às ovelhas perdidas da casa de Israel* (15.24). Quando Jesus enviou os doze para a itinerância evangelística, ele os enviou às ovelhas perdidas da casa de Israel (10.5,6). É óbvio, outrossim, que Mateus não se limita a Israel. Ao contrário, deixa claro que o evangelho deve alcançar também os gentios (8.11). O evangelho deve ser pregado em todo o mundo (24.13), e a grande comissão deve estender-se a todas as nações (28.19).

Em segundo lugar, *Mateus destaca a realeza de Cristo.* Mateus é conhecido como "o evangelho do Rei". Se Lucas deu ênfase em Jesus como o homem perfeito, Marcos como o servo perfeito e João como o filho de Deus, Mateus apresenta Jesus como Rei. Tasker diz, corretamente, que Jesus é aqui apresentado primeira e principalmente como o Rei Messiânico, filho da casa real de Davi, o leão de Judá.[38] Ele abre seu evangelho provando que Jesus é filho de Davi e o herdeiro do seu trono (1.1,2). O título *filho de Davi* é usado mais frequentemente em Mateus (15.22; 21.9; 21.15) do que nos outros evangelhos. Jesus nasceu para ser Rei. Os magos vêm do Oriente procurar o rei dos judeus (2.2). A entrada triunfal em Jerusalém é uma declaração dramatizada da realeza de Jesus (21.1-11). Diante de Pilatos, Jesus aceita o título de Rei (27.11). Até sobre o cimo de sua cruz foi escrito em latim, grego e hebraico: *JESUS, O REI DOS JUDEUS* (27.37). As últimas declarações de Jesus antes de retornar ao céu foram: *Toda a autoridade me foi dada no céu e na terra* (28.18).

Em terceiro lugar, *Mateus está especialmente interessado na igreja.* Mateus, com cores fortes, destacou a igreja. Ele é o único evangelista a usar a palavra "igreja" depois da confissão de Pedro em Cesareia de Filipe (16.13-23 – compare com Mc 8.27-33 e Lc 9.18-22). Mateus é o único que diz que as disputas devem ser resolvidas pela igreja (18.17). A igreja não se restringe a Israel, mas é composta por todos os filhos de Abraão, ou seja, todos os crentes, oriundos de todos os povos. A universalidade do evangelho já aparece em Mateus 2.1-12, quando os magos vêm do Oriente para adorar o menino Jesus. Este realiza milagres para socorrer os judeus e até os elogia por sua fé (8.5-13; 15.21-28). A rainha de Sabá é elogiada por Jesus (12.42). Em suas parábolas, Jesus deixa claro que a bênção rejeitada por Israel era estendida a outras nações (22.8-10; 21.40-46). Em seu sermão profético, Jesus destaca que o evangelho deveria ser pregado a todas as nações (24.14), e a comissão de Jesus inclui todas as nações da terra (28.19,20).

Em quarto lugar, *Mateus dá forte ênfase ao reino dos céus.* Mateus concentra-se no reino dos céus. No Antigo Testamento, a nação de Israel era o reino de Deus na terra (Êx 19.6). A mensagem do reino foi inicialmente pregada por João Batista (3.1,2), depois por Jesus (4.23) e também pelos seus apóstolos (10.1-7). A exigência para participar desse reino é o arrependimento, e não apenas a aceitação de algumas regras. Em seu evangelho, Mateus mostra o significado do reino, o caráter do reino, a vinda do reino, as demandas do reino, a expansão do reino, os inimigos do reino e a relação entre o reino e a igreja.[39]

Em quinto lugar, *Mateus está preocupado essencialmente com os ensinamentos de Cristo.* Mateus é um evangelho acuradamente didático. Ele apresenta vários discursos de Jesus.

Intercala, com esmerada perícia, ensinamentos com obras e discursos com milagres. Concordo com Wiersbe quando ele diz que Mateus descreve Jesus como um Homem de ação e um mestre, registrando pelo menos vinte milagres específicos e seis mensagens principais: o sermão do monte (caps. 5–7), a comissão dos apóstolos (cap. 10), as parábolas do reino (cap. 13), as lições sobre o perdão (cap. 18), as acusações contra os escribas e fariseus (cap. 23) e o discurso profético no monte das Oliveiras (caps. 24 e 25). Pelo menos 60% do livro é dedicado aos ensinamentos de Jesus.[40]

Em sexto lugar, *Mateus destaca com cores vivas a segunda vinda de Cristo.* Mais do que qualquer outro evangelista, Mateus destaca a doutrina das últimas coisas, uma vez que seu discurso escatológico é o mais amplo. Além disso, ele amplia sua mensagem com três parábolas escatológicas (25.1-46). Mateus manifesta seu interesse especial em tudo aquilo que é concernente às últimas coisas e ao juízo final.[41]

Em sétimo lugar, *Mateus enfatiza a universalidade das boas-novas do evangelho.* O evangelho do reino é destinado a judeus e gentios. Não obstante Mateus ser o mais judaico dos evangelhos, ele deixa meridianamente claro em sua obra que os gentios estão incluídos nos planos de Deus. Mulheres gentias como Raabe e Rute estão na genealogia do Messias (1.5). Os magos do Oriente vieram adorar a Jesus, enquanto os líderes de Israel não o reconheceram (2.1-12). Jesus mesmo se dirigiu aos gentios (4.15). Um centurião gentio é elogiado por Jesus acima dos judeus por causa de sua fé (8.10), e muitos gentios tomarão assento com os patriarcas, enquanto os filhos do reino serão lançados fora (8.11,12). Os gentios colocarão sua esperança no Messias (12.17-21). A mulher cananeia é elogiada por sua fé no filho de Davi, em forte contraste com os líderes judeus (15.1-28). A pedra angular, Jesus, rejeitada pelos construtores judeus, será o fundamento da missão aos gentios (21.42,43). O reino de Deus será tirado dos judeus incrédulos e dado a um povo que produza frutos (21.41,43). A grande comissão para fazer discípulos é endereçada a todas as nações (28.18-20).

Em oitavo lugar, *Mateus destaca os embates de Jesus com os religiosos de Israel.* Nos tempos do ministério de Jesus, havia vários grupos em Israel. Os partidos que mais se acomodaram ao governo romano foram os *herodianos*; os que menos se acomodaram a esse governo foram os *zelotes*, os radicais de esquerda daquela época. Os isolacionistas, os que não queriam ter muita interação com a sociedade, eram os *essênios*. Eles optaram por sair da cultura a fim de buscar uma vida santa, para a qual, conforme eles acreditavam, Deus os chamara. Os *saduceus* eram muitas vezes os inimigos dos fariseus e também companheiros deles, pois eram membros do Sinédrio, a organização judaica governante. Eles rejeitaram as tradições orais e não acreditavam na ressurreição do corpo, doutrinas essas defendidas pelos fariseus. Os *fariseus* se dividiam em dois grupos, denominados de acordo com os dois grandes rabinos Hillel e Shammai. Este interpretava a lei de forma rigorosa, e aquele, de forma progressista e liberal.[42]

Frequentemente, o evangelista Mateus chama a atenção para os embates de Jesus com os escribas e fariseus e também com os saduceus. Quando o partido dos fariseus surgiu? O precursor religioso e filosófico dos fariseus é Esdras (7.10). Os fariseus surgiram como uma reação à helenização de Alexandre, o Grande, que construiu seu império, incluindo a Palestina, de 336 a 323 a.C. Alexandre espalhou a cultura grega nos domínios do seu império: a literatura, as instituições, o entretenimento, as ideias, os nomes, as normas, as moedas e a língua. Tudo isso ajudou a corroer a identidade dos judeus. O helenismo tornou-se uma ameaça tão grande para Israel nesse tempo quanto era a idolatria dos séculos anteriores. Os judeus piedosos, chamados de fariseus, resistiram a essa aculturação grega, numa espécie de movimento de reavivamento do judaísmo.

Os fariseus, mais tarde, no século 2 a.C., por meio do sacerdote Matatias e seu filho Judas Macabeu, lideraram a revolta contra o governo sírio, que, com punhos de aço, tentou erradicar o judaísmo e profanar a religião judaica. As ações de Antíoco IV Epifânio, em 167 a.C., de ligar o deus Júpiter dos gregos com o Deus de Israel e sacrificar um suíno no altar do templo, desencadearam a Revolta dos Macabeus. Esse ato é comumente chamado de *o abominável da desolação* (24.15). Sob a liderança de Judas Macabeu, o controle da Palestina foi tirado das mãos dos sírios e entregue aos judeus, pela primeira vez em quatrocentos anos. O templo de Jerusalém foi então novamente dedicado a Deus na festa das Luzes, ou Hanucá. Nesse cenário, os fariseus tornaram-se proeminentes, formando uma dinastia política e um partido oficial. Mais tarde, porém, João Hircano aliou-se aos saduceus, que eram mais liberais, uma vez que Hircano, além de rei, queria também ser sacerdote.[43]

Cerca de cento e cinquenta anos antes do ministério público de Jesus Cristo, surgiram, então, os dois grandes partidos do judaísmo sobre os quais lemos no Novo Testamento, os fariseus e os saduceus. Os fariseus continuaram com a ideologia patriótica dos macabeus, e os saduceus, com as inclinações helenísticas. Os saduceus enfatizavam a centralidade do templo e dos rituais, enquanto a base de operações dos fariseus eram as sinagogas.[44] Tom Hovestol diz que os fariseus buscavam ser puros como os puritanos e piedosos como os pietistas.[45] O Talmude descreve sete tipos distintos de fariseus: 1) O fariseu *ombro* usava suas boas ações em seu ombro para que todos pudessem vê-lo; 2) O fariseu *espere um pouquinho* sempre achava uma desculpa para adiar uma boa ação; 3) O fariseu *contundido* fechava os olhos para não ver uma mulher e trombava com as paredes, contundindo-se; 4) O fariseu *corcunda* sempre andava encurvado, um sinal de falsa humildade; 5) O fariseu *cálculo contínuo* sempre contava o número de suas boas ações; 6) O fariseu *receoso* sempre tremia de medo por causa da ira de Deus; 7) O fariseu *amoroso para com Deus* era uma cópia de Abraão que vivia pela fé e com amor. A piedade dos fariseus, como a nossa, era uma mistura de atitudes falsas e verdadeiras.[46]

Com o tempo, o fervor dos fariseus tornou-se apenas um zelo legalista. A forma tomou o lugar da essência. Os saduceus, por sua vez, por amor ao dinheiro, fizeram do templo um covil de salteadores. Jesus combateu tanto os fariseus como os saduceus, e eles, mesmo sendo rivais, uniram-se para matar o filho de Deus.

NOTAS

[1] EARLE, Ralph. "O evangelho segundo Mateus". In: *Comentário bíblico Beacon.* Vol. 6. Rio de Janeiro, RJ: CPAD, 2015, p. 21.
[2] GREEN, Michael. *The message of Matthew.* Downers Grove, IL: InterVarsity Press, 2000, p. 19.
[3] EARLE, Ralph. "O evangelho segundo Mateus", p. 21.
[4] GREEN, Michael. *The message of Matthew*, p. 11.
[5] IBIDEM, p. 19.
[6] RIENECKER, Fritz. *Evangelho de Mateus.* Curitiba, PR: Esperança, 1998, p. 19.
[7] HENDRIKSEN, William. *Mateus.* Vol. 1. São Paulo, SP: Cultura Cristã, 2010, p. 127.

[8] Carson, D. A. "Matthew". In: *The expositor's Bible commentary.* Vol. 8. Grand Rapids, MI: Zondervan Publishing House, 1984, p. 17.
[9] Elwell, Walter A.; Yearbrough, Robert W. *Descobrindo o Novo Testamento.* São Paulo, SP: Cultura Cristã, 2002, p. 78.
[10] Rienecker, Fritz. *Evangelho de Mateus*, p. 20.
[11] Barclay, William. *Mateo II.* Buenos Aires: Editorial La Aurora, 1973, p. 12.
[12] Rienecker, Fritz. *Evangelho de Mateus*, p. 23.
[13] Ibidem.
[14] Green, Michael. *The message of Matthew*, p. 20.
[15] Earle, Ralph. *O evangelho segundo Mateus*, p. 21.
[16] Miranda, Osmundo Afonso. *Estudos introdutórios nos evangelhos sinóticos.* São Paulo, SP: Casa Editora Presbiteriana, 1989, p. 107.
[17] Bruce, F. F. *Merece confiança o Novo Testamento?* São Paulo: Vida Nova, 1965, p. 45.
[18] Green, Michael. *The message of Matthew*, p. 21.
[19] Bittencourt, B. P. *O Novo Testamento.* São Paulo, SP: Aste, 1965, p. 28.
[20] Hendriksen, William. *Mateus*, p. 53.
[21] Barclay, William. *Mateo I.* Buenos Aires: Editorial La Aurora, 1973, p. 8,9, 12.
[22] Green, Michael. *The message of Matthew*, p. 24-25.
[23] Pinto, Carlos Osvaldo Cardoso. *Foco & desenvolvimento no Novo Testamento.* São Paulo, SP: Hagnos, 2014, p. 34.
[24] Carson, D. A. *Matthew*, p. 21.
[25] Green, Michael. *The message of Matthew*, p. 27.
[26] Pinto, Carlos Osvaldo Cardoso. *Foco & desenvolvimento no Novo Testamento*, p. 34.
[27] Ibidem.
[28] Rienecker, Fritz. *Evangelho de Mateus*, p. 27.
[29] Barclay, William. *Mateo I*, p. 8.
[30] Rienecker, Fritz. *Evangelho de Mateus*, p. 21.
[31] Ibidem.
[32] Tasker, R. V. G. *Mateus: introdução e comentário.* São Paulo, SP: Vida Nova, 1999, p. 13.
[33] Carson, D. A. *Matthew*, p. 19.
[34] Green, Michael. *The message of Matthew*, p. 30.
[35] Ibidem, p. 33-34.
[36] Ibidem, p. 37.
[37] Wiersbe, Warren W. *Comentário bíblico expositivo.* Vol. 5. Santo André, SP: Geográfica Editora, 2006, p. 9.

[38] Tasker, R. V. G. *Mateus: introdução e comentário*, p. 16.
[39] Green, Michael. *The message of Matthew*, p. 43-47.
[40] Wiersbe, Warren W. *Comentário bíblico expositivo*, p. 10.
[41] Barclay, William. *Mateo I*, p. 14.
[42] Hovestol, Tom. *A neurose da religião.* São Paulo, SP: Hagnos, 2009, p. 40.
[43] Ibidem, p. 243-248.
[44] Ibidem, p. 246-247.
[45] Ibidem, p. 36.
[46] Ibidem, p. 96-97.

Capítulo 1

A linhagem humana do Rei

(Mt 1.1-17)

O Novo Testamento inicia-se, como o Antigo Testamento, com um "livro de Gênesis", isto é, com um livro das origens. O evangelho de Mateus é aberto com a árvore genealógica de Cristo.[1] Em grego, a expressão *biblos geneseos* significa "registro das origens" (1.1). Assim, o nascimento de Jesus assinala um novo começo, não apenas para Israel, mas para toda a raça humana.[2] No Antigo Testamento, tratava-se do nascimento do primeiro Adão; no Novo Testamento, trata-se do nascimento do segundo Adão.[3] William Hendriksen destaca o fato de que em Mateus 1.1-17 deparamos com uma genealogia descendente, ao passo que Lucas 3.23-38 nos apresenta uma árvore genealógica ascendente.[4]

O povo judeu nos dias de Jesus atribuía grande importância a registros genealógicos. Tais registros eram guardados pelo Sinédrio e utilizados com o objetivo de manter a pureza da descendência. Josefo, o famoso historiador judeu, que serviu na corte romana, iniciou sua autobiografia com uma listagem de seus ancestrais. De modo semelhante, Mateus inicia seu evangelho traçando a linhagem de Jesus.[5]

D. A. Carson diz que no antigo Oriente Médio a genealogia servia largamente a diversas funções, como: econômica, tribal, política e doméstica.[6] É claro que essa não era a melhor forma de iniciar uma obra se esta fosse endereçada primariamente aos gentios; porém, como os judeus, os destinatários primeiros desse evangelho, davam suprema importância à genealogia, Mateus usa esse método para provar que Jesus Cristo não é uma figura isolada nem um inovador, mas alguém que foi prometido por Deus, em abundantes profecias. Seu nascimento é o cumprimento de suas preciosas promessas a seu povo. A profecia envolve uma verdade gloriosa, a saber, que o universo é regido por um plano eterno de Deus e que ele trabalha eficazmente na história para que esse plano ordenado jamais seja frustrado, mas que se cumpra assim como ele determinou.

O evangelista Mateus apresenta a linhagem humana de Jesus (1.1-17), bem como sua linhagem divina (1.18-25). Matthew Henry afirma que o Antigo Testamento começa com o livro da criação do mundo, e é a sua glória que seja assim; mas a glória do Novo Testamento é começar com a genealogia daquele que criou o mundo.[7] O clímax da obra de Deus em favor da humanidade através dos séculos é Jesus.[8]

Carlos Osvaldo tem razão ao dizer que, dessa forma, Jesus Cristo é apresentado como o judeu por excelência, pois, além de ser descendente de Abraão, com direito às promessas da aliança abraâmica (Gn 12.1-3; 15.1-21), é também descendente de Davi, com direito às promessas da aliança davídica (2Sm 7).[9] É claro que Jesus não era um mero herdeiro judeu das promessas abraâmicas; ele cumpria a promessa feita a Abraão. Jesus Cristo, o ungido de Deus, o Messias, é o mais alto de todos os reis e o mais sacerdotal de todos os sacerdotes, assim como o mais inspirado e inspirador entre todos que alguma vez foram profetas de Deus.[10] As profecias do Antigo Testamento afirmavam que o Messias nasceria de uma mulher (Gn 3.15), da descendência de Abraão (Gn 22.18), da tribo de Judá (Gn 49.10) e da família de Davi (2Sm 7.12,13).

Mateus abre seu evangelho assim: *Livro da genealogia de Jesus Cristo, filho de Davi, filho de Abraão* (1.1). Mateus usa os dois nomes, *Jesus Cristo.* O primeiro é o nome *Jesus,* dado pelo anjo a José (1.21), descrevendo a missão da criança. O segundo nome era originariamente um adjetivo verbal, que significa *ungido.*[11]

No versículo de abertura de seu evangelho, Mateus já toca a nota que há de soar através de toda a sua narrativa. Ele está interessado, primeira e principalmente, em mostrar que Jesus é o Messias, descendente direto da casa real de Davi e da posteridade de Abraão, a quem as promessas divinas foram primeiro feitas e com quem se pode dizer que a "história sagrada" começou. Consequentemente, Jesus não é um inovador nem uma figura isolada.[12] O título *filho de Davi* ocorre ao longo do evangelho de Mateus (9.27; 12.23; 15.22; 20.30,31; 21.9,15; 22.42,45). Vale destacar que Davi recebeu uma clara promessa da parte de Deus:

Este edificará uma casa ao meu nome, e eu estabelecerei para sempre o trono do seu reino (2Sm 7.13). Um membro de sua posteridade seria rei através das gerações: *Ele permanecerá enquanto existir o sol e enquanto durar a lua, através das gerações* (Sl 72.5). Deus ainda prometeu: *Farei durar para sempre a sua descendência; e, o seu trono, como os dias do céu* (Sl 89.29). R. C. Sproul diz que a expressão "filho de Davi" é empregada mais por Mateus do que por qualquer outro evangelista, pois o Messias viria dos lombos do maior rei do Antigo Testamento: seria fruto da semente e da linhagem de Davi.[13]

Matthew Henry prossegue nessa mesma linha de pensamento e diz que o objetivo de Mateus é provar que o nosso Senhor Jesus Cristo é o filho de Davi e o filho de Abraão, portanto, daquela nação e daquela família das quais o Messias viria ao mundo. Abraão e Davi eram os grandes depositários da promessa relativa ao Messias. A promessa da bênção foi feita a Abraão e à sua semente, e a do poder, a Davi e à sua semente.[14]

Mateus organizou a genealogia de Jesus Cristo em três grupos de catorze nomes cada um (1.17), demostrando sua preocupação com simetria. Concordo com A. T. Robertson quando ele diz que Mateus não quer dizer que só havia catorze descendentes em cada uma das três listas genealógicas.[15] Hendriksen, por sua vez,[16] vê no fato de Jesus ser apresentado ao final da lista de três grupos de catorze nomes que nele o novo e o antigo se encontram. Ele é o Alfa e o Ômega, o Princípio e o Fim, o coração e o centro de tudo. Fora dele não existe salvação. Ele é o Messias, o autêntico antítipo de Davi. E, no decurso da história da redenção, como aqui simbolizada em suas três grandes etapas, o plano de Deus, traçado desde a eternidade, foi perfeitamente realizado.

O primeiro grupo vai de Abraão até Davi (1.2-6a); o segundo, de Salomão até o cativeiro babilônico (1.6b-11); e o terceiro, do cativeiro babilônico até Jesus (1.12-16). Sunderland Lewis entende que Mateus, ao usar esses três grupos de catorze nomes cada, foi indubitavelmente influenciado pelo simbolismo dos números do Antigo Testamento. O primeiro grupo compreende o tempo dos patriarcas e dos juízes, a primavera do povo judeu. O segundo grupo compreende o tempo dos reis, o tempo de verão e o outono da nação. O terceiro grupo compreende o tempo da decadência dos judeus, o inverno de sua existência política.[17] Nessa mesma linha de pensamento, William Barclay diz que os hebreus não possuíam números em seu sistema de escrita e usavam as letras como numerações, cada uma com um valor definido, como 1 para A, 2 para B e assim sucessivamente. As consoantes da palavra "David" em hebraico são DWD. Em hebraico, D representa 4, e W representa 6. Portanto, DWD é a soma de 4 + 6 + 4 = 14. Com isso, essa genealogia tem o propósito de demonstrar que Jesus é o filho de Davi.[18]

As Escrituras nos apresentam a genealogia de Jesus em duas perspectivas. Mateus começa com Abraão e segue adiante até Jesus, e Lucas começa com Jesus e retrocede até Adão. Mateus apresenta Jesus como o Rei dos judeus e Lucas, como o homem perfeito. Em Mateus, temos a genealogia de José, que seria a genealogia legal de Jesus de acordo com o costume judaico. Em Lucas, entretanto, temos a genealogia da realeza de Jesus por meio de Maria, que, como seria de esperar, Lucas registra por estar escrevendo para os gentios.[19] Marcos e João não tratam da genealogia de Jesus Cristo, por causa do propósito para o qual escreveram. Escrevendo para os romanos, Marcos apresenta Jesus como servo e destaca suas obras mais do que suas palavras.

João, escrevendo um evangelho universal, tem como escopo apresentar Jesus como o filho de Deus e, como tal, ele não tem genealogia.

Algumas lições importantes podem ser aprendidas da genealogia de Jesus Cristo.

Na genealogia de Jesus Cristo, vemos que Deus sempre cumpre a sua Palavra

Deus havia prometido em sua Palavra que, na família de Abraão, todas as famílias da terra, ou seja, todas as nações, seriam benditas (Gn 12.3) e que da família de Davi haveria de sair o salvador (Is 11.1). Portanto, ao chamar Cristo de filho de Davi e filho de Abraão, Mateus demonstra que Deus é fiel à sua promessa e cumpre tudo o que diz. Matthew Henry diz acertadamente que, quando Deus prometeu a Abraão um filho, o qual deveria ser a grande bênção do mundo, talvez ele esperasse que este fosse seu filho imediato; mas ficou comprovado que se tratava de um descendente que estava a 42 gerações de distância, cerca de dois mil anos.[20]

John Charles Ryle diz que esses dezessete versículos provam que Jesus descendeu de Davi e de Abraão e que a promessa de Deus se cumpriu.[21] A palavra de Deus não pode falhar. As promessas de Deus são fiéis e verdadeiras. O que Deus promete, ele cumpre. Ele vela pelo cumprimento da sua Palavra.

Na genealogia de Jesus Cristo, vemos que pessoas más fazem parte da família do salvador

Destacamos a seguir quatro pontos a esse respeito.

Em primeiro lugar, *vemos na genealogia de Jesus Cristo mulheres em cuja vida há marcas reprováveis.* Tamar coabitou com o seu próprio sogro, Judá, e dele gerou dois filhos gêmeos: Perez e Zera. Raabe era prostituta em Jericó; Rute era moabita; e Bate-Seba, mãe de Salomão, adulterou com Davi. Provavelmente nenhum personagem gostaria de destacar em sua biografia mulheres com esse passado. Mas por que elas estão inseridas na genealogia de Jesus Cristo? Para reforçar a verdade de que o filho de Deus se identificou com os pecadores a quem veio salvar. Charles Spurgeon diz que Jesus é o herdeiro de uma linhagem na qual flui o sangue da prostituta Raabe e da camponesa Rute; ele é parente dos caídos e dos humildes e mostrará o seu nome até mesmo aos mais pobres e vis.[22]

Em segundo lugar, *vemos na genealogia de Jesus homens em cuja vida há marcas de mentira.* Os patriarcas mencionados aqui, Abraão, Isaque e Jacó, tiveram momentos de fraqueza na área da mentira. Eles não só se omitiram, mas esconderam a verdade e inverteram os fatos por medo de sofrer as consequências de seus atos. Foram fracos e repreensíveis. Isso prova que Deus nos escolhe não pelos nossos méritos, mas apesar dos nossos deméritos.

Em terceiro lugar, *vemos na genealogia de Jesus homens em cuja vida há marcas de violência.* Na lista da genealogia de Jesus, há homens como Davi, cujas mãos estavam cheias de sangue. Roboão governou Judá com truculência. O rei Acaz queimou seus filhos, perseguiu seu próprio povo e cerrou ao meio o profeta Isaías. Manassés foi muito violento. Ele encheu Jerusalém de sangue. Foi um monstro. Um tormento para seu próprio povo. Oh, jamais escolheríamos homens dessa estirpe para integrar nossa família. Oh, a genealogia de Jesus Cristo aponta para a infinita misericórdia de Deus! Ele ama com amor eterno os mais indignos.

Em quarto lugar, *vemos na genealogia de Jesus homens em cuja vida há marcas de idolatria.* Salomão, por causa de suas muitas mulheres, sucumbiu à idolatria. Roboão fez um bezerro de ouro e construiu novos templos em Israel para desviar o povo de Deus. Acaz fechou a casa de Deus e encheu Jerusalém de ídolos abomináveis. Manassés foi astrólogo, idólatra e feiticeiro. Levantou altares pagãos e prostrou-se diante de todo o exército dos céus. Oh, na esteira da genealogia de Jesus Cristo temos pessoas que nos deixam perplexos por causa de sua afrontosa rebeldia contra Deus. Isso prova, de forma incontestável, que Deus ama os objetos de sua ira e enviou Jesus para identificar-se com os pecadores e salvá-los de seus pecados.

Antes, porém, de ficarmos mais chocados com essa assombrosa lista, olhemos para nós mesmos. Somos indignos. Somos pecadores. Somos culpados. Nosso coração é desesperadamente corrupto. Por que Deus nos escolheu? Por que ele nos amou? Por que ele não poupou o seu próprio filho, antes por todos nós o entregou, para morrer em nosso lugar? A resposta é: Por causa de sua graça, que é maior do que o nosso pecar.

Na genealogia de Jesus Cristo, vemos como Deus quebra grandes barreiras

Michael Green tem razão ao dizer que Mateus nos mostra, pela genealogia de Jesus Cristo, três verdades sublimes, como vemos a seguir.[23]

Em primeiro lugar, *a barreira entre homem e mulher é quebrada*. O antigo desprezo pela mulher desaparece. Homem e mulher são amados por Deus e incluídos no plano de Deus.

Em segundo lugar, *a barreira entre judeus e gentios é quebrada*. Em Jesus não há judeu nem grego, nem sábio nem ignorante, nem escravo nem livre. Mateus mostra aqui o evangelho que alcança todos os povos.

Em terceiro lugar, *a barreira entre pessoas boas e más é quebrada*. Na esteira da genealogia de Jesus, há pessoas piedosas e pessoas ímpias, pessoas que andaram com Deus e pessoas que se insurgiram contra Deus. John Charles Ryle chama a atenção para o fato de que pais piedosos tiveram filhos malvados e ímpios, enquanto homens perversos tiveram filhos piedosos. A graça não é herança de família; é necessário mais do que bons exemplos e bons conselhos para nos tornarmos filhos de Deus. Os que nascem de novo não são gerados do sangue, nem da vontade da carne, nem da vontade do homem, mas de Deus (Jo 1.13).[24] É importante ainda ressaltar que mesmo as pessoas mais virtuosas dessa longa lista eram pecadoras. O apóstolo Paulo é enfático ao dizer: *Pois todos pecaram e carecem da glória de Deus* (Rm 3.23).

Na genealogia de Jesus Cristo, vemos como a graça de Deus alcança pecadores como nós

Assim como os personagens elencados por Mateus foram homens e mulheres pecadores, da mesma forma esses versículos demonstram que nada está fora do alcance da misericórdia divina.

John Charles Ryle está certo ao dizer que, mesmo que os nossos pecados sejam tão grandes como os de qualquer pessoa mencionada por Mateus, eles não nos fecharão as portas do céu, desde que nos arrependamos e creiamos no evangelho. Assim como o Senhor não se envergonhou de nascer de uma mulher cuja genealogia contém nomes como os que acabamos de considerar, também não se envergonhará de nos chamar de irmãos e de nos dar a vida eterna.[25]

NOTAS

[1] HENDRIKSEN, William. *Mateus*. Vol. 1, p. 138.
[2] RICHARDS, Lawrence O. *Comentário histórico-cultural do Novo Testamento*. Rio de Janeiro, RJ: CPAD, 2012, p. 10.
[3] RIENECKER, Fritz. *Evangelho de Mateus*, p. 31.
[4] HENDRIKSEN, William. *Mateus*. Vol. 1, p. 138.
[5] MOUNCE, Robert H. *Mateus*. São Paulo, SP: Editora Vida, 1996, p. 15.
[6] CARSON, D. A. *Matthew*, p. 62.
[7] HENRY, Matthew. *Comentário bíblico de Matthew Henry – Mateus a João*. Rio de Janeiro, RJ: CPAD, 2010, p. 2.
[8] GREEN, Michael. *The message of Matthew*, p. 57.
[9] PINTO, Carlos Osvaldo Cardoso. *Foco & desenvolvimento no Novo Testamento*, p. 38.
[10] EARLE, Ralph. *O evangelho segundo Mateus*, p. 29.
[11] ROBERTSON, A. T. *Comentário de Mateus & Marcos*. Rio de Janeiro, RJ: CPAD, 2012, p. 22.
[12] TASKER, R. V. G. *Mateus: introdução e comentário*, p. 24.
[13] SPROUL, R. C. *Mateus*. São Paulo, SP: Cultura Cristã, 2017, p. 10.
[14] HENRY, Matthew. *Comentário bíblico de Matthew Henry – Mateus a João*, p. 2.
[15] ROBERTSON, A. T. *Comentário de Mateus & Marcos*, p. 23.
[16] HENDRIKSEN, William. *Mateus*. Vol. 1, p. 143.
[17] LEWIS, Sunderland. "Matthew". In: *The preacher's homiletic Commentary*. Vol. 21. Grand Rapids, MI: Baker Books, 1996, p. 8.
[18] BARCLAY, William. *Mateo I*, p. 18-19.
[19] ROBERTSON, A. T. *Comentário de Mateus & Marcos*, p. 22.
[20] HENRY, Matthew. *Comentário bíblico de Matthew Henry – Mateus a João*, p. 3.
[21] RYLE, John Charles. *Comentário expositivo do evangelho segundo Mateus*. São Paulo, SP: Imprensa Metodista, 1959, p. 10.

[22] Spurgeon, Charles H. *O evangelho segundo Mateus.* São Paulo, SP: Hagnos, 2018, p. 21.

[23] Green, Michael. *The message of Matthew*, p. 59.

[24] Ryle, John Charles. *Comentário expositivo do evangelho segundo Mateus*, p. 10.

[25] Ibidem.

Capítulo 2

A linhagem divina do Rei

(Mt 1.18-25)

Mateus passa da linhagem humana do Rei para sua linhagem divina, mostrando que o nascimento de Jesus foi absolutamente diferente da origem de todas as pessoas mencionadas na genealogia anterior, uma vez que ele nasceu não de um relacionamento físico entre José e Maria, mas foi concebido por obra do Espírito Santo no ventre de Maria. Sua concepção foi sobrenatural, e seu nascimento foi virginal. Como homem, Jesus não teve pai e, como Deus, não teve mãe. Jesus Cristo, sendo Deus eterno, existia antes de Maria, de José ou de qualquer outro membro de sua genealogia. Ele disse aos judeus: *... antes que Abraão existisse,* EU SOU (Jo 8.58).

Algumas verdades devem ser aqui destacadas, como vemos a seguir.

A gravidez sobrenatural de Maria (1.18)

A. T. Robertson diz que Mateus está a ponto de descrever não a gênese do céu e da terra, mas a gênese daquele que fez o céu e a terra, e que ainda fará um novo céu e uma nova terra.[1]

Mateus e Lucas relatam o nascimento de Jesus em perspectivas diferentes. Mateus trata do assunto na perspectiva de José, e Lucas, na perspectiva de Maria. As duas narrativas se harmonizam. Mateus fala sobre José como pai adotivo, e Lucas fala sobre Maria como mãe real. Mateus e Lucas insistem que Jesus não teve pai humano.[2] Podemos sintetizar essa magna verdade assim: Como homem, Jesus não teve pai; como Deus, Jesus não teve mãe.

Tasker diz que uma das calúnias que os cristãos primitivos tiveram de refutar foi a de que Jesus teria nascido de uma união fora do casamento.[3] Maria estava comprometida com José, como sua noiva, mas o casamento ainda não havia sido consumado.

Naquele tempo, o noivado era um compromisso mais solene do que o é em nossa cultura. Era firmado diante de testemunhas. Era um contrato que não podia ser quebrado particularmente, mas apenas por um processo legal. Pública e legalmente, o casamento já era considerado uma realidade, mas de fato ainda não estava consumado. Fritz Rienecker, nessa mesma linha de pensamento, explica que, sob o aspecto jurídico, o noivado era equivalente ao matrimônio, pois a noiva já era considerada legalmente esposa. Se um noivo morria, a mulher se tornava "viúva". O casamento propriamente consistia apenas na solene cerimônia de levar a noiva para a casa do noivo. O texto deixa isso claro, como podemos ver a seguir. As expressões que dizem, no versículo 19, "José, esposo de Maria"; versículo 20, Maria é a "mulher de José"; e versículo 24, José recebeu "a sua mulher", comprovam essa realidade.[4]

Corroborando essa ideia, Tasker aponta que um contrato de casamento judeu diferia radicalmente de um noivado moderno. O casal cujo casamento estivesse contratado não poderia legalmente separar-se, exceto pelo divórcio ou pela morte de um deles, o que tornaria o outro viúvo ou viúva.[5]

Foi, portanto, no interregno do noivado à consumação do casamento que o anjo Gabriel visitou Maria em Nazaré. Nessa ocasião, Maria foi comunicada de que seria mãe do salvador, de que desceria sobre ela a sombra do altíssimo e de que, pela ação soberana do Espírito Santo, ela conceberia e daria à luz o filho de Deus. R. C. Sproul está correto ao afirmar que o pai da criança no ventre de Maria não era um amante ilícito, tampouco José; a paternidade fora concretizada pela atividade sobrenatural do Espírito Santo. No Credo Apostólico, recitamos: "Jesus Cristo [...] foi concebido pelo Espírito Santo, nasceu da virgem Maria...". Esses dois aspectos milagrosos, sua concepção e seu nascimento, eram partes integrantes da fé da igreja cristã nos primeiros séculos.[6] Hendriksen é enfático ao dizer que, à parte da revelação especial, a ideia de um nascimento virginal não se encontra em lugar algum na literatura judaica antiga.[7]

A fuga secreta de José (1.19)

O anjo Gabriel apareceu para Maria, mas não para José. Imediatamente depois da visita do anjo a Maria, ela foi ao encontro de sua prima Isabel, na Judeia, e ali ficou três meses, até o nascimento de João Batista. Ao retornar a Nazaré, sua gravidez era notória. José teve uma luta curta e trágica entre a sua consciência legal e o seu amor.[8] Maria não compartilha com José o fato miraculoso, e José, sendo justo e não querendo infamá-la, resolveu divorciar-se sem alarde. José prefere sofrer o dano a expor Maria ao opróbrio público. Charles Spurgeon aconselha: "Quando nós precisamos fazer algo grave, devemos escolher a forma mais terna, ou talvez não precisemos fazê-lo de modo algum".[9]

Fritz Rienecker diz que havia dois caminhos para esse divórcio de José: *publicamente,* isto é, mediante um processo, ou *privadamente,* por acordo tácito mediante uma carta de divórcio. A consequência do processo seria uma *pena,* que no domínio romano consistiria em expor Maria à vergonha pública. José escolheu o outro caminho, que era separar-se entregando a Maria uma carta de divórcio, privadamente, com o consentimento dela. Desse modo, o escândalo não viria a público.[10]

A infidelidade no período do noivado era considerada adultério e motivo suficiente para romper o noivado. Ainda mais, o adultério era castigado com a morte por apedrejamento, aplicado a ambos, ao homem e à mulher (Dt 22.23,24). Como Israel estava sob o domínio do império romano, a pena de morte foi tirada dos judeus e era executada somente pelos romanos. Em João 18.31, os judeus dizem a Pilatos: *A nós não nos é lícito matar ninguém*. Mas José, por amor a Maria e pela grandeza de seu caráter justo, prefere sair de cena e não incriminar sua noiva.

A anunciação feita a José (1.20)

A mente de José era um turbilhão. A gravidez de Maria tornou-se uma tempestade em sua alma. José estava atordoado com esse vendaval que desabou sobre sua cabeça.

Enquanto ponderava sobre essas coisas, um anjo do Senhor apareceu a ele, em sonhos, para esclarecer seus questionamentos e remover de seu coração o medo. Rienecker está certo ao dizer: "Nessa circunstância incrivelmente tensa, em que não se vislumbrava saída alguma, e na qual pareciam sobrar para as duas pessoas religiosas José e Maria apenas o adultério e a vergonha, tornava-se necessária a intervenção de um poder maior, a saber, o poder do próprio Deus".[11]

O anjo chama-o de filho de Davi. José não deveria rejeitar o filho de Maria, mas conferir a ele uma linhagem real. Concordo com Michael Green quando ele diz que Mateus está interessado não no aspecto biológico de Jesus, mas em seu *status* legal. Legalmente, Jesus era filho de José e dele herdou sua linhagem davídica. Biologicamente, Mateus sustenta que Jesus não era filho de José. Ele nasceu da virgem Maria mediante uma intervenção direta do Espírito Santo.[12]

José também não deveria rejeitar Maria, mas deveria aceitá-la como bem-aventurada entre as mulheres. O que estava em seu ventre não era fruto do pecado, mas obra do Espírito Santo. Maria não fora infiel ao noivo, mas era serva do altíssimo, para cumprir seu propósito. Os judeus relacionavam o Espírito de Deus à obra da Criação. Pelo seu Espírito, Deus deu ordem ao caos (Gn 1.2), fez os céus e o exército deles (Sl 33.6), criou os animais e as plantas (Sl 104.30) e deu vida ao homem (Jó 33.4).

O nome e a missão dada ao filho de José (1.21)

José, como pai legal de Jesus, teve o direito de dar nome a ele. Seu nome descrevia sua missão. Seria chamado Jesus, porque salvaria o seu povo de seus pecados. Jesus não era um filho ilegítimo, mas o salvador do seu povo.

Não seria uma vergonha para a família, mas a esperança dos pecadores. O evangelista João registra: *Porquanto Deus enviou seu filho ao mundo, não para que julgasse o mundo, mas para que o mundo fosse salvo por ele* (Jo 3.17). John Charles Ryle diz que Jesus nos salva da culpa do pecado, do domínio do pecado, da presença do pecado e das consequências do pecado.[13]

Jesus é a forma grega do nome hebraico "Josué", que significa "Javé é salvação". Muito tempo antes, o salmista havia dito: *É ele quem redime a Israel de todas as suas iniquidades* (Sl 130.8). Tudo no Antigo Testamento aponta para Jesus. Os patriarcas falaram dele. Os profetas apontaram para ele. O cordeiro da Páscoa era um símbolo dele. Para ele o tabernáculo apontou. A arca da aliança era um símbolo dele. As festas de Israel e os sacrifícios feitos no templo, tudo apontava para ele. O sábado era uma sombra dele. Ele é a realidade. Ele é a consumação. Nele convergem todas as coisas, tanto as do céu como as da terra.

Michael Green está correto ao dizer que Mateus registra no primeiro capítulo de seu evangelho a progressão da revelação de Deus. Primeiro, Deus falou por meio da história, o que fica claro na genealogia de Jesus (1.1-17); segundo, Deus falou por meio de sonhos. Cinco vezes nos primeiros dois capítulos, Deus se fez conhecer por meio de sonhos (1.20); terceiro, Deus falou por meio de anjos, seus mensageiros espirituais que apareceram em sonhos ou visões (1.20; 2.13,19); quarto, Deus falou por meio das Escrituras, uma vez que tudo isso aconteceu para se cumprirem as Escrituras (1.22), deixando claro a confiabilidade do Antigo Testamento e a unidade das Escrituras; quinto, Deus revelou a si mesmo por meio do seu filho, o Emanuel, Deus conosco (1.23).[14]

O cumprimento da promessa de Deus (1.22,23)

O nascimento de Jesus não foi fruto do acaso, mas cumprimento de profecia (Is 7.14). Sua concepção não era evidência da infidelidade de Maria, mas da fidelidade de Deus em cumprir sua promessa. A promessa de que a virgem conceberia e daria à luz um filho, devendo ele ser chamado de Emanuel, Deus conosco, era não o desfazimento de um noivado firmado pelo amor entre dois jovens, mas a concretização da maior prova de amor do próprio Deus. Concordo com Charles Spurgeon quando ele diz que, para animar José e fortalecê-lo, as Sagradas Escrituras são trazidas à sua memória; e, verdadeiramente, quando estamos em um dilema, nada nos concede tanta confiança quanto manter os oráculos sagrados guardados no coração.[15]

Vale destacar que a palavra hebraica *almah,* traduzida aqui por "virgem", jamais é usada em referência a uma mulher casada, nem na Bíblia nem em qualquer outro lugar. Na profecia de Isaías 7.14, a palavra *almah* não pode ser ao mesmo tempo virgem e não virgem.[16] Qual é a importância doutrinária de Jesus ter nascido de uma virgem por obra do Espírito Santo? Hendriksen responde:

> Se Cristo tivesse sido o filho de José e Maria por geração ordinária, ele teria sido uma pessoa humana e, como tal, um participante da culpa de Adão, e, por isso, um pecador, incapaz de salvar a si mesmo, daí também incapaz de livrar outros de seus pecados. Para que pudesse nos salvar, o redentor tinha de ser Deus e homem, homem sem pecado, numa só pessoa. A doutrina do nascimento virginal satisfaz todas essas exigências.[17]

Deus havia falado muitas vezes, de muitas maneiras, aos pais, pelos profetas, mas, agora, Deus vem pessoalmente, na pessoa de seu filho, para armar sua tenda entre nós. Na humanidade velada, vemos a divindade. Ele é Deus manifestado em carne (1Tm 3.16). Nele habita corporalmente toda a plenitude da divindade (Cl 2.9). Ele vem como Emanuel, Deus conosco. Jesus não é simplesmente um profeta que vem falar da parte de Deus; ele é o próprio Deus. Ele é o resplendor da glória de Deus e a exata expressão do seu ser. Ele é Deus da mesma substância, Deus de Deus, luz de luz, coigual, coeterno e consubstancial com o Pai. Tem os mesmos atributos e realiza as mesmas obras.

A obediência de José (1.24)

José não hesita, não questiona nem protela a ação. Imediatamente obedece à ordem do anjo: volta a Maria e a recebe como sua mulher, consumando o casamento. Maria precisa de proteção e amor, e foi isso que José proporcionou nessa difícil, porém gloriosa missão dada a ela pelo Deus altíssimo.

A consumação da promessa divina (1.25)

Mateus deixa claro que José não coabitou com Maria até o nascimento de Jesus e obedeceu à orientação do anjo, colocando o nome Jesus no menino. Fica evidente que, após o nascimento de Jesus, José e Maria viveram a vida comum do lar e tiveram um relacionamento sexual normal de marido e mulher. A perpétua virgindade de Maria não tem amparo nas Escrituras. Tasker corrobora esse fato, dizendo: "O sentido primário deste versículo poderia ser que, após o primogênito de Maria ter nascido, José manteve com ela relações sexuais normalmente".[18] Concordo com Othoniel Motta quando ele diz que a expressão "enquanto não" sugere que "depois sim". Ademais, o uso da palavra "primogênito" para descrever Jesus, em vez de "unigênito" (Lc 7.12; 9.39), reforça a ideia de que Maria teve outros filhos e filhas, e de que Jesus, obviamente, teve irmãos e irmãs, conforme se pode ver no registro dos evangelhos.[19]

A superação do medo (1.18-25)

A mensagem do nascimento de Jesus, o Emanuel, trouxe medo para Zacarias (Lc 1.3), Maria (Lc 1.30), José (Mt 1.18-20) e os pastores (Lc 2.10). Na verdade, o inesperado provoca medo em nosso coração. Tudo estava indo bem com José: ele estava noivo da jovem de seus sonhos e fazendo planos para o futuro.

José, então, descobre que Maria está grávida. Parece que Deus chegou tarde demais à casa de Zacarias e Isabel, os pais de João Batista. Eles já estavam velhos para terem uma criança. Parece que Deus chegou cedo demais na casa de Maria, pois ela era ainda uma jovem desposada com José, ainda não havia consumado o casamento. Se na cultura atual já traz grande constrangimento a gravidez antes do casamento, imagine naquele tempo! Na cultura judaica, isso era motivo para apedrejamento e morte sumária da moça e do rapaz. Rapidamente o mundo de José entra em colapso. Ele começou a ter medo do futuro.

Vejamos a seguir algumas lições práticas desse texto.

Em primeiro lugar, *não devemos ter medo quando as coisas parecem inexplicáveis* (1.18). Há cinco pontos a ressaltar aqui.

Primeiro, José ficou com medo porque concluiu que Maria tinha sido infiel. Nós geralmente chegamos a conclusões equivocadas sobre o que está acontecendo realmente com as pessoas à nossa volta. Ficamos com medo. Ficamos chocados e até mesmo decepcionados quando tiramos conclusões apressadas. Foi por isso que Jesus nos alertou sobre o perigo de julgarmos os outros. *Não julgueis, para que não sejais julgados. Pois, com o critério com que julgardes, sereis julgados* (7.1,2).

Segundo, enquanto José estava se preocupando, cheio de medo, Deus estava trabalhando um plano maravilhoso para a sua vida. Às vezes, ficamos deprimidos porque deixamos de descansar na soberania de Deus. Ele está no controle de tudo. Achamos que o nosso caminho se fechou. Achamos que o nosso futuro acabou. Achamos que a vida perdeu o sentido. Mas não sabemos que Deus está trabalhando algo novo e glorioso para nos abençoar e surpreender.

Terceiro, José estava com medo de Maria ter sido infiel ou imoral, mas nela estava se cumprindo a profecia bíblica de que uma virgem daria à luz o Messias (Is 7.14). Os temores de José só viam pela frente uma tragédia, mas Deus estava apontando o cumprimento de uma profecia messiânica. Ele via um futuro trágico, mas Deus apontava um caminho cheio de luz. José temia porque não olhava para as circunstâncias na perspectiva de Deus. Precisamos olhar para a vida com os olhos de Deus.

Quarto, José estava com medo porque não compreendia todos os fatos. O que José pensou que era pecaminoso, na verdade era sagrado. Maria não era uma noiva infiel, mas uma serva fiel e obediente ao Deus vivo. Seu ventre hospedava não o fruto do pecado, mas a obra do Espírito Santo. Ela carregava no ventre não um filho ilegítimo, mas o filho de Deus. Ela trazia no seu ventre não o fracasso de um sonho, mas o salvador do mundo.

Quinto, devemos ter mais cautela ao sermos precipitados acerca do fracasso dos outros. Muitas vezes, julgamos os outros de forma precipitada. Fazemos juízo temerário e sofremos por isso, sem conhecer profundamente o que de fato está acontecendo. Só Deus conhece. Só Deus pode julgar. Devemos ser mais cautelosos ao julgar e condenar as pessoas apenas pelas aparências.

Em segundo lugar, *não devemos ter medo da opinião pública* (1.19). Destacamos três pontos importantes.

Primeiro, José nos ensina que devemos proteger as pessoas, em vez de expô-las ao opróbrio público. José tinha dois caminhos para lidar com Maria: 1) Divorciar-se dela publicamente, fazendo sua própria defesa. Para proteger, teria de expô-la. Para salvar sua honra, teria de comprometer a honra de Maria. Mas a Bíblia diz que José era homem justo e não queria infamá-la. Quem ama, cobre multidão de pecados. Quem ama, não expõe o outro ao opróbrio. 2) Ele resolveu, então, deixá-la secretamente. Dispôs-se a sofrer o dano. Ele não queria que Maria tivesse sua reputação destruída por um suposto pecado. Ele temeu o que outros poderiam fazer com Maria, ao tomarem conhecimento dos fatos que ele suspeitava.

Segundo, José temeu porque permitiu que a opinião dos outros determinasse seu futuro. A nossa responsabilidade é fazer o que Deus determina que façamos. Quando tememos o que os outros vão pensar de nós, deixamos de fazer o que Deus nos manda fazer. Quando tememos o que os outros vão pensar ou falar, afastamo-nos das pessoas que mais amamos por causa das nossas suspeitas infundadas. Maria, irmã de Marta, quando derramou o perfume de nardo puro sobre Jesus, não levou em conta a censura dos discípulos. O amor é pródigo em sua gratidão. O temor da opinião pública pode nos manter distantes do melhor de Deus para a nossa vida. José estava a ponto de abandonar Maria e viver sozinho, renunciando ao seu amor e à sua amada. Se ele o fizesse, teria se privado do melhor de Deus para a sua vida. O medo da opinião dos outros pode nos levar a fazer coisas inconvenientes. A Bíblia diz que quem teme aos homens cai em ciladas, mas quem teme a Deus descansa (Pv 29.25).

Terceiro, aqueles que estão no centro da vontade de Deus não precisam temer acerca da reação das pessoas. Você não deve agradar a homens, mas, sim, a Deus. A voz da multidão e a opinião da massa nem sempre expressam a verdade, muito menos a vontade de Deus.

Em terceiro lugar, *não devemos ter medo quando somos assolados pela angústia mental* (1.20). Destacaremos aqui alguns pontos.

Primeiro, José ficou com medo porque sua mente não se desligou do problema, em vez de buscar o esclarecimento dos fatos. Ele deve ter pensado no problema continuamente. Logo depois da visita do anjo Gabriel, Maria viajou para a Judeia e lá ficou por três meses na casa da prima Isabel. O texto nos dá a entender que Maria guardou em silêncio o que aconteceu. José deve ter ficado em profunda angústia com a viagem misteriosa da sua noiva. Por que viajar agora? Por que por tanto tempo? Por que o silêncio? Por que ela apareceu grávida? O que vão pensar as pessoas? Como ficará sua reputação? O que vão pensar de Maria? Sua mente é um turbilhão. Ele não consegue dormir. Está em crise. Nossos problemas, às vezes, nos tiram o sono, o apetite. Não conseguimos desligar nossa mente. Não conseguimos descansar. Não conseguimos raciocinar direito. Ficamos aturdidos. Confusos.

Segundo, José ficou com medo, ainda que sua ansiedade fosse realmente infundada. O que ele pensou que poderia trazer a morte, trouxe a libertação da morte (1.21). Maria não seria apedrejada, sua reputação não seria destruída, nem seu casamento com José estaria acabado. A gravidez de Maria traria o sol da Justiça, a salvação de Deus. O filho de Maria se chamaria JESUS e EMANUEL. O salvador do pecado e o Deus conosco. Ele veio para trazer salvação. Ele veio para estar conosco.

O que José pensou que poderia ser a ruína do nome de Maria, na verdade imortalizou o nome dela, pois nela se cumpriu a profecia (1.23). Maria tornou-se a mãe do salvador. Ela teve o único e sublime privilégio de amamentar o criador do universo, de carregar nos braços aquele que sustenta os céus e a terra, de ensinar os primeiros passos àquele que é o caminho para Deus. José estava sofrendo por algo oposto à verdade dos fatos. Sua suposição era não só infundada, mas diametralmente equivocada. O que ele pensou que poderia arruinar a reputação de Maria entre os homens, isso a fez bendita entre as mulheres. Maria, em vez de ter seu nome manchado, sua reputação maculada, seu caráter desonrado, tornou-se por meio dessa gravidez bendita entre as mulheres.

Terceiro, muitos de nossos temores são infundados; devemos substituir nossos temores pela fé. O medo é o oposto da fé; aonde ele chega, a fé vai embora. Tememos porque desviamos os olhos de Deus, deixamos de olhar para a vida na perspectiva de Deus, deixamos de confiar que Deus está no controle de tudo.

Quarto, quando Deus resolve nossos medos, nosso coração se dispõe à obediência (1.24,25). Sobre que assunto da sua vida Deus precisa lhe dizer: "Não tenha medo"? Deus é poderoso para encontrar você também em seus medos, da mesma forma que ele encontrou José, e transformar suas angústias em motivo de celebração. Lance sobre o Senhor todas as suas ansiedades. Ele tem cuidado de você. A mensagem do nascimento de Jesus remove de nós o medo, enchendo o nosso peito de fé e a nossa boca, de júbilo.

NOTAS

[1] ROBERTSON, A. T. *Comentário de Mateus & Marcos*, p. 25.
[2] IBIDEM, p. 26.
[3] TASKER, R. V. G. *Mateus: introdução e comentário*, p. 26.
[4] RIENECKER, Fritz. *Evangelho de Mateus*, p. 38.
[5] TASKER, R. V. G. *Mateus: introdução e comentário*, p. 26.
[6] SPROUL, R. C. *Mateus*, p. 15.
[7] HENDRIKSEN, William. *Mateus.* Vol. 1, p. 168.
[8] ROBERTSON, A. T. *Comentário de Mateus & Marcos*, p. 27.
[9] SPURGEON, Charles H. *O evangelho segundo Mateus*, p. 26.
[10] RIENECKER, Fritz. *Evangelho de Mateus*, p. 39.
[11] IBIDEM.
[12] GREEN, Michael. *The message of Matthew,* 2000, p. 61.
[13] RYLE, John Charles. *Meditações no evangelho de Mateus.* São José dos Campos: Fiel, 2014, p. 8.
[14] GREEN, Michael. *The essage of Matthew*, p. 60.
[15] SPURGEON, Charles H. *O evangelho segundo Mateus*, p. 28.
[16] HENDRIKSEN, William. *Mateus.* Vol. 1, p. 175-176.
[17] IBIDEM, 182-183.
[18] TASKER, R. V. G. *Mateus: introdução e comentário*, p. 28.
[19] MOTTA, Othoniel. *O evangelho de São Mateus,* 1933, p. 95.

Capítulo 3

As diferentes reações ao Rei

(Mt 2.1-23)

O nascimento de Jesus, o filho de Deus, foi planejado na eternidade. Antes que houvesse céus e terra, antes que os anjos ruflassem suas asas, antes que os astros brilhassem no firmamento, a promessa do nascimento de Jesus já havia sido firmada nos refolhos da eternidade.

O nascimento de Jesus foi profetizado na história. Todo o Antigo Testamento foi uma preparação para a sua chegada. Foi anunciado por Deus no Éden, logo depois da queda dos nossos pais (Gn 3.15). A vinda de Jesus ao mundo foi antevista pelos patriarcas, descrita pelos profetas e esperada pelo povo da aliança. Todos os símbolos do judaísmo eram sombra de Jesus. As festas judaicas apontavam para ele. Os sacrifícios oferecidos eram tipos dele. O tabernáculo era um símbolo dele. A arca da aliança era uma representação dele. O vaso com maná, as tábuas da lei e a vara de Arão que floresceu, que estavam dentro da arca, representavam-no. O templo era um símbolo dele. Tudo isso era sombra; ele, a realidade.

Deus preparou o mundo para a chegada de Jesus. Os judeus ofereceram sua linhagem e legaram ao mundo as Escrituras. Os gregos deram ao mundo uma língua universal, e os romanos, uma lei universal. Na plenitude dos tempos, Jesus nasceu. Nasceu de mulher. Nasceu sob a lei para ser o nosso redentor (Gl 4.4). O eterno entrou no tempo. O Verbo eterno, pessoal, divino, criador, autoexistente e fonte da vida se fez carne. O infinito foi concebido no ventre de uma virgem e nasceu numa estrebaria. Aquele que nem o céu dos céus pode conter foi enfaixado em panos. O criador do universo vestiu pele humana e andou entre nós. Seu nascimento é o único celebrado na história. Não celebramos o nascimento dos faraós do Egito nem dos césares de Roma. Não comemoramos o aniversário de reis nem de filósofos. Não celebramos o nascimento de Buda, nem de Confúcio, nem de Maomé. E por quê? Porque todos eles estão mortos! Mas Jesus está vivo, por isso ainda hoje celebramos o seu nascimento.

Jesus é o personagem mais paradoxal da história. É o mais amado e o mais odiado. Atrai uns e incomoda outros. Alegra uns e apavora outros. Jesus é amado e odiado porque está vivo. Os homens não amam nem odeiam perpetuamente aqueles que estão mortos.

Quem hoje ama ou odeia os carrascos faraós do Egito? Quem odeia os sanguinários reis da Assíria? Quem nutre ódio hoje pelos perversos reis da Babilônia? Quem odeia hoje Alexandre, o Grande, o homem que fazia curvar diante de sua bravura todos os povos da terra? Quem odeia hoje os devassos e monstruosos imperadores romanos? Quem ama ou odeia hoje Napoleão Bonaparte? Eles são esquecidos porque estão mortos! Mas Jesus é amado ou odiado hoje porque está vivo. Ele venceu a morte. É por isso que não comemoramos o seu nascimento de cem em cem anos, mas todos os anos!

Aquele menino que nasceu numa estrebaria em Belém é o timoneiro da história. Ele está assentado na sala do comando do universo. Ele é o sustentáculo da nossa vida e a âncora da nossa esperança. Ele é o pilar da nossa fé e a razão da nossa existência. Por isso, ele é também odiado hoje, porque a sua pessoa incomoda os mentores do mal; a sua santidade perturba os impuros; a sua palavra desafia os malabarismos filosóficos dos homens; o seu plano eterno desestabiliza os sonhos megalomaníacos dos poderosos; a sua vida e a sua doutrina condenam a estultícia dos amantes dos prazeres. Fritz Rienecker diz, corretamente, que Jesus foi perseguido pelos seus e adorado por estranhos.[1]

Voltando nossa atenção para o texto em análise, vemos a seguir as diferentes reações ao Rei.

Rejeição e hostilidade (2.1,3,4,7-9,12,13,15-20)

Mateus, diferentemente de Lucas, que dá uma contextualização histórica mais ampla (Lc 3.1-3), mostrando que o nascimento de Jesus ocorreu no governo de César Augusto, vai direto à província de Israel, informando que Jesus nasceu nos dias do rei Herodes.

O Novo Testamento menciona quatro Herodes: Herodes, o Grande; Herodes Antipas; Herodes Agripa I; Herodes Agripa II. O primeiro Herodes reinou de 39 a.C. a 4 a.C.

Herodes Antipas, filho de Herodes, o Grande, foi o tetrarca da Galileia. Herodes Agripa I, perseguiu a igreja em Jerusalém e mandou passar Tiago, irmão de João, ao fio da espada e ordenou a prisão de Pedro. Herodes Agripa II foi aquele que disse a Paulo em Cesareia: *Por pouco me persuades a me fazer cristão* (At 26.28).

Quem foi Herodes, o Grande? Era filho de Antípatro, idumeu, feito rei em 37 a. C. O senado romano conferiu-lhe o título de "rei dos judeus". Herodes, o Grande, fundou a dinastia herodiana, que governou Israel e suas redondezas desde 37 a.C., até a guerra com Roma em 66-70 d.C. O seu governo estendeu-se até 4 a.C.[2] Na equivocada cronologia de Dionísio Exíguo, o monge do século 6 que estabeleceu o calendário moderno,[3] o nascimento de nosso Senhor foi situado cerca de seis anos mais tarde. Portanto, Jesus nasceu, de fato, seis anos antes do ano 0.[4]

Herodes, o Grande, foi conhecido por suas grandes realizações. Foi ele quem ampliou e embelezou o templo de Jerusalém. Foi ele quem construiu o porto de Cesareia. Foi ele quem construiu a fortaleza de Massada às margens do mar Morto e outras fortalezas como Herdem. Essas fortalezas foram construídas como refúgio para o caso de ele ser deposto. Foi ele quem construiu também a fortaleza Antônia, em Jerusalém, onde mais tarde Jesus foi julgado por Pilatos.

Contudo, Herodes, o Grande, foi conhecido também, e sobretudo, por suas atrocidades. Ele era paranoico em relação ao poder.[5] Foi um rei truculento, egoísta, assassino e tirano. Era a essência da crueldade e do terror. Governou com mão de ferro e esmagou impiedosamente todos aqueles que julgava serem uma ameaça ao seu governo. Assassinou seus rivais um após outro. Foi esse rei cruel que quis eliminar o infante Jesus, mandando matar todas as crianças de Belém e arredores de 2 anos para baixo. Sua biografia está manchada de sangue. Vejamos:

- Herodes, o Grande, casou-se nove vezes.
- Destronou a dinastia heroica dos macabeus. Dizimou toda a família dos macabeus até o último herdeiro.
- Mandou assassinar 45 aristocratas, membros do Sinédrio, ou seja, mais da metade do Sinédrio, que era composto de 71 membros, com medo de que eles pudessem ser uma ameaça ao seu trono. Por outro lado, tentava conquistar a simpatia do povo por meio da ampliação majestosa do templo.
- Mandou matar trezentos oficiais da corte.[6]
- Casou-se com Mariana, uma mulher da nobreza, e, com medo de concorrência da família dela, forjou acusações contra eles e os matou um a um.
- A pedido de sua sogra Alexandra, nomeou Aristóbulo, seu cunhado, como sumo sacerdote, quando este tinha apenas 17 anos. Mas, como Aristóbulo granjeou a simpatia do povo, mandou afogá-lo.
- Horrorizada com as crueldades de Herodes, Alexandra tentou fugir para o Egito, para o abrigo de Cleópatra. Para iludir a polícia que a vigiava, tentou simular um enterro, mas a descobriram, e ela foi morta.
- O imperador César Augusto chamou-o a Roma para lhe passar uma descompostura por suas crueldades, mas, antes de ir a Roma, temendo que sua mulher, Mariana, o traísse, mandou matá-la.
- Tentou remediar o mal que estava fazendo enviando seus dois netos, Alexandre e Aristóbulo, para estudar em Roma. Salomé, irmã de Herodes, disse-lhe que

eles iriam dominá-lo e tomar o reino. Sem titubear, mandou estrangular os dois filhos.[7]

- César Augusto, o imperador, sabendo disso, disse: "É melhor ser um porco do que filho de Herodes".
- Foi esse rei que ficou alarmado quando soube que havia nascido uma criança em Belém, destinada a reinar em Israel, e por isso mandou matar todas as crianças de Belém.
- Cinco dias antes de morrer na estância hidromineral de Jericó, mandou matar seu filho primogênito, Antípater, para que este não tomasse seu trono.
- Percebendo que sua morte geraria alegria ao povo, fez sua irmã Salomé prometer-lhe que mataria um número de judeus distintos, que mandara prender, para que assim houvesse quem chorasse por ocasião de sua morte. A ordem não foi cumprida.

Quais foram as atitudes de Herodes em relação a Jesus? O texto em tela mostra-nos sua hostilidade.

Em primeiro lugar, *o pânico do rei* (2.3). O rei Herodes e a cidade de Jerusalém ficaram alarmados ao saber que havia nascido um menino com o propósito de ser rei dos judeus. Herodes era um homem inseguro. Tinha obsessão pelo poder. A cidade de Jerusalém, conhecedora de suas atrocidades, temia outra onda de fúria do monarca cruel. Hendriksen escreve:

> "É compreensível que toda a Jerusalém se sinta igualmente muitíssimo abalada. Ao ouvir a má notícia, o velho rei reaviva as últimas brasas de sua energia moribunda e entra em ação. De fato, ele se torna muito ativo: reúne, convoca, envia, perscruta, se ira, mata, e então, morre".[8]

Em segundo lugar, *a curiosidade do rei* (2.4-6). O rei convoca todos os principais sacerdotes e escribas do povo para indagar onde o Cristo deveria nascer. A resposta desses especialistas foi precisa. Ele deveria nascer em Belém da Judeia, pois assim apontava a profecia de Miqueias 5.2. Em vez de o esclarecimento dos principais sacerdotes e escribas trazer sossego à alma de Herodes, agravou ainda mais seu tormento.

Em terceiro lugar, *a sagacidade do rei* (2.7). Herodes chamou secretamente os magos e inquiriu deles quanto ao tempo preciso em que a estrela aparecera. Ele estava colhendo informações precisas. Estava fazendo um diagnóstico da situação. Queria reunir todas as informações, para ter certeza de que aquela criança não escaparia de suas mãos.

Em quarto lugar, *a estratégia sutil do rei* (2.8a). Herodes, pensando estar no controle da situação, enviou os magos a Belém com o propósito de que se informassem cuidadosamente acerca do menino. Esqueceu-se Herodes, entretanto, que os magos estavam ali não para atender à sua agenda perversa, mas para cumprirem o plano eterno do Rei dos reis.

Em quinto lugar, *a dissimulação do rei* (2.8b). Herodes tentou encobrir sua crueldade sob o manto da piedade, dizendo aos magos: ... *e, quando o tiverdes encontrado, avisai-me, para eu também ir adorá-lo*. Herodes tornou-se dissimulado e hipócrita. A hipocrisia é o abismo entre o que se fala e o que se sente. Havia palavras doces em seus lábios, mas crueldade em seu coração. Seu propósito não era adorar Jesus, mas o eliminar. Spurgeon escreve sobre essa atitude de Herodes: "O assassinato estava em seu coração, mas pretextos piedosos estavam em sua língua".[9]

Em sexto lugar, *a crueldade do rei* (2.13). Os magos estavam sendo governados pelo céu, e não pela terra; por Deus, e não pelos homens. Por isso, não voltaram à presença de Herodes, mas regressaram para sua terra por outro caminho (2.12). De igual forma, um anjo do Senhor exorta José a fugir de Belém, com o menino e sua mãe, para o Egito, porque Herodes intentava matar a criança.

Em sétimo lugar, *a fúria do rei* (2.16). Ao perceber que fora iludido pelos magos, Herodes enfureceu-se grandemente e mandou matar todos os meninos de Belém e de suas cercanias, de 2 anos para baixo. Esse rei cruel inunda Belém e arredores com sangue inocente. Não há limites para sua fúria. Ele está disposto a fazer qualquer coisa para não ver seu trono ameaçado. O historiador Flávio Josefo não menciona esse episódio na câmara de horrores de Herodes, mas esse incidente deu azo ao cumprimento da profecia feita por Jeremias 31.15.[10]

Em oitavo lugar, *a morte do rei* (2.19,20). Os inimigos de Cristo morrem. Eles se levantam e caem. Vociferam e tombam. Viram pó e caem no esquecimento. Jesus, porém, permanece vivo, vitorioso, imperturbável. John Charles Ryle está certo ao dizer que a morte arrebata os reis do mesmo modo que arrebata os outros homens. Onde estão os faraós, os imperadores Nero, Domiciano e Diocleciano que a ferro e fogo perseguiram o povo de Deus? O Senhor vive eternamente, mas seus inimigos são mortais. A verdade prevalece sempre.[11] Othoniel Motta diz que Herodes morreu um ano após o nascimento de Jesus, depois de um reinado cruel de 33 anos em que ele se tornou o algoz da própria família. A Arquelau, seu filho, coube o governo da Judeia, de Samaria e da Idumeia. A Galileia e a Pereia couberam ao seu irmão Herodes Antipas.[12]

Indiferença e descaso (2.4-6)

O propósito principal de Mateus nesse capítulo é mostrar a recepção que o mundo deu ao Rei messiânico recém-nascido. Homenagem de longe, hostilidade de perto; recepção pelos gentios, rejeição pelos judeus.[13] Quando Jesus nasceu em Belém, não havia lugar nas hospedarias (Lc 2.7). Na cidade de Davi, não havia lugar para o filho de Davi, o herdeiro do trono, nascer. A cidade tratou-o com indiferença. Essa Belém de Judá foi o palco da vida de Rute e Boaz (Rt 1.1,2; Mt 1.5) e a casa de Davi, descendente de Rute e antepassado de Jesus (Mt 1.5). Davi nasceu nessa cidade e foi ungido por Samuel (1Sm 17.12). A cidade veio a chamar-se *cidade de Davi* (Lc 2.11). Jesus, que nasceu nessa "casa do pão", intitulou-se *o pão da vida* (Jo 6.35). O pão da vida foi rejeitado na casa do pão.

Agora, em Jerusalém, estão os principais sacerdotes e os escribas do povo, que, embora conhecessem precisamente as profecias sobre Jesus, não se importam com ele. Ao procurarem pelo recém-nascido rei dos judeus, o que os magos veem em Jerusalém é um sentimento de medo e terror, porque se temia um novo banho de sangue do desconfiado e furioso Herodes.

O sacerdote principal era o que tinha certas funções privativas que os simples sacerdotes não tinham. Só ele, por exemplo, podia, uma vez por ano, entrar no santo do santos. Era um só. O plural do nosso texto explica-se pelo fato de que o título se estendia também aos que já tinham ocupado o cargo. Os escribas eram funcionários encarregados de copiar a lei para uso das sinagogas. Depois assim foram chamados os que se entregavam ao ensino da lei.[14] Ainda vale destacar que, nesse tempo, a classe sacerdotal estava corrompida. Prova disso é que, no tempo em que João

Batista iniciou seu ministério, havia dois sumos sacerdotes, Anás e Caifás (Lc 3.2).

O que o texto deixa claro é que tanto a liderança eclesiástica como os teólogos de Israel agiram com gelada indiferença a Jesus. Os magos cruzaram desertos e vieram do Oriente a Jerusalém para conhecê-lo e adorá-lo, e esses especialistas da religião, há dez quilômetros de Jerusalém, não se interessaram em ir vê-lo e adorá-lo. Charles Spurgeon alerta: "Que nunca seja o meu caso ser um mestre de geografia, profecia e teologia bíblica e ainda assim carecer daquele de quem a Escritura fala".[15]

Quem eram os principais sacerdotes? Eram membros da seita dos saduceus. Essa classe tornou-se aristocrata. Eles fizeram do templo um lugar de negócio. Tornaram-se liberais na teologia e amantes do dinheiro. Constituíram-se nos mais acirrados inimigos de Jesus. Quem eram os escribas do povo? Eram os membros da seita dos fariseus. Eram os doutores da lei. Conheciam a verdade, mas não a praticavam. Tinham conhecimento, mas não compromisso; informação, mas não transformação. Eles sabiam tudo sobre o nascimento de Jesus, mas não foram adorá-lo. A indiferença deles tornou-se mais tarde ódio consumado e, por não adorarem o rei infante na manjedoura, cravaram-lhe numa cruz!

O Sinédrio era o supremo conselho dos judeus, a corte suprema de julgamento. Era formado dos principais sacerdotes, escribas e anciãos. Os dois primeiros grupos eram formados de pessoas ligadas à vida eclesiástica, e os anciãos eram membros do conselho que não pertenciam nem aos saduceus nem aos fariseus. Eram os vogais. Quando havia necessidade de decidir apenas uma questão teológica, os anciãos não precisavam estar presentes. Logo, não são citados nesse episódio. Mas sua participação era imprescindível quando o Sinédrio se reunia para uma função política ou judicial.[16]

Rendição e adoração (2.1,2,7-12)

Esse registro da visita dos magos não tem paralelo em nenhum outro documento cristão.[17] Sabemos, no entanto, que os magos eram gentios. Sua pátria era a região situada entre os rios Tigre e Eufrates. Embora John Charles Ryle afirme que não podemos conhecer a nacionalidade deles,[18] Othoniel Motta diz que os magos eram sacerdotes persas. Por extensão, o termo passou a designar os astrólogos caldeus. Quanto a serem reis, a serem três e a se chamarem Belchior, Balthazar e Gaspar, são coisas da tradição, sem o menor fundamento histórico.[19] Nessa mesma linha de pensamento, Fritz Rienecker diz que os magos eram membros de uma distinta classe de sacerdotes e eruditos babilônios. Não apenas estudavam a sua teologia pagã, mas também as ciências naturais, sobretudo a astronomia. Eram convocados como conselheiros do rei em todos os negócios importantes do Estado. Pertenciam à principal nobreza do país e gozavam da dignidade de príncipes (Jr 39.3,13). Por isso, a tradução "sábios" feita por Lutero é justificável.[20]

A. T. Robertson observa que é possível que esses homens fossem prosélitos judeus e soubessem da esperança messiânica.[21] Os judeus que foram dispersos para a Babilônia eram conhecedores da famosa profecia de Balaão contida em Números 24.17: *Vê-lo-ei, mas não agora; contemplá-lo-ei, mas não de perto; uma estrela procederá de Jacó, de Israel subirá um cetro que ferirá as têmporas de Moabe e destruirá todos os filhos de Sete*. Essa era uma profecia messiânica. Eles divulgaram essa esperança messiânica entre os gentios. O profeta Daniel era um desses judeus que influenciaram o reino da Babilônia (Dn 2.48; 5.11). Concordo com Fritz Rienecker quando ele diz que "a notícia do nascimento de um rei que estava para vir ao mundo também era conhecida no mundo pagão".[22] Os magos já deviam conhecer essa expectativa da chegada do Messias. Sabiam que sua estrela haveria de surgir no horizonte. É importante ressaltar que os magos não viram uma estrela, mas *a sua estrela* (2.2). David Stern está certo, portanto, ao dizer que isso parece fazer uma alusão a Números 24.17, quando Balaão profetiza sobre a estrela de Jacó.[23]

Tasker é oportuno quando registra que o rei rival nascido em Belém, Jesus, o filho de Davi, estava destinado a exercer seu reinado de acordo com o ideal de realeza colocado diante de Davi pelo próprio Deus. Era um ideal segundo o qual o rei era visto na figura de um *pastor* (Ez 34.23; cf. 2Sm 5.2;). Dessa forma, o evangelista, não sem razão, muda "o que há de reinar em Israel" para *o Guia que há de apascentar a meu povo, Israel*, em harmonia com a *Septuaginta* em Miqueias 5.2, que afirma que tal governante "se levantaria e alimentaria seu rebanho na força do Senhor".[24]

Esses magos do Oriente revelam três atitudes que merecem destaque, como vemos a seguir.

Em primeiro lugar, *o que eles fizeram antes de encontrar Cristo*. O texto em apreço nos revela três atitudes dos magos.

Primeiro, eles não mediram esforços (2.1). Eles vieram do Oriente a Jerusalém. Foi uma longa viagem pelos desertos tórridos, sendo castigados por calor rigoroso durante o dia e frio implacável à noite. Foram dias, semanas, meses de uma jornada cheia de perigos. Eles, entretanto, não mediram esforços. Estavam determinados a ver o Rei. Estavam dispostos a adorar o Rei. Estavam preparados para honrar o Rei.

Segundo, eles buscaram informações onde estava a Palavra (2.2). Eles viram a estrela do Messias no Oriente, mas a estrela não os acompanhou até Jerusalém. Eles sabiam que em Jerusalém estavam os estudiosos das Escrituras. Foram buscar informação precisa sobre o Messias não com os místicos do Oriente, mas na Palavra de Deus em Jerusalém.

Terceiro, eles perseveraram em buscar Jesus (2.9). Os magos viram como o rei Herodes ficou alarmado. Eles viram que Jerusalém ficou transtornada diante da reação de Herodes. Eles sabiam que estavam correndo sério risco viajando pelo território governado por esse rei insano. Mesmo assim, não retornaram ao Oriente, mas prosseguiram em sua viagem rumo a Belém, até encontrar Cristo e se curvarem diante dele, reconhecendo sua dignidade para ser adorado.

Em segundo lugar, *o que eles fizeram ao encontrar Jesus*. O texto descreve três atitudes dos magos depois que encontraram Jesus.

Primeiro, eles se alegraram intensamente (2.10). Se Jesus despertava ódio em Herodes e indiferença nos principais sacerdotes e escribas do povo, para os magos Jesus foi motivo de intensa alegria. Na verdade, Jesus é a alegria daqueles que o encontram e o adoram.

Segundo, eles adoraram Jesus com humildade (2.11a). Os magos entraram numa casa, e não numa gruta. O nascimento de Jesus já tinha ocorrido havia uns dois anos. Portanto, todos os desenhos que retratam os magos numa estrebaria não são biblicamente corretos. Ao entrarem na casa, os magos não adoraram a estrela nem Maria, a mãe de Jesus, mas o menino Jesus. Eles abriram mão de seu prestígio e se curvaram. Eles humildemente se prostraram. Charles Spurgeon está correto quando escreve: "Aqueles que buscam por Jesus o verão. Aqueles que realmente o veem o adorarão. Aqueles que o adoram consagrarão seus bens a ele".[25]

Concordo com as palavras de R. C. Sproul: "Os magos foram a Belém não para homenagear um rei, mas para adorar a divindade".[26] William Hendriksen é assaz oportuno quando escreve:

> Toda a ênfase de Mateus acerca dos magos é colocada naquilo que é mais importante: "Viemos para adorá-lo". Não se nos dá uma descrição detalhada da estrela. Não se nos diz como os magos relacionaram a estrela ao nascimento. Não se nos diz quantos magos eram, como estavam vestidos, como morreram, ou onde foram sepultados. Tudo isso, e muito mais, foi intencionalmente deixado envolto em sombra com o fim de que contra esse fundo escuro a luz pudesse brilhar com muito mais resplendor. Esses magos, quem quer que tenham sido, de onde quer que tenham vindo, "vieram para adorá-lo" [...]. Se mesmo o mundo gentílico lhe atribuía adoração, não deveriam os judeus – que receberam os oráculos de Deus – também fazê-lo? E para os gentios há esta mensagem de alento: O Rei dos judeus deseja também ser o seu Rei.[27]

Terceiro, eles presentearam Jesus com ouro, incenso e mirra (2.11b). Eles levaram tesouros para Jesus, num claro reconhecimento de que ele era o Messias. Pelo costume do Oriente, combinava-se a veneração com a oferta de presentes. Os presentes ouro e incenso remetem a Isaías 60.6. O ouro é o presente para um rei. O incenso é o presente para a divindade. A mirra é o presente para quem está destinado a morrer.[28] Assim, os magos reconheceram que Jesus é o Rei dos reis, o Deus que encarnou e aquele que estava destinado a morrer a amarga morte de cruz.[29] Até mesmo no berço de Jesus as dádivas predisseram que ele haveria de ser o verdadeiro Rei, o perfeito sumo sacerdote e, no final, o supremo salvador.[30] Concordo com Lawrence Richards quando ele diz que os magos levaram presentes e, assim, financiaram a viagem de Jesus, Maria e José ao Egito no momento exato em que eles precisavam escapar.[31]

Em terceiro lugar, *o que eles fizeram depois que encontram Cristo*. O texto em tela nos mostra duas atitudes dos magos.

Primeiro, eles viveram dentro da orientação de Deus (2.12a). Aqueles que atenderam a uma revelação natural, a sua estrela, agora recebem uma revelação especial. Eles foram advertidos pelo próprio Deus por meio de sonho de não voltarem à presença de Herodes. Deus frustrou o propósito do rei cruel e guiou os magos de volta à sua terra, sem retorno a Jerusalém. Aqueles que se encontram com Cristo vivem em obediência às orientações divinas.

Segundo, eles voltaram por outro caminho (2.12b). Diz o texto: *... regressaram por outro caminho a sua terra*. Quem tem um encontro com Cristo, nunca mais anda pelos mesmos caminhos. Há uma mudança de mente, de coração, de vida, de rota, de caminho.

John Charles Ryle diz que podemos aprender três importantes lições com os magos: 1) Há verdadeiros servos de Deus em lugares onde absolutamente não esperaríamos encontrá-los. 2) Nem sempre são os que mais glória tributam a Cristo os que possuem maior privilégio religioso. 3) Para ser um verdadeiro cristão, não basta apenas conhecer as profecias contidas nas Escrituras.[32]

Prudência e providência (2.13-23)

O texto em apreço trata de três assuntos: a fuga para o Egito, a matança dos inocentes e o retorno do Egito. A dolorosa experiência de Israel está se repetindo 1.500

anos depois com o rei de Israel. Destacamos esses três fatos a seguir.

Em primeiro lugar, *a fuga para o Egito* (2.13-15). Mais uma vez, José recebe a visita de um anjo em sonho. Agora não é mais para receber Maria, mas para fugir com ela e o menino para o Egito. Mais uma vez, José obedece imediatamente à ordem divina (2.13). Os termos *dispõe-te* e *foge* indicam a pressa e a urgência da instrução. Prudência e providência precisam andar de mãos dadas. A fúria de Herodes se voltara contra o menino Jesus. A morte o espreitava para eliminá-lo na infância. José precisava fugir imediatamente. Nessa mesma noite, iniciou-se a fuga (2.14). Era preciso caminhar por desertos perigosos e montanhas escarpadas e selvagens. Mateus nada informa sobre o incômodo da viagem de centenas de quilômetros nem sobre a permanência no Egito como estrangeiros e fugitivos. Tasker destaca o fato de que a terra que antes fora um lugar de opressão era agora um refúgio para o qual a sagrada família pôde ir, livrando-se do perigo.[33]

Por que a fuga? Por que o Egito? Mateus explica: *Para que se cumprisse o que fora dito pelo Senhor, por intermédio do profeta: Do Egito chamei o meu filho* (2.15). A profecia de Oseias 11.1 não podia falhar. Essa filiação divina de Israel é um modelo da verdadeira e singular filiação divina de Jesus. Concordo com Fritz Rienecker quando ele diz que o cumprimento das Escrituras sempre é a efetivação do plano da salvação. Deus está no comando e conduz a história de acordo com o seu plano. Apesar de sua astúcia, Herodes é extremamente tolo. O Senhor, porém, tem em suas mãos não somente Herodes, mas todos os grandes e poderosos. Herodes pode presumir que governa o mundo, contudo não faz outra coisa que precisa acontecer e está acontecendo, a saber, a vontade de Deus. A história do mundo é a história da salvação, "até que ele venha".[34]

Tasker tem razão ao dizer que a citação descrita em Oseias 11.1 no versículo 15, *Do Egito chamei o meu filho*, parece ter a intenção de sugerir ao leitor que o Messias é a personificação do verdadeiro Israel antigo e também que ele era um segundo Moisés, maior que o primeiro. Sua suprema obra de salvação tinha como modelo o poderoso ato de salvação realizado por Deus por meio de Moisés em favor do povo escolhido. E, tal como Moisés foi chamado para ir ao Egito e libertar Israel, filho primogênito de Deus (Êx 4.22), da escravidão física, assim também Jesus foi chamado do Egito em sua infância, por meio da divina mensagem transmitida a José, para salvar a humanidade da escravidão do pecado.[35]

Em segundo lugar, *a matança dos inocentes* (2.16-18). Iludido pelos magos, Herodes se enfurece sobremaneira. Seu ódio, como fogo crepitante, espalha-se por Belém e seus arredores. Aquele que já enchera Jerusalém de sangue promove agora uma chacina em Belém e em suas cercanias (2.16). Por que esse derramamento de sangue? Novamente, para se cumprirem as Escrituras (2.17,18)! Ramá situa-se a aproximadamente oito quilômetros ao norte de Jerusalém. Nela Jeremias se lamentou (Jr 31.15). Nesse lugar, ele teve a visão da inconsolável mãe das tribos. O túmulo de Raquel ali está (Gn 35.16-20; 48.7). Mateus interpreta esse clamor audível no tempo de Jeremias como uma profecia do clamor que se ouviu na chacina das crianças em Belém.[36]

Tasker, nessa mesma linha de pensamento, diz que, quando a fina flor da população de Jerusalém foi deportada pelos babilônios, deve ter parecido que Deus tinha abandonado o seu povo; e Jeremias nessa notável passagem retratou Raquel lamentando a sorte desses exilados passando cambaleantes diante do túmulo dela em Ramá, a caminho de uma terra estranha. Mas, tão logo Jeremias dá voz a esse lamento citado por Mateus, o Senhor lhe diz: *Reprime a tua voz de choro e as lágrimas de teus olhos; porque há recompensa para as tuas obras* (Jr 31.16). Raquel, que tem sido chamada a *mater dolorosa* do Antigo Testamento, havia morrido ao dar à luz Benjamin, mas não havia sofrido em vão, pois os sofrimentos de seus descendentes exilados não se provariam destituídos de propósito. *Pois os teus filhos voltarão*, foi o Senhor dizendo a Jeremias, *da terra do inimigo*. Assim, de fato, aconteceu. Na tristeza do exílio babilônico, uma nova vida se tornou possível para um Israel revivificado. Semelhantemente, a tristeza das mães privadas de seus filhos assassinados por Herodes estava destinada, na divina providência, a resultar em grande recompensa.[37]

Até mesmo situações adversas e dolorosas como essa matança das crianças em Belém não fogem ao controle de Deus na história. Tudo isso fazia parte do plano redentor de Deus. Portanto, quando os grandes deste mundo agem com fúria e crueldade combatendo Deus e o seu povo, estão apenas realizando a vontade dele e concretizando o que ele planejou e determinou.

Em terceiro lugar, *a volta para a Galileia* (2.19-23). Aos homens está ordenado morrerem (Hb 9.27), e Herodes morreu sob a mais terrível agonia (2.19). Diz-se que definhou de câncer intestinal. Fritz Rienecker tem plena razão ao afirmar que Deus tem o braço mais comprido que todos os seus inimigos. Morreram os que atentaram contra a comunidade de Jesus, e morrem e desaparecem sempre aqueles que cometem tais atos. É o que consta em letras garrafais sobre a história da humanidade.[38]

Mais uma vez, José recebe a visita de um anjo do Senhor em sonho, ordenando-lhe voltar para a terra de Israel, e mais uma vez José obedece incontinente (2.20,21). Há poucos registros da vida de José nas Escrituras, mas sempre que aparece ele está ouvindo a voz de Deus e obedecendo à orientação divina.

Herodes, o Grande, morreu, mas Arquelau, seu filho, passou a reinar na Judeia em seu lugar. Era do mesmo estofo, homem cruel e violento. Aqui a prudência humana e a orientação divina se irmanam. José temeu ir para a Judeia e, por divina advertência, prevenido em sonho, retirou-se para as regiões da Galileia (2.22). Fritz Rienecker esclarece essa transição da seguinte maneira:

> Em Israel muitos tinham a esperança de que, com a morte de Herodes, também acabaria a crueldade herodiana. Contudo, a situação era outra. Realmente o poderoso reino de Herodes decaiu em pedaços. Mas a dinastia de Herodes continuou. Em seu testamento ele havia determinado que seu reino fosse dividido entre seus filhos. Arquelau deveria receber a Judeia, Idumeia e Samaria. Herodes Antipas receberia a Galileia e a Transjordânia meridional. Filipe deveria herdar a Transjordânia setentrional. O imperador César Augusto confirmou o testamento. Em Lucas 3.1, somos informados dessa subdivisão. Arquelau não é mais citado no texto de Lucas porque foi deposto pelo imperador Augusto no ano 6 d.C., justamente por causa de sua crueldade, e seu território foi entregue a um procurador romano.[39]

José foi habitar com Maria e Jesus na cidade de Nazaré, para cumprir o que fora dito por intermédio dos profetas: *Ele será chamado Nazareno* (2.23). Othoniel Motta diz que essa citação constitui uma das maiores dificuldades do Novo Testamento, uma vez que os termos "Nazaré" e

"Nazareno" não se encontram explicitamente em nenhum livro do Antigo Testamento.[40] Embora o nome "Nazaré" não seja mencionado no Antigo Testamento, Rienecker afirma que seguramente Mateus pensou em Isaías 11.1: *Do tronco de Jessé sairá um rebento, e das suas raízes, um renovo*. A palavra "renovo ou broto" no hebraico é *nezér*. Jesus é chamado por Isaías de *nezér*. Por causa do seu local de residência, Nazaré, Jesus é designado Nazareno (2.23; Mc 1.24). Sobre a cruz de Jesus foi escrito: *Jesus Nazareno, o rei dos judeus*. Para a comunidade cristã, esse título significa que Jesus como Nazareno é o broto de Jessé, sobre o qual Isaías falou. Assim, Mateus vê a mão coordenadora e diretiva de Deus na circunstância de que, no Antigo Testamento, o Messias é chamado de *nezér* e no Novo Testamento, de *Nazareno*.[41]

Nessa mesma linha de pensamento, Michael Green demonstra que o uso no plural, ... *para que se cumprisse o que fora dito por intermédio dos profetas: Ele será chamado Nazareno* (2.23), nos dá a chave dessa complexa alusão. Um homem de Nazaré era desprezado nos dias de Jesus (Jo 1.45,46). A região era chamada *Galileia dos gentios* (4.15). Ora, havia várias profecias mostrando que o Messias seria desprezado (Sl 22.6; Is 53.3). Ainda, como já foi explicado no parágrafo anterior, o Messias, o renovo, o rei da linhagem de Davi, seria conhecido como *nezér,* Nazareno (Is 11.1).[42] Dessa maneira, o título "Nazareno" aponta tanto para a exaltação do Messias, pois ele seria de linhagem real, ou seja, o broto de Jessé, filho de Davi, quanto para sua humilhação. Ele seria um homem desprezado e rejeitado, inclusive por seu próprio povo. Warren Wiersbe destaca que o termo "nazarenos" passou a ser usado também em relação aos seguidores de Jesus (At 24.5). Em diversas ocasiões, o mestre é chamado de *Jesus de Nazaré* ou *Jesus, o Nazareno* (21.11; Mc 14.67; Jo 18.5,7).[43]

Notas

[1] Rienecker, Fritz. *Evangelho de Mateus*, p. 41.
[2] Motta, Othoniel. *O evangelho de São Mateus*, p. 96.
[3] Stern, David H. *Comentário judaico do Novo Testamento.* Belo Horizonte, MG: Atos, 2008, p. 33.
[4] Rienecker, Fritz. *Evangelho de Mateus*, p. 42.
[5] Stern, David H. *Comentário judaico do Novo Testamento*, p. 34.
[6] Green, Michael. *The message of Matthew*, p. 71.
[7] Barclay, William. *Mateo I*, p. 35.
[8] Hendriksen, William. *Mateus.* Vol. 1, p. 207.
[9] Spurgeon, Charles H. *O evangelho segundo Mateus*, p. 34.
[10] Robertson, A. T. *Mateus.* Rio de Janeiro, RJ: CPAD, 2012, p. 41.
[11] Ryle, John Charles. *evangelho segundo São Mateus*, p. 15.
[12] Motta, Othoniel. *O evangelho de São Mateus*, p. 98.
[13] Robertson, A. T. *Mateus*, p. 35.
[14] Motta, Othoniel. *O evangelho de São Mateus*, p. 97.
[15] Spurgeon, Charles H. *O evangelho segundo Mateus*, p. 33.
[16] Rienecker, Fritz. *Evangelho de Mateus*, p. 42.
[17] Champlin, R. N. *O Novo Testamento interpretado versículo por versículo.* Vol. 1. São Paulo: Hagnos, 2014, p. 271.
[18] Ryle, John Charles. *evangelho segundo São Mateus*, p. 12.
[19] Motta, Othoniel. *O evangelho de São Mateus*, p. 96.
[20] Rienecker, Fritz. *Evangelho de Mateus*, p. 41.
[21] Robertson, A. T. *Mateus*, p. 37.
[22] Rienecker, Fritz. *Evangelho de Mateus*, p. 43.
[23] Stern, David H. *Comentário judaico do Novo Testamento*, p. 34.
[24] Tasker, R. V. G. *Mateus: introdução e comentário*, p. 31.
[25] Spurgeon, Charles H. *O evangelho segundo Mateus*, p. 35.
[26] Sproul, R. C. *Mateus*, p. 21.
[27] Hendriksen, William. *Mateus.* Vol. 1, p. 194.
[28] Tasker, R. V. G. *Mateus: introdução e comentário*, p. 33.
[29] Rienecker, Fritz. *Evangelho de Mateus*, p. 46.
[30] Mounce, Robert H. *Mateus*, p. 25.
[31] Richards, Lawrence O. *Comentário histórico-cultural do Novo Testamento*, p. 14.

[32] Ryle, John Charles. *Evangelho segundo São Mateus*, p. 12-13.
[33] Tasker, R. V. G. *Mateus: introdução e comentário*, p. 33.
[34] Rienecker, Fritz. *Evangelho de Mateus*, p. 48-49.
[35] Tasker, R. V. G. *Mateus: introdução e comentário*, p. 33-34.
[36] Rienecker, Fritz. *Evangelho de Mateus*, p. 49.
[37] Tasker, R. V. G. *Mateus: introdução e comentário*, p. 34-35.
[38] Rienecker, Fritz. *Evangelho de Mateus*, p. 50-51.
[39] Ibidem, p. 51.
[40] Motta, Othoniel. *O evangelho de São Mateus*, p. 98.
[41] Rienecker, Fritz. *Evangelho de Lucas*, p. 52.
[42] Green, Michael. *The message of Matthew*, p. 73.
[43] Wiersbe, Warren W. *Comentário bíblico expositivo*, p. 16.

Capítulo 4

O arauto do Rei

(Mt 3.1-12)

Entre os capítulos 2 e 3 de Mateus, há um intervalo de quase trinta anos. Há muita especulação acerca do que aconteceu a Jesus nesse período, o que fez e onde esteve. Como a Bíblia silencia-se acerca desse assunto, preferimos não ter ouvidos onde a Palavra de Deus não tem voz. Tudo o que sabemos é que Jesus era conhecido como carpinteiro de Nazaré. Marcos registra a pergunta das pessoas: *Não é este o carpinteiro, filho de Maria, irmão de Tiago, José, Judas e Simão? E não vivem aqui entre nós suas irmãs? E escandalizavam-se nele* (Mc 6.3). Já Mateus registra o mesmo episódio enfatizando sua filiação: *Não é este o filho do carpinteiro? Não se chama sua mãe Maria, e seus irmãos Tiago, José, Simão e Judas?* (13.55). Dessas informações depreendemos que Jesus morou em Nazaré até o início do seu ministério e que nesse tempo exerceu a profissão de carpinteiro.

Mateus não indica a data em que João Batista apareceu. Lucas, porém, dá detalhes históricos a respeito do mundo político e religioso e do aparecimento de João Batista, o precursor de Jesus (Lc 3.1,2). Menciona que João começou a pregar quando Tibério César era imperador de Roma e Pôncio Pilatos, governador da Judeia. Informa também que Herodes Antipas era tetrarca da Galileia, seu irmão Filipe, tetrarca da região de Itureia e Traconites, e Lisâneas, tetrarca de Abilene. Lucas, diz, ainda, que João começou a pregar quando Anás e Caifás eram sumos sacerdotes.

Mateus resume esse circunstanciamento histórico em apenas uma frase: *naqueles dias*. Com nossa atenção voltada ao texto em tela, destacamos algumas lições a seguir.

O tempo do aparecimento do arauto (3.1)

Mateus, de forma sucinta, informa que *naqueles dias, apareceu João Batista pregando no deserto da Judeia* (3.1). Há indícios, conforme os manuscritos do mar Morto, de que João Batista pertencia ao grupo chamado *essênios.*[1] O precursor de Jesus inicia seu ministério de pregação e batismo quando o mundo político e religioso estava vivendo um grande caos. Desde o palácio de Tibério César aos governos da Judeia e Galileia, corriam soltas a corrupção e a violência. Tibério, Pôncio Pilatos, Herodes Antipas, Filipe e Lisâneas não eram homens de grande reputação moral nem gestores que respeitavam o povo sobre o qual governavam. No cenário religioso, a situação era ainda mais desoladora. O sacerdócio estava corrompido. Os saduceus, partido religioso ao qual pertenciam os sacerdotes, eram uma elite rendida aos interesses financeiros. Eles haviam transformado a casa de Deus num covil de salteadores. Além de negarem doutrinas essenciais das Escrituras, como a existência dos anjos, a imortalidade da alma, a ressurreição dos mortos e a integridade do Antigo Testamento, ainda se tornaram colaboracionistas de Roma para manterem seu *status* religioso. Os fariseus, por sua vez, eram cegos guiando outros cegos. Transformaram a religião numa plataforma de opressão com o seu legalismo pesado. É nesse ambiente hostil que João aparece pregando.

Vale destacar que João surge depois de quatrocentos anos de silêncio profético. A voz de Deus não era ouvida. O templo havia sido reedificado. Os sacrifícios eram feitos. As festas aconteciam. Mas a palavra de Deus não era ouvida. A palavra de Deus veio a João nesse tempo de sequidão espiritual, quando tanto a liderança política e religiosa como o povo estavam rendidos ao pecado. A última profecia no Antigo Testamento encontra-se no livro de Malaquias: *Eis que eu vos enviarei o profeta Elias, antes que venha o grande e terrível Dia do SENHOR; ele converterá o coração dos pais aos filhos e o coração dos filhos a seus pais, para que eu não venha e fira a terra com maldição* (Ml 4.5,6). Quatrocentos anos depois, essa profecia foi cumprida – de acordo com Jesus, na pessoa de João Batista. Nosso Senhor declarou que João veio no poder e no espírito de Elias (Lc 1.17).[2]

A mensagem do arauto (3.2)

João Batista não é um pregador de amenidades nem um profeta da conveniência. Sua mensagem é contundente. Ele conclama o povo ao arrependimento e dá uma razão eloquente para que este se volte para Deus: *Porque está próximo o reino dos céus*. Arrependimento é a grande manchete do reino de Deus. Esse foi também o conteúdo da pregação dos profetas, dos apóstolos e do próprio Senhor Jesus. Arrepender-se é mudar de mente. É sentir tristeza pelo pecado segundo Deus. É mudar de atitude. Não há perdão sem arrependimento. Não há salvação onde não há evidência de conversão.

O arrependimento é necessário porque o reino está próximo. Nas Escrituras, um "reino" não é tanto um lugar, mas, sim, uma esfera de influência, um campo no qual a vontade do rei tem força dinâmica. O reino dos céus, consequentemente, representa a força dinâmica da vontade de Deus invadindo o mundo e operando suas poderosas transformações.[3]

A credencial do arauto (3.3)

João Batista não é um aventureiro inconsequente. Não vem por iniciativa própria nem cai de paraquedas. Ele não aparece do nada. Seu aparecimento e sua mensagem estavam meticulosamente profetizados. Ele vem em cumprimento à palavra de Deus. Ele não promove a si mesmo. Não cria a sua própria mensagem. João não pregou o que ele quis, o que ele inventou, o que os escribas e fariseus disseram. Ele não pregou uma corrente de pensamento positivo nem mesmo uma linha doutrinária formulada pelos doutores da época. Ele pregou a Palavra. Voltou a atenção do povo para as Escrituras. Recorreu ao profeta Isaías e aí fundamentou sua mensagem. Nós não criamos a mensagem; nós a transmitimos. Não somos a fonte da mensagem; apenas seus instrumentos.

João Batista não prega uma mensagem antropocêntrica para atrair as multidões. Ele é o engenheiro de trânsito do reino. Ele veio para preparar o caminho do Senhor. Antes de os reis chegarem nas províncias distantes do império, enviavam seus engenheiros para preparar o caminho. Montes e vales precisavam virar planície. Caminhos tortos e fora do lugar precisavam ser endireitados e aplainados. O verdadeiro arrependimento remove os montes da soberba, aterra os vales do desespero, endireita os caminhos tortos do pecado e da hipocrisia e coloca no lugar todas as áreas da vida que estão fora do propósito de Deus.

João veio preparar o caminho do Senhor. Veio pavimentar a estrada para a chegada do Messias. Seu ministério foi preparar o caminho, apresentar o Messias e sair de cena.

A manifestação do arauto (3.4)

O precursor do Messias não vem com estardalhaço, tocando trombetas para mostrar sua grandeza. Ele não chama atenção para si mesmo nem acende as luzes da ribalta sobre si. Seu aparecimento é humilde. O que importa não é o pregador, mas a pregação; não é o mensageiro, mas a mensagem; não é o obreiro, mas a obra. João começa seu ministério num lugar estranho, o deserto da Judeia. Ele se veste de uma maneira estranha, com pelos de camelo. Ele se alimenta de uma maneira estranha, com gafanhotos e mel silvestre. Charles Spurgeon diz que as vestes indicavam sua simplicidade, sua austeridade e sua autonegação. Sua comida, o produto do deserto onde morava, mostrou que ele não se importava com luxos.[4] João Batista não era um homem dado às rodas dos poderosos nem frequentador dos banquetes requintados. Ele não pregava no templo nem nas concorridas ruas de Jerusalém, mas no deserto da Judeia, um lugar inóspito, cheio de montes e vales, coberto de pedras e areias escaldantes.

O impacto da mensagem do arauto (3.5,6)

O ministério de João Batista teve um resultado estrondoso. Mesmo pregando no deserto, multidões se desabalaram das cidades e vilas para ouvi-lo. Pessoas de Jerusalém, de toda a Judeia e de toda a circunvizinhança do Jordão foram ao encontro dele, e eram por ele batizadas no rio Jordão, confessando seus pecados.

Não é o lugar que faz o homem; é o homem que faz o lugar. João Batista não está pregando no templo, mas no deserto. Porque ele era uma voz, essa voz foi ouvida. Porque a ele veio a palavra do Senhor, o povo veio a ele para ouvi-lo. Nem sempre Deus trabalha pelas vias oficiais. Deus vira a mesa. Deus não se adéqua aos esquemas humanos. João chama as multidões para fora do templo e de Jerusalém, rumo ao deserto. É preciso que se comece algo radicalmente novo.

Quando as multidões dirigiram-se ao deserto para ouvi-lo, João não lhes fez cócegas nos ouvidos, nem lhes pregou amenidades, mas as feriu com a verdade, convocando todos ao arrependimento. Sua mensagem exigia uma mudança radical. Ninguém pode esperar em Cristo se primeiro não se desesperar de si mesmo. Ninguém pode confiar em Cristo sem primeiro descrer de seus próprios méritos. Não obstante pregar com inarredável veemência, multidões vinham a João Batista, confessando seus pecados (3.6).

O alerta do arauto (3.7-10)

O sermão de João Batista no deserto não foi politicamente correto. Ele não pregou para agradar seus ouvintes, mas para feri-los com a espada do Espírito e levá-los ao arrependimento. Alguns pontos devem ser aqui destacados.

Em primeiro lugar, *o perigo mortal da hipocrisia* (3.7a). *Vendo ele, porém, que muitos fariseus e saduceus vinham ao batismo, disse-lhes: Raça de víboras*... Embora R. C. Sproul diga que os fariseus e os saduceus não vinham para ser batizados, mas para investigar o que João estava fazendo, com o propósito de relatar às autoridades de Jerusalém,[5] entendo que João viu a podridão e a hipocrisia da profissão de fé que os fariseus e saduceus estavam fazendo e usou a linguagem adequada para descrever o caso: *Raça de víboras*... Era habitual João Batista ver ninhadas de cobras pelas tocas e fendas das pedras. Quando as cobras sentiam o calor do fogo, corriam para a segurança da toca.[6] Ao chamá-los de raça de víboras, João Batista revela a disparidade brutal entre a palavra de arrependimento que eles traziam nos lábios e as atitudes perversas que carregavam no coração.

Os fariseus representavam a superstição hipócrita; os saduceus, a descrença carnal.[7] Os fariseus eram conservadores na teologia, mas complacentes consigo mesmos na ética. Havia um abismo entre o que pregavam e o que viviam. Agiam como atores, representando um papel de piedade, quando, na verdade, estavam cheios de rapina. Os saduceus eram aristocratas, liberais quanto à doutrina, amantes do poder e do dinheiro. Quando João viu que esses líderes também vinham para o batismo, chamou-os de *raça de víboras*, mostrando-lhes que o veneno que carregavam era pior do que o veneno das serpentes, pois o veneno das serpentes foi o próprio Deus quem nelas colocou, mas o veneno da hipocrisia que aqueles carregavam no coração fora neles colocado pelo diabo.

Em segundo lugar, *o perigo real do inferno* (3.7b). ... *quem vos induziu a fugir da ira vindoura?* João Batista não evitou falar de temas graves como a ira vindoura. É melhor escutar sobre o inferno do que ir para lá. É melhor exortar as pessoas a fugirem da ira vindoura do que acalmá-las com o anestésico da mentira, mantendo-as no caminho da perdição.

Em terceiro lugar, *o perigo do falso arrependimento* (3.8). *Produzi, pois, frutos dignos de arrependimento*. Richards diz, corretamente, que a palavra grega *metanoia*, "arrependimento", pede uma mudança radical de coração e mente; uma mudança que resultará em um estilo de vida radicalmente diferente. Daí a ênfase de João: *Produzi, pois, frutos dignos de arrependimento*.[8] João Batista não prega arrependimento e novamente arrependimento, mas arrependimento e frutos dignos de arrependimento. O falso arrependimento, ou o arrependimento infrutífero, é aquele professado com os lábios e não demonstrado pela vida. O verdadeiro arrependimento evidencia-se pelos seus frutos. Concordo com A. T. Robertson quando ele diz que os frutos não são a mudança de coração, mas os atos que dela resultam. Qualquer um pode praticar atos externamente bons, mas só o homem bom pode fazer uma colheita de atos e hábitos certos.[9]

Em quarto lugar, *o perigo da falsa confiança religiosa* (3.9). *E não comeceis a dizer entre vós mesmos: Temos por pai a Abraão; porque eu vos afirmo que destas pedras Deus pode suscitar filhos a Abraão*. Muitos judeus nos dias de João Batista acreditavam que, pelo simples fato de correr em suas veias o sangue de Abraão, o pai da nação, eles já estavam salvos. Porém, os verdadeiros filhos de Abraão não são os que têm o sangue de Abraão correndo nas veias, mas aqueles que têm a fé de Abraão habitando em seu coração.

Em quinto lugar, *o perigo da vida infrutífera* (3.10). *Já está posto o machado à raiz das árvores; toda árvore, pois, que não produz fruto é cortada e lançada ao fogo.* O homem não é o que sente nem o que fala, mas o que faz. A árvore é conhecida por seus frutos. Linguagem religiosa sem vida de piedade é um arremedo grotesco de conversão. Uma árvore que não produz fruto está sentenciada à morte. O machado afiado do juízo já está em sua raiz, e o seu destino será o fogo. A mensagem de João é: arrepender e viver ou não se arrepender e morrer. Charles Spurgeon é enfático quando escreve: "O cortador de todas as árvores infrutíferas chegou. O grande lenhador pôs o seu machado à raiz das árvores. Ele ergue o seu machado, golpeia, e a árvore infrutífera é abatida e lançada ao fogo".[10]

A postura do arauto (3.11,12)

O evangelista Lucas diz que a multidão que veio a João no deserto começou a cogitar se ele não seria o próprio Messias (Lc 3.15). Queriam colocar João num pedestal, num lugar elevado que não lhe pertencia. Queriam honrá-lo mais do que o próprio Deus o havia honrado. João, porém, não aceitou a glória que só pertence ao filho de Deus. João Batista sabe que não é o Messias. Não quer ocupar o lugar do noivo. Não se sente mais importante do que é. Seu princípio é: *Convém que ele cresça e que eu diminua.* Sua atitude é: *Não sou digno de desatar-lhe as correias das sandálias.* Seu papel é apresentar Jesus e sair de cena. Ele é uma voz, e não a mensagem. Ele testifica da luz, mas não é a luz. Ele aponta para o cordeiro de Deus, mas não é o cordeiro. Ele testemunha da vida, mas não é a vida. John Charles Ryle destaca que nenhum outro pregador, entretanto, jamais recebeu tão grandes elogios da parte de Jesus, o cabeça da igreja.[11]

Hoje, muitos pregadores buscam glória para si mesmos. Querem os holofotes. Buscam reconhecimento. Querem prestígio. Colocam-se no pedestal. Um pregador fiel sempre exaltará a Jesus e jamais permitirá que atribuam a ele ou ao seu ofício qualquer honra que pertence ao seu divino mestre. Afirmará como Paulo: *Porque não nos pregamos a nós mesmos, mas a Cristo Jesus como Senhor e a nós mesmos como vossos servos, por amor de Jesus* (2Co 4.5).

Três verdades saltam aos olhos aqui, como vemos a seguir.

Em primeiro lugar, *João reconhece sua limitação* (3.11a). *Eu vos batizo com água, para arrependimento...* João Batista confessa a limitação do seu ministério. Ele pode batizar com água, mas só Jesus batiza com o Espírito Santo e com fogo. Ele pode administrar os sacramentos, mas só Jesus pode conferir as bênçãos dos sacramentos. Ele pode usar o símbolo, mas só Jesus pode conceder o simbolizado. Ele pode apontar para o salvador, mas só o salvador pode dar salvação. Ele pode pregar sobre remissão de pecados, mas só Jesus pode perdoar pecados. Ele pode pregar fielmente o evangelho, mas não pode fazer que seus ouvintes recebam o evangelho. Ele pode aplicar-lhes a água do batismo, mas não pode purificar sua natureza pecaminosa. Ele pode entregar o pão e o vinho da ceia do Senhor, mas não pode capacitar as pessoas a se apropriarem do corpo e do sangue de Jesus pela fé. Pode ir até certo ponto, mas não além disso.

Em segundo lugar, *João reconhece a supremacia indisputável de Cristo* (3.11b). *... mas aquele que vem depois de mim é mais poderoso do que eu, cujas sandálias não sou digno de levar. Ele vos batizará com o Espírito Santo e com fogo.* João Batista reconhece que ele é apenas uma voz, e não o Verbo. Reconhece que veio para testificar da verdadeira luz, mas ele não é a luz. Reconhece que ele é amigo do noivo, mas não o noivo. Reconhece que ele batiza com água, mas não com o Espírito Santo e com fogo. Seu lema é: *Convém que ele cresça e que eu diminua* (Jo 3.30). João Batista se refere ao batismo com o Espírito e com fogo.

Orígenes, entre os pais da igreja, e escritores modernos como Neander, Meyer, De Wette e Lange interpretam o batismo com fogo como um batismo de impenitentes com o fogo do inferno, distinto do batismo com o Espírito.[12] Outros estudiosos ainda, como Warren Wiersbe,[13] William MacDonald[14] e Craig S. Keener,[15] entre outros, pensam de igual forma. Defendem que João está se referindo a dois batismos diferentes e opostos, um de graça e outro de juízo. Entendo, porém, amparado nos mais conceituados estudiosos das Escrituras, que o batismo com o Espírito e o batismo com fogo são análogos e complementares.

A vasta maioria dos exegetas bíblicos defende também esse posicionamento. O reformador João Calvino lança luz sobre o tema quando escreve: "A palavra *fogo* é acrescentada como um epíteto, e é aplicada ao Espírito, porque ele remove nossa poluição, como o fogo purifica o ouro".[16] A. T. Robertson corrobora essa visão, dizendo que Espírito e fogo estão unidos por uma preposição como se fosse um batismo duplo.[17] A mesma pessoa é batizada com ambos os batismos. João não fala: "Ele vos batizará com Espírito *ou* com fogo, mas com Espírito *e* com fogo". D. A. Carson, nessa mesma linha de pensamento, declara: "A preposição *e* governa tanto o batismo com o Espírito quanto o batismo com fogo. Isso sugere um conceito unificado".[18]

A água toca a superfície, mas o fogo penetra na substância das coisas. O fogo ilumina, aquece, purifica e alastra-se. William Hendriksen diz: "É verdade que, toda vez que uma pessoa é retirada das trevas e posta na maravilhosa luz de Deus, ela está sendo batizada com o Espírito Santo e com fogo".[19]

O fogo aqui é uma imagem de juízo, mas do juízo misericordioso que purifica e limpa, como o fogo do ourives. Russell Norman Champlin esclarece dizendo que a interpretação mais comum do batismo com fogo é que ele indica o caráter do batismo com o Espírito, ou seja, o fogo tanto limpa e purifica como destrói o mal.[20] Corrobora com esse mesmo pensamento o renomado expositor Matthew Henry.[21]

Richards, ainda, apresenta esse magno assunto da seguinte maneira:

> Alguns entendem "fogo" aqui como um símbolo do julgamento (como Isaías 34.10; 66.24; Jeremias 7.20), ao passo que outros o veem como um símbolo de purificação (como Isaías 1.25; Zacarias 13.9; Malaquias 3.2,3). Tanto o Espírito quanto o fogo são controlados pela mesma preposição, *en*, "e" que não é repetida no texto. Portanto, a segunda interpretação é preferível.[22]

Nessa mesma linha de pensamento, R. C. Sproul diz que esse fogo limpa, purifica e produz o mesmo que o crisol: o ouro puro da santificação. Não pense que você tem um salvador que o deixará fora do fogo. Ele o manterá fora do fogo eterno, mas, até lá, você permanecerá na fornalha como Sadraque, Mesaque e Abede-Nego.[23] Seguindo o mesmo raciocínio, James Hastings diz que o batismo com fogo penetra e limpa o que a água não consegue fazer. O fogo tem o poder de refinar o metal, tirando dele suas escórias. O fogo produz uma chama de ardor e entusiasmo.[24]

De acordo com as Escrituras, foram muitas as vezes em que Deus se revelou ao seu povo usando a figura do fogo.

Ele apareceu a Moisés no monte Horebe, numa chama de fogo no meio de uma sarça que ardia e não se consumia (Êx 3.2). Conduziu o povo de Israel pelo deserto durante quarenta anos, nas noites escuras e tenebrosas, por meio de uma coluna de fogo (Êx 13.22). Deus desceu sobre o Sinai em fogo (Êx 19.18). O aspecto da glória do Senhor era como fogo (Êx 24.17). Ali, do Sinai, Deus falou a Moisés do meio do fogo (Dt 4.12). O Senhor respondeu com fogo à oração de Elias e provou ao povo apóstata de Israel que só ele é Deus (1Rs 18.38). Deus respondeu à oração de Davi com fogo, quando este lhe ofereceu sacrifício (1Cr 21.26). No altar do tabernáculo, o fogo era mantido continuamente aceso (Lv 6.9). Desceu fogo do céu quando Salomão acabou de orar, consagrando ao Senhor o templo de Jerusalém, e a glória do Senhor encheu a casa (2Cr 7.1). Elias foi trasladado da terra para o céu por um carro de fogo e cavalos de fogo (2Rs 6.17). Isaías orou para que Deus fendesse os céus e descesse e se manifestasse como quando o fogo inflama gravetos (Is 64.1,2). Zacarias disse que Deus se coloca protetoramente ao nosso redor como muro de fogo (Zc 2.5). Ele faz dos seus ministros labaredas de fogo (Hb 1.7). O nosso Deus é fogo (Hb 12.29). O seu trono é fogo (Dn 7.9). A sua palavra é fogo (Jr 23.29). Jesus batiza com fogo (3.11), e o Espírito Santo desceu no Pentecostes em línguas como de fogo (At 2.3).[25]

Fritz Rienecker diz que o Espírito e o fogo são o elemento da nova vida que continuamente julga e purifica, como também continuadamente aquece e promove a vida. Assim deve ser entendida a palavra: *Ele vos batizará com o Espírito Santo e com fogo*.[26] É, ainda, oportuna a explicação de Richards: "Não fiquemos satisfeitos com a água. Nós precisamos é do fogo do Espírito".[27] Esse foi o pedido feito a Deus pelo jovem missionário Ashbel Green Simonton, quando plantava em solo brasileiro a Igreja Presbiteriana do Brasil. Registramos aqui suas palavras:

> Fazendo um retrospecto de minha própria vida durante o ano que agora se encerra, tenho de condenar-me. Posso indicar algum trabalho que foi feito da melhor maneira que pude; mas será que progredi na direção do céu? É aqui que me sinto em falta. Não posso ir além da prece do publicano: "Ó Deus, sê propício a mim, pecador!" Será sempre assim comigo? A própria pressão e atividade da vida exterior tem empanado minha comunhão com aquele para quem esses mesmos serviços são feitos. Quantas vezes minhas devoções são formais e apressadas, ou perturbadas por pensamentos de planos para o dia! E pecados muitas vezes confessados e lamentados têm mantido seu poder sobre mim. Quem me dera um batismo de fogo que consumisse minhas escórias; quem me dera um coração totalmente de Cristo.[28]

John Wesley escreve: "Ele vos encherá com o Espírito Santo, inflamando vosso coração com aquele fogo de amor, que as muitas águas não podem apagar. E isso foi feito, com visível aparência, quando o Espírito desceu em línguas como de fogo, no dia de Pentecostes".[29]

Em terceiro lugar, *João reconhece o perigo de retardar o arrependimento* (3.12). *A sua pá, ele a tem na mão e limpará completamente a sua eira; recolherá o seu trigo no celeiro, mas queimará a palha em fogo inextinguível.* A igreja visível é formada de trigo e joio, ovelhas e cabritos, salvos e perdidos. Mas chegará o dia em que a separação será feita. Esse dia vai revelar a diferença entre os salvos e os perdidos, os crentes e os hipócritas, o trigo a ser recolhido no celeiro e a palha que queimará em fogo inextinguível.

Notas

[1] Champlin, R. N. *O Novo Testamento interpretado versículo por versículo.* Vol. 1, p. 280.
[2] Sproul, R. C. *Mateus*, p. 31.
[3] Richards, Lawrence O. *Comentário histórico-cultural do Novo Testamento*, p. 16.
[4] Spurgeon, Charles H. *O evangelho segundo Mateus*, p. 43.
[5] Sproul, R. C. *Mateus*, p. 33.
[6] Robertson, A. T. *Mateus*, p. 50-51.
[7] Ibidem, p. 50.
[8] Richards, Lawrence O. *Comentário histórico-cultural do Novo Testamento*, p. 15.
[9] Robertson, A. T. *Mateus*, p. 51.
[10] Spurgeon, Charles H. *O evangelho segundo Mateus*, p. 45.
[11] Ryle, John Charles. *Meditações no evangelho de Mateus*, p. 16.
[12] Lewis, Sundarland; Booth, Henry. *The preacher's complete homiletic commentary on the gospel according to st. Matthew.* Grand Rapids, MI: Baker Books, 1996, p. 34.
[13] Wiersbe, Warren W. *Comentário bíblico expositivo*, p. 18.
[14] MacDonald, William. *Believer's Bible commentary.* Nashville: Thomas Nelson Publishers, 1995, p. 1211.
[15] Keener, Craig S. *Comentário histórico-cultural da Bíblia.* São Paulo, SP: Vida Nova, 2017, p. 53.
[16] Calvin, John. *Calvin's Commentaries.* Vol. XVI. Grand Rapids, MI: Baker Books, 2009, p. 199.
[17] Robertson, A. T. *Mateus*, p. 51.
[18] Carson, D. A. *Matthew*, p. 105.
[19] Hendriksen, William. *Mateus.* Vol. 1, p. 259.
[20] Champlin, R. N. *O Novo Testamento interpretado versículo por versículo.* Vol. 1, p. 283.
[21] Henry, Matthew. *Comentário bíblico de Matthew Henry – Mateus a João*, p. 24.
[22] Richards, Lawrence O. *Comentário histórico-cultural do Novo Testamento*, p. 16.
[23] Sproul, R. C. *Mateus*, p. 34.
[24] Hastings, James. *The great texts of the Bible.* Vol. VIII. Grand Rapids, MI: Wm. B. Eerdmans Publishing Company, n. d., p. 39-43.

[25] LOPES, Hernandes Dias. *Batismo com fogo.* Belo Horizonte, MG: Betânia, 2014, p. 22-23.

[26] RIENECKER, Fritz. *Evangelho de Mateus*, p. 62.

[27] RICHARDS, Lawrence O. *Comentário histórico-cultural do Novo Testamento*, p. 17.

[28] SIMONTON, Ashbel Green. *O diário de Simonton.* Editora Cultura Cristã. São Paulo, SP. 2002: p. 174.

[29] WESLEY, John. "Matthew". In: *The classic Bible commentary.* Wheaton, IL: Crossway Books, 1999, p. 914.

Capítulo 5

O batismo do Rei

(Mt 3.13-17)

Na mesma época em que o ministério de João Batista alcançava o seu apogeu e ele recebia multidões no deserto da Judeia confessando os seus pecados, para serem batizadas e receberem remissão de pecados, Jesus sai da Galileia e vai para o Jordão, a fim de ser também batizado.

Esse extraordinário acontecimento é tão relevante para a história da redenção que os quatro evangelistas registram o batismo de Jesus. Lições importantes devem ser destacadas à luz do texto em tela.

O tempo oportuno do batismo (3.13)

Mateus faz o seguinte registro: *Por esse tempo, dirigiu-se Jesus da Galileia para o Jordão, a fim de que João o batizasse*

(3.13). João foi levantado por Deus para preparar o caminho do Senhor. Ele era o precursor do Messias. Devia aterrar os vales, nivelar os montes, endireitar os caminhos tortos e aplainar os caminhos escabrosos. Multidões fluíam ao seu encontro no deserto para serem batizadas. Fariseus, saduceus, soldados e publicanos também vinham para ser batizados. Nesse tempo oportuno da história é que Jesus inaugura o seu ministério. É tempo de revelar-se ao povo como o Messias. É tempo de identificar-se com o povo a quem veio salvar.

Jesus já havia sido circuncidado ao oitavo dia, e o batismo cristão ainda não tinha sido instituído. O batismo de João era um batismo preparatório e transitório. Seu objetivo era levar as pessoas ao arrependimento, a fim de que recebessem perdão de pecados. O batismo de João tinha como propósito levar o povo de volta para Deus. Todas as pessoas que vinham a esse batismo precisavam ter plena consciência de seu pecado e precisavam ainda se arrepender do pecado e, depois do batismo, produzir frutos dignos de arrependimento. O ritual em si não tinha o poder de mudar as pessoas. Mas era um símbolo da transformação operada por Deus.

É nesse momento histórico de volta do povo para Deus, por meio do arrependimento, confissão, batismo e mudança de vida, que Jesus aparece para identificar-se com o povo e também receber o batismo.

O motivo real do batismo (3.14,15)

Vejamos o registro de Mateus: *Ele, porém, o dissuadia, dizendo: Eu é que preciso ser batizado por ti, e tu vens a mim? Mas Jesus lhe respondeu: Deixa por enquanto, porque, assim, nos convém cumprir toda a justiça. Então, ele o admitiu* (3.14,15).

Mateus é o único evangelista que registra o conflito de João ao ser procurado por Jesus para ser batizado. Ele sabia que Jesus não tinha pecado pessoal do qual se arrepender. Ele sabia que Jesus não precisava ser perdoado. Por isso, procurou dissuadi-lo, dizendo que ele, sim, precisava do batismo que Jesus administrava, o batismo com o Espírito e com fogo, mas Jesus não necessitava do batismo que ele ministrava, o batismo com água, o batismo de arrependimento. Nas palavras de William Barclay, "a convicção de João era que ele necessitava do que Jesus podia dar, e não Jesus do que ele, João, oferecia".[1] Charles Spurgeon, destacando a humildade de João Batista, diz que ele nunca se esquivou de um dever, mas recusou, sim, uma honra.[2]

Diante do conflito de João, Jesus explica que a razão de estar se submetendo ao batismo é porque estava se identificando com o seu povo, a quem veio salvar. Ao identificar-se com o povo, assumiu seu lugar, levou sobre si seu pecado e sofreu em si mesmo a ira de Deus e o duro golpe da lei. Foi para cumprir as demandas da justiça que Jesus foi batizado. Com isso, resta claro que Jesus foi batizado por um motivo diferente dos demais que vieram ao batismo. Aqueles foram batizados porque pessoalmente haviam pecado contra Deus, estavam debaixo da ira de Deus e precisavam demonstrar arrependimento antes de receber remissão de pecados. Jesus, contudo, foi batizado não por pecados pessoais, porque não os tinha, nem mesmo porque precisava receber o perdão de Deus, uma vez que ele era o deleite do Pai. Ele foi batizado porque se fez um com o seu povo, a quem veio salvar. Foi batizado porque o pecado do seu povo estava sobre ele e, então, para cumprir a justiça, ele recebeu o batismo de arrependimento para a remissão de pecados.

Nessa mesma linha de pensamento, Norman Shields diz: "Jesus considerava como essencial que ele se identificasse com esses pecadores e fosse tratado como se ele fosse um deles. Assim fazendo, ele ilustrou o fato de que ele tinha vindo para salvar o seu povo dos seus pecados (1.21)".[3] Tasker complementa: "Submetendo-se ao batismo, Jesus estava aceitando seu destino. Como membro de seu povo e parte da humanidade, ele toma sobre si os pecados deles, e no batismo ele os atira sobre si com santa ira, dedicando-se ao mesmo tempo à sua santa vocação".[4]

Fritz Rienecker é ainda mais enfático:

> Por que Jesus deixou-se batizar? Sabemos da importância do batismo de João. Ele significava o juízo sobre a pessoa culpada. Jesus tinha necessidade de tal juízo? Não, por causa de si próprio ele não precisava deixar-se batizar. Ele submeteu-se ao batismo não somente exteriormente, como a uma cerimônia, ou para nos dar um exemplo, a saber, de que também precisamos deixar-nos batizar. Jesus sabia que precisava realizar e construir o que esse batismo representa. Está cônscio de que ele é o cordeiro de Deus que leva embora o pecado do mundo. Por isso responde ao Batista: *Convém cumprir toda a justiça*. Ele sabe que o caminho da decisão redentora de Deus, passa pela sua morte vicária.[5]

O significado espiritual do batismo (3.16,17)

O batismo de Jesus teve três significados importantes: identificação, unção e aprovação. O primeiro ponto já foi explanado nos versículos anteriores. Agora analisaremos os outros dois.

Em primeiro lugar, *o batismo de Jesus marca sua unção* (3.16). *Batizado Jesus, saiu logo da água, e eis que se lhe abriram os céus, e viu o Espírito de Deus descendo como pomba, vindo sobre ele*. Os céus se abrem, o Espírito Santo desce e a voz de Deus fala. Agora os céus estão novamente "rasgados", como diz Marcos, ou "abertos", conforme Mateus. Abrem-se as regiões que até então estavam trancadas aos seres humanos. Em Jesus, ficou livre o caminho ao coração paterno de Deus. A terra recebeu de novo o céu. E novamente é possível ser nascido do céu.[6]

Lucas nos informa que, no momento em que os céus se lhe abriram, Jesus estava orando (Lc 3.21). Mateus e Marcos dizem que foi logo ao sair da água (3.16; Mc 1.10). João, entretanto, diz que foi o Batista que viu o Espírito descer do céu como pomba e pousar sobre ele (Jo 1.32). Todos os evangelistas registram esse momento singular da descida do Espírito sobre Jesus, ungindo-o para o cumprimento de sua missão. Concordo com Rienecker quando ele diz que "aqui o Espírito Santo é compreendido como instrumentalização pública para a atividade que o Senhor de agora em diante irá exercer".[7]

Mesmo sendo Jesus o filho de Deus, ele não dispensou a unção do Espírito. Mesmo sendo o homem perfeito, ele não abdicou do poder do Espírito para realizar sua obra. Tasker destaca nessa passagem um grande paradoxo, uma vez que sobre o Messias, que devia batizar com fogo, o Espírito tenha descido em seu batismo como pomba, símbolo de suavidade e mansidão. Em Jesus, na realidade, nos defrontamos com a *bondade e a severidade de Deus* (Rm 11.22).[8]

Em segundo lugar, *o batismo de Jesus marca sua aprovação pelo Pai* (3.17). *E eis uma voz dos céus, que dizia: Este é o meu filho amado, em quem me comprazo*. Marcos e Lucas afirmam que a voz do céu foi endereçada diretamente a Jesus, e não aos circunstantes, como o faz Mateus: *Tu és o meu filho amado, em ti me comprazo* (Mc 1.11; Lc 3.22). Jesus não apenas se identifica com seu povo pecador, a quem veio salvar, mas o Pai o identifica como o seu filho amado, em que ele se compraz, e dá esse mesmo testemunho dele como o seu filho amado diante do povo.

Nessa passagem, vemos a presença da Santíssima Trindade: o filho sendo batizado, o Espírito Santo descendo sobre ele em forma de pomba e o Pai confirmando sua filiação. R. C. Sproul diz que, assim como as três pessoas da Trindade haviam estado na Criação, todas elas também estiveram presentes nesse momento inicial da redenção.[9] Fritz Rienecker destaca o profundo contraste entre o início e o fim do presente capítulo de Mateus. Lá no início, as mais duras palavras de condenação de João Batista; aqui no final, o cordeiro de Deus, que tomou sobre si todo o juízo ao deixar-se batizar em lugar dos pecadores. Lá a lei, aqui o evangelho; lá juízo, aqui a graça.[10]

NOTAS

[1] BARCLAY, William. *Mateo I*, p. 65.
[2] SPURGEON, Charles H. *O evangelho segundo Mateus*, p. 49.
[3] SHIELDS, Norman A. *Mateus, um panorama.* Santo Amaro, SP: PES, 2016, p. 32.
[4] TASKER, R. V. G. *Mateus: introdução e comentário*, p. 39.
[5] RIENECKER, Fritz. *Evangelho de Mateus*, p. 64.
[6] IBIDEM, p. 65.
[7] IBIDEM.
[8] TASKER, R. V. G. *Mateus: introdução e comentário*, p. 40.
[9] SPROUL, R. C. *Mateus*, p. 37.
[10] RIENECKER, Fritz. *Evangelho de Mateus*, p. 66.

Capítulo 6

A tentação do Rei

(Mt 4.1-11)

Todos os evangelhos sinóticos afirmam que a tentação de Jesus se deu imediatamente após o seu batismo. Mateus, portanto, situa a tentação em um tempo definido, "A seguir", e em um lugar específico: "no deserto".[1] Jesus sai da água do batismo para o deserto da tentação. Do sorriso do Pai para a carranca do diabo. Do revestimento do Espírito para a prova mais amarga. Não há nenhum intervalo entre a unção e a prova, entre a voz gloriosa do Pai e a voz cavernosa do tentador.

É difícil entender que Jesus, como filho de Deus, pudesse ser tentado. Mas é da mesma maneira difícil ver que ele, como ser humano, pudesse escapar da tentação.

Ele foi tentado em tudo para nos socorrer nos momentos em que nós somos tentados (Hb 2.10,18; 4.15; 5.7-9).

Apenas os evangelhos sinóticos relatam a tentação de Jesus. É digno de nota que Mateus, Marcos e Lucas informem que Jesus jejuou, mas nenhum deles afirme expressamente que Jesus orou. Sabemos disso por inferência, e não por declaração do texto. Tanto Marcos como Mateus nos informam que ele foi tentado não *depois* de quarenta dias de jejum, mas *durante* os quarenta dias de jejum. Mateus apresenta as três tentações de forma diferente de Lucas, e somente Lucas mostra que o diabo deixou Jesus até momento oportuno, mas voltou à carga com outros métodos, usando outras circunstâncias.

À guisa de introdução, destacamos a seguir quatro verdades do texto em tela.

Primeiro, *o diabo não é um ser mítico ou lendário.* O diabo não é uma ideia subjetiva nem uma energia negativa. É um anjo caído, um ser perverso, maligno, assassino, ladrão e mentiroso. Ele é a antiga serpente, o dragão vermelho, o leão que ruge, o deus deste século, o príncipe da potestade do ar, o espírito que atua nos filhos da desobediência. Ele age sem trégua. Não descansa nem tira férias. Foi o diabo quem oprimiu Jó, enganou Davi e fez Pedro cair em perigoso pecado. Ele é o adversário de nossa alma.[2]

Segundo, *a tentação é inevitável.* Não há pecado em ser tentado. Foi o Espírito Santo que compeliu Jesus ao deserto. Não é propriamente Satanás quem está atacando a Jesus, mas é Jesus quem está invadindo o seu território.

Terceiro, *a tentação vem nas horas mais esplêndidas da vida.* Jesus acabou de sair do Jordão, cheio do Espírito, e foi conduzido pelo Espírito ao deserto. Não houve nenhum intervalo entre a glória do batismo de Cristo e a dureza da tentação. Jesus vai repentinamente do sorriso aprovador do Pai para as ciladas do maligno. Jesus saiu da água do batismo para o fogo da tentação. A tentação não foi um acidente, mas um apontamento. Não houve nenhuma transição entre o céu aberto do Jordão e a escuridão medonha do deserto. A vida cristã não é uma apólice de seguros contra os perigos.

Quarto, *o mesmo Jesus que venceu o diabo nos assiste quando somos tentados*. Não precisamos temer o diabo, mas buscar refúgio em Jesus. Ele é o mais valente que amarra o diabo, saqueia sua casa e lhe tira os despojos. Ele é o sumo sacerdote que nos socorre quando somos tentados (Hb 2.18).

As estratégias do diabo

O diabo é astuto e maligno. Na sua sanha tentadora, usa todo o seu arsenal, aproveita-se de cada circunstância e busca tirar proveito das realidades existenciais. Destacamos a seguir alguns pontos.

Em primeiro lugar, *o diabo não se afasta de nós pelo fato de sermos filhos de Deus e estarmos cheios do Espírito Santo* (4.1-3). O diabo não começa com uma negação direta, mas com uma dúvida. A dúvida é uma arma sutil do diabo: *Se és filho de Deus...* (4.3). Essa foi a mesma estratégia que a serpente usou para tentar Eva: *É assim que Deus disse: Não comereis de toda árvore do jardim?* (Gn 3.1). No caso de Jesus, o diabo pôs em dúvida a verdade do batismo: *Este é o meu filho amado* (Mt 3.17); *Tu és o meu filho amado* (Mc 1.11; Lc 3.22). Na verdade, o diabo pôs em dúvida toda uma vida. Desde o início, Jesus estava empenhado nos negócios do seu Pai. Agora, sua filiação é questionada. O diabo também questiona nosso relacionamento com Deus. Ele tenta enfiar a cunha da dúvida nas brechas da nossa mente.

Em segundo lugar, *o diabo não deixa de nos tentar pelo fato de orarmos e jejuarmos.* Jesus estava orando e jejuando durante quarenta dias e nesse tempo o diabo tentou desviá-lo. Ele não tentou Jesus *depois* dos quarenta dias. Mateus nos informa que ele tentou Jesus durante os *quarenta* dias. Tentou-o não *depois* que ele orou e jejuou, mas *enquanto* orava e jejuava. Quem não vigia e ora, não consegue resistir. A oração não afugenta o diabo, mas fortalece você. Jesus disse: *Vigiai e orai, para que não entreis em tentação.* Pedro não vigiou nem orou, por isso negou Jesus.

Em terceiro lugar, *o diabo nos tenta em coisas pertinentes.* O diabo atacou Jesus em três áreas: a área física, a satisfação de uma necessidade; a área religiosa, a presunção; e a área política, a ambição.

A tentação física – a satisfação das necessidades (4.3,4)

Para melhor compreensão dessa passagem, destacamos alguns pontos.

Em primeiro lugar, *o diabo tenta tirar proveito das nossas necessidades* (4.1,2). O tentador adaptou a tentação às circunstâncias: ele tentou um homem faminto com pão.[3] Jesus estava com fome, com o físico debilitado, o estômago vazio, o corpo latejando em profunda agonia depois de quarenta dias de jejum. Todos os poros do seu corpo clamavam por pão. Eva estava perto da árvore proibida. Davi estava vagando pelo palácio na viração da tarde quando viu Bate-Seba se banhando. Pedro estava seguindo Jesus de longe.

Em segundo lugar, *o diabo nos tenta em nosso ponto forte e em nosso ponto fraco.* O diabo tentou Jesus em sua filiação: *Se és filho de Deus* (4.3). Tentou-o também em sua necessidade física. Depois de quarenta dias e quarenta noites de jejum, Jesus teve fome. Então, o diabo sugere que Jesus atenda às suas próprias necessidades, transformando pedras em pães. O diabo tentou Jesus em sua natureza divina e em sua natureza humana. Como Deus, ele é o filho amado do Pai; como homem, ele teve fome. Precisamos nos acautelar em relação às ciladas do diabo. O apóstolo Pedro tinha muita segurança em si mesmo e caiu. O apóstolo Paulo diz: *Porque, quando sou fraco, então, é que sou forte* (2Co 12.10).

Em terceiro lugar, *o diabo questiona a bondade de Deus.* O diabo, ao tentar Jesus, sugerindo-lhe transformar pedras em pães, estava também questionando o cuidado e a bondade de Deus. Ainda hoje, ele nos tenta, sugestionando-nos: 1) Se Deus é bom, por que você está com fome? 2) Se Deus o ama, por que você está em apuros? 3) Se Deus é fiel, por que você está doente? 4) Se Deus é amor, por que você perdeu o emprego?

Em quarto lugar, *o diabo explora as circunstâncias adversas.* Jesus estava no deserto; depois de orar e jejuar quarenta dias, estava com fome, sozinho e junto das feras:

- Tu estás só – Será que o Pai abandonaria seu filho?
- Tu estás no deserto – É este um lugar para o herdeiro de Deus?
- Tu estás com fome – Como o Pai de amor poderia deixar o seu filho sofrer?
- Tu estás com as feras – Péssimas companhias para o filho de Deus.

Em quinto lugar, *o diabo sugestiona Jesus a abandonar sua dependência do Pai.* A expressão "Se tu és" pode ser traduzida também por "Já que és". Já que és o filho de Deus, já que tens poder, faze alguma coisa por ti mesmo! Asafe, no Salmo 73, mostra o perigo que enfrentou ao ser tentado pela prosperidade do ímpio. Ele chegou a pensar: "O que adianta ser crente? Estou sofrendo!" A mulher de Jó, ao receber o cálice do sofrimento, revoltada contra Deus, disse ao marido: *Ainda conservas a tua integridade? Amaldiçoa a Deus e morre* (Jó 2.9).

Em sexto lugar, *o diabo sugere que Jesus resolva o problema econômico do povo faminto, usando a política de que os fins justificam os meios.* O diabo está sugerindo que Jesus tenha um reino de milagres, um reino de pão sem cruz. É como se ele dissesse a Jesus: *Dá pão ao povo, e ele te seguirá.* Tasker diz que Jesus foi tentado a aceitar a doutrina diabólica de que os fins justificam os meios.[4]

Em sétimo lugar, *o diabo sugere que Jesus satisfaça imediatamente seus desejos à parte do propósito de Deus.* O diabo tenta Jesus, insinuando que o prazer de comer deve estar acima de obedecer ao propósito de Deus. O diabo torna o pecado gostoso, atraente, imperativo. O diabo sugere que Jesus fuja do sofrimento e da privação. Sua proposta é: satisfaça-se; não se reprima!

A tentação religiosa – a presunção (4.5-7)

Quando Jesus citou a Bíblia para o diabo, ele partiu para o segundo *round* da tentação, com a Bíblia na mão.

Destacaremos a seguir alguns pontos.

Em primeiro lugar, *o diabo tenta Jesus com a Bíblia na mão.* Ao perceber que o desejo de Jesus era obedecer a Deus e glorificá-lo por meio da Palavra, o diabo o tenta com a Palavra. Na primeira tentação, o diabo queria levar Jesus a desconfiar de Deus. Agora, quer levá-lo a uma confiança falsa na proteção de Deus. O diabo torceu o sentido do Salmo 91 e omitiu outra parte. Ele usou a Bíblia para tentar. A Palavra de Deus na boca do diabo não é Palavra de xeus, mas palavra do diabo, pois ele a toma, a torce e a usa para tentar.

A promessa de livramento do Salmo 91 é válida quando você anda em todos os caminhos de Deus. Ou seja, Deus não é parceiro de sua loucura!

Em segundo lugar, *o diabo é sempre um mau intérprete das Escrituras*. Ele sempre torce a Palavra. É assim que surgem tantas seitas e heresias com gente de Bíblia na mão, mas guiada pelo diabo. O diabo foi o primeiro teólogo liberal. Ele é o patrono dos falsos exegetas.

Em terceiro lugar, *o diabo queria que Jesus realizasse um milagre para se exibir*. Isso não é fé; é presunção. Os homens gostam de coisas sensacionais. Estão ávidos pelo sobrenatural. De igual modo, o diabo quer nos levar a pecar confiados na graça de Deus. "Siga em frente; Deus não deixará você cair." "Isso não tem nada a ver." "Todo mundo faz." "Não seja antiquado." "Fique tranquilo, Deus perdoa. A graça é suficiente." Jesus, porém, responde ao diabo: *Também está escrito: Não tentarás o Senhor, teu Deus* (4.7). Um texto não deve ser analisado separadamente e ampliado de forma desproporcional, como se fosse a Bíblia inteira; cada pronunciação do Senhor deve ser considerada em conexão com outras partes das Escrituras. "Está escrito" deve ser colocado ao lado de "também está escrito".[5]

A tentação política – a ambição (4.8-10)

O diabo tem um arsenal variado e usa todas as armas para alcançar seus nefastos propósitos. Três fatos nos chamam a atenção a seguir.

Em primeiro lugar, *o diabo percebe que Jesus está comprometido com o reino de Deus e então lhe oferece os reinos deste mundo* (4.8,9). O diabo queria fazer de Jesus um novo César. O poder de Roma estaria em suas mãos. Seu povo oprimido quebraria o jugo da escravidão e reinaria com ele. Jerusalém, e não Roma, seria a sede do seu governo. O diabo diz a Jesus: "Há um suspiro lá no vale por libertação política. Atenda o povo". O diabo oferece a Jesus um reino de glória sem cruz, um reino de *glamour*.

Em segundo lugar, *o diabo exige uma adoração aberta* (4.9). Agora, na terceira tentação, o diabo não sugere que Jesus desconfie, nem que tenha uma confiança falsa, mas que apostate de Deus. Aqui o diabo mostra as suas garras e quer assumir o lugar do Deus todo-poderoso.

Em terceiro lugar, *o diabo é um estelionatário* (4.9). O diabo promete o que não tem. Diz a Jesus: *Tudo isto te darei se, prostrado, me adorares*. O evangelista Lucas registra as palavras do tentador: *Dar-te-ei toda esta autoridade e a glória destes reinos, porque ela me foi entregue, e a dou a quem eu quiser* (Lc 4.6). O diabo promete todos os reinos a Jesus, dizendo que ele tinha autoridade para fazer isso. Mentira! Ele promete o que não tem. Ele esconde que é um ser derrotado, condenado e infeliz. Concordo com R. C. Sproul: "A oferta que Satanás fez a Jesus não era algo que ele podia dar. Satanás não tem glória alguma para dar".[6]

A persistência do diabo

O diabo tentou Jesus de diversas formas. Ele muda de tática. Tem muitos estratagemas. O evangelista Lucas diz que o diabo se apartou de Jesus até momento oportuno (Lc 4.13). Ele voltou, tentando-o pela multidão, usando Pedro e ainda os demais discípulos.

Esse episódio nos ensina a necessidade de nos mantermos sempre vigilantes. Não ensarilhe as armas. Não há momento mais perigoso do que depois de uma vitória. Aquele que pensa estar em pé veja que não caia.

Como vencer as tentações do diabo

Aprendemos com o texto em tela quatro formas que Jesus usou para vencer as tentações do diabo, como exploramos a seguir.

Em primeiro lugar, *ter uma vida de intimidade com Deus por meio do jejum e da oração* (4.2). Jesus tinha prazer no Pai, e o Pai tinha prazer no filho. Quem ama a Deus, ora. Quem tem apetite pelo pão do céu, jejua. Quem anda com Deus, tem poder para resistir o diabo. O problema não é a presença do inimigo, mas a ausência de Deus.

Em segundo lugar, *ter uma vida cheia do Espírito Santo e ser guiado pelo Espírito* (4.1). Estamos sempre cheios: do Espírito Santo ou de nós mesmos. Jesus viveu na plenitude do Espírito Santo e foi guiado pelo Espírito. Não vencemos a tentação na força da carne. Só quando somos cheios do Espírito e guiados pelo Espírito que alcançamos vitória nas tentações.

Em terceiro lugar, *ter a Palavra de Deus no coração e nos lábios.* A Bíblia é a espada do Espírito. Nada de racionalizações: o que eu penso, o que eu acho, o que as pessoas falam. Jesus disse: Está escrito! A única arma que Jesus usou para vencer o diabo foi a Palavra de Deus. R. C. Sproul diz que João Calvino chamava a Bíblia de *Vox Dei* – Voz de Deus – e disse que nós devemos receber essa palavra como se a estivéssemos ouvindo diretamente dos lábios do próprio Deus.[7]

Em quarto lugar, *ter uma atitude de resistir ao diabo.* Não devemos subestimar o diabo, nem temê-lo, nem fugir dele, mas resistir a ele. O diabo precisou bater em retirada. Precisamos entender que o diabo já foi vencido, e aquele que o venceu nos assiste quando somos tentados (Hb 2.18). Estamos em Cristo. Sua vitória é a nossa vitória! Você não precisa enfiar a cabeça na coleira do diabo. Você não é mais escravo do pecado. Você foi tirado da potestade de Satanás, da casa do valente, do reino das trevas. Você agora está assentado com Cristo nas regiões celestes.

Um banquete no deserto

Depois que o diabo bateu em retirada, os anjos chegaram para servi-lo. Depois da luta, a vitória. Depois do vale, os mananciais. Depois da dor, o refrigério. Depois do choro, a alegria. Depois da fome e do jejum sob a dependência de Deus, o banquete servido pelos anjos. R. C. Sproul diz que os anjos serviram a Jesus o café da manhã mais fantástico que um ser humano já provou.[8] Os anjos são espíritos ministradores em favor dos que herdam a salvação (Hb 1.14). O anjo do Senhor acampa-se ao redor dos que o temem e os livra.

NOTAS

[1] ROBERTSON, A. T. *Mateus*, p. 55.
[2] RYLE, John Charles. *Meditações no evangelho de Mateus*, p. 21.
[3] SPURGEON, Charles H. *O evangelho segundo Mateus*, p. 53.
[4] TASKER, R. V. G. *Mateus: introdução e comentário*, p. 43.
[5] SPURGEON, Charles H. *O evangelho segundo Mateus*, p. 55.
[6] SPROUL, R. C. *Mateus*, p. 46.
[7] IBIDEM, p. 44-45.
[8] IBIDEM, p. 47.

Capítulo 7

O Rei inicia seu ministério
(Mt 4.12-25)

O registro de Mateus na passagem em tela não tem a preocupação de seguir a cronologia dos fatos. Mateus não indica nenhuma conexão cronológica entre esse texto e o material precedente.[1] De acordo com Fritz Rienecker, tudo o que o evangelho de João narra em 1.43—4.54 está condensado aqui nos versículos 12–17.[2] Mateus registra aqui a saída de Jesus da Judeia para a Galileia, depois da prisão de João Batista. Ralph Earle diz que a prisão de João Batista é o ponto de partida cronológico do grande ministério de Jesus na Galileia, como indicado nos dois primeiros evangelhos (Mc 1.14).[3]

Destacamos a seguir quatro pontos importantes.

O retiro de Jesus para a Galileia (4.12-17)

Realçamos a seguir alguns fatos no texto em tela.

Em primeiro lugar, Jesus *fugia dos conflitos de forma preventiva* (4.12). *Ouvindo, porém, Jesus que João fora preso, retirou-se para a Galileia.* O evangelista João informa que Jesus deixa a Judeia e vai para a Galileia em virtude do crescimento de sua popularidade na Judeia, especialmente pelo fato de os fariseus terem concluído que seus discípulos estavam batizando mais discípulos do que João Batista (Jo 3.26; 4.1-3). É claro que Mateus não está tratando aqui daquela ida para a Galileia logo depois de seu batismo e tentação, quando foi rejeitado em Nazaré (Lc 4.14-30).

A razão precípua de Jesus deixar a Judeia rumo à Galileia era para evitar um conflito prematuro com os fariseus. O tempo haveria de chegar, mas não precisava ser antecipado. William Hendriksen diz, corretamente, que o Senhor sabia que para cada evento em sua vida havia um tempo determinado no decreto de Deus. E sabia também que o momento apropriado para sua morte ainda não havia chegado. Tão logo chegasse esse momento, ele voluntariamente entregaria sua vida (Jo 10.18; 13.1; 14.31). Então, o faria, porém não antes.[4]

Outro motivo é que a Galileia era um lugar estratégico, por algumas razões: Primeiro, porque era uma região superpovoada. Havia cerca de 204 vilas na Galileia, com mais de quinze mil habitantes cada. Portanto, Jesus vai para uma região onde havia mais pessoas para ouvi-lo. Segundo, porque a Galileia era um território aberto a novas ideias. A palavra "Galileia" provém do hebraico *Galil,* que significa "círculo". Essa região estava rodeada de pagãos. Era conhecida como Galileia dos gentios. Seus vizinhos eram a Fenícia, a Síria e Samaria. Portanto, a Galileia estava em constante contato com as influências e ideias não judaicas. Corroborando essa ideia, Norman Shields diz que a Galileia tinha sido subjugada sucessivamente pelos assírios, pelos babilônios, pelos gregos da Síria e pelos romanos; assim, estava sob grande influência gentílica e pagã – daí o termo usado por Isaías: "a Galileia dos gentios".[5] Concordo com Michael Green quando ele diz que vemos nessa agenda de Jesus não apenas um vislumbre, mas uma poderosa ênfase na obra missionária endereçada aos gentios.[6] Terceiro, porque as grandes rotas do mundo passavam pela Galileia. A rota do mar que atravessava a Galileia, vinda de Damasco, conduzia ao Egito e aos lugares mais distantes do mundo conhecido.[7] Cafarnaum era um lugar de destacamento militar (8.5-13) e centro de administração político-financeira (9.9).

Em segundo lugar, Jesus *buscava o cumprimento das profecias* (4.13-16). *E, deixando Nazaré, foi morar em Cafarnaum, situada à beira-mar, nos confins de Zebulom e Naftali; para que se cumprisse o que fora dito por intermédio do profeta Isaías...* William Hendriksen diz que em sua graça soberana Deus fez algo totalmente inesperado. Ele enviou seu filho não principalmente à aristocracia de Jerusalém, mas especialmente às desprezadas, dolorosamente afligidas e em grande parte ignorantes massas da Galileia, uma população miscigenada, gentílico-judaica. Foi na Galileia e em suas vizinhanças que Jesus passou a maior parte de sua vida encarnada sobre a terra. Foi ali que ele cresceu; também dali foi que posteriormente viajou de cidade em cidade, de aldeia em aldeia. Foi nessa região que ele reuniu em torno dele um grupo de discípulos.[8]

Nessa mesma linha de pensamento, Spurgeon diz que a grande luz se encontrou com a grande escuridão; os que estavam distantes foram visitados por aquele que congrega os dispersos de Israel. Nosso Senhor não atrai aqueles que se gloriam em sua luz, mas os que desfalecem em sua escuridão. Ele vem com a vida celeste não para aqueles que se gloriam de sua própria vida e poder, mas para aqueles que estão sob condenação e sentem as sombras da morte privando-os da luz e da esperança.[9]

Jesus não retorna a Nazaré, onde já havia sido rejeitado, mas vai estabelecer-se em Cafarnaum, situada às margens do mar da Galileia, cidade aduaneira por onde passava a mais importante estrada que ligava Damasco, ao norte, e o Egito, ao sul. Estrategicamente, Jesus deixa Nazaré, uma pequena cidade sem expressão, para fazer de Cafarnaum seu quartel-general. Cafarnaum tinha um comércio robusto e por ali pessoas trafegavam todos os dias.

A palavra "Cafarnaum" significa, literalmente, "vila de Naum", e Naum significa "compassivo". Logo, o nome Cafarnaum pode ser interpretado como "vila de compaixão ou consolação".[10] Como dissemos, essa cidade tornou-se o quartel-general de Cristo, onde ele realizou muitos milagres (8.5-17; 9.1-8,18-34; 11.23; 12.9-13; 17.24-27; Lc 4.23,31-37; 7.1-10). Jesus adotou de tal forma Cafarnaum como a cidade-base de seu ministério galileu que o evangelista Mateus diz que Cafarnaum era a sua própria cidade (9.1).

Além dessas vantagens logísticas para seu ministério, Jesus optou por Cafarnaum para que se cumprisse o que fora dito por intermédio do profeta Isaías (Is 9.1-7). Essa oprimida região, dominada e arrasada pela Assíria em 722 a.C., mergulhada em densas trevas, tornou-se fortemente marcada pela presença de gentios. Porém, a profecia de Isaías anunciava que, para esse povo que jazia em trevas, haveria de raiar a luz. Essa luz chegou com Jesus. Jesus veio como uma grande luz para pessoas obscurecidas por trevas morais e espirituais. Ele é a verdadeira luz que, vinda ao mundo, ilumina a todo homem (Jo 1.9). Estou de pleno acordo com o que diz Michael Green: "Quanto mais escura é a noite, mais intensamente a luz brilha".[11]

Em terceiro lugar, Jesus *pregava a mensagem essencial do reino* (4.17). *Daí por diante, passou Jesus a pregar e a dizer: Arrependei-vos, porque está próximo o reino dos céus.* A mesma mensagem pregada por João Batista, o precursor, foi também pregada por Jesus. Se a voz de João estava impedida de bradar, uma vez que ele estava encarcerado, Jesus faz soar sua onipotente voz: *Arrependei-vos, porque está próximo o reino dos céus.* Arrependimento foi a mensagem dos profetas, de João Batista, de Jesus e de seus apóstolos. Ninguém pode entrar no reino sem antes se arrepender de seus pecados. Não podemos esperar em Deus sem antes nos desesperarmos de nós mesmos. O arrependimento abrange as três áreas vitais da vida: razão, emoção e vontade. A palavra grega *metanoia,* "arrependimento", significa mudar de mente, sentir tristeza segundo Deus e dar meia-volta. Uma pessoa arrependida reconhece seu pecado, sente tristeza por ele e o abandona, voltando-se para Deus.

William Barclay destaca o fato de que a palavra grega *kerusso,* "pregar", usada aqui, significa a proclamação que faz o arauto antes da chegada do rei. Trata-se do homem encarregado de levar mensagens diretamente do rei e anunciá-las ao povo. Essa proclamação traz uma nota de certeza e autoridade.[12] Jesus, sendo o rei, é também o pregador. A pregação é a maior responsabilidade da igreja e a maior necessidade do mundo. John Charles Ryle declara, com razão, que não existe outra atividade tão honrada como a de um pregador. Por isso, os dias mais resplandecentes da igreja de Cristo sempre foram aqueles em que a pregação do evangelho foi mais honrada, enquanto os dias mais tenebrosos da igreja sempre têm sido aqueles em que a pregação é desvalorizada.[13]

Jesus está ordenando que seus ouvintes se arrependam, porque está próximo o reino dos céus (4.17b). William Hendriksen diz que essa mensagem não foi proclamada imediatamente ou de uma vez por todas ao mundo inteiro. Desde o princípio, sua difusão seria progressiva: deveria alcançar primeiro o judeu (10.5,6) e, em seguida, paulatinamente, também todas as nações (24.14; 28.19; At 13.46; Rm 1.16). Portanto, não causa estranheza que o anúncio "o reino dos céus está próximo" seja ouvido primeiro dos lábios de João Batista, em seguida seja confirmado por Jesus e, por ordem de Cristo, seja repetido pelos discípulos (10.7), com a intenção de que, finalmente, alcance o mundo inteiro: todas as nações. Então virá o fim.[14]

O chamado de Jesus aos discípulos (4.18-22)

Os quatro primeiros discípulos chamados por Jesus são pescadores. Pedro e André são irmãos e, de igual forma, Tiago e João. Entre eles, estavam os três apóstolos mais íntimos de Jesus. Pedro tornou-se o grande líder dos apóstolos tanto antes de sua queda como depois de sua restauração. Seu nome sempre aparece em primeiro lugar na lista dos apóstolos (10.2-4; At 1.13). André, embora não tenha tanta projeção como seu irmão, foi quem levou Pedro a Cristo e está sempre guiando pessoas a Jesus (Mt 14.18; Jo 1.40-42; 6.8,9; 12.22). Tiago, filho de Zebedeu, foi o primeiro dos doze a usar a coroa de mártir (At 12.1,2), e João foi o discípulo amado, que reclinou a cabeça sobre o peito de Jesus e a quem Jesus confiou sua mãe (Jo 19.26,27). Este foi o único apóstolo de Jesus que não passou pelo martírio. Pedro foi crucificado de cabeça para baixo (Jo 21.18,19; 2Pe 1.14,15). André foi crucificado em uma cruz em forma de X depois de afirmar que não podia pregar a respeito da cruz sem aceitar a oportunidade de ser morto em uma cruz.[15]

Vamos examinar um pouco mais esses quatro primeiros discípulos.

Em primeiro lugar, *o chamado dos irmãos que lançavam as redes* (4.18-20). Simão, chamado Pedro, e André foram os primeiros discípulos chamados por Jesus. Eram pescadores e estavam lançando suas redes para pescar. Embora Pedro tenha se destacado como líder, foi André quem o levou a Cristo (Jo 1.40-42). Aos dois, Jesus dá uma ordem para virem a ele e então lhes faz uma promessa, a promessa de que seriam pescadores de homens. Esses dois irmãos foram capturados pela rede da graça a fim de recrutarem homens para o reino dos céus. O resultado é que eles deixaram imediatamente as redes e o seguiram.

William Barclay enfatiza o fato de existir uma estreita conexão entre um pescador e um pescador de homens. O pescador precisa ter paciência, perseverança, coragem, noção exata do momento correto de agir, usar o método adequado para cada tipo de peixe e não chamar a atenção para si mesmo, mas se manter oculto.[16]

Em segundo lugar, *o chamado dos irmãos que consertavam as redes* (4.21,22). Em seguida, Jesus viu outros dois irmãos, Tiago e João, filhos de Zebedeu, que estavam consertando as redes em companhia de seu pai. Jesus os chamou, e eles, no mesmo instante, deixando o barco e seu pai, seguiram Jesus. O chamado de Jesus foi eficaz. O rompimento com o passado foi imediato. Treze vezes, no evangelho de Mateus, vemos Jesus dizer às pessoas: *Segue-me*. Citando Charles Spurgeon, Sproul diz que o chamado de Jesus é imperativo, adequado e eficaz.[17]

A consagração ao discipulado foi plena. Esses quatro homens sempre ocuparam o primeiro lugar na lista dos apóstolos.

O tríplice ministério de Jesus (4.23-25)

Jesus já tinha passado pela água do batismo e pelo fogo da tentação. Seu ministério já estava suplantando o robusto ministério de João Batista em termos de adesão das multidões (Jo 4.1-3). Então, Jesus deixou a Judeia para evitar conflitos precoces com as autoridades religiosas e foi para a Galileia (Mt 4.23). Sua fama transbordava além das fronteiras de Israel (Mt 4.24). Multidões fluíam de todos os cantos da nação para segui-lo (Mt 4.25). O texto em relevo nos mostra três áreas do ministério de Jesus: ensino, pregação e cura. Barclay diz que Jesus veio pregando para derrotar toda ignorância. Veio ensinando para derrotar todos os mal-entendidos. Veio curando para derrotar todo o sofrimento humano.[18] Jesus converteu seus próprios ensinamentos em ação, e em ação misericordiosa.

Em primeiro lugar, *Jesus ensinou nas sinagogas* (4.23). A sinagoga era a instituição mais importante na vida de um judeu. Só havia um templo, o templo de Jerusalém, mas havia uma sinagoga em cada comunidade judaica. Se o templo era o lugar dos sacrifícios, a sinagoga era o ambiente do ensino. Barclay diz que as sinagogas eram as universidades religiosas daquela época.[19] Estrategicamente, Jesus começou seu ministério docente nas sinagogas.

Jesus foi o mestre dos mestres, o mensageiro e a mensagem, o profeta e a profecia, o professor e o conteúdo do seu ensino. Não ensinou a doutrina dos rabinos nem o pensamento de sua época. Ensinou as Escrituras, mostrando que ele era o cumprimento de toda a esperança prometida no Antigo Testamento. Jesus não foi um alfaiate do efêmero, mas o escultor do eterno. Ele não ensinou nulidades, mas a verdade eterna. Ensinou nas sinagogas, lugar onde as pessoas se reuniam para ouvir a leitura da lei. Ensinou no lugar onde as pessoas buscavam conhecimento. Ensinou com fidelidade, com regularidade, com irretocável precisão. Nós, de igual forma, imitando a Jesus, devemos, no cumprimento da grande comissão, ensinar a Palavra aqui e acolá, em nossa terra e além-fronteiras, usando todos os métodos legítimos e disponíveis, até que as pessoas cheguem à maturidade e alcancem a estatura de varão perfeito.

Em segundo lugar, *Jesus pregou o evangelho do reino* (4.23). Jesus era um mestre e também um pregador. Ele veio para pregar. Pregar não a opinião dos doutores da lei nem a última corrente de pensamento dos grandes rabinos. Ele veio para pregar a Palavra de Deus, o evangelho do reino. O evangelho do reino é o evangelho da graça que chama o homem ao arrependimento e lhe promete remissão de pecados. O evangelho que, pela obra de Cristo, transporta o pecador do reino das trevas para o reino da luz, da potestade de Satanás para o domínio de Deus. O evangelho que abre a porta da salvação pela fé em Cristo sem o concurso das obras. O evangelho que apresenta a bondade e a severidade de Deus, a graça e o juízo, a redenção e a condenação, a vida e a morte. Esse evangelho não é criação do homem, mas dádiva de Deus. Destaca não as pretensas virtudes do homem, mas a soberana graça de Deus. Esse evangelho do reino é a única boa notícia que pode tirar o homem da escravidão para a liberdade, das trevas para a luz, do juízo condenatório para a justificação pela fé. Esse evangelho é o poder de Deus para a salvação de todo aquele que crê. A igreja não tem outra mensagem; o mundo não tem outra esperança.

William Hendriksen diz que o reino possui quatro conceitos: 1) o reinado , o governo ou soberania reconhecidos de Deus (6.10; Lc 17.21); 2) a completa salvação, com todas as bênçãos espirituais e materiais – ou seja, bênçãos para a alma e o corpo (Mc 10.25,26); 3) a igreja, a comunidade de homens em cujo coração Deus é reconhecido como rei (16.18,19); 4) o universo redimido (25.34).[20]

Em terceiro lugar, *Jesus curou toda sorte de doenças e enfermidades* (4.23). A palavra grega *malakian* descreve a doença ocasional, ao passo que a palavra grega *noson* descreve a doença crônica.[21] Jesus cuidou da alma e do corpo, das necessidades espirituais e das necessidades físicas. Seu ministério foi marcado pela compaixão. A dor que latejava no peito das pessoas doía também em seu coração. Seu ministério não foi dentro de quatro paredes. Ele saía para encontrar as pessoas onde elas estavam, e elas vinham a ele de onde estavam. Ele estancou o sofrimento efêmero e resolveu o problema eterno. Trouxe pleno perdão para os pecados e pleno alívio para as dores. Seu ministério de socorro aos aflitos pavimenta o caminho para a igreja seguir suas pegadas. Não obstante nos fale o poder pleno e absoluto que nele há, devemos ser revestidos de sua compaixão a fim de exercermos, dentro de nossos limites, o exercício da misericórdia. A igreja não pode olvidar aqueles que sofrem. Não pode passar de largo daqueles que jazem feridos à beira do nosso caminho. A igreja é o braço estendido da misericórdia de Deus num mundo enfermo que soluça e geme sem esperança. O que pulsa no coração de Deus deve também pulsar em nosso coração. A misericórdia não é para ser discutida, mas para ser praticada!

William Hendriksen diz que os milagres de cura que Cristo realizou tinham um significado tríplice: 1) Confirmavam sua mensagem (Jo 14.11); 2) Revelavam que de fato ele era o Messias da profecia (11.2-6; Is 35.5; 53.4,5; 61.1); 3) Provavam que, em certo sentido, o reino já havia chegado, porque o reino inclui bênçãos tanto para o corpo como para a alma.[22]

O esplêndido sucesso do ministério de Jesus (4.24,25)

Mateus faz um registro eloquente, embora sucinto, do esplêndido sucesso do ministério de Jesus. Sua fama avançou além das fronteiras de Israel, chegando à Síria. Levaram a Jesus todos os doentes, acometidos de várias enfermidades e tormentos: endemoninhados, lunáticos e paralíticos, e a todos ele curou. Numerosas multidões vinham a ele de Jerusalém, Judeia, dalém do Jordão, bem como de Decápolis, ou seja, das dez cidades que se estendiam do nordeste de Samaria ao nordeste da Galileia: Damasco, Canata, Diom, Hipos, Gadara, Abila, Citópolis, Pela, Geresa e Filadélfia.[23] Mounce diz que Decápolis era uma federação de dez cidades helenísticas que haviam sido incorporadas à Judeia; mais tarde, elas seriam tiradas de sob o controle judaico, por Pompeu, passando a fazer parte da Síria.[24]

Notas

[1] Hendriksen, William. *Mateus*. Vol. 1, p. 295.

[2] Rienecker, Fritz. *Evangelho de Mateus*, p. 71.

[3] Earle, Ralph. *O evangelho segundo Mateus*, p. 48.

[4] HENDRIKSEN, William. *Mateus.* Vol. 1, p. 297.
[5] SHIELDS, Norman A. *Mateus, um panorama,* p. 38.
[6] GREEEN, Michael. *The message of Matthew,* 2000, p. 85.
[7] BARCLAY, William. *Mateo I,* p. 78-80
[8] HENDRIKSEN, William. *Mateus.* Vol. 1, p. 299.
[9] SPURGEON, Charles H. *O evangelho segundo Mateus,* p. 60-61.
[10] HENDRIKSEN, William. *Mateus.* Vol. 1, p. 297.
[11] GREEN, Michael. *The message of Matthew,* p. 85.
[12] BARCLAY, William. *Mateo I,* p. 82.
[13] RYLE, John Charles. *Meditações no evangelho de Mateus,* p. 23.
[14] HENDRIKSEN, William. *Mateus.* Vol. 1, p. 301-302.
[15] SPROUL, R. C. *Mateus,* p. 53.
[16] BARCLAY, William. *Mateo I,* p. 85-86.
[17] SPROUL, R. C. *Mateus,* p. 55-56.
[18] BARCLAY, William. *Mateo I,* p. 90.
[19] IBIDEM, p. 87.
[20] HENDRIKSEN, William. *Mateus.* Vol. 1, p. 308.
[21] ROBERTSON, A. T. *Mateus,* p. 61.
[22] HENDRIKSEN, William. *Mateus.* Vol. 1, p. 309.
[23] IBIDEM, p. 311.
[24] MOUNCE, Robert H. *Mateus,* p. 45.

Capítulo 8

As credenciais dos súditos do reino

(Mt 5.1-12)

Mateus está apresentando Jesus como um segundo Moisés, maior do que o primeiro. A lei prescrita por Jesus não é nenhum código de regras exteriores que possa ser seguido ao pé da letra, mas, sim, uma série de princípios, ideias e motivos para a conduta, a lei gravada no coração.[1] Tasker, citando C. H. Dodd, diz que o sermão do monte é a ética absoluta do reino de Deus.[2]

No célebre sermão do monte, Jesus mostrou, de forma eloquente, que o reino de Deus é um reino de ponta-cabeça. A pirâmide está invertida. Feliz é aquele que nada ostenta diante de Deus e ainda chora pelos seus pecados. Feliz é aquele que abre mão dos seus direitos em vez de oprimir aqueles que reivindicam até direitos que não têm. Feliz é o que abre a mão ao necessitado, e não o que explora para enriquecer-se. Feliz é o que constrói pontes de contato entre as pessoas, e não aquele que cava abismos de inimizades entre as pessoas. Feliz é o que ama e pratica a justiça, e não aquele que usa as filigranas da lei para auferir vantagens próprias. Feliz é aquele que busca a santidade, e não aquele que rasga a cara em ruidosas gargalhadas carregadas de lascívia. No reino de Deus, ser perseguido por causa da justiça é melhor do que fazer injustiça e posar de benemérito da sociedade.

A ética do reino de Deus não afrouxa as exigências da lei para render-se à licenciosidade sem freios. Se, nos reinos do mundo, o forte prevalece sobre o fraco e o poder da vingança esmaga até os inocentes, no reino de Deus o perdão é maior do que a vingança e a busca da reconciliação é melhor do que a vitória num tribunal. Nos reinos do mundo, os homens se satisfazem com as ações certas sob a investigação da lei; no reino de Deus, até mesmo as motivações do coração são contadas. Odiar alguém é matá-lo no coração; olhar para uma mulher com intenção impura é adulterar com ela. Se os tribunais da terra só podem julgar palavras e ações, no reino de Deus o tribunal divino julga até mesmo as intenções.

Na ética do mundo, o casamento está cada vez mais enfraquecido e o divórcio está cada vez mais robusto. No reino de Deus, divorciar-se por qualquer motivo é entrar pelos corredores escuros do adultério e arruinar não apenas a própria vida, mas também a família. Na ética do mundo, o sexo tornou-se banal e promíscuo. Toda sorte de aberrações sexuais é aplaudida e incentivada, mas no reino de Deus se exigem a pureza no coração e a fidelidade nos relacionamentos.

Na ética do mundo, a espiritualidade é uma encenação na passarela da vaidade. Os homens são aplaudidos por aquilo que aparentam ser, e não pelo que de fato são. No reino de Deus, a espiritualidade verdadeira não busca holofotes nem aplauso dos homens, porque visa exclusivamente agradar a Deus, que tudo vê em secreto e a todos sonda. Na ética do mundo, os homens julgam temerariamente, ao mesmo tempo que expõem os pecados do próximo, promovendo a si mesmos. No reino de Deus, o indivíduo é rigoroso ao tratar seus próprios pecados, mas é compassivo em lidar com os pecados do próximo. Na ética do mundo, ser grande é acumular riquezas na terra, construir impérios financeiros e ostentar poder econômico. No reino de Deus, ser rico é ajuntar tesouros no céu, onde os ladrões não roubam nem a traça e a ferrugem corroem. Nos reinos do mundo, os homens vivem ansiosos pelas coisas que perecem, enquanto os filhos de Deus buscam em primeiro lugar o reino de Deus, que é eterno. Na ética do mundo, os falsos profetas são tidos em alta conta e recebem dos homens todo prestígio e acolhida. Mas, para os filhos do reino, eles são falsos ministros, que pregam um falso evangelho, produzindo falsos crentes.

Na ética do mundo, o que importa é a aparência. Por isso, a insensatez prevalece. Os homens escutam a verdade, mas não a põem em prática. Constroem sua casa sobre a areia, para vê-la desmoronar na chegada da tempestade. No reino de Deus, não basta ouvir ou conhecer; é preciso praticar. Não basta construir sua casa; é preciso construí-la sobre a rocha. Não basta ter uma casa segura aos olhos dos homens; é preciso que essa casa permaneça inabalável diante das tempestades da vida.

O reino de Deus está em oposição aos reinos deste mundo. Os reinos deste mundo são aplaudidos agora, mas entrarão em colapso depois. Ostentam sua riqueza agora, mas depois ficarão completamente desamparados. Drapejam suas bandeiras de sucesso agora, mas serão cobertos de opróbrio na manifestação de nosso glorioso redentor. Então, todos os reinos deste mundo passarão, mas o reino de Cristo, mesmo sendo agora um reino de ponta-cabeça, jamais findará.

Vamos, agora, considerar esse célebre sermão em seus detalhes. Jesus nos fala sobre a verdadeira felicidade no prólogo do seu sermão do monte. A felicidade não é um lugar aonde se vai, mas a maneira com que se caminha. Jesus, aqui nas bem-aventuranças, nos dá a receita da verdadeira felicidade. John MacArthur diz que o negócio de Jesus é a felicidade.[3] Ele põe diante de nós o mapa que nos leva a esse paraíso cobiçado. Os tesouros riquíssimos da verdadeira felicidade estão ao nosso alcance. A felicidade não é uma utopia, mas algo factível, concreto, tangível, ao nosso alcance. A boa notícia é que a felicidade não é algo que compramos com dinheiro, mas um presente que recebemos de Deus.

A felicidade não está nas coisas que vemos; é uma atitude do coração. Não é um pagamento de nossas virtudes, mas um presente da graça. Não é algo que conquistamos pelo nosso esforço, mas um dom que recebemos pela fé. O que o mundo promete e não consegue dar, Jesus oferece gratuitamente. É importante afirmar que esse roteiro está na contramão de todas as orientações dadas pelo mundo. Não é um caminho aberto da terra para o céu, mas do céu para a terra. Não é algo que o homem faz para agradar a Deus, mas o que Deus faz para o homem. A verdadeira felicidade não é prêmio; é presente. Não é merecimento; é graça!

John Stott, expositor bíblico de escol, afirma que as bem-aventuranças enfatizam oito sinais principais da conduta e do caráter cristãos, especialmente em relação a Deus e aos homens.[4]

Assim como o fruto do Espírito expressa o caráter do cristão, e não as diversas facetas dele, de igual forma as bem-aventuranças são oito atributos do mesmo grupo de pessoas. Um cristão maduro tem todas essas oito qualidades, e não apenas algumas delas. John Stott explica: "As oito qualidades juntas constituem as responsabilidades; e as oito bênçãos, os privilégios, a condição de cidadãos do reino de Deus".[5]

As bem-aventuranças não são qualidades inatas ou adquiridas pelo esforço humano. Nenhum homem poderia possuir essas bem-aventuranças à parte da graça de Deus.

A felicidade é o resultado de um correto relacionamento com Deus, com nós mesmos e com nosso próximo. As oito bem-aventuranças apontam para esse quádruplo relacionamento: atitude em relação a si mesmo (5.3,4); em relação ao pecado (5.5,6); em relação a Deus (5.7-9); em relação ao mundo (5.10-12).

A felicidade consiste na correta relação com Deus. As duas primeiras bem-aventuranças falam sobre a maneira correta de nos aproximarmos de Deus. Feliz é o humilde de espírito e feliz é o que chora. Esses conceitos estão na contramão dos valores do mundo, que enaltecem a arrogância e a presunção. A palavra grega *ptokós,* traduzida por "humilde", significa pobre, carente, completamente desprovido dos bens mais necessários. Trata-se do mendigo que nada tem para exigir ou reivindicar. Feliz é o homem que se aproxima de Deus consciente de sua total falência espiritual e dessa maneira se agarra à graça de Deus. A palavra usada para "choro" é a mais forte do vocabulário grego. Era usada para descrever o choro pela perda de um ente querido. Trata-se de um choro profundo, doloroso e amargo. Feliz é aquele que chora pelos seus pecados e sente tristeza diante de Deus pelas mazelas do seu coração. Aqueles que se aproximam de Deus, conscientes de sua total necessidade e lamentando seus pecados, são muito felizes. São felizes porque recebem consolo e também a herança do reino dos céus.

A felicidade consiste na correta relação com nós mesmos. Jesus disse que os mansos e os puros de coração são bem-aventurados. Uma pessoa mansa tem controle de si mesma. A palavra grega *praus* era usada para se referir a um animal domesticado. Ele tem força, mas usa essa força para o bem, e não para o mal. Uma pessoa que não tem domínio próprio arruína a sua própria vida e a vida dos outros. Uma pessoa feliz, igualmente, cuida da fonte de sua própria alma; vela pela pureza do seu coração. A felicidade não está nas iguarias do mundo. Aí pode existir muita aventura, mas nenhuma felicidade verdadeira.

A felicidade consiste na correta relação com o próximo. Jesus aborda as três últimas bem-aventuranças falando sobre a nossa relação com o próximo. Felizes são os misericordiosos, os pacificadores e os perseguidos por causa da justiça. A felicidade não está em explorar o próximo, mas em servi-lo. A felicidade não está em destruir o próximo ou cavar abismos para separar as pessoas, mas em construir pontes de reconciliação entre elas. A felicidade não está em sofrer ou fazer alguém sofrer pela prática da injustiça, mas em praticar a justiça e estar disposto a ser perseguido por essa causa. Os misericordiosos alcançarão misericórdia, os pacificadores serão chamados filhos de Deus e os perseguidos por causa da justiça receberão a herança do reino.

Vamos examinar, agora, mais detidamente, cada uma das oito bem-aventuranças.

Bem-aventurados os humildes de espírito (5.1-3)

Bem-aventurados os humildes de espírito, porque deles é o reino dos céus (Mt 5.3).

O Antigo Testamento terminou com uma "maldição"; o Novo Testamento começa com uma "bem-aventurança", diz Spurgeon.[6] O texto das bem-aventuranças abre o que nós chamamos do maior sermão da história, o sermão do monte. Jesus é o maior pregador de todos os tempos, porque ele é a própria Palavra encarnada. Thomas Watson acertadamente diz que suas palavras são oráculos; suas obras, milagres; sua vida, um modelo; sua morte, um sacrifício. Enquanto nós não podemos conhecer todas as facetas dos nossos ouvintes, ele conhece o coração de todos os homens.[7]

Destacamos a seguir alguns pontos importantes sobre essa primeira bem-aventurança.

Em primeiro lugar, *a verdadeira felicidade é um grande paradoxo aos olhos do mundo.* Leon Morris diz que essa bem-aventurança revela o vazio dos valores do mundo. Exalta aquilo que o mundo despreza e rejeita aquilo que o mundo admira.[8] Os valores do reino de Deus são como uma pirâmide invertida. Jesus diz que feliz é o pobre de espírito, e não a pessoa autossuficiente, arrogante e soberba. Concordo com William Barclay quando ele diz que as bem-aventuranças não são simples afirmações, mas exclamações enfáticas: "Que feliz é o pobre de espírito!"[9]

Thomas Watson diz que o mundo pensa que feliz é aquele que está no pináculo, no lugar mais alto, mas Cristo pronuncia como bem-aventurado aquele que está no vale.[10]

Em segundo lugar, *a verdadeira felicidade não está nas coisas externas, mas nas realidades internas.* Jesus não disse que bem-aventurados são os ricos. Essa felicidade não está centrada em coisas externas. As riquezas não satisfazem. Deus colocou a eternidade no coração do homem. Nem todo o ouro da terra poderia preencher o vazio da nossa alma. A verdadeira felicidade está centrada não na posse das bênçãos, mas na fruição da intimidade com o abençoador.

De acordo com James Hastings, há uma tendência em todas as possessões materiais de obscurecer as necessidades que elas não podem satisfazer. Uma mão cheia ajuda o homem a esquecer-se de um coração vazio. As coisas que esvaziam a vida são comumente aquelas que prometem preenchê-la.[11] Jesus falou do homem que derrubou seus celeiros e construiu outros novos e maiores e estocou abundante provisão, dizendo à sua própria alma para comer e regalar-se. Mas, como coisas não satisfazem o vazio da alma, Jesus chamou esse rico de louco.

Em terceiro lugar, *a verdadeira felicidade não é apenas uma promessa para o futuro, mas sobretudo uma realidade para o presente.* Jesus não disse: bem-aventurados *serão* os pobres de espírito, mas bem-aventurados *são*. Os crentes não serão felizes apenas quando chegarem ao céu; eles já são felizes agora. Eles são felizes não apenas na glória, mas a caminho da glória.

É claro que ser pobre de espírito não significa pobreza financeira. Francisco de Assis é o patrono daqueles que pensam que renunciar às riquezas financeiras para viver na pobreza ou num monastério dá crédito ao homem diante de Deus. Tal opinião não tem amparo nas Escrituras.[12] A pobreza em si não é um bem, como a riqueza em si não é um mal. Uma pessoa pode ser pobre financeiramente e não ser pobre de espírito. A pobreza financeira pode ser resultado da obra do diabo, da exploração, da ganância e da preguiça.

Concordo com Martyn Lloyd-Jones quando ele diz: "Não há mérito nem vantagem na pobreza. A pobreza não serve de garantia da espiritualidade".[13] A pobreza bem-aventurada é a do "pobre de espírito", a do espírito que reconhece sua própria falta de recursos para fazer frente às exigências da vida e encontra a ajuda e a fortaleza que necessita em Deus.[14]

Também ser pobre de espírito não significa ter uma vida espiritual pobre. Jesus não está elogiando aqueles que são espiritualmente pobres, descuidados com a vida espiritual. Ser pobre em santidade, verdade, fé e amor é uma grande tragédia. Jesus condenou a igreja de Laodiceia: [Sei] *que tu és infeliz, sim, miserável, pobre, cego e nu* (Ap 3.17). Vivemos numa geração faminta de riquezas terrenas e inapetente das riquezas espirituais. A maioria dos crentes vive uma vida espiritual rasa. São crentes fracos, tímidos, vulneráveis, espiritualmente trôpegos.

De igual modo, pobreza de espírito não é o mesmo que uma autoestima achatada. Jesus não está afirmando que as pessoas que pensam menos de si mesmas são felizes. Autoestima baixa não é um bem, mas um mal. Ser pobre ou humilde de espírito significa ter uma opinião correta de si mesmo (Rm 12.3). Warren Wiersbe explica que ser "pobre de espírito" não é uma falsa humildade, como a pessoa que diz: "Não tenho valor algum, não sou capaz de fazer nada".[15]

Ser pobre de espírito é a base para as outras virtudes. A primeira bem-aventurança é o primeiro degrau da escada. Se Jesus começasse com a pureza de coração, não haveria esperança para nós. Primeiro precisamos estar vazios, para depois sermos cheios, diz Martyn Lloyd-Jones.[16] Não podemos ser cheios de Deus enquanto não formos esvaziados de nós mesmos. Esta virtude é a raiz; as outras são os frutos.

Ser pobre de espírito é reconhecer nossa total dependência de Deus. No grego, há duas palavras para designar "pobreza": A primeira delas é *penês* – é usada para descrever o homem que precisa trabalhar para ganhar a vida. É aquele que não tem nada que lhe sobre. É o homem que não é rico, mas que também não padece necessidades. Ele não possui o supérfluo, mas tem o básico.[17] A segunda palavra é *ptokós* – descreve a pobreza absoluta e total daquele que está afundado na miséria. É ser pobre como um mendigo. Trata-se da pessoa extremamente necessitada. Aquele que não tem nada.[18] *Ptokós* significa que você é tão pobre que precisa mendigar. Em Lucas 16.20,22, a palavra *ptokós* é usada em conexão ao mendigo Lázaro. *Penês* significa que você pode se sustentar.[19] *Ptokós* é a palavra que Jesus usou. Feliz é o homem que reconhece sua total carência e põe a sua confiança em Deus. No hebraico, a palavra "pobre" designava o homem humilde que põe toda a sua confiança em Deus.[20]

Martyn Lloyd-Jones é enfático quando escreve:

> Não estamos aqui considerando um homem face a face com outro, mas estamos considerando homens frente a frente com Deus. E se alguém, na presença de Deus, sentir alguma outra coisa qualquer, além da mais total penúria de espírito, isso apenas significará, em última análise, que tal pessoa nunca esteve na presença do Senhor. Esse é o significado da primeira bem-aventurança.[21]

John Stott corrobora esse pensamento quando diz que ser pobre de espírito é reconhecer nossa pobreza espiritual ou, falando claramente, a nossa falência espiritual diante de Deus, pois somos pecadores, sob a santa ira de Deus, e nada merecemos além do juízo de Deus. Nada temos a oferecer, nada a reinvindicar, nada com que comprar o favor dos céus.[22] Já John Charles Ryle diz que os humildes de espírito são aqueles que estão convencidos dos seus pecados e não procuram ocultá-los a Deus.[23] Ser pobre de espírito é agir como o publicano: *Ó Deus, tem misericórdia de mim, pecador* (Lc 18.13, ARC).

Só os pobres de espírito podem entrar no reino dos céus. O reino dos céus pertence aos pobres de espírito. A porta do céu é estreita, e aqueles que se consideram grandes aos seus olhos não podem entrar lá. Charles Spurgeon está correto quando escreve: "Aqueles que possuem nenhuma importância aos seus próprios olhos são aqueles, em todo o universo, que possuem sangue real. A maneira de subir ao reino é descer em nós mesmos".[24]

John Stott apresenta esse princípio com clareza:

> O reino é concedido ao pobre, não ao rico; ao frágil, não ao poderoso; às criancinhas bastante humildes para aceitá-lo, não aos soldados que se vangloriam de poder obtê-lo através de sua própria bravura. Nos tempos de nosso Senhor, quem entrou no reino não foram os fariseus, que se consideravam ricos, tão ricos em méritos que agradeciam a Deus por seus predicados; nem os zelotes, que sonhavam com o estabelecimento do reino com sangue e espada; mas foram os publicanos e as prostitutas, o refugo da sociedade humana, que sabiam que eram tão pobres que nada tinham para oferecer nem para receber. Tudo o que podiam fazer era clamar pela misericórdia de Deus; e ele ouviu o seu clamor.[25]

O reino dos céus não é geográfico nem político. Lawrence Richards diz, corretamente, que o reino dos céus representa a força dinâmica da vontade de Deus operando no mundo.[26] O reino dos céus excede o esplendor dos maiores reinos do mundo, porque o fundador desse reino é o próprio Deus. Esse reino é mais rico do que todas as riquezas de todos os reinos. O reino dos céus também excede os demais em perfeição. As glórias de Salomão serão nada. Os palácios gloriosos dos xeques dos Emirados Árabes serão palhoças. O reino dos céus excede também todos os outros reinos em segurança, beleza e riqueza. Nada contaminado vai entrar lá; nenhuma maldição entrará pelos portões da Cidade Santa. O reino dos céus excede todos os outros reinos em estabilidade. Os reinos do mundo caíram e cairão, mas o reino de Deus permanecerá para sempre. O crente mais pobre é mais rico do que os reis mais opulentos da terra.

Bem-aventurados os que choram (5.4)

Essa bem-aventurança contém o maior paradoxo do cristianismo. Poderíamos traduzir: "Felizes os infelizes".[27] A concepção de que "felizes são os tristes" opõe-se a tudo o que conhecemos. Toda a estrutura de nossa vida – a loucura pelo prazer, a busca de emoções e o tempo, dinheiro e entusiasmo gastos atrás de diversão e entretenimento – é uma expressão do desejo do mundo de evitar o choro, a tristeza e a dor. No entanto, Jesus diz: "Felizes os tristes. Consolados serão os que choram".[28]

A principal ideia do texto é: bem-aventurado o homem que está desesperadamente entristecido por seu próprio pecado e indignidade.[29] Que espécie de tristeza é essa que pode produzir a maior felicidade?

A palavra usada por Jesus para "chorar", *panthoutes,* significa lamentar e prantear pelo morto. Essa palavra tem o sentido de afligir-se com uma profunda tristeza que toma conta de todo o ser, de tal maneira que não se pode ocultar.[30] Martyn Lloyd-Jones diz que essa bem-aventurança condena aquelas risotas, aquela jovialidade e felicidade aparentes que os homens deste mundo exibem, proferindo um "ai" contra eles.[31]

A palavra "chorar", segundo William Barclay, é o termo mais forte da língua grega para denotar dor e sofrimento. Essa é a palavra usada para descrever a morte de um ente querido. Na *Septuaginta*, é a palavra que descreve o lamento de Jacó quando creu que José, seu filho, estava morto (Gn 37.34). Não se trata apenas da dor que faz doer o coração, mas da dor que nos faz chorar.[32] John MacArthur diz que a expressão "os que choram" usada por Jesus nessa bem-aventurança é a mais forte de todas as nove palavras gregas usadas nas Escrituras para sofrimento.[33] Concordo com John Stott quando ele afirma que, nesse contexto, aqueles que receberam a promessa do consolo não são, em primeiro lugar, os que choram a perda de uma pessoa querida, mas aqueles que choram a perda da inocência, de sua justiça, de seu respeito próprio. Cristo não se refere à tristeza do luto, mas à tristeza do arrependimento.[34]

Nem todos os que choram são felizes e nem todos os que choram serão consolados. Então, de que tipo de choro Jesus está falando? É claro que não se trata do choro carnal. Thomas Watson diz que o choro carnal é aquele em que uma pessoa lamenta a perda de coisas exteriores, e não a perda da pureza.[35] A tristeza do mundo produz morte (2Co 7.10). Amnom chorou de tristeza até possuir sua própria irmã, para depois desprezá-la (2Sm 13.2). Acabe chorou por não ter a vinha de Nabote, a qual cobiçava (1Rs 21.4). O faraó chorou por ter feito o bem, por ter libertado o povo. Ele se arrependeu de seu arrependimento (Êx 14.15).

Esse choro também não é o choro do remorso e do desespero. Esse foi o choro de Judas Iscariotes. Ele viu seu pecado e se entristeceu. Ele confessou seu pecado e justificou Cristo, dizendo que havia traído um inocente. Judas fez restituição, mas ele está no inferno, não obstante ter feito muito mais do que muitos fazem hoje. Ele confessou seu pecado. Ele devolveu o dinheiro que cobiçou. Sua consciência o acusou de ter adquirido aquele dinheiro de forma vil. E, embora Judas tenha chorado pelo seu pecado, aquelas não foram lágrimas de arrependimento, mas de remorso. Thomas Watson chama esse choro de diabólico.[36]

De igual modo, esse não é o choro do medo das consequências do pecado. Quando Caim matou seu irmão Abel, Deus o confrontou. Ele, então, disse: *É tamanho o meu castigo, que já não posso suportá-lo* (Gn 4.13). Seu castigo afligiu-o mais do que o seu pecado. Chorar apenas pelo medo do castigo, apenas pelo medo do inferno, é como o ladrão que chora porque foi apanhado, e não pela sua ofensa. As lágrimas do ímpio são forçadas pelo fogo da aflição, e não pelo quebrantamento do arrependimento.

John Charles Ryle interpreta corretamente quando diz que felizes são aqueles que lamentam a causa do seu pecado e manifestam pesar por suas próprias imperfeições. O pecado é para eles verdadeira tortura. Quando se lembram dele, choram; o pecado é para eles carga muito pesada, e dificilmente o suportam.[37]

Thomas Watson fala sobre quatro aspectos positivos acerca do significado da expressão de Jesus *bem-aventurados os que choram* (Mt 5.4): É um choro espontâneo, espiritual, pelo nosso próprio pecado e pelo pecado dos outros.[38]

Hoje, nós choramos pelos tempos difíceis, mas não pelos corações duros. Muitos, em vez de chorar pelo pecado, alegram-se nele. A Bíblia cita aqueles que se alegram de fazer o mal (Pv 2.14), aqueles que se deleitam na injustiça

(2Ts 2.12). Esses são piores do que os condenados que estão no inferno. Os ímpios que estão no inferno não se deleitam mais no pecado. Ora, se Cristo verteu o seu sangue pelo pecado, como nos alegraremos nele? O choro pelo pecado é o único caminho para nos livrarmos da ira vindoura.

O choro pelo pecado é o melhor uso que podemos fazer de nossas lágrimas. Se você chorar apenas por perdas de coisas materiais, desperdiçará suas lágrimas. Isso é como chuva sobre a rocha: não tem benefício. Mas o choro do arrependimento é composto por lágrimas bem-aventuradas, por lágrimas que curam e que libertam.[39]

O choro pelo pecado é um sinal do novo nascimento. Assim como a criança chora ao nascer, aquele que nasce de novo também chora ao pecar.[40] Um coração de pedra jamais se derrete em lágrimas de arrependimento.

O choro pelo pecado produz alegria. O choro pelo pecado é o caminho da verdadeira alegria. O choro pelo pecado previne o choro no inferno. O inferno é um lugar de choro e ranger de dentes (Mt 8.12). Mas, agora, Deus recolhe as nossas lágrimas no seu odre (Sl 56.8). Agora Jesus diz: *Ai de vós, os que agora rides! Porque haveis de lamentar e chorar* (Lc 6.25). Agora as lágrimas são bem-aventuradas lágrimas. Agora é o tempo certo de chorar pelo pecado. Agora o choro é como chuva da primavera. Mas, se não chorarmos agora, iremos chorar tarde demais!

É melhor derramar lágrimas de arrependimento do que lágrimas de desespero. Aquele que chora agora é bem-aventurado. Aquele que chora no inferno é amaldiçoado. Aquele que destampa as feridas da alma e chora pelo pecado livra a alma da morte eterna.

O choro pelo pecado pavimenta a estrada para a nova Jerusalém. Para entrar no céu, não basta ir à igreja, dar esmolas, fazer caridade. O único caminho é você chorar pelos seus pecados e receber a consolação da graça em Cristo. Jesus disse: *Se, porém, não vos arrependerdes, todos igualmente perecereis* (Lc 18.3). Só há um remédio que cura a doença mortal da alma: o verdadeiro arrependimento.

Aquele que chora pelo seu pecado tem uma recompensa. A palavra grega *paraklethesontai*, "consolados", significa confortar, achar conforto, ser consolado.[41] As lágrimas do arrependimento não são lágrimas perdidas, mas sementes de conforto. Cristo tem o óleo da alegria para derramar sobre aqueles que choram. Cristo transforma o odre de lágrimas em vinho novo de alegria. O choro pelo pecado é a semente que produz a flor da eterna alegria. O vale de lágrimas conduz-nos ao paraíso da alegria. Jesus disse: *A vossa tristeza se converterá em alegria* (Jo 16.20).

Bem-aventurados os mansos (5.5)

Essa bem-aventurança está na contramão dos valores do mundo. Martyn Lloyd-Jones diz que a humanidade pensa em termos de força, de poderio militar, bélico, econômico e político. Quanto mais agressivo, mais forte. Esse é o pensamento do mundo.[42] Jesus, porém, diz que não são os fortes e os arrogantes que são felizes; nem são eles que vão herdar a terra, mas os mansos.

O que não significa ser manso? Martyn Lloyd-Jones lança luz sobre o entendimento desse assunto mencionando os pontos a seguir.[43]

Ser manso não é um atributo natural. A mansidão não é apenas ter uma boa índole; não é ser uma pessoa educada socialmente. Não é apenas algo externo, convencional, mas uma atitude interna, uma obra da graça no coração, um fruto do Espírito. Ser manso não é virtude; é graça.

Ninguém é naturalmente manso. Somente aqueles que reconhecem que nada merecem diante de Deus e choram pelos seus próprios pecados podem ser mansos diante de Deus e dos homens.

Ser manso não é ser frouxo. Ser manso não é ser tímido, covarde, medroso, fraco e indolente. As pessoas mansas foram profundamente vigorosas e enérgicas. Elas tiveram coragem para se posicionar com firmeza contra o erro. Enfrentaram açoites, prisões e a própria morte por seus posicionamentos. Os mártires foram pessoas mansas. Jesus era manso e humilde de coração, mas usou o chicote para expulsar os vendilhões do templo e teve coragem para morrer numa cruz em nosso lugar. John MacArthur está correto quando declara que mansidão não significa impotência, mas domínio próprio.[44] Aquele que não tem domínio próprio é como uma cidade derribada (Pv 25.28), mas o que tem domínio próprio é melhor do que o que toma uma cidade (Pv 16.32).

Ser manso não é apenas controle emocional externo. Há pessoas que conseguem manter a calma, o domínio próprio, diante de situações adversas, mas não conseguem abrandar as chamas da alma. São como um vulcão que está sempre em ebulição por dentro. Elas não explodem, mas vivem cheias de fogo por dentro. São apenas aparentemente calmas. Mantêm as aparências diante dos homens, mas não são calmas aos olhos de Deus. Não falam mal, mas desejam o mal. Não fazem o mal, mas se alegram intimamente com o fracasso dos seus inimigos.

O que significa ser manso? Thomas Watson comenta sobre esses aspectos positivos.[45]

Uma pessoa mansa é submissa à vontade de Deus. Uma pessoa mansa não se rebela contra Deus nem murmura. Ela aceita a vontade de Deus de bom grado. Ela diz como Jó: *Temos recebido o bem de Deus e não receberíamos também o mal?* (Jó 2.10). Uma pessoa mansa é como Paulo: sabe viver contente em toda e qualquer situação (Fp 4.11). Ela está sempre dando graças a Deus, sabendo que todas as coisas cooperam para o seu bem (Rm 8.28).

Uma pessoa mansa está debaixo do controle de Deus. O manso é aquele que foi domesticado. A palavra grega *praus* significa manso, meigo. Trata-se da atitude humilde e mansa que se expressa na submissão às ofensas, livre de malícia e de desejo de vingança.[46] Era empregada para descrever "um animal domesticado". Um potro selvagem pode causar uma destruição. Um potro domado é útil. Nessa mesma linha de pensamento, Warren Wiersbe diz que o adjetivo "manso" era usado pelos gregos para descrever um cavalo domado e se refere ao poder sob controle.[47] Uma brisa suave refresca e alivia, mas um furacão mata. O manso morreu para si mesmo. Ele foi domesticado pelo espírito. A mansidão é fruto do espírito. O manso está sob a autoridade e o controle de Deus. Ele obedece às rédeas do altíssimo.

William Barclay diz que no grego a palavra *praus* era um dos termos mais elevados do vocabulário ético. Aristóteles fala sobre a virtude da mansidão. Para ele, a virtude era o equilíbrio entre dois extremos. Aristóteles definia a mansidão como o justo equilíbrio entre a ira excessiva e a falta absoluta de ira, ou impassividade.[48] O mesmo escritor diz que a ausência dessa virtude constituiu a ruína de Alexandre, o Grande, discípulo de Aristóteles, quando num ataque de fúria, dominado pela embriaguez, arrojou uma lança e matou o seu melhor amigo. Ninguém pode governar os outros se não aprendeu a governar a si mesmo. Porém, o homem que se entrega plenamente ao controle de Deus obtém a mansidão que o capacita a herdar a terra.[49]

O manso é aquele que tem a força sob controle. Ele tem domínio próprio. A Bíblia diz que mais forte é o que domina o seu espírito do que aquele que conquista uma cidade. Mansidão não é o mesmo que fraqueza, pois tanto Moisés quanto Jesus foram homens mansos. Essa bem-aventurança pode ser sintetizada assim: "Bem-aventurado o homem cujos instintos, paixões e impulsos estão sob controle. Bem-aventurado o homem que aprendeu a dominar-se".[50]

O manso é aquele que não reivindica os seus próprios direitos. Martyn Lloyd-Jones diz que o indivíduo que é manso não exige coisa alguma para si mesmo. Não considera todos os seus legítimos direitos algo a ser reclamado. Não faz exigências quanto à sua posição, aos seus privilégios, às suas possessões e à sua situação na vida.[51]

O manso é aquele que está disposto a sofrer o dano. Como Paulo escreveu aos coríntios, numa demanda entre irmãos, ele está pronto a sofrer o dano em vez de buscar levar vantagem (1Co 6.7).

Uma pessoa mansa reconhece diante dos homens aquilo que ela reconhece diante de Deus. Não temos nenhuma dificuldade de fazer uma oração de confissão e dizer: "Ó Deus, tem misericórdia de mim, porque eu sou um mísero pecador!" Nós admitimos isso. Confessamos isso. Mas, se alguém vier nos chamar de pecador, logo rechaçamos. Não admitimos ser diante dos homens aquilo que admitimos ser diante de Deus. Não aceitamos que os homens nos tratem como de fato somos: míseros pecadores. Não admitimos que os homens lancem em nosso rosto aquilo que confessamos diante de Deus.

O manso é aquele que não luta para defender sua própria honra. Aquele que já está no chão não tem medo da queda. O indivíduo que é verdadeiramente manso é aquele que se admira de que Deus e os homens possam pensar dele tão bem quanto pensam, tratando-o tão bem quanto o tratam. "Isso, ao que me parece, é a qualidade essencial do indivíduo que é manso", diz Martyn Lloyd-Jones.[52]

Uma pessoa mansa suporta injúrias e até recompensa o mal com o bem. Uma pessoa mansa não é facilmente provocada. Um espírito manso não se inflama facilmente. Jesus não revidou ultraje com ultraje. Em vez de despejar ira sobre seus algozes, orou em favor deles.

Há importantes recompensas para os mansos. Eles recebem uma profunda e gloriosa felicidade. Jesus diz que os mansos são felizes, bem-aventurados. A palavra *macarios* era usada pelos gregos para descrever a felicidade dos deuses. É uma felicidade plena, completa, independente das circunstâncias, baseada num relacionamento íntimo e permanente com o Deus vivo. Essa felicidade não é externa, mas interna. Não está fundamentada na posse de riquezas, mas é um estado de espírito apesar da pobreza. Não depende de circunstâncias favoráveis, mas reina suprema apesar das circunstâncias adversas. Essa felicidade não é fruto dos prazeres da carne, do *glamour* do mundo, da fascinação da riqueza ou dos holofotes da fama. Essa felicidade não é resultado das viagens psicodélicas, nem é pelos vapores do álcool ou badalada pelos ritmos alucinantes. Não se trata de uma felicidade química, postiça, comprada por dinheiro ou introjetada nas veias. Essa felicidade é falsa, momentânea. Tem gosto de enxofre. Ela conduz à morte. A verdadeira felicidade tem sua origem no céu. Ela procede de Deus. E dura para sempre!

Os mansos recebem também a herança da terra. Mesmo sendo estrangeiros na terra (Hb 11.37), os mansos são aqueles que herdam a terra. Eles comem o melhor dessa terra. O ímpio tem a posse temporal da terra, mas o manso usufrui as benesses da terra. O manso é uma pessoa satisfeita. Sente-se contente. Nada tem, mas possui tudo. Paulo diz: *entristecidos, mas sempre alegres; pobres, mas enriquecendo a muitos; nada tendo, mas possuindo tudo* (2Co 6.10). Paulo diz: *Aprendi a viver contente em toda e qualquer situação.* [...] *tudo posso naquele que me fortalece* (Fp 4.11,13).

Mais do que tudo isso, o manso é cidadão do céu. O manso é filho de Deus. O manso é herdeiro de Deus e coerdeiro com Cristo. Do Senhor é a terra e a sua plenitude. Tudo que pertence ao Pai pertence ao filho (1Co 3.21-23). Os mansos são os verdadeiros herdeiros de tudo o que é do Pai. Receberemos a herança original de domínio sobre a terra que Deus deu a Adão. É a reconquista do paraíso.

Eles conquistam a terra não pelas armas, não pela força, mas por herança. O manso herda as bênçãos da terra. O ímpio pode ter abundância de dinheiro, mas o manso tem abundância de paz (Sl 37.11). O ímpio não tem o que parece ter. Ele tem propriedades, terras, mas não pode levar nada, não herda nada. Mas o manso, mesmo desprovido agora, tem a herança, a posse eterna de tudo o que é do Pai. A Bíblia diz: *Uns se dizem ricos sem terem nada; outros se dizem pobres, sendo mui ricos* (Pv 13.7).

O manso desfrutará também da terra restaurada, redimida do seu cativeiro. Ele habitará no novo céu e na nova terra (Ap 21.2,3). Reinará com Cristo sobre a terra. O manso não apenas herda a terra, mas também o céu. O manso tem a terra apenas como a sua casa de inverno, mas tem no céu uma mansão permanente, eterna, casa feita não por mãos, eterna no céu (2Co 5.1-8).

Bem-aventurados os que têm fome e sede de justiça (5.6)

A quarta bem-aventurança fala sobre o apetite espiritual: *Bem-aventurados os que têm fome e sede de justiça, porque serão fartos* (Mt 5.6). Os verbos no grego são muito fortes. *Peinao* significa estar necessitado, sofrer de fome profunda. A palavra *dipsao* traz em si a ideia de sede de verdade. Jesus coloca os estímulos físicos mais fortes em uma ação contínua – os que têm fome, os que têm sede.[53] Só os que têm fome e sede é que serão saciados. Os que têm fome e sede de justiça são saciados e também muito felizes. Porém, se você não tem fome e sede de justiça, deve se questionar se já está no reino.

É importante ressaltar que a felicidade não precede a justiça, mas esta precede aquela. Martyn Lloyd-Jones afirma corretamente que, sempre que alguém põe a felicidade acima da justiça, quanto à ordem de prioridade, tal esforço está condenado ao fracasso mais miserável. Só são felizes as pessoas que buscam primeiramente a justiça. Ponha-se a felicidade no lugar que pertence à justiça, e a felicidade nunca será obtida.[54] John Charles Ryle está coberto de razão quando diz que felizes são aqueles que preferem ser santos a ricos ou sábios.[55]

A felicidade também não está ao alcance daqueles que têm fome e sede de felicidade ou de experiências ou mesmo de bênçãos. Se quisermos ser verdadeiramente felizes e abençoados, então precisamos ter fome e sede de justiça. Felicidade e bênçãos são resultado da justiça.

A fome espiritual é uma das características do povo de Deus. A ambição suprema do povo de Deus não é material, mas espiritual. Os cristãos aspiram às coisas mais excelentes. Eles buscam em primeiro lugar o reino de Deus e sua justiça (Mt 6.33).

Thomas Watson, puritano inglês do século 17, disse que Jesus está falando aqui da justiça imputada e da justiça implantada.[56] John Stott, um dos maiores expositores bíblicos do século 20, diz que a justiça bíblica tem três aspectos: legal, moral e social. A justiça legal trata da nossa justificação, um relacionamento certo com Deus. A justiça moral trata da conduta que agrada a Deus, a justiça interior, de coração, de mente e de motivações. A justiça social refere-se à busca pela libertação do homem de toda opressão, junto com a promoção dos direitos civis, de justiça nos tribunais, da integridade nos negócios e da honra no lar e nos relacionamentos familiares.[57]

De que tipo de alimento devemos ter apetite?

Em primeiro lugar, *devemos ter apetite pela justiça imputada, ou seja, pela justiça diante de Deus.* O homem é pecador, pois todos pecaram e destituídos estão da glória de Deus (Rm 3.23). Todos terão de comparecer perante o justo tribunal de Cristo (2Co 5.10). Naquele dia, os livros serão abertos e seremos julgados segundo as nossas obras (Ap 20.11-15). Pelas obras, ninguém poderá ser justificado diante de Deus, pois o padrão para entrar no céu é a perfeição (Mt 5.48). Só pessoas perfeitas podem entrar no céu. Nada contaminado entrará no céu (Ap 21.27). A Bíblia diz que, se guardarmos toda a lei e tropeçarmos num único ponto, seremos culpados de toda a lei (Tg 2.10). Maldito é aquele que não perseverar em toda a obra da lei para cumpri-la (Gl 3.13). Nenhum homem pode alcançar o padrão da perfeição exigido pela lei, pois não há homem que não peque. Pecamos por palavras, obras, omissão e pensamentos. Dessa maneira, não temos a mínima chance de sermos justificados diante do tribunal de Deus pelos nossos próprios méritos.

Como, então, um homem pode ser justo diante de Deus? Aquilo que o homem não pode fazer, Deus fez por ele. Deus enviou o seu filho ao mundo como o nosso representante e fiador. Quando Cristo foi à cruz, ele o foi em nosso lugar. Quando ele estava suspenso no madeiro, Deus fez cair sobre ele a iniquidade de todos nós. Ele foi moído pelos nossos pecados e traspassado pelas nossas transgressões. Naquele momento, ele foi feito pecado por nós. Ele foi feito maldição por nós. O sol escondeu o rosto dele, e o próprio Deus não pôde ampará-lo. Antes de expirar, porém, Jesus deu um grande brado: *Está consumado!* (Jo 19.30). Está pago! Jesus pegou o escrito de dívida que era contra nós, quitou-o, rasgou-o e encravou-o na cruz (Cl 2.14). Agora estamos quites com a lei de Deus. Agora não temos mais nenhum débito pendente com a justiça de Deus. Agora não há mais nenhuma condenação para aqueles que estão em Cristo Jesus (Rm 8.1). Nós fomos justificados! Cristo morreu em nosso lugar, em nosso favor, levando sobre o seu corpo os nossos pecados, encravando na cruz a nossa dívida e comprando na cruz a nossa eterna redenção. Cristo é a nossa justiça (1Co 1.30). Thomas Watson está correto quando diz que o mais fraco dos crentes que crê em Cristo tem tanto da justiça de Cristo quanto o mais forte dos santos.[58]

Em segundo lugar, *devemos ter apetite pela justiça implantada, ou seja, uma nova vida com Deus.* O fato de crermos em Cristo e sermos salvos não significa que a nossa natureza pecaminosa foi arrancada de nós. Recebemos uma nova natureza, um novo coração, uma nova vida, mas a velha natureza não foi extirpada. Existe dentro de nós a luta entre a carne e o espírito. Quem tem fome e sede de justiça, deseja ardentemente ser transformado progressivamente. Quem tem fome e sede de justiça, aspira às coisas do céu, ama a santidade, tem prazer nas coisas de Deus, deleita-se em Deus e ama a sua lei. Sua aspiração mais elevada não é ajuntar tesouros na terra, mas no céu. Seu prazer não está nos banquetes do mundo, mas nos manjares do céu. Quem tem fome e sede de justiça, deseja ardentemente ter mente pura, coração puro, vida pura. Quem tem fome e sede de justiça, quer sempre mais. Está satisfeito, mas nunca saciado. Ama, mas quer amar mais. Ora, mas quer orar mais. Estuda a Palavra, mas quer estudar mais. Obedece, mas quer obedecer mais.

Em terceiro lugar, *devemos ter apetite pela justiça promovida, ou seja, a justiça social.* Se a justiça imputada se refere à justiça legal e a implantada, à justiça moral, a justiça promovida diz respeito à justiça social. De acordo com John Stott, quem tem fome e sede de justiça abomina o mal, ataca a corrupção e declara guerra a todo esquema de opressão. Luta pela justiça social, exige justiça nos tribunais, defende o direito do fraco e pleiteia a causa dos oprimidos.[59]

Quem tem fome e sede de justiça, luta por uma sociedade na qual não haja fraude, falso testemunho, perjúrio, roubo e desonestidade nos negócios pessoais, nacionais e internacionais. Quem tem fome e sede de justiça, luta para que leis justas sejam estabelecidas, os justos governem e os magistrados julguem com equidade. Quem tem fome e sede de justiça, denuncia o pecado e promove o bem; ama a verdade e abomina a mentira. Sua oração contínua é: *Venha o teu reino, faça-se a tua vontade, assim na terra como no céu* (Mt 6.10). Deseja justiça diante de Deus, para si mesmo e entre os homens. Martyn Lloyd-Jones diz que, se cada homem e mulher neste mundo soubesse o que significa "ter fome e sede de justiça", não haveria perigo de explodirem conflitos armados. Esse é o caminho para a verdadeira paz.[60]

Os filhos de Deus sempre lutaram pelas grandes causas sociais. O cristianismo sempre levantou a bandeira das grandes transformações sociais. Jesus Cristo restaurou a dignidade das mulheres e das crianças. Os apóstolos cuidaram dos pobres. A Reforma do século 16 devolveu às nações a visão bíblica do trabalho, da vocação, da economia, da ciência e, sobretudo, da verdadeira fé. As nações que nasceram sob a luz da Reforma cresceram e prosperaram, rompendo as peias do obscurantismo medieval. John Wesley lutou bravamente pela causa da abolição da escravatura.

Em 1789, William Wilberforce posicionou-se perante o parlamento britânico e veementemente clamou pelo dia em que homens, mulheres e crianças não fossem mais comprados e vendidos como animais de carga. A cada ano, nos dezoito anos seguintes, seu projeto de lei foi derrotado, mas ele não esmoreceu em sua luta contra a escravidão. Até que, finalmente, em 1833, quatro dias antes da sua morte, o parlamento aprovou um projeto de lei abolindo completamente a escravidão na Inglaterra. Em 1963, Martin Luther King Jr., em pé nos degraus do Memorial de Lincoln, em Washington, D.C., descreveu um mundo sem preconceito, ódio ou racismo. Ele disse: "Eu tenho um sonho de que meus quatro filhos vão um dia viver em uma nação na qual eles não serão julgados pela cor da sua pele, mas pelo teor do seu caráter". Ele lutou com desassombro contra o famigerado preconceito racial na América e, mesmo tombando como mártir dessa causa, deixou um legado vitorioso que ainda inspira aqueles que têm fome e sede de justiça a continuarem nessa peleja. Martin Luther King Jr. morreu, mas o seu sonho permanece vivo!

Duas bênçãos são destinadas aos que têm fome e sede de justiça: Eles são saciados e felizes. A palavra que Jesus usou para bem-aventurados é novamente *makarios*. Refere-se ao mais elevado bem-estar possível para o ser humano. Era o texto que os gregos usavam para exprimir o tipo de existência feliz dos deuses.[61] A felicidade que Jesus dá é verdadeira. Só ela nos satisfaz. Aquele que tem fome e sede de justiça é saciado, embora jamais deixe de continuar ansiando por Deus. Lenski afirma: "Esta fome e esta sede continuam e, na verdade, aumentam no simples ato de saciá-las".[62] John MacArthur Jr. vê esse fato como um grande paradoxo: satisfeito, mas nunca saciado.[63]

Jesus está ensinando que os famintos de Deus não serão despedidos vazios nem serão decepcionados. Ele promete felicidade e saciedade. Ele promete alegria e satisfação. Ele promete plenitude e a dá a todos quantos têm fome e sede de justiça. Entretanto, ninguém jamais será satisfeito sem que antes esteja faminto e sedento.

Bem-aventurados os misericordiosos (5.7)

As quatro primeiras bem-aventuranças tratam da nossa relação diante de Deus. Essa fala sobre a nossa ação diante dos homens. As primeiras tratam da questão do ser, essa progride para a questão do fazer. Martyn Lloyd-Jones diz que o evangelho cristão põe toda a sua ênfase na questão do ser, e não na questão do fazer. O evangelho dá muito maior importância às nossas atitudes do que às nossas ações.[64] Depois de lançar os alicerces do *ser*, estamos, agora, prontos a examinar a questão do *fazer*. No cristianismo, o ser vem antes do fazer. Quem é, faz. A fé sem obras é morta (Tg 2.17).

John MacArthur diz que as quatro primeiras bem-aventuranças são princípios totalmente interiores, tratando de como você se vê diante de Deus. Essa quinta bem-aventurança, embora também seja uma atitude interior, começa a se ampliar e atingir as outras pessoas. Essa bem-aventurança é o fruto das outras quatro. Quando estamos abatidos como mendigos no espírito, quando choramos, quando somos mansos e quando temos fome e sede de justiça, o resultado é que seremos misericordiosos para com os outros. As quatro primeiras bem-aventuranças são atitudes interiores, e as últimas quatro são as coisas que as atitudes manifestam.[65]

Os romanos não consideravam a misericórdia uma virtude, mas uma enfermidade da alma.[66] Vivemos num tempo em que a misericórdia parece ter desaparecido da terra. Mas essa não é uma constatação nova. Os judeus eram tão cruéis quanto os romanos. Eram orgulhosos, egocêntricos, hipócritas e acusadores. Hoje, pensamos que, se formos misericordiosos, as pessoas vão nos explorar ou pular no nosso pescoço.

Nessa bem-aventurança, Jesus falou que a misericórdia é tanto um dever como uma recompensa. Os misericordiosos alcançarão misericórdia.

Qual é o conceito bíblico de misericórdia? Misericórdia é lançar o coração na miséria do outro e estar pronto em qualquer tempo para aliviar a sua dor. A palavra hebraica para misericórdia é *chesed*, "a capacidade de entrar em outra pessoa até que praticamente podemos ver com os seus olhos, pensar com sua mente e sentir com o seu coração. É mais do que sentir piedade por alguém.[67]

Richard Lenski diz que o substantivo grego *eleos*, "misericórdia", sempre trata da dor, da miséria e do desespero, que são resultados do pecado. A misericórdia sempre concede alívio, cura e ajuda.[68] Misericórdia é ver uma pessoa sem alimento e lhe dar comida; é ver uma pessoa solitária e lhe fazer companhia. É atender às necessidades, e não apenas senti-las.

O maior exemplo de misericórdia foi demonstrado por Jesus. Ele curou os doentes, alimentou os famintos, abraçou as crianças, foi amigo dos pecadores, tocou os leprosos. Fez que os solitários se sentissem amados. Consolou os aflitos, perdoou os pecadores e restaurou os que haviam caído em opróbrio.

A misericórdia não é uma virtude natural. Por natureza, o homem é mau, cruel, insensível, egoísta, incapaz de exercer a misericórdia. Você precisa de um novo coração, antes de ter um coração misericordioso. Deus é o Pai de misericórdias (2Co 1.3). Dele procede toda misericórdia. Quando a exercemos, nós o fazemos em seu nome, por sua força e para a sua glória.

A misericórdia não é sentimento nem palavras, mas ação. Devemos acudir ao necessitado. Davi diz: *Bem-aventurado o que acode ao necessitado; o* S*ENHOR o livra no dia do mal. O* S*ENHOR o protege, preserva-lhe a vida e o faz feliz na terra; não o entrega à discrição dos seus inimigos. O* S*ENHOR o assiste no leito da enfermidade; na doença, tu lhe afofas a cama* (Sl 41.1-3).

Devemos nutrir terna compaixão pelos necessitados. A Bíblia diz: *Se abrires a tua alma ao faminto e fartares a alma aflita, então, a tua luz nascerá nas trevas, e a tua escuridão será como o meio-dia* (Is 58.10).

Devemos ser liberais na contribuição. Deus diz: *Quando entre ti houver algum pobre de teus irmãos, em alguma das tuas cidades, na tua terra que o Senhor, teu Deus, te dá, não endurecerás o teu coração, nem fecharás as tuas mãos a teu irmão pobre; antes, lhe abrirás de todo a tua mão e lhe emprestarás o que lhe falta, quanto baste para a sua necessidade* (Dt 15.7,8). Deus providenciou várias leis para cuidar dos pobres: nas colheitas, não se podia apanhar o que caía no chão; era dos pobres. Paulo exorta os ricos: *... pratiquem o bem, sejam ricos de boas obras, generosos em dar e prontos a repartir* (1Tm 6.18).

Por que devemos exercer misericórdia? Thomas Watson elenca algumas razões para sermos misericordiosos, como vemos a seguir.[69]

Em primeiro lugar, *devemos ser misericordiosos porque a prática das boas obras é o grande fim para o qual fomos criados* (Ef 2.10). O apóstolo Paulo diz: *Pois somos feitura dele, criados em Cristo Jesus para boas obras, as quais Deus de antemão preparou para que andássemos nelas.* Todas as criaturas cumprem o papel para o qual foram criadas: as estrelas brilham, os pássaros cantam, as plantas produzem segundo a sua espécie. O propósito da vida é servir. Aquele que não cumpre a missão para a qual foi criado é inútil. Diz o adágio: "Quem não vive para servir, não serve para viver".

Em segundo lugar, *devemos ser misericordiosos porque pela prática da misericórdia nós resplandecemos o caráter de Deus, que é misericordioso. Sede misericordiosos, como também é misericordioso vosso Pai* (Lc 6.36). Deus é o Pai de toda misericórdia (2Co 1.3). Deus se deleita na misericórdia (Mq 7.18). As suas ternas misericórdias estão sobre todas as suas obras (Sl 145.9). Quando você demonstra misericórdia, reflete Deus em sua vida.

Em terceiro lugar, *devemos ser misericordiosos porque a demonstração de misericórdia é um sacrifício agradável a Deus.* A Bíblia diz: *Não negligencieis, igualmente, a prática do bem e a mútua cooperação; pois, com tais sacrifícios, Deus se compraz* (Hb 13.16). Quando você abre a mão para ajudar o necessitado, é como se estivesse adorando a Deus. O anjo do Senhor disse a Cornélio: *Cornélio* [...] *as tuas orações e as tuas esmolas subiram para memória diante de Deus* (At 10.4). A prática da misericórdia é uma liturgia que agrada o coração de Deus. Dar pão ao que tem fome, vestir o nu, visitar o enfermo e o preso e acolher o forasteiro é servir ao próprio Senhor Jesus (Mt 25.31-46). Segundo João Batista, repartir pão e vestes é uma maneira concreta de demonstrar o verdadeiro arrependimento (Lc 3.11).

Em quarto lugar, *devemos ser misericordiosos porque um dia daremos conta da nossa administração.* A Bíblia diz que somos mordomos e vamos um dia comparecer perante o tribunal de Deus para prestar contas da nossa administração (Lc 16.2). É um grande perigo fechar as mãos aos necessitados. No dia do juízo, os homens serão julgados pelo que deixaram de fazer aos necessitados: *Apartai-vos de mim* [...] *porque tive fome, e não me destes de comer; tive sede, e não me destes de beber; sendo forasteiro, não me hospedastes; estando nu, não me vestistes; achando-me enfermo e preso, não fostes ver-me* (Mt 25.41-43).

Quais são as recompensas concedidas aos misericordiosos? A Palavra de Deus nos fala sobre algumas recompensas que os misericordiosos receberão, como seguem.

Em primeiro lugar, *eles receberão de Deus o que deram aos outros.* John MacArthur destaca o fato de que a recompensa da misericórdia não virá daqueles a quem ela foi ministrada, mas de Deus. Jesus Cristo foi a pessoa mais misericordiosa que já existiu, e o povo clamou pelo seu sangue. Jesus não recebeu misericórdia alguma das pessoas a quem dispensou misericórdia. Dois sistemas impiedosos, o romano e o judeu, uniram-se para matá-lo. A misericórdia sobre a qual se fala aqui não é uma virtude humana que traz sua própria recompensa. Não é essa a ideia. Então, o que o Senhor está querendo dizer? Simplesmente o seguinte: "Sejam misericordiosos com os outros, e Deus será misericordioso com vocês". Deus é o sujeito da segunda frase.[70]

Eles receberão de Deus exatamente o que deram aos outros. Eles manifestam aos outros misericórdia, e de Deus recebem misericórdia. Não são os homens que os recompensarão com misericórdia, mas Deus. O misericordioso abre as torneiras celestiais sobre a sua cabeça. Ele abre os celeiros do céu para abastecer a própria alma. Ser misericordioso não é o meio de ser salvo, mas o meio de demonstrar que se está salvo pela graça. John Stott esclarece melhor esse ponto nas seguintes palavras:

> Não que possamos merecer a misericórdia através da misericórdia, ou o perdão através do perdão, mas porque não podemos receber a misericórdia e o perdão de Deus se não nos arrependermos, e não podemos proclamar que nos arrependemos de nossos pecados se não formos misericordiosos para com os pecados dos outros. Assim, ser manso é reconhecer diante dos outros que nós somos pecadores; ser misericordioso é ter compaixão pelos outros, pois eles também são pecadores.[71]

O seu coração é misericordioso? Você sente a dor do outro? Abre-lhe o coração, a mão e o bolso? Você se importa com as almas que perecem? Importa-se com a reputação das pessoas? Você tem usado o que Deus lhe deu para abençoar as pessoas? O mundo tem sido melhor porque você existe?

Bem-aventurados os puros de coração (5.8)

Se existe na brilhante constelação das bem-aventuranças uma estrela fulgurante, é essa que vamos agora considerar. Essa bem-aventurança aborda a essência da vida cristã. Esse é o alvo final da vida: ver a Deus. Martyn Lloyd Jones diz que "ver a Deus" é o alvo final de todo empreendimento, o propósito mesmo da religião.[72] James Hastings acrescenta que ver a Deus tem sido o último propósito de toda filosofia, a última esperança de toda ciência, e permanecerá sendo o último desejo de todas as nações.[73]

John MacArthur destaca que os puros de coração não são aqueles que observam a limpeza no exterior. Não são aqueles que participam das cerimônias. Não são aqueles que possuem a religião da realização humana.[74]

Vamos interpretar esse texto com base em suas três expressões principais: "pureza", "coração" e "verão a Deus".

Em primeiro lugar, *onde a pureza deve ser cultivada?* John Stott diz acertadamente que essa pureza se refere à pureza interior, a qualidade daqueles que foram purificados da imundície moral, em oposição à imundície cerimonial.[75] O professor Tasker define os limpos de coração como "os íntegros, livres da tirania de um 'eu' dividido".[76] O coração é tido como o centro da personalidade. Isso não quer dizer meramente que ele é somente a sede dos afetos e das emoções. Nas Escrituras, "coração" inclui mente, emoção e vontade. Refere-se ao homem na sua totalidade.[77] Jesus está afirmando que a pureza deve penetrar em todos os corredores da nossa vida: nossos pensamentos, emoções, motivações, desejos e vontade. A Bíblia diz: *Sobre tudo o que se deve guardar, guarda o teu coração, porque dele procedem as fontes da vida* (Pv 4.23).

A Palavra de Deus é categórica em afirmar que o coração é a fonte de todas as nossas dificuldades. Jesus esclareceu:

Porque do coração procedem maus desígnios, homicídios, adultérios, prostituição, furtos, falsos testemunhos, blasfêmias (Mt 15.19). Martyn Lloyd-Jones alerta acerca do erro de pensar que o mal está apenas no meio ambiente.[78] Adão caiu no paraíso, num ambiente perfeito. O profeta Jeremias diz que o coração é mais enganoso do que todas as coisas e desesperadamente corrupto (Jr 17.9). John Locke, Augusto Comte e Jean-Jacques Rousseau estavam equivocados acerca do homem. Todos eles negaram a realidade do mal inerente. Para eles, o mal estava nas estruturas, no ambiente, ou seja, fora do homem. O mal, porém, não vem de fora, mas de dentro do homem. Nós fomos concebidos em pecado, nascemos em pecado e dentro de nós pulsa um coração carregado de pecado. Sigmund Freud, o pai da psicanálise, diz que os nossos problemas são *alógenos,* isto é, gerados fora de nós. Mas Jesus diz que os nossos problemas são *autógenos,* ou seja, gerados dentro do nosso coração.

Em segundo lugar, *o que significa pureza de coração?* William Barclay fala sobre dois sentidos da palavra grega *kátharos,* que significa "limpo, puro, sem mescla, não adulterado".[79] Primeiro, *o sentido comum.* A palavra grega *kátharos* tem vários significados: 1) Era usada para designar a roupa suja que foi lavada. 2) Era usada para designar o trigo que tinha sido separado da sua palha. Com o mesmo significado, era usada em relação a um exército do qual se tinham eliminado os soldados descontentes ou medrosos. 3) Era usada para descrever o vinho ou leite que não havia sido adulterado mediante adição de água; algo sem mescla. 4) Era usada em relação ao ouro puro sem escória.

John MacArthur diz que o termo *kátharos* significa sem mistura, sem fusão, sem adulteração, peneirado ou sem resíduos.[80] Segundo, *o sentido bíblico*. O termo "puro" significa destituído de hipocrisia. Uma devoção não-dividida. O salmista diz: *Dispõe-me o coração para só temer o teu nome* (Sl 86.11). A nossa grande dificuldade é nosso coração dúplice. Uma parte do nosso ser quer conhecer, adorar e agradar a Deus, mas outra porção quer algo diferente. O apóstolo Paulo diz: *Porque, no tocante ao homem interior, tenho prazer na lei de Deus; mas vejo, nos meus membros, outra lei que, guerreando contra a lei da minha mente, me faz prisioneiro da lei do pecado que está nos meus membros* (Rm 7.22,23). O coração limpo é o coração que não está dividido. Significa, também, destituído de contaminação. É um coração sem mácula, puro, íntegro. *Segui a paz com todos e a santificação, sem a qual ninguém verá o Senhor* (Hb 12.14). Dessa maneira, poderíamos sintetizar essa bem-aventurança como segue: "Bem-aventurado é o homem cujas motivações são sempre íntegras e sem mescla de mal algum, porque esse é o homem que verá a Deus".

Em terceiro lugar, *qual é a recompensa de ter um coração puro? ... porque verão a Deus*. James Hastings fala sobre três tipos de visão: a visão física, mental e espiritual.[81] A primeira visão é a física. Por meio dela, distinguimos objetos materiais e contemplamos o mundo físico à nossa volta. A segunda visão é a mental. Essa é a visão dos cientistas e poetas. Essa faculdade ajuda os homens a descobrirem as leis da ciência e a fazerem analogias e conexões com as mais variadas ideias. A terceira visão é a espiritual. Esta capacita os homens de fé e os puros de coração a verem o invisível. Deus é invisível, mas os puros de coração verão a Deus.

A gloriosa recompensa dos puros de coração é que eles verão a Deus. O verbo grego está no futuro contínuo. Em outras palavras, eles verão continuamente a Deus".[82] Eles verão a Deus nesta vida e na vida por vir. Agora, vemos a Deus pela fé. Agora, nós o vemos nas obras da criação, da providência e da redenção. Mas, então, nós o veremos face a face. Agora, vemos como por espelho, mas, então, veremos já sem véu. Então, conheceremos como também somos conhecidos. A visão de Deus na vida por vir é o céu dos céus. Embora venhamos a nos deleitar na incontável assembleia dos santos, embora nossa união aos coros angelicais venha a ser uma grande glória, a maior de todas as glórias de todas as recompensas será a visão que teremos de Deus. Essa é a promessa mais consoladora. Jó encontrou refúgio para a sua dor quando disse: *Eu sei que o meu redentor vive e por fim se levantará sobre a terra. Depois, revestido este meu corpo da minha pele, em minha carne verei a Deus. Vê-lo-ei por mim mesmo, os meus olhos o verão* (Jó 19.25-27).

Aqueles que não têm o coração puro não verão a Deus, pois a Bíblia diz que sem santificação ninguém verá o Senhor (Hb 12.14). Porém, os limpos de coração verão a Deus. Mais do que tesouros, mais do que glórias humanas, nossa maior recompensa é Deus. Ele é melhor do que todas as suas dádivas. Ele é a nossa herança, a nossa recompensa. Teremos a Deus, veremos a Deus, por toda a eternidade! Oh, que glória isso será!

Bem-aventurados os pacificadores (5.9)

Existem cerca de quatrocentas referências sobre paz na Bíblia. John MacArthur diz que as Escrituras começam com paz no jardim do Éden e terminam com paz na eternidade. O pecado do homem interrompeu a paz no Éden. Na cruz, Cristo se tornou a nossa paz e um dia ele, o príncipe da paz, virá para estabelecer plenamente o seu reino eterno de paz.[83]

Deus se autodenomina *Deus da paz* (Fp 4.9), mas não há paz no mundo. Isso por causa da oposição de Satanás e da desobediência do homem. Martyn Lloyd-Jones pergunta:

> Por que há tantas guerras no mundo? Por que se mantém essa constante tensão internacional? O que há com este mundo? Por que já tivemos duas guerras mundiais só no século 20? E por que essa ameaça perene de novas guerras, além de toda essa infelicidade, turbulência e discórdia entre os homens? De conformidade com essa bem-aventurança, só existe uma resposta para essa indagação – o pecado.[84]

As tentativas de estabelecer a paz no mundo são todas malogradas. As conferências que visam promover a paz entre as nações fracassam. A Organização das Nações Unidas não se sustenta como agenciadora da paz. Não haverá paz nas estruturas, nos governos, entre as nações, se ela não for implantada no coração. Enquanto o príncipe da paz, Jesus Cristo, não reinar no coração do homem, este será um ser beligerante e em conflito consigo mesmo, com o próximo e com Deus. Martyn Lloyd-Jones está correto quando diz: "Enquanto os homens estiverem produzindo esses males, não haverá paz. Aquilo que existe no interior do homem inevitavelmente há de aflorar à superfície".[85]

O homem está em guerra com Deus, consigo mesmo, com o próximo e com a natureza. A paz que saudamos hoje começa a desmoronar amanhã. Não temos paz política, econômica, social nem familiar. A paz é meramente aquele breve momento glorioso na história em que todos param para recarregar as armas. Depois da Segunda Guerra Mundial, o mundo ficou preocupado em desenvolver uma agência para a paz mundial; por isso, em 1945, surgiu a Organização das Nações Unidas (ONU), com o lema:

"Libertar as nações vindouras do flagelo da guerra". Desde então, não tem havido um dia de paz na terra. Nenhum. A paz é uma quimera, diz John MacArthur.[86]

Não temos capacidade de conviver uns com os outros. Existem dissoluções de famílias, discórdias nas instituições e guerras entre as nações. O homem não tem paz consigo mesmo, por isso o mundo ao seu redor está mergulhado no caos. O século 20 começou com profundo otimismo humanista. Mas veio a Primeira Guerra Mundial, e cerca de trinta milhões de pessoas foram mortos. Logo veio a Segunda Guerra Mundial, e sessenta milhões de pessoas pereceram. O comunismo abocanhou um terço dos habitantes do planeta e levou milhões à morte. Hoje, vemos terríveis guerras étnicas, tribais e religiosas. O mundo é um barril de pólvora.

Contudo o que é paz? Antes de definirmos positivamente o que é paz, vejamos o aspecto negativo, ou seja, o que não é paz.

Em primeiro lugar, não é paz de cemitério. Algumas pessoas definem paz como ausência de conflito. Não existe conflito em um cemitério. Mas paz é muito mais do que a ausência de conflito. É a presença da justiça que produz relacionamentos verdadeiros. A paz não é apenas a suspensão da guerra; é a criação da justiça que reúne inimigos em amor.[87]

Em segundo lugar, *não é trégua.* Há grande diferença entre trégua e paz. Uma trégua quer dizer que você apenas deixa de atirar por um tempo. A paz vem quando a verdade é conhecida, o problema é resolvido e as partes se abraçam.[88] A paz não é algo passageiro e superficial. A paz derruba o muro da inimizade e constrói, sobre o abismo do ódio, a ponte da reconciliação.

Em terceiro lugar, *não é fuga do confronto.* A paz na Bíblia nunca se esquiva dos problemas. Não é paz a qualquer preço. Apaziguamento não é paz. A paz tem um alto preço. Ela custou o sangue de Cristo. Dietrich Bonhoeffer criou o termo "graça barata". Existe também uma espécie de paz barata. Proclamar paz onde não há paz, é obra de falso profeta.[89] A paz supera e resolve o problema; não equivale a sublimar nem a enterrar o problema vivo. A paz constrói pontes em vez de cavar abismos. Sem confronto, teremos apenas um cessar-fogo, uma guerra fria, um tempo para recarregar as armas.

Em quarto lugar, *não é sacrifício da verdade.* Muitos hoje querem a paz e a união de todos, mas à custa da verdade. Nesse sentido, Jesus veio trazer não a paz, mas a espada (Mt 10.34). Não há unidade fora da verdade. A paz com todos e a santificação precisam andar juntas (Hb 12.14). Por essa razão, o ecumenismo é uma falácia. Não temos nenhuma ordem de Cristo para buscar a união sem pureza: pureza de doutrina e de conduta. Uma união barata produz uma evangelização barata.[90] Esses são atalhos proibidos que transformam o evangelista num mercador fraudulento, degradam o evangelho e prejudicam a causa de Cristo. A Bíblia nos proíbe de sermos cúmplices com as obras infrutíferas das trevas (Ef 5.11). A Bíblia condenou a aliança de Josias com o ímpio rei Acabe (2Cr 19.2). A Bíblia ordena: *Não vos ponhais em jugo desigual com os incrédulos; porquanto que sociedade pode haver entre a justiça e a iniquidade? Ou que comunhão, da luz com as trevas?* (2Co 6.14).

Vejamos, agora, o aspecto positivo, o que é paz. A palavra "paz", tanto no hebraico como no grego, nunca é um estado negativo. Nunca significa apenas a ausência de conflito. A paz inclui o bem-estar geral do homem. É a libertação do mal e a presença de todas as coisas boas. A paz é um estado de harmonia com Deus, consigo mesmo e com o próximo.[91]

O pacificador está em paz com Deus, anuncia o evangelho da paz, tem o ministério da reconciliação e é um embaixador de Deus, rogando aos homens que se reconciliem com ele (2Co 5.18-20). O pacificador é aquele que ama os seus inimigos, abençoa aqueles que o maldizem, ora por aqueles que o perseguem (Mt 5.45). Jesus ordena: *Tende* [...] *paz uns com os outros* (Mc 9.50). Paulo diz: *Se possível, quanto depender de vós, tende paz com todos os homens* (Rm 12.18).

Quais são as recompensas do pacificador? A Palavra de Deus fala sobre a recompensa do pacificador, como vemos a seguir.

Em primeiro lugar, *a recompensa do pacificador é ser chamado filho de Deus.* A língua grega usa *huios* para filhos, e não *tekna*, que significa crianças. *Tekna* nos fala sobre uma afeição terna. *Huios* nos fala sobre dignidade, honra e consideração.[92] Amamos nossos filhos mais do que nossa casa, nosso carro, nossos bens. Nossos filhos são nossa maior herança. O pacificador é filho do Deus vivo. Esse título é mais honroso do que ser o mais exaltado príncipe da terra. A Bíblia diz que somos a menina dos olhos de Deus. A pupila é a parte mais sensível do corpo. É a parte mais frágil e delicada. Você a protege. Deus age da mesma forma com os seus filhos. Se você tocar em um de seus filhos, está colocando o dedo na menina dos olhos de Deus.

Em segundo lugar, *os filhos de Deus são muito preciosos para Deus.* A Bíblia diz que somos o seu tesouro particular (Ml 3.17). Diz que Deus nos dará um nome eterno (Is 56.5). Afirma que Deus recolhe nossas lágrimas em seu odre (Sl 56.8). Quando morremos, nossa morte é preciosa aos seus olhos (Sl 116.15). Deus nos fez reis, príncipes e sacerdotes. Somos seus herdeiros. Deus diz que seus filhos são os notáveis em quem ele tem todo o seu prazer (Sl 16.3). A Bíblia diz que nós somos os vasos de honra de Deus (2Tm 2.21). A Bíblia afirma que os filhos são dignos de honra (Is 43.4). Nós somos a herança de Deus. Nossa posição é mais elevada do que a dos anjos. Eles nos servem. Nós somos coparticipantes da natureza divina. Estamos ligados a Cristo. Somos membros do corpo de Cristo. A Bíblia diz que nos assentaremos com ele no seu trono (Ap 3.21).

Em terceiro lugar, *os pacificadores são feitos filhos de Deus por adoção.* Não nascemos filhos de Deus; somos feitos filhos de Deus por adoção. No que a adoção consiste? Thomas Watson nos ajuda a entender esse magno assunto com as observações a seguir.[93]

Adoção é a transferência de uma família para outra. Nós fomos transferidos da velha família de Adão para a família de Deus. Éramos escravos, cegos, perdidos e filhos da ira (Ef 2.2,3). Mas, agora, somos filhos de Deus, membros da sua família. Ele é nosso Pai. Cristo é o nosso irmão mais velho. Os santos são nossos irmãos e coerdeiros, e os anjos são espíritos que nos servem.

Adoção consiste em uma imunidade e desobrigação de todas as leis que nos prendiam à antiga família. Agora não somos mais escravos do pecado. Agora fomos libertos do império das trevas. Não estamos mais presos à potestade de Satanás. Agora somos novas criaturas.

Adoção consiste em uma legal investidura dos direitos da nova família. Recebemos um novo nome. Antes éramos escravos; agora somos filhos. Antes éramos pecadores rendidos à escravidão; agora somos livres e santos. Recebemos também uma gloriosa herança. Somos herdeiros de Deus e coerdeiros com Cristo.

No que a adoção divina difere da adoção humana?

A adoção humana em geral visa suprir uma carência dos filhos naturais. Deus sempre foi completo em si mesmo. Deus sempre se deleitou no seu filho unigênito. Equivocam-se aqueles que pensam que Deus era incompleto até nos criar à sua imagem e semelhança. Deus era perfeito, completo e feliz antes de lançar os fundamentos da terra e antes de criar-nos à sua imagem.

A adoção humana é restrita; a de Deus é ampla. A herança do pai é repartida com os filhos. Os herdeiros de Deus possuem tudo o que é do Pai. Tudo o que Deus tem é nosso.

A adoção humana é feita sem sacrifício; a divina custou a vida do seu filho. A nossa adoção custou a morte do seu filho unigênito. O filho eternamente gerado do Pai precisou morrer para fazer-nos filhos adotivos. Deus selou nossa certidão de nascimento com o sangue do seu filho. Quando Deus criou todas as coisas, ele apenas falou; mas, quando nos adotou, o sangue do seu filho precisou ser derramado.

A adoção humana confere apenas benefícios terrenos; a adoção divina confere bênçãos celestiais. Deus nos concede mais do que bens; ele nos concede uma nova vida, um novo coração, uma nova mente, uma nova herança, um novo lar, a vida eterna. Essa verdade derruba por terra a visão míope da teologia da prosperidade. A nossa riqueza não é terrena, mas celestial. Não é material, mas espiritual. O nosso tesouro não está na terra, mas no céu. A nossa casa permanente não é aqui, mas no paraíso!

Bem-aventurados os perseguidos por causa da justiça (5.10-12)

Para nós, é quase incompreensível associar perseguição com felicidade. Perseguição e felicidade parecem-nos coisas mutuamente excludentes. Esse é o grande paradoxo do cristianismo. Mas Jesus termina as bem-aventuranças dizendo que o mais elevado grau de felicidade está ligado à perseguição. Obviamente não são felizes todos os perseguidos, mas os perseguidos por causa da justiça.[94]

A nossa religião deve custar para nós as lágrimas do arrependimento e o sangue da perseguição, diz Thomas Watson.[95] A cruz vem antes da coroa. O sofrimento precede a glória. Importa-nos entrar no reino por meio de muitas tribulações (At 14.22).

Martyn Lloyd-Jones diz que o crente é perseguido por ser determinado tipo de pessoa e por se comportar de certa maneira.[96] Porque você é um cristão, o mundo o odeia, como odiou a Cristo: *Se o mundo vos odeia, sabei que, primeiro do que a vós outros, me odiou a mim. Se vós fôsseis do mundo, o mundo amaria o que era seu; como, todavia, não sois do mundo, pelo contrário, dele vos escolhi, por isso, o mundo vos odeia* (Jo 15.18,19).

Qual é a natureza dessa perseguição? O mundo ataca sua vida e sua honra. O mundo fere-o com as armas e com a língua. Procura destruir sua vida e também sua reputação. Há duas maneiras de perseguir uma pessoa, como vemos a seguir.

Em primeiro lugar, *a perseguição das armas* (Mt 5.10). Ao longo dos séculos, a igreja tem sofrido perseguição. Os crentes foram perseguidos em todos os lugares e em todos os tempos. Paulo disse: *Todos quantos querem viver piedosamente em Cristo serão perseguidos* (2Tm 3.12). Depois de ser apedrejado em Listra, Paulo encorajou os novos crentes, dizendo-lhes: *... através de muitas tribulações, nos importa entrar no reino de Deus* (At 14.22). Escrevendo aos filipenses, Paulo disse: *Porque vos foi concedida a graça de* *padecerdes por Cristo e não somente de crerdes nele* (Fp 1.29). Os cristãos primitivos foram duramente perseguidos tanto pelos judeus como pelos gentios.

Em segundo lugar, *a perseguição da língua* (Mt 5.11). O cristão é atacado não apenas pela oposição e pela espada do mundo, mas também pela língua dos ímpios. A língua é como fogo e veneno. Ela mata. Ela é uma espada desembainhada (Sl 55.21). Você pode matar uma pessoa tirando-lhe a vida ou destruindo-lhe o nome. Três são as formas da perseguição pela língua, como vemos a seguir.

Injúria (Mt 5.11). A palavra *oneididzo* significa jogar algo na cara de alguém, maltratar com palavras vis, cruéis e escarnecedoras. Cristo foi acusado de ser beberrão e endemoninhado. Pesaram sobre os cristãos muitas coisas horrendas. Eles foram chamados de canibais, imorais, incendiários, rebeldes, ateus. Chamaram Paulo de tagarela, impostor e falso apóstolo.

Mentira (Mt 5.11). A arma do diabo é a mentira. A mentira é a negação, a ocultação e a alteração da verdade. Chamaram Jesus de beberrão, possesso e filho ilegítimo. O cristão é abençoado por Deus e amaldiçoado pelo mundo.

Falar mal (Mt 5.11). Os cristãos são alvos da maledicência. É a inimizade da serpente contra a semente sagrada. A língua é fogo e veneno. Ela tem uma capacidade avassaladora para destruir. É como uma fagulha numa floresta. Provoca destruição total. Ela é como veneno que mata rapidamente.

Quem são os perseguidos? A perseguição no versículo 10 é generalizada: *Bem aventurados os perseguidos por causa da justiça, porque deles é o reino dos céus*, enquanto no versículo 11 é personalizada: *Bem-aventurados sois quando, por minha causa, vos injuriarem, e vos perseguirem, e, mentindo, disserem todo mal contra vós.*[97] Ambos os versículos, porém, referem-se ao mesmo grupo. Quem são eles? São os mesmos descritos nos versículos 3-9: os humildes, os que choram, os mansos, os que têm fome e sede de justiça, os misericordiosos, os limpos de coração e os pacificadores.

Os apóstolos de Cristo foram perseguidos de forma implacável. André, irmão de Pedro, foi amarrado na cruz para ter morte lenta. Pedro ficou preso nove meses e depois foi crucificado de cabeça para baixo. Paulo foi decapitado por ordem de Nero. Tiago foi passado ao fio da espada por ordem de Herodes Agripa I. Mateus, Bartolomeu e Tomé foram martirizados. João foi deportado para a ilha de Patmos. Os apóstolos eram considerados o lixo do mundo, a escória de todos.

John MacArthur diz que hoje estamos fabricando celebridades tão rapidamente como o mundo.[98] Hoje, os crentes querem ser estrelas e gostam do sucesso, das coisas espetaculares. Hoje, as pessoas apresentariam Paulo assim: Formado na Universidade de Gamaliel, poliglota, amigo pessoal de muitos reis, maior plantador de igrejas do mundo, maior evangelista do século, dado por morto, arrebatado ao céu. Mas quais as credenciais que Paulo de si mesmo? Vejamos:

> *São ministros de Cristo? (Falo como fora de mim.) Eu ainda mais: em trabalhos, muito mais; muito mais em prisões; em açoites, sem medida; em perigos de morte, muitas vezes. Cinco vezes recebi dos judeus uma quarentena de açoites menos um; fui três vezes fustigado com varas; uma vez, apedrejado; em naufrágio, três vezes; uma noite e um dia passei na voragem do mar; em jornadas, muitas vezes; em perigos de rios, em perigos de salteadores, em perigos entre patrícios, em perigos entre gentios, em perigos na cidade, em perigos no deserto, em perigos no mar, em perigos entre falsos irmãos; em trabalhos e fadigas, em vigílias, muitas vezes; em fome e sede, em jejuns, muitas vezes; em frio e nudez. Além das coisas*

exteriores, há o que pesa sobre mim diariamente, a preocupação com todas as igrejas (2Co 11.23-28).

Quando sofrer é uma bem-aventurança? Quando sofremos por causa da justiça (5.10). Alguns tomam a iniciativa de opor-se a nós não por causa dos nossos erros, mas porque não gostam da justiça da qual temos fome e sede. A perseguição é simplesmente o conflito entre dois sistemas de valores irreconciliáveis. Sofrer pelo erro não é bem-aventurança, mas vergonha e derrota. Sofrer pelo erro é punição e castigo, e não felicidade. Sofrer porque foi flagrado no erro não é ser bem-aventurado. Um aluno não é feliz ao receber nota zero por ter sido flagrado na prática da cola. Um funcionário não é feliz ao ser mandado embora por negligência. Um cristão não é feliz ao ser perseguido por ter transgredido a lei de Deus. Os crentes de Tiatira sofreram financeiramente por não participarem dos sindicatos comerciais que tinham suas divindades padroeiras. Os crentes sofriam porque, quando se convertiam, eram desprezados pelos outros membros da família.

Sofrer é bem-aventurança, ainda, quando sofremos por causa de nosso relacionamento com Cristo (5.11). O mundo não odeia o cristão, mas odeia a justiça, odeia a Cristo nele.[99] Não é a nós que o mundo odeia primariamente, mas à verdade que representamos. O mundo está atrás de Cristo, é a ele que o mundo ainda está tentando matar. O mundo odiou Jesus e o levou à cruz. Assim, quando o mundo vê Cristo em sua vida, em suas atitudes, o mundo também odiará você. Às vezes, essa perseguição promovida pela língua não procede apenas do mundo pagão, mas dos próprios religiosos: Jesus foi mais duramente perseguido pelos fariseus, escribas e sacerdotes. A religião apóstata tornou-se o braço do anticristo.

Vejamos, por exemplo, a perseguição na igreja primitiva. A igreja primitiva foi implacavelmente perseguida. Os crentes foram expulsos de Jerusalém. Eles foram espalhados pelo mundo. Nero iniciou uma sangrenta perseguição contra a igreja. Alguns crentes eram jogados aos leões esfaimados da Líbia. Outros eram queimados na fogueira. Os crentes eram untados com resina e depois incendiados vivos para iluminar os jardins de Roma. Alguns crentes eram enrolados em peles de animais para os cães de caça morderem. Os crentes eram torturados e esfolados vivos. Chumbo fundido era derramado sobre eles. Placas de latão em brasa eram fixadas nas partes mais frágeis do corpo. Partes do corpo eram cortadas e assadas diante dos seus olhos.[100]

O império romano tinha uma grande preocupação com sua unificação. Na época de Cristo, o império romano estendeu seu domínio desde as Ilhas Britânicas até o rio Eufrates, desde o norte da Alemanha até o norte da África.[101] Roma era adorada como deusa. Depois, o imperador passou a personificar Roma. Os imperadores passaram a ser chamados "Senhor e Deus". O culto ao imperador passou a ser o grande elo da unificação política de Roma. Era obrigatório uma vez por ano todos os súditos do império queimarem incenso ao deus imperador num templo romano. Todos deviam dizer: "César é o Senhor". Mas os cristãos se recusavam a fazer isso, sendo considerados revolucionários, traidores e ilegais. Por isso eram presos, torturados e mortos.[102] John MacArthur apresenta esse fato assim:

> Era obrigatório que, uma vez por ano, todas as pessoas no império romano queimassem incenso para César e dissessem: "César é o Senhor". Quando alguém acendia seu incenso, recebia um certificado chamado *libelo*. Tendo recebido esse certificado, ele poderia adorar qualquer

> deus que quisesse. Os romanos queriam, em primeiro lugar, apenas se certificar de que todos convergiam para um ponto comum: César. Os cristãos não declaravam outra coisa senão "Jesus é o Senhor", por isso nunca recebiam o *libelo.* Consequentemente, estavam sempre cultuando a Deus de maneira ilegal.[103]

Vejamos, agora, as perseguições religiosas ao longo dos séculos. Os crentes foram perseguidos pela intolerância e pela inquisição religiosa. Alguns pré-reformadores foram queimados vivos, como Jan Hus e Girolamo Savonarola. John Wycliffe precisou se esconder. Lutero ficou trancado num mosteiro. William Tyndale foi esquartejado. Os calvinistas franceses, chamados huguenotes, foram perseguidos e assassinados na França com crueldade indescritível. Foram caçados, torturados, presos e mortos com desumanidade. A partir de 1559, o governo francês caiu nas mãos de Catarina de Médicis, que, educada na escola maquiavélica, estava disposta a sacrificar a vida dos súditos para alcançar a realização de suas ambições políticas. Na fatídica noite de São Bartolomeu, em 24 de agosto de 1572, cerca de setenta mil crentes franceses foram esmagados e mortos numa emboscada. Rios de sangue jorraram de homens e mulheres que ousaram crer em Cristo e professar sua fé no salvador. Ao tomar conhecimento do massacre da noite de São Bartolomeu, o rei da Espanha, Felipe II, genro de Catarina de Médicis, encorajou a sua sogra a agir ainda com maior despotismo e violência, buscando exterminar os huguenotes da França e assim varrer todo o vestígio do protestantismo daquela terra.[104]

Na Inglaterra, Maria Tudor ascendeu ao trono em 1553 e governou até 1558. Essa rainha matou tantos crentes que isso lhe valeu a alcunha de "Maria, a Sanguinária".

Ela levou à estaca os líderes cristãos e passou ao fio da espada milhares de crentes. O comunismo ateu e o nazismo nacionalista levou milhões de crentes ao martírio no século 20. Na Coreia do Norte, na China e ainda hoje nos países comunistas e islâmicos, os crentes são presos, torturados e mortos.

Como devemos enfrentar essa perseguição? Com profunda alegria! Não devemos buscar a vingança como o incrédulo, nem ficar de mau humor como uma criança embirrada, nem lambendo nossa própria ferida cheios de autopiedade, nem negar a dor como os estoicos, muito menos gostar de sofrer como os masoquistas. As palavras usadas por Jesus descrevem uma alegria intensa, maiúscula, superlativa, absoluta. A palavra "exultai", *agalliasthe*, significa saltar, pular, gritar de alegria.[105]

Qual é a recompensa divina aos perseguidos por causa da justiça? Uma felicidade superlativa (5.10,11)! A palavra *macarios*, como já temos visto, descreve uma felicidade plena, copiosa, superlativa, eterna. Essa felicidade não é circunstancial. Não depende do que acontece à nossa volta. Ela vem do alto. Está dentro de nós. Jesus parabeniza aqueles que o mundo mais despreza e chama de bem-aventurados aqueles que o mundo persegue.

Outra recompensa é a posse de um reino glorioso (5.10). Essa última bem-aventurança termina como começou a primeira. Os perseguidos por causa da justiça recebem o reino dos céus. Aqui eles podem perder os bens, o nome e a vida, mas recebem um reino eterno, glorioso, para sempre. Os sofrimentos do tempo presente não se comparam às glórias a serem reveladas em nós (Rm 8.18). Os perseguidos podem ser lançados numa prisão, torturados e martirizados, mas eles recebem uma herança incorruptível, gloriosa. Eles são filhos e herdeiros. Um dia ouvirão Jesus dizer: *Vinde, benditos de meu Pai! Entrai na posse do reino que vos está preparado desde a fundação do mundo.*

Os perseguidos por causa da justiça sabem que a recompensa final não é nesta vida (5.12). O mundo odeia pensar no futuro. O ímpio detesta pensar na eternidade. Ele tem medo de pensar na morte, mas o cristão sabe que sua recompensa está no futuro. Ele olha para a frente e sabe que tem o céu. Sabe que tem a coroa. Paulo disse na antessala do martírio: *O da minha partida é chegado* [...]. *Já agora a coroa da justiça me está guardada*... (2Tm 4.6,8). Nós aguardamos a cidade celestial (Hb 11.10). Crisóstomo, um grande cristão do século 5, foi preso e chamado diante do imperador Arcádio por pregar a Palavra. Este ameaçou bani-lo. Crisóstomo disse: "Majestade, não podes me banir, pois o mundo é a casa do meu Pai". "Então, terei de matá-lo." Crisóstomo respondeu: "Não podes, pois minha vida está guardada com Cristo em Deus". Arcádio ameaçou: "Seus bens serão confiscados". Crisóstomo retrucou: "Majestade, isso não será possível. Meus tesouros estão nos céus". "Eu te afastarei dos homens e não terás amigos." O servo de Deus respondeu: "Isso não podes fazer, porque tenho um amigo nos céus que disse: 'De maneira alguma te deixarei, jamais te abandonarei'".[106]

Os perseguidos por causa da justiça sabem que são seguidores de uma bendita estirpe (5.12). Quando você estiver sendo perseguido por causa da justiça e por causa de Cristo, saiba que não está sozinho nessa arena, nessa fornalha, nesse campo juncado de espinhos. Atrás de você marchou um glorioso exército de profetas de Deus. A perseguição é um sinal de genuinidade, um certificado de autenticidade cristã, *pois assim perseguiram aos profetas que viveram antes de vós*. Se somos perseguidos hoje, pertencemos a uma nobre sucessão. Os ferimentos são como medalhas de honra para o cristão. Jesus disse: *Ai de vós, quando todos vos louvarem!* (Lc 6.26).

Dietrich Bonhoeffer, executado no campo de concentração nazista de Flossenburg por ordem de Heinrich Himmler, em abril de 1945, disse que o sofrimento é uma das características dos seguidores de Cristo. Sofrer por Cristo é mais honroso do que ter um reino sobre a terra. Precisamos considerar que o nosso sofrimento aqui é leve e momentâneo quando visto à luz da recompensa eterna (2Co 4.17). Os sofrimentos do tempo presente não podem ser comparados com a glória a ser revelada em nós (Rm 8.18). Somos bem-aventurados!

Notas

[1] Tasker, R. V. G. *Mateus: introdução e comentário*, p. 47.
[2] Ibidem, p. 48.
[3] MacArthur Jr., John. *O caminho da felicidade*. São Paulo, SP: Cultura Cristã, 2001, p. 13.
[4] Stott, John R. W. *Contracultura cristã – A mensagem do Sermão do Monte*. São Paulo, SP: ABU, 1981, p. 11.
[5] Ibidem, p. 23.
[6] Spurgeon, Charles H. *O evangelho segundo Mateus*, p. 66.
[7] Watson, Thomas. *The beatitudes*. Carlisle, PA: The Banner of Truth Trust, 2000, p. 13.
[8] Morris, Leon L. *Lucas: introdução e comentário*. São Paulo, SP: Vida Nova, 1983, p. 120.

[9] Barclay, William. *Mateo I*, p. 96.
[10] Watson, Thomas. *The beatitudes*, p. 39.
[11] Hastings, James. *The great texts of the Bible – St. Matthew.* Vol. VIII, p. 70.
[12] Lloyd-Jones, Martyn. *Estudos no Sermão do Monte.* São Paulo, SP: Fiel, 1984, p. 39.
[13] Ibidem, p. 38.
[14] Barclay, William. *Mateo I*, p. 100.
[15] Wiersbe, Warren W. *Comentário bíblico expositivo*, p. 23.
[16] Lloyd-Jones, Martyn. *Estudos no Sermão do Monte*, p. 37.
[17] Barclay, William. *Mateo I*, p. 98.
[18] Rienecker, Fritz; Rogers, Cleon. *Chave linguística do Novo Testamento grego.* São Paulo, SP: Vida Nova, 1985, p. 9.
[19] MacArthur Jr., John. *O caminho da felicidade*, p. 53.
[20] Barclay, William. *Mateo I*, p. 99.
[21] Lloyd-Jones, Martyn. *Estudos no Sermão do Monte*, p. 40.
[22] Stott, John R. W. *Contracultura cristã – A mensagem do Sermão do Monte*, p. 28.
[23] Ryle, John Charles. *Comentário expositivo do evangelho segundo Mateus*, p. 23.
[24] Spurgeon, Charles H. *O evangelho segundo Mateus*, p. 67.
[25] Stott, John R. W. *Contracultura cristã – a mensagem do Sermão do Monte*, p. 29.
[26] Richards, Lawrence O. *Comentário histórico-cultural do Novo Testamento*, p. 24.
[27] Stott, John R. W. *Contracultura cristã – A mensagem do Sermão do Monte*, p. 30.a
[28] MacArthur Jr., John. *O caminho da felicidade*, p. 63.
[29] Barclay, William. *Mateo I*, p. 103.
[30] Rienecker, Fritz; Rogers, Cleon. *Chave linguística do Novo Testamento grego*, p. 9.
[31] Lloyd-Jones, Martyn. *Estudos no Sermão do Monte*, p. 48.
[32] Barclay, William. *Mateo I*, p. 101.
[33] MacArthur Jr., John. *O caminho da felicidade*, p. 69.
[34] Stott, John R. W. *Contracultura cristã – a mensagem do Sermão do Monte*, p. 30.
[35] Watson, Thomas. *The beatitudes*, p. 59.
[36] Ibidem.
[37] Ryle, John Charles. *Comentário expositivo do evangelho segundo Mateus*, p. 23.

[38] Watson, Thomas. *The beatitudes*, p. 62-69.
[39] Ibidem, p. 75.
[40] Ibidem.
[41] Rienecker, Fritz; Rogers, Cleon. *Chave linguística do Novo Testamento grego*, p. 9.
[42] Lloyd-Jones, Martyn. *Estudos no Sermão do Monte*, p. 57.
[43] Ibidem, p. 61.
[44] MacArthur Jr., John. *O caminho da felicidade*, p. 88.
[45] Watson, Thomas. *The beatitudes*, p. 105-113.
[46] Rienecker, Fritz; Rogers, Cleon. *Chave linguística do Novo Testamento grego*, p. 9.
[47] Wiersbe, Warren W. *Comentário bíblico expositivo*, p. 24.
[48] Barclay, William. *Mateo I*, p. 104-105.
[49] Ibidem, p. 107.
[50] Ibidem, p. 105.
[51] Lloyd-Jones, Martyn. *Estudos no Sermão do Monte*, p. 62.
[52] Ibidem, p. 63.
[53] MacArthur Jr., John. *O caminho da felicidade*, p. 104.
[54] Lloyd-Jones, Martyn. *Estudos no Sermão do Monte*, p. 68.
[55] Ryle, John Charles. *Comentário expositivo do evangelho segundo Mateus*, p. 23.
[56] Watson, Thomas. *The beatitudes*, p. 122.
[57] Stott, John R. W. *Contracultura cristã – A mensagem do Sermão do Monte*, p. 34-35.
[58] Watson, Thomas. *The beatitudes*, p. 122.
[59] Stott, John R. W. *Contracultura cristã – A mensagem do Sermão do Monte*, p. 35.
[60] Lloyd-Jones, Martyn. *Estudos no Sermão do Monte*, p. 66.
[61] Willard, Dallas. *A conspiração divina.* São Paulo, SP: Mundo Cristão, 2001, p. 144.
[62] Lenski, R. C. *The interpretation of st Matthew's Gospel.* Augsburg: R. C. Lenski, 1943, p. 189.
[63] MacArthur Jr., John. *O caminho da felicidade*, p. 109.
[64] Lloyd-Jones, Martyn. *Estudos no Sermão do Monte* p. 88.
[65] MacArthur Jr., John. *O caminho da felicidade*, p. 115.
[66] Ibidem, p. 117.
[67] Barclay, William. *Mateo I*, p. 112.
[68] Lenski, R. C. *The interpretation of st Matthew's Gospel*, p. 191.
[69] Watson, Thomas. *The beatitudes*, p. 162-165.
[70] MacArthur Jr., John. *O caminho da felicidade*, p. 118.

[71] STOTT, John R. W. *Contracultura cristã – A mensagem do Sermão do Monte*, p. 38.
[72] LLOYD-JONES, Martyn. *Estudos no Sermão do Monte*, p. 98.
[73] HASTINGS, James. *The greats texts of the Bible – St. Matthew.* Vol. VIII, p. 86.
[74] MACARTHUR JR., John. *O caminho da felicidade*, p. 136.
[75] STOTT, John R. W. *Contracultura cristã – A mensagem do Sermão do Monte*, p. 38.
[76] TASKER, R. V. G. *Evangelho segundo Mateus.* São Paulo, SP: Vida Nova, 1980, p. 34.
[77] LLOYD-JONES, Martyn. *Estudos no Sermão do Monte*, p. 101.
[78] IBIDEM, p. 102.
[79] BARCLAY, William. *Mateo I*, p. 115.
[80] MACARTHUR JR., John. *O caminho da felicidade*, p. 143.
[81] HASTINGS, James. *The greats texts of the Bible – St. Matthew.* Vol. VIII, p. 90.
[82] MACARTHUR JR., John. *O caminho da felicidade*, p. 147.
[83] IBIDEM, p. 149.
[84] LLOYD-JONES, Martyn. *Estudos no Sermão do Monte*, p. 111.
[85] IBIDEM, p. 112.
[86] MACARTHUR JR., John. *O caminho da felicidade*, p. 150.
[87] IBIDEM, p. 151.
[88] IBIDEM.
[89] STOTT, John R. W. *Contracultura cristã – A mensagem do Sermão do Monte*, p. 41.
[90] IBIDEM, p. 42.
[91] BARCLAY, William. *Mateo I*, p. 118.
[92] MACARTHUR JR., John. *O caminho da felicidade*, p. 161-162.
[93] WATSON, Thomas. *The beatitudes*, p. 220-221.
[94] LLOYD-JONES, Martyn. *Estudos no Sermão do Monte*, p. 120.
[95] WATSON, Thomas. *The beatitudes*, p. 259.
[96] LLOYD-JONES, Martyn. *Estudos no Sermão do Monte*, p. 119.
[97] MACARTHUR JR., John. *O caminho da felicidade*, p. 168.
[98] IBIDEM, p. 189.
[99] IBIDEM, p. 190.
[100] BARCLAY, William. *Mateo I*, p. 122.
[101] MACARTHUR JR., John. *O caminho da felicidade*, p. 175.
[102] BARCLAY, William. *Mateo I*, p. 124.
[103] MACARTHUR JR., John. *O caminho da felicidade*, p. 175.

[104] Lopes, Hernandes Dias. *Panorama da história da igreja.* São Paulo, SP: Candeia, 2005, p. 78-79.
[105] MacArthur Jr., John. *O caminho da felicidade*, p. 194.
[106] Ibidem, p. 197-198.

Capítulo 9

A influência da igreja no mundo

(Mt 5.13-16)

No texto em tela, Jesus deixa de pronunciar bênçãos e passa a comunicar responsabilidades, diz R. C. Sproul.[1] Jesus faz uma transição daquilo que somos para aquilo que fazemos.

A igreja e o mundo são essencialmente diferentes. A igreja é chamada do mundo, está no mundo, mas não é do mundo. É enviada de volta ao mundo para testemunhar ao mundo.

A igreja só é relevante quando totalmente diferente do mundo. A amizade da igreja com o mundo é um desastre (Tg 4.4; 1Jo 2.15-17; Rm 12.2). Quando a igreja tenta imitar o mundo para atraí-lo, ela perde sua capacidade transformadora. John Stott diz que, mesmo a igreja sendo perseguida pelo mundo (5.10-12), é chamada para servir a este mundo que a persegue (5.13-16).[2] A igreja responde ao ódio e às mentiras do mundo com o amor e a verdade.

É digno de nota que, ao serem usados para o seu devido propósito, tanto o sal como a luz se desgastam. Isso é uma evidência eloquente de que não podemos desenvolver uma espiritualidade egocentralizada, como a dos fariseus, mas uma espiritualidade altruísta, como a de Jesus.

Jesus usa duas metáforas eloquentes para descrever a influência da igreja no mundo. A primeira delas é o sal, que trata de sua influência interna. A segunda é a luz, que descreve sua influência externa. O sal influencia sem ser visto. A luz influencia sem deixar de ser vista. O sal influencia ao infiltrar-se. A luz influencia ao irradiar-se. O sal, embora não possa ser visto, é sentido. A luz, embora não possa deixar de ser vista, é reveladora.

A igreja é o sal da terra (5.13)

Tasker está coberto de razão ao dizer que a mais evidente característica geral do sal é que ele é essencialmente diferente do meio em que é posto. Seu poder está precisamente nessa diferença.[3] Como o sal da terra, a igreja possui várias funções importantíssimas, as quais passamos a descrever a seguir.

Em primeiro lugar, *o sal é antisséptico e inibe a decomposição* (5.13). Quando Jesus proferiu esse discurso, não havia refrigeração. A única maneira de preservar os alimentos da decomposição era o uso do sal. O sal impede a putrefação dos alimentos, preservando-os da corrupção. Plutarco diz que a carne é um corpo morto e forma parte de um corpo morto. Se abandonada a si mesma, logo perde seu frescor, mas o sal a preserva e impede sua corrupção. O sal é como uma nova alma enxertada no corpo morto.[4]

Ainda hoje apreciamos a carne de sol. O sal a preserva e lhe dá sabor. A presença da igreja no mundo refreia o mal. A igreja tem um papel antisséptico no mundo. Sua influência impede que o mundo deteriore em sua galopante corrupção. Concordo com as palavras de Robert Mounce: "A conduta correta dos crentes impede que a sociedade fique rançosa completamente".[5]

R. C. Sproul é enfático: "Uma das tarefas da igreja é impedir que o mundo se autodestrua".[6] E estou de acordo com Tasker quando ele diz que "os discípulos são chamados a ser um purificador moral em um mundo em que os padrões morais são baixos, instáveis ou mesmo inexistentes".[7] Não somos chamados a ser o mel do mundo, mas o sal da terra. O sal precisa ser esfregado na carne e, quando isso acontece, ele arde, mas seu resultado é preservador.

É digno de nota que a igreja não é sal no saleiro, mas sal da terra. O sal precisa entrar em contato com aquilo que deve ser salgado para exercer o seu papel. A igreja não influencia o mundo isolando-se dele, mas entrando em contato com ele, sendo diferente dele, penetrando nele com sua saneadora influência. Muitas pessoas, ao se tornarem crentes, isolam-se das outras pessoas, trancam-se numa estufa, numa redoma de vidro, numa bolha espiritual, e se tornam sal no saleiro e depois sal insípido. Elas não se apresentam, não se inserem, não influenciam, não salgam. Tornam-se antissociais e antiespirituais.

John Stott é muito oportuno ao escrever:

> O sal cristão não tem nada de ficar aconchegado em elegantes e pequenas despensas eclesiásticas; nosso papel é o de sermos "esfregados" na comunidade secular, como o sal é esfregado na carne, para impedir que apodreça. E, quando a sociedade apodrece, nós, os cristãos,

> temos a tendência de levantar as mãos para o céu, piedosamente horrorizados, reprovando o mundo não cristão; mas não deveríamos, antes, reprovar-nos a nós mesmos? Ninguém pode acusar a carne fresca de deteriorar-se. Ela não pode fazer nada. O ponto importante é: onde está o sal?[8]

R. C. Sproul, falando sobre a influência benfazeja da igreja no mundo como sal da terra, escreve:

> O advento do cristianismo foi o que salvou a cultura ocidental da completa barbárie. O sistema universitário foi uma invenção da igreja cristã. Foi a igreja cristã que introduziu as artes – música, pintura e literatura. Muitos dos maiores artistas mundiais foram cristãos, e o mesmo se aplica na esfera musical, com Bach, Mendelsohn, Händel e Vivaldi. Além disso, a igreja cristã iniciou o movimento beneficente no mundo ocidental. Foi ela, em cumprimento à ordem de Jesus para cuidar dos órfãos, que introduziu os orfanatos. Todas as sementes da abolição da escravatura haviam sido semeadas nas páginas do Novo Testamento. Logo, em um sentido muito real, a igreja de Cristo tem sido o conservante utilizado por Deus para evitar que a civilização ocidental venha a implodir em sua corrupção interna.[9]

Em segundo lugar, *o sal é condimento e dá sabor* (5.13). Uma comida insossa é intragável. O sal tem o papel de dar sabor aos alimentos. Torna o alimento apetitoso, agradável ao paladar. O mundo está cansado de seu próprio pecado. O pecado cansa. O pecado adoece. O pecado escraviza. A presença da igreja no mundo, refletindo nele a glória de Deus, revela às pessoas uma qualidade de vida superlativa. Mostra ao mundo que a vida com Deus é deleitosa. Demonstra ao mundo que só na presença de Deus tem plenitude de alegria e delícias perpetuamente.

É importante ressaltar, outrossim, que, se a comida sem sal é intragável, uma comida com excesso de sal também é insuportável. A igreja não foi chamada para condenar o mundo, mas para demonstrar ao mundo o amor de Deus e chamar as pessoas do mundo ao arrependimento e à fé salvadora.

Em terceiro lugar, *o sal provoca sede* (5.13). O sal tem a capacidade de provocar sede. Vivemos num mundo caído, onde as pessoas não têm sede pelas coisas espirituais nem apetência pelo pão do céu. A presença da igreja no mundo provoca esse interesse pelas coisas de Deus. A igreja como sal se insere, se infiltra e, assim, provoca nas pessoas o desejo de conhecer Deus. Sem a presença da igreja, o mundo se tornaria um ambiente insuportável onde viver. A igreja é o grande freio moral do mundo.

Em quarto lugar, *o sal para ser útil precisa conservar sua salinidade* (5.13). A eficácia do sal é condicional. Ele precisa conservar sua salinidade. Stott afirma corretamente que o cloreto de sódio é um produto químico muito estável, resistente a quase todos os ataques. Não obstante, pode ser contaminado por impurezas, tornando-se, então, inútil e até mesmo perigoso. O que perdeu a sua propriedade de salgar não serve nem mesmo para adubo.[10] É óbvio que a salinidade do cristão é o seu caráter transformado pela graça, conforme descrito nas bem-aventuranças. Segue-se que, se os cristãos forem assimilados pelo mundo em vez de influenciarem o mundo, perderão complemente sua utilidade. Concordo plenamente com Stott quando ele escreve: "A influência dos cristãos na sociedade e sobre a sociedade depende da sua diferença, e não da sua identidade".[11] Nessa mesma linha de pensamento, Martyn Lloyd-Jones diz que a glória do evangelho é que, quando a igreja é absolutamente diferente do mundo, ela invariavelmente o atrai. É então que o mundo se sente inclinado a ouvir a sua mensagem.[12]

A igreja é a luz do mundo (5.14-16)

William Barclay diz que a luz tem três funções primordiais: ser vista por todos, servir de guia e servir como advertência.[13] John Charles Ryle reforça que, entre todas as coisas criadas, a luz é a mais útil. A luz fertiliza o solo. A luz guia. A luz reanima. A luz foi a primeira coisa que Deus trouxe à existência. Sem a luz, este mundo seria um vazio obscuro.[14] Se a igreja influencia ao inserir-se no mundo como sal, ela é vista como a luz. Sua mensagem aponta o caminho a seguir, e seu testemunho adverte acerca dos perigos ao longo do caminho.

A igreja exerce um papel positivo de transformação no mundo. A vida da igreja é sua primeira mensagem. A igreja só tem uma mensagem, se ela tem realmente vida. Sem testemunho, não há proclamação. A vida precede o trabalho. O exemplo é mais importante do que a atividade.

O apóstolo Paulo diz que devemos resplandecer como luzeiros no mundo (Fp 2.15). Essa luz inclui o que o cristão diz e faz, ou seja, o seu testemunho verbal e as suas boas obras. Concordo com Stott quando ele diz que essas obras são obras da fé e do amor. Expressam não apenas a lealdade a Deus, mas também nosso interesse por nossos semelhantes. Sem as obras, o nosso evangelho perderia sua credibilidade; e Deus, a sua honra.[15]

Da mesma forma que o sal para ser útil precisa conservar sua salinidade, a luz para ser útil não pode ser escondida. A igreja precisa ser como uma cidade edificada sobre o monte ou como uma luz no velador. A verdade não pode ser escondida, mas proclamada. A igreja não pode se esconder, mas deve resplandecer. A luz aponta para algo ou alguém, e não para si mesma. Somos a luz do mundo, e a nossa luz deve refletir Cristo. Na medida em que espargimos no mundo a luz de Cristo, por meio das boas obras, o Pai é glorificado no céu e os homens são servidos na terra.

O fato de a igreja ser a luz do mundo implica que o mundo está em trevas. O diabo cegou o entendimento dos incrédulos. O reino do diabo é o reino das trevas (Cl 1.13). Ele é o príncipe das trevas. As pessoas andam em trevas. Suas obras são conhecidas como obras das trevas. Os pecadores não sabem de onde vieram nem para onde vão. Eles nem sabem em que tropeçam. Não apenas vivem nas trevas, mas aborrecem a luz. O papel da igreja no mundo, portanto, é vital.

A metáfora da luz enseja-nos algumas lições oportunas, como vemos a seguir.

Em primeiro lugar, *a luz é símbolo da verdade*. O mundo jaz no maligno, e o diabo é o pai da mentira. Seu reino é reino de trevas. Mentiras filosóficas, morais e espirituais mantêm as pessoas prisioneiras do engano. A verdade é luz. A luz resplandece nas trevas, e as trevas não podem prevalecer contra ela. A igreja é a luz do mundo e, onde a igreja chega com sua benfazeja influência, aí as trevas da ignorância, do engano e da mentira são dissipadas.

Em segundo lugar, *a luz é símbolo da pureza*. As trevas escondem a sujeira do pecado. O pecado é imundo. A iniquidade se aninha sob as asas da escuridão. Adultérios, roubos, assassinatos, mentiras, maldades e promiscuidades são maquinados e praticados debaixo do manto das trevas. A escuridão é lôbrega. As trevas escondem a podridão repugnante do pecado. Mas, onde a luz chega, ela vence as trevas, revela tudo que estava escondido pelas trevas e produz limpeza e purificação. Concordo com as palavras de R. C. Sproul: "A escuridão não é páreo para a luz".[16] A luz é símbolo de pureza. A presença da igreja no mundo é saneadora!

Em terceiro lugar, *a luz é símbolo de vida.* Não há vida sem luz. Não houvera luz, e não haveria o fenômeno da fotossíntese. Sem fotossíntese, não haveria plantas e, sem elas, não haveria a oxigenação e, sem a oxigenação, não sobreviveríamos. Logo, a presença da igreja no mundo é que mantém no mundo a vida. Sem a igreja no mundo, este pereceria em seu pecado.

Para influenciar o mundo, a igreja precisa ser antes de fazer, pregar aos olhos antes de pregar aos ouvidos, ter a vida certa, e não apenas a doutrina certa. Há muitas pessoas que são ortodoxas de cabeça e hereges de conduta. São ortodoxas na teoria e liberais na prática. Defendem doutrinas certas e vivem uma vida errada. São zelosas das tradições da igreja, mas vivem na prática do pecado. Pregam o que não vivem. Exigem dos outros o que não praticam. Coam um mosquito e engolem um camelo.

Em quarto lugar, *a luz é símbolo de direção.* Nos aeroportos do mundo inteiro, as pistas são iluminadas e circunscritas pela luz, a fim de que o piloto possa pousar com segurança. A luz aponta a direção certa a seguir. Quem anda na luz, sabe para onde vai. Quem anda na luz, não tropeça. Jesus é a luz do mundo, pois tem luz própria. Ele é o sol da justiça. A igreja, mesmo não tendo luz própria como a lua, reflete no mundo a luz de Cristo, o sol da justiça.

Em quinto lugar, *a luz é símbolo de alerta.* A luz é colocada nas estradas sempre que um perigo jaz à frente. A luz alerta sobre o perigo e avisa aos viajantes sobre a necessidade de cautela. Assim, a igreja proclama ao mundo sua voz profética. A igreja exerce o papel de atalaia, mostrando ao mundo o perigo grande e grave de viver despercebidamente no pecado.

Em sexto lugar, *a luz é símbolo de calor.* A luz é fonte de aquecimento e sem luz não suportaríamos o frio glacial das baixas temperaturas. A presença da igreja no mundo torna a vida suportável.

A igreja precisa praticar boas obras (5.16)

Quando a luz da igreja brilha, os homens devem ver não sua pujança, mas suas boas obras. A palavra grega *kalos,* traduzida por "boas", indica que essas obras não devem ser apenas boas, mas também belas e atraentes.[17] Mas a igreja não faz boas obras a fim de atrair a atenção dos homens para si; ela o faz para levá-los a conhecerem a bondade de Deus e glorificá-lo. Quando um cristão faz boas obras, ele as realiza pelo poder de Deus e para a glória de Deus.

Notas

[1] Sproul, R. C. *Mateus*, p. 77.
[2] Stott, John. *Contracultura cristã – A mensagem do Sermão do Monte*, p. 49.
[3] Tasker, R. V. G. *Mateus: introdução e comentário*, p. 50.
[4] Barclay, William. *Mateo I*, p. 129.
[5] Mounce, Robert H. *Mateus*, p. 53.
[6] Sproul, R. C. *Mateus*, p. 78.
[7] Tasker, R. V. G. *Mateus: introdução e comentário,* 1999, p. 50-51.
[8] Stott, John. *Contracultura cristã – a mensagem do Sermão do Monte*, p. 57.
[9] Sproul, R. C. *Mateus*, p. 79.
[10] Stott, John. *Contracultura cristã – a mensagem do Sermão do Monte*, p. 51.
[11] Ibidem, p. 51-52.
[12] Lloyd-Jones, Martyn. *Estudos no Sermão do Monte*, p. 102.

[13] BARCLAY, William. *Mateo I*, p. 132-135.
[14] RYLE, John Charles. *Meditações no evangelho de Mateus*, p. 29.
[15] STOTT, John. *Contracultura cristã – a mensagem do Sermão do Monte*, p. 53.
[16] SPROUL, R. C. *Mateus*, p. 50.
[17] BARCLAY, William. *Mateo I*, p. 135.

Capítulo 10

Jesus, o cumprimento da lei

(Mt 5.17-20)

As declarações de Jesus registradas nessa passagem são as mais surpreendentes de todas as que Jesus faz nesse sermão. Jesus reafirma o caráter eterno da lei. R. C. Sproul diz que, no sermão do monte, encontramos a exposição mais detalhada da lei de Deus em todo o Novo Testamento.[1] Os judeus usavam o termo "lei" em quatro acepções diferentes: 1) Os Dez Mandamentos; 2) O Pentateuco; 3) A lei e os profetas; 4) A lei oral ou a tradição dos anciãos.[2] É óbvio que a lei que Jesus quebrou, como curar em dia de sábado, não foi a lei de Deus, mas a tradição dos escribas, que distorceu e desfigurou a lei de Deus.

Os escribas e fariseus se apresentavam como os grandes guardiões da lei e acusavam Jesus de violá-la, porém eram os fariseus que deturpavam a lei tanto por meio de suas tradições como por intermédio de uma vida hipócrita. Eles desobedeciam à lei que afirmavam proteger.[3] Para corrigir esse mal-entendido, Jesus deixa claro que não veio para revogar a lei ou os profetas, mas para os cumprir. A lei, como verdade de Deus, não contém erros nem pode falhar. Os céus e a terra passarão, mas os detalhes da lei se cumprirão à risca. Violar a lei de Deus e ensiná-la aos homens com deturpações é considerado um grave pecado, porém observá-la e ensiná-la traz grande recompensa. A justiça dos súditos do reino não é externa nem teatral como a dos escribas e fariseus; antes, é interna, sincera e real. Uma justiça apenas de aparência não é suficiente para alguém entrar no reino dos céus.

O texto em apreço enseja-nos algumas importantes lições, como vemos a seguir.

A consistência entre o Antigo e o Novo Testamentos (5.17)

O Antigo Testamento traz a revelação da lei e dos profetas, e o Novo Testamento apresenta Jesus e o evangelho. Não há conflito nem contradição entre a antiga e a nova dispensações. Jesus não veio para deitar por terra a lei e os profetas. Veio para cumprir tudo que a lei simbolizava e tudo o que os profetas disseram. A lei é a promessa; Jesus é o cumprimento da promessa. A lei era a sombra; Jesus é a realidade. Jesus não veio para desautorizar a lei, mas para cumpri-la. Não veio para refutar os profetas, mas para ser a essência de tudo o que eles disseram. Jesus cumpriu a lei em seu nascimento, em seus ensinamentos e em sua morte e ressurreição. Nessa mesma linha de pensamento, John Charles Ryle escreve:

> Tomemos cuidado para não desprezar o Antigo Testamento, sob nenhum pretexto. A religião do Antigo Testamento é o embrião do cristianismo. O Antigo Testamento é o evangelho em botão; o Novo Testamento é evangelho aberto em flor. O Antigo Testamento é o evangelho brotando; o Novo Testamento é o evangelho já em espiga formada. Os santos do Antigo Testamento enxergaram muitas coisas como que por um espelho, obscuramente. Porém, todos contemplavam pela fé o mesmo salvador e foram guiados pelo mesmo Espírito Santo que hoje nos guia.[4]

Warren Wiersbe diz corretamente que Jesus cumpriu os tipos e as cerimônias do Antigo Testamento para que esses não fossem mais necessários ao povo de Deus (Hb 9–10). Colocou de lado a antiga aliança e firmou uma nova.[5]

Nessa mesma linha de pensamento, A. T. Robertson explica que a palavra "cumprir" significa "encher por completo". Foi o que Jesus fez com a lei cerimonial, que apontava para ele. Jesus também guardou a lei moral. "Ele veio completar a lei, revelar a total profundidade do significado que estava ligado a quem a guardava".[6] Resta claro que Jesus não contradiz o que foi dito, mas o coloca em foco ético mais nítido, numa espécie de intensificação radical das exigências da lei.[7]

A infalibilidade da lei e dos profetas (5.18)

Os opositores de Jesus insinuavam que ele estava sabotando a revelação de Deus dada a Moisés. Porém, longe disso, Jesus afirmou categoricamente que nem um *i* ou um *til* da lei jamais passarão até que tudo se cumpra. A Palavra de Deus é inerrante e infalível. A mente que a produziu não é humana, mas divina. A verdade nela contida não caduca com o tempo, mas é eterna. A lei apontava para Cristo. Os profetas falaram de Cristo. A lei cerimonial era uma sombra da realidade que é Cristo. Ele é o fim da lei (Rm 10.4). Os profetas anunciaram o nascimento, a vida, o ministério, as obras, a morte, a ressurreição e o senhorio de Cristo. Tudo isso, rigorosamente, se cumpriu nele.

A penalidade para aqueles que violam e ensinam errado os mandamentos da lei (5.19)

Tanto a lei cerimonial como a lei moral são expressões da santidade de Deus. A lei precisa ser corretamente entendida para que seu propósito seja corretamente alcançado. Os escribas e fariseus torciam a lei em nome da lei. Eles deturpavam seu sentido para ostentarem uma espiritualidade de faixada. Vangloriavam-se ao mesmo tempo que violavam a lei e ensinavam ao povo preceitos de homens, em vez de ensinar com fidelidade a lei. Violar a lei é quebrá-la. Ensinar a lei de maneira errada é ser falsa testemunha de Deus. Violar a lei traz consequências graves para o transgressor. Ensinar esses desvios traz desdobramentos terríveis para quem ouve esse falso ensino. A lei não é para ser quebrada, mas obedecida. Não é apenas para ser guardada, mas também para ser transmitida. Com isso, Jesus está mostrando que a prática deve preceder a pregação. O mestre deve viver a doutrina antes de ensiná-la aos outros. Os escribas e fariseus falavam, mas não praticavam; pregavam, mas não faziam (23.3).

Se a quebra da lei e o ensino errado da lei trazem um apequenamento ao transgressor travestido de mestre, a observância da lei e de seu ensino fiel proporcionam grande honra: *... esse será considerado grande no reino dos céus* (5.19).

Uma justiça de faixada não é suficiente para entrar no reino dos céus (5.20)

Jesus deixa claro que os escribas e fariseus, que torciam a lei e oprimiam o povo com um discurso legalista, ostentando uma santidade aparente e uma justiça apenas exterior, estavam fora do reino dos céus. Para entrar no reino dos céus, é necessário não ostentar, mas ser humilde de espírito. É necessário não se gabar de sua justiça, mas chorar pelos seus pecados. É necessário não defender seus direitos, mas ser manso. É necessário ter fome não de prestígio, mas de justiça. É necessário não oprimir os órfãos e as viúvas, mas ser misericordioso. É necessário não agasalhar hipocritamente toda sorte de imundícia no coração, mas ser limpo de coração. É necessário não ferir as pessoas com seu legalismo pesado, mas ser pacificador. É necessário não criar contendas e odiar as pessoas em nome de Deus, mas se dispor a sofrer por causa da justiça. Essa é a justiça que excede em muito a justiça dos escribas e fariseus.

Notas

[1] Sproul, R. C. *Mateus*, p. 83.
[2] Barclay, William. *Mateo I*, p. 136-138.
[3] Wiersbe, Warren W. *Comentário bíblico expositivo*, p. 24.
[4] Ryle, John Charles. *Meditações no evangelho de Mateus*, p. 30.
[5] Wiersbe, Warren W. *Comentário bíblico expositivo*, p. 25.
[6] Robertson, A. T. *Mateus*, p. 70.
[7] Mounce, Robert H. *Mateus*, p. 55.

Capítulo 11

Jesus, o verdadeiro intérprete da lei

(Mt 5.21-48)

No texto em apreço, Jesus se apresenta como o verdadeiro intérprete da lei, contrastando a hermenêutica tendenciosa dos escribas com o correto espírito da lei. Jesus não está aqui contrapondo-se ao que a lei diz, mas opondo-se à falsa interpretação dos doutores da lei. Concordo com William Barclay quando ele diz que Jesus fala com uma autoridade que nenhum outro homem sonhou jamais assumir.[1] Por isso, ao terminar o sermão, as multidões estavam maravilhadas da sua doutrina; porque ele as ensinava como quem tem autoridade, e não como os escribas (7.28,29). Os profetas, por exemplo, diziam: "Assim diz o Senhor". Não pretendiam possuir autoridade pessoal alguma. O único que faziam era repetir o que haviam ouvido de Deus.

Mateus seleciona seis contrastes entre a correta interpretação oferecida por Jesus e a interpretação equivocada dos escribas. Vejamos a seguir.

A interpretação de Jesus sobre o homicídio (5.21-26)

R. C. Sproul ajuda-nos a compreender essa passagem, quando escreve:

> Os rabinos acreditavam que o mandamento para não matar era cumprido quando não se cometia assassinato em primeiro grau, mas Jesus mostra que este mandamento é muito mais profundo do que o ato externo de homicídio. Cristo indica que a lei foi dada por intermédio de Moisés de forma elíptica – isto é, nem todo o conteúdo inerente ao mandamento foi expresso em palavras. Sempre que nos deparamos com três ou quatro pontos no meio de uma frase ou um parágrafo, isto indica que determinado conteúdo foi deliberadamente deixado de fora. Estes pontos são chamados de "elipses". Quando há elipses na lei, isto significa que, além da proibição específica, a lei também proíbe o contexto mais amplo relacionado ao ato em questão. Assim, quando Deus diz que não devemos matar, isto consequentemente significa que nós não devemos fazer qualquer coisa que prejudique a vida do próximo. O homicídio começa com raiva e ódio sem motivo, incluindo ofensas, calúnias e desavenças entre pessoas. É por isso que Jesus disse que ninguém escapa do peso da lei simplesmente abstendo-se do assassinato em si [...]. O outro aspecto da elipse é este: mesmo sem afirmá-lo, a lei ordena o contrário daquilo que proíbe e proíbe o contrário daquilo que ordena. Portanto, Jesus está dizendo aqui que, além de não devermos jamais matar o próximo por causa da importância da vida humana, também devemos promover a segurança, o bem-estar e a santidade da vida.[2]

O que foi dito aos antigos não é a lei, porque sempre que a Palavra de Deus está em destaque, lê-se: "Está escrito, assim diz o Senhor". O que está, portanto, em relevo aqui com a expressão: "Ouvistes o que foi dito aos antigos" é a interpretação dos rabinos acerca do sexto mandamento. Estes reduziam o significado da proibição divina apenas ao ato do homicídio. Também atenuavam a penalidade da transgressão dizendo que "quem matar está sujeito a julgamento".

Jesus amplia a abrangência do pecado, destacando que a ira, o insulto e as palavras de desprezo implicam a quebra do sexto mandamento (5.22). Jesus aqui assume um tom de superioridade em relação aos regulamentos mosaicos e aos seus intérpretes. Ele vai mais fundo, ao próprio âmago da questão. Ele encontra o princípio por trás do preceito e o endossa.[3] Warren Wiersbe está correto quando interpreta: "Jesus não diz que a ira conduz ao homicídio, mas sim que a ira é uma forma de homicídio".[4] Robert Mounce destaca que a cólera que Jesus menciona aqui é *orge,* uma fúria interna que se multiplica, em comparação com *thymos,* uma fúria passageira.[5]

Os rabinos limitavam o sexto mandamento ao ato do homicídio; Jesus, porém, deixa claro que o espírito da lei se liga não apenas ao ato, mas também à motivação. A lei perscruta não apenas as ações exteriores, mas também as motivações interiores. Embora os tribunais da terra não tenham competência para julgar a ira e palavras insultuosas, o tribunal de Deus julga o foro íntimo. Daremos contas a Deus não apenas de nossos atos, mas também de nossas palavras e intenções.

O insulto proferido aqui, traduzido em algumas versões por *raca* (5.22), tem origem aramaica e significa "eu cuspo em você". Corroborando essa ideia, Lawrence Richards diz que "raca" vem da palavra aramaica *rak,* que significa "cuspir".[6] Barclay acrescenta que chamar alguém de "raca" era o mesmo que chamá-lo de estúpido, idiota, imprestável.[7] E o mesmo autor ressalta:

> A ira persistente é má; piores ainda são as palavras de desprezo, mas o pior de tudo é a malícia que destrói o bom nome do próximo. O homem que é escravo de sua ira, e se dirige ao próximo com palavras de desprezo, destruindo seu bom nome, pode nunca ter assassinado alguém, mas em seu coração é um assassino.[8]

O termo "inferno de fogo" advém de uma ravina ao sul de Jerusalém, nos dias de Jesus, chamada vale de Hinom, onde se atirava o lixo da cidade e onde o fogo não se apagava. Antes, era o lugar no qual os cananeus queimavam seus filhos em sacrifício a Moloque (1Rs 11.7). A geena tornou-se o símbolo do castigo futuro.[9]

Jesus ilustra sua correta interpretação da lei com dois exemplos: um da vida religiosa e outro da vida comercial. A oferta agradável a Deus precisa vir de alguém que tenha o coração livre de ofensa e mágoa. Reconciliar-se com os desafetos deve preceder a oferta no altar. Primeiro Deus aceita a vida do adorador e depois sua oferta. Spurgeon diz que a regra aqui é: primeiro as pazes com o homem e depois a aceitação de Deus.[10]

De igual modo, Jesus mostra que uma demanda judicial por causa de uma dívida deve ser resolvida antes que essa pugna seja levada ao tribunal. Tanto o perdão quanto a reparação precisam ser feitas com pressa, a fim de que tenhamos paz com Deus e com o próximo. Warren Wiersbe diz que a pessoa que se recusa a perdoar seu irmão está destruindo a mesma ponte sobre a qual precisa andar.[11]

A interpretação de Jesus sobre o adultério (5.27-30)

Depois de tratar do sexto mandamento, Jesus volta sua atenção, agora, para o sétimo mandamento. Os rabinos limitavam o adultério apenas à infidelidade sexual. Jesus, porém, amplia o significado desse pecado para o olhar lascivo e o coração impuro. Embora os homens não possam julgar o olhar adúltero e o coração impuro, Deus, que sonda os corações, condena a intenção como se pecado consumado fosse. Não basta ir para a cama do adultério para quebrar o sétimo mandamento; basta ter a intenção de arrastar para a cama a pessoa ilicitamente desejada.

Concordo com Warren Wiersbe quando ele diz que o desejo e a prática não são idênticos, mas, em termos espirituais, equivalentes. O "olhar" que Jesus menciona não é apenas casual e de relance; antes, é um olhar fixo e demorado, com propósitos lascivos. Portanto, o homem descrito por Jesus olha para a mulher com o propósito de alimentar seus apetites sexuais interiores, como um substituto para o ato sexual em si. Não é uma situação acidental, mas um ato planejado.[12]

O homem é um ser em conflito. É uma guerra civil ambulante. Há uma luta constante entre o espírito e a carne. O velho homem está sempre querendo erguer sua fronte para nos arrastar para o pecado. Platão compara a alma a um carro guiado por dois cavalos. Um dos cavalos, manso e dócil, obedece às rédeas e à voz do condutor. O outro, selvagem, ainda não domesticado, procura a todo tempo rebelar-se. O nome do primeiro cavalo é "razão"; o nome do segundo é "paixão". A vida é sempre um conflito entre as exigências da paixão e o controle da razão.[13]

Como lidar com os pecados da impureza? Jesus adota um tratamento radical, e não gradual. É claro que ele não defende a amputação física do olho direito e da mão direita, mas a amputação moral, uma cirurgia espiritual. Jesus não está ordenando a mutilação do corpo, mas o controle do corpo para não se render ao pecado. Não se faz concessão ao pecado. Nessa mesma linha de pensamento, Mounce escreve: "Jesus não está ensinando uma doutrina masoquista de automutilação com objetivos espirituais, tampouco está sugerindo que o caminho para resolver o problema dos maus desejos é infligir cirurgia física radical".[14] A vitória nessa área não é resistir, mas fugir! Aquele que está sendo tentado nessa área sexual deve deixar de olhar e deve deixar de manusear. R. C. Sproul está correto quando diz: "Um problema radical exige uma solução radical".[15] Diz a lenda grega que Ulisses, enquanto voltava de Troia para casa em seu navio, foi amarrado ao mastro para evitar a tentação do canto das sereias. Ele estava ciente da facilidade com que poderia se desviar e levar o barco à ruína. Às vezes, esse tipo de ação radical é necessário.

A. T. Robertson destaca que a expressão "te faz tropeçar" significa "armar uma armadilha". Significa a haste na armadilha que salta e a fecha, quando o animal a toca. Trata-se da lingueta do alçapão.[16] Mounce corrobora essa ideia ao escrever: "Essa armadilha é provida de isca e uma tampa que, detonada, fecha a armadilha prendendo o incauto animal. Há muita ironia em que o olho, supostamente criado para prevenir as quedas, venha a tornar-se o *skandalon* causador do tropeço".[17]

A interpretação de Jesus sobre o divórcio (5.31,32)

Antes de examinarmos o significado do matrimônio e a questão do divórcio dentro da cultura judaica, é necessário analisar esse momentoso assunto à luz do seu contexto grego e romano. William Barclay diz que a cultura judaica foi fortemente influenciada nessa questão pelos gregos e romanos.[18]

Uma das causas que produziram a morte da civilização grega foi o conceito humilhante da mulher. Esse baixo conceito da mulher levou o casamento ao naufrágio. Entre os gregos, as relações extraconjugais eram tidas como normais. Segundo Demóstenes, o maior orador grego, o homem grego tinha prostitutas para o prazer, concubinas para os interesses domésticos e esposas para gerar filhos legítimos. Os gregos exigiam fidelidade da mulher em relação ao marido, mas o homem estava livre para viver suas muitas aventuras, sem nenhum compromisso de fidelidade à sua mulher. Em Corinto, havia o templo de Afrodite, onde mil mulheres serviam como prostitutas cultuais e à noite desciam para o cais, onde se prostituíam com os homens que chegavam e saíam da cidade.

Além da prática da prostituição, na Grécia surgiu um grupo de mulheres chamadas *hetairas*. Estas eram as amantes dos homens considerados importantes: constituíam o grupo das mulheres mais cultas e realizadas da época. Thaís era a *hetaira* de Alexandre, o Grande, que depois da morte deste se casou com Ptolomeu e chegou a fundar uma dinastia de reis no Egito. Aspásia era a *hetaira* de Péricles, grande orador e estadista grego. É sabido que foi ela quem ensinou a ele a arte da oratória e quem escrevia seus discursos. Epicuro, o famoso filósofo, tinha como *hetaira* a igualmente famosa Leontina. A *hetaira* de Sócrates era Diotima. Enquanto os homens mantinham sua esposa em total reclusão, em que a pureza era obrigatória, os gregos buscavam o prazer fora do matrimônio.

Essa cultura de devassidão dos gregos influenciou a cultura romana. Se os romanos conquistaram os gregos politicamente, os gregos venceram os romanos com sua decadente cultura. O divórcio tornou-se tão comum como o casamento. Sêneca fala de mulheres que casavam para se divorciar e se divorciavam para casar.

Os rabinos eram muito complacentes com a questão do divórcio (Dt 24.1). Basta ao homem dar à mulher uma carta de divórcio e ele estava livre para repudiá-la (5.31). Estes subscreviam a escola do rabino Hillel, que defendia que o homem podia divorciar-se de sua mulher por várias razões, até mesmo por motivos fúteis. Jesus, entretanto, deixa claro que o divórcio, exceto por relações sexuais ilícitas, expõe a mulher repudiada a um novo relacionamento, e esse novo relacionamento com outro homem é visto aos olhos de Deus como adultério. Isso porque o que Deus une não pode ser desfeito pelo homem (Mt 19.6). Mesmo que uma carta de divórcio tenha sido dada e que o casamento tenha sido desfeito segundo as leis dos homens, esse casamento não foi desfeito segundo a lei de Deus. Por isso, um novo relacionamento é uma quebra da aliança. É adultério. A imputação da culpa do adultério dessa mulher repudiada recai sobre o marido que a repudiou.

A interpretação de Jesus sobre os juramentos (5.33-37)

No Antigo Testamento, os juramentos deviam ser feitos em nome de Deus. Os fariseus alteraram isso para que, em promessas menores, não precisassem jurar pelo seu nome. Em vez disso, juravam pelo templo, pela terra, pela cidade de Jerusalém e por todas as coisas sagradas.[19]

É óbvio que Jesus não proíbe juramentos em tribunais, porque ele mesmo respondeu a Caifás sob juramento (26.63,64). Jesus proíbe todas as formas de profanação.[20] Os rabinos, jeitosamente, usavam os juramentos para esconder seus falsos ensinos e sua falsa moralidade. Jesus, porém, acentua que não se devem fazer juramentos com o intuito de com eles esconder a verdade. Integridade nas palavras é melhor do que torrentes de juramentos. A nossa palavra deve ser: sim, sim; não, não. O que passar disso vem do maligno, o pai da mentira. Robert Mounce, citando Schweitzer, esclarece esse ponto: "Quando a palavra humana se deteriora de tal modo que, sob certas circunstâncias, sim pode significar não, e não sim, a comunidade está destruída".[21]

A interpretação de Jesus sobre a vingança (5.38-42)

Jesus começa citando uma das leis mais antigas, a *lex talionis,* a lei da reciprocidade direta. Podemos vê-la em Êxodo 21.23-25: *Mas, se houver dano grave, então, darás vida por vida, olho por olho, dente por dente, mão por mão, pé por pé, queimadura por queimadura, ferimento por ferimento, golpe por golpe.* A mesma lei aparece em Levítico 24.19,20: *Se alguém causar defeito em seu próximo, como ele fez, assim lhe será feito: fratura por fratura, olho por olho, dente por dente; como ele tiver desfigurado a algum homem, assim se lhe fará.* Ainda essa lei está registrada em Deuteronômio 19.21: *Não o olharás com piedade: vida por vida, olho por olho, dente por dente, mão por mão, pé por pé.*

Lawrence Richards diz que esse princípio não tinha a intenção de encorajar a vingança, mas, sim, limitá-la.[22] Nessa mesma linha de pensamento, William Barclay destaca que a retaliação nunca era aplicada pela pessoa ferida ou por seus parentes, mas sempre por um juiz. E mais, essa lei não representa toda a ética do Antigo Testamento,[23] como podemos ver em Levítico 19.18: *Não te vingarás, nem guardarás ira contra os filhos do teu povo; mas amarás o teu próximo como a ti mesmo. Eu sou o* S*ENHOR*. Ainda Provérbios 25.21: *Se o que te aborrece tiver fome, dá-lhe pão para comer; se tiver sede, dá-lhe água para beber.*

Robert Mounce corrobora esse pensamento:

> Uma das mais antigas leis do mundo baseia-se no princípio da retaliação equitativa. Chamava-se *lex talionis* e era tão velha como Hamurabi, rei do século 18 a.C. Encontra-se três vezes no Antigo Testamento (Êx 21.24; Lv 24.20; Dt 19.21). A intenção original era restringir a vingança ilimitada. Deveria ser entendida como apenas "olho por olho" e apenas "dente por dente". Além disso, nunca teve o objetivo de propiciar qualquer retaliação individual; pertencia ao tribunal, e era aplicável pelo juiz. Agora, Jesus troca a retaliação limitada por nenhuma retaliação.[24]

Jesus, aqui no sermão do monte, elimina a antiga lei da vingança limitada, que permitia a retaliação, para introduzir a reação transcendental diante das injustiças sofridas. Jesus destaca três coisas vitais da vida: honra, vontade e bens inalienáveis. Mesmo que as pessoas nos desonrem, ferindo nosso rosto; mesmo que as pessoas nos constranjam a andar, ferindo nossa vontade; mesmo que as pessoas tomem de nós a roupa do corpo, bem inalienável, devemos reagir de maneira transcendente. O cristão não paga o mal com o mal, mas o mal com o bem. Não domina apenas suas ações, mas também suas reações.

Estou de acordo com as palavras de A. T. Robertson: "Jesus queria dizer que a vingança pessoal é tirada de nossas mãos. O Senhor também condena as guerras agressivas ou as ofensivas que as nações fazem entre si, mas não necessariamente a guerra defensiva ou a defesa contra o roubo e assassinato. O pacifismo profissional pode ser mera covardia".[25]

Em Mateus 5.42, Jesus reafirma o que Moisés ensinara em Deuteronômio 15.7-11. Nunca devemos nos negar a dar. Dar é tanto um privilégio como uma responsabilidade. Mais bem-aventurado é dar que receber (At 20.35).

A interpretação de Jesus sobre o amor ao próximo (5.43-48)

Os rabinos alteraram a lei de Deus, acrescendo ao mandamento: ... *e odiarás o teu inimigo* (5.43). Jesus repudia firmemente essa conclusão rabínica. Essa declaração não aparece na lei. Não consta em Levítico 19.18. Foi um acréscimo ilegítimo dos mestres da lei. Passagens como Êxodo 23.4,5 indicam exatamente o contrário.

O Talmude nada diz sobre amor pelos inimigos. Em Romanos 12.20, Paulo cita Provérbios 25.22 para provar que devemos tratar os nossos inimigos amavelmente. Jesus nos ensinou a orar pelos nossos inimigos, e ele mesmo o fez quando estava pendurado na cruz.[26] O amor aqui descrito é ágape, que significa benevolência invencível, infinita boa vontade.[27] Isso significa que devemos amar a pessoa, não importa quem ela seja ou o que tenha feito contra nós. Esse amor não é questão apenas de sentimento, mas, sobretudo, de atitude, atitude benevolente.

Jesus refuta a tendenciosa hermenêutica dos doutores da lei, dizendo que, em vez de odiar os inimigos, devemos amá-los e orar por eles (5.44). Em vez de imitar os vingadores, devemos, como filhos, imitar a Deus, que derrama suas bênçãos comuns sobre os bons e os maus (5.45). Amar somente aqueles que nos amam apenas nos nivela com os publicanos (5.46). Saudar apenas aqueles que nos cumprimentam não nos torna melhores do que os gentios (5.47). Nosso padrão deve ser mais elevado. Devemos ser perfeitos, como perfeito é o nosso Pai celeste (5.48).

Concordo com Robert Mounce quando ele diz que essa última declaração de Jesus (5.48) com frequência é mal interpretada. Tem servido como texto-base para a doutrina da perfeição cristã, que requer do cristão impecabilidade moral absoluta. A perfeição para a qual Jesus conclama seus seguidores está definida no contexto. O perfeito amor é um interesse ativo por todas as pessoas, em todos os lugares, independentemente de elas receberem ou não esse amor.[28]

Concluímos, dizendo que essa passagem nos ensina quatro lições essenciais.

Em primeiro lugar, *uma ordem* (5.43,44). Em vez de odiar nossos inimigos, devemos amá-los e orar por eles.

Em segundo lugar, *uma condição* (5.45). A única maneira de sermos identificados como filhos de Deus é imitando o caráter de Deus, pois ele derrama suas bênçãos comuns não apenas sobre os bons, mas também sobre os maus. O amor de Deus não é um sentimento; é uma ação. Assim, também devemos amar os nossos inimigos.

Em terceiro lugar, *uma recompensa* (5.46,47). Amar os iguais é nivelar-se aos publicanos. Saudar apenas os irmãos é assemelhar-se aos gentios. Para recebermos a recompensa de Deus, nossa justiça precisa ir além, nosso amor precisa ir além, nossas obras precisam ir além.

Em quarto lugar, *um desafio* (5.48). Em vez de imitar publicanos e gentios, devemos imitar a Deus. Sendo ele perfeito, ama e abençoa até aqueles que não o reconhecem. Devemos fazer o mesmo. Assim, seremos como ele.

NOTAS

[1] BARCLAY, William. *Mateo I*, p. 144.
[2] SPROUL, R. C. *Mateus*, p. 90.
[3] ROBERTSON, A. T. *Mateus*, p. 71.
[4] WIERSBE, Warren W. *Comentário bíblico expositivo*, p. 26.

[5] MOUNCE, Robert H. *Mateus*, p. 55.
[6] RICHARDS, Lawrence O. *Comentário histórico-cultural do Novo Testamento*, p. 26.
[7] BARCLAY, William. *Mateo I*, p. 150.
[8] IBIDEM, p. 153.
[9] MOUNCE, Robert H. *Mateus*, p. 56.
[10] SPURGEON, Charles H. *O evangelho segundo Mateus*, p. 81.
[11] WIERSBE, Warren W. *Comentário bíblico expositivo*, p. 26.
[12] IBIDEM, p. 26-27.
[13] BARCLAY, William. *Mateo I*, p. 147.
[14] MOUNCE, Robert H. *Mateus*, p. 57.
[15] SPROUL, R. C. *Mateus*, p. 96.
[16] ROBERTSON, A. T. *Mateus*, p. 73.
[17] MOUNCE, Robert H. *Mateus*, p. 57.
[18] BARCLAY, William. *Mateo I*, p. 164-168.
[19] SPROUL, R. C. *Mateus*, p. 101.
[20] ROBERTSON, A. T. *Mateus*, p. 74.
[21] MOUNCE, Robert H. *Mateus*, p. 59.
[22] RICHARDS, Lawrence O. *Comentário histórico-cultural do Novo Testamento*, p. 26.
[23] BARCLAY, William. *Mateo I*, p. 174-178.
[24] MOUNCE, Robert H. *Mateus*, p. 59.
[25] ROBERTSON, A. T. *Mateus*, p. 75.
[26] IBIDEM, p. 76.
[27] BARCLAY, William. *Mateo I*, p. 186.
[28] MOUNCE, Robert H. *Mateus*, p. 61-62.

Capítulo 12

A verdadeira espiritualidade

(Mt 6.1-18)

Depois de mostrar Jesus como o verdadeiro intérprete da lei, Mateus passa a mostrar o ensino de Jesus sobre a verdadeira espiritualidade. Damos a seguir alguns destaques.

O perigo da ostentação espiritual (6.1)

Jesus já havia ensinado que aqueles que são perseguidos por causa da justiça são bem-aventurados (5.10), e que a justiça dos súditos do reino precisa exceder em muito a dos escribas e fariseus (5.20). Agora, Jesus alerta acerca do perigo de uma justiça que se autopromove e busca os holofotes do reconhecimento (6.1). A espiritualidade ostentatória é apresentada com o fim de ganhar o reconhecimento dos homens, e nisso consiste toda a sua recompensa. Destacamos no versículo em pauta três fatos, comentados a seguir.

Em primeiro lugar, *a prática da justiça* (6.1). *Guardai-vos de exercer a vossa justiça diante dos homens...* A justiça deve ser praticada, mas não como uma propaganda para o autoengrandecimento. Quem deve receber a glória pela justiça praticada é Deus, e não o homem. Exercer justiça diante dos homens é uma consumada hipocrisia.

A palavra "hipocrisia" origina-se do antigo teatro. O hipócrita era um ator. Quando os atores desempenham um papel, fingem ser alguém que não são.[1] Warren Wiersbe corrobora essa ideia, ressaltando que hipócrita é um ator que usa máscara, alguém que usa a religião deliberadamente para esconder seus pecados e promover o benefício próprio.[2] R. C. Sproul assegura que o cristão só é hipócrita se disser que não peca. Hipocrisia é quando fingimos ser algo que não somos, ou quando tentamos fazer os outros acreditarem que não praticamos algo que, na verdade, praticamos.[3] Tasker, citando as palavras de Levertoff, registra: "Embora os discípulos devam ser vistos praticando boas obras, eles não devem fazer boas obras com o objetivo de serem vistos".[4]

Em segundo lugar, *a motivação da justiça* (6.1). *... com o fim de serdes vistos por eles...* Uma espiritualidade que busca ser vista pelos homens com o propósito de ganhar a aprovação dos homens, em vez de revestir-se de humildade com o fim de agradar a Deus, é soberba e está na contramão da verdadeira espiritualidade.

Em terceiro lugar, *a recompensa da justiça* (6.1). *... doutra sorte não tereis galardão junto de vosso Pai celeste.* Deus não requer apenas ação certa, mas, sobretudo, motivação certa. Aqueles que ostentam justiça para ganhar aplausos dos homens não receberão nenhum galardão da parte de Deus.

A verdadeira espiritualidade em relação aos homens — o exercício da misericórdia aos necessitados (6.2-4)

As três principais obrigações religiosas dos judeus piedosos eram dar esmolas, orar e jejuar. Mesmo as coisas mais sagradas, entretanto, podem ser corrompidas pelas motivações egoístas.

Examinamos o texto em apreço a seguir.

Em primeiro lugar, *a misericórdia é uma expressão legítima da espiritualidade cristã* (6.2). A esmola era um dos quesitos mais importantes da espiritualidade judaica. Robert Mounce diz que dar dinheiro aos pobres era um dos mais sagrados deveres no judaísmo.[5] O socorro aos necessitados é uma expressão da verdadeira fé. Quem ama a Deus, prova isso amando ao próximo. Quem foi alvo da misericórdia divina, é instrumento da misericórdia ao próximo. O homem não é salvo pelas obras de caridade, mas evidencia sua salvação por meio delas. A salvação não é *pelas* boas obras, mas *para* as boas obras. A graça é a causa da salvação, a fé é o instrumento, e as boas obras, o resultado.

Em segundo lugar, *a misericórdia é uma prática esperada do cristão* (6.2). Jesus não diz "se deres esmola", mas "quando deres esmola". Com isso, afirma que se espera que o cristão dê esmola. Um coração regenerado prova sua transformação em atos de misericórdia. O cristão tem o coração aberto, o bolso aberto, as mãos abertas e a casa aberta.

Em terceiro lugar, *a misericórdia não pode ser ostentatória* (6.2). A prática da misericórdia não pode ser ostentatória. Não é suficiente fazer a coisa certa: dar esmolas; é preciso também fazer com a motivação certa. Dar esmolas e depois tocar trombeta, chamando atenção para si, é uma espiritualidade farisaica, e não cristã.

Em quarto lugar, *a misericórdia ostentatória* só tem recompensa dos homens, e não de Deus (6.2). O hipócrita é a pessoa que desempenha um papel no palco como se outra pessoa fosse. Concordo com Robert Mounce quando ele escreve: "É mais fácil alguém fazer de conta que é reto, do que ser reto de verdade".[6] A recompensa do hipócrita, que faz propaganda de seus próprios feitos, é receber o aplauso dos homens e nada mais. A palavra grega *apecho* era um termo técnico comercial usado com frequência no sentido de pagamento completo, com o valor total recebido.[7] Robertson, nessa mesma linha de pensamento, aponta que a palavra traz a ideia de "recibo". O que Jesus, portanto, está dizendo é que eles já receberam o recibo de quitação plena e rasa de toda a recompensa que tinham de receber.[8]

Em quinto lugar, *a misericórdia precisa vir de mãos dadas com a discrição* (6.3). O cristão não dá ao pobre para ser visto nem para ser exaltado pelos homens, mas dá para que o necessitado seja suprido e Deus seja glorificado.

Em sexto lugar, *a misericórdia exercida com a motivação certa recebe de Deus a recompensa* (6.4). Aquilo que é feito ao próximo em secreto, longe dos holofotes, recebe de Deus, que vê em secreto, a verdadeira recompensa.

A verdadeira espiritualidade em relação a Deus – a vida de oração em secreto (6.5-8)

Destacamos a seguir algumas lições oportunas.

Em primeiro lugar, *um cristão é alguém que ora* (6.5). Jesus não diz "se orardes...", mas: *quando orardes*. Não há cristianismo verdadeiro sem oração. Quem nasce de novo, clama: "Aba, Pai".

Em segundo lugar, *um cristão não ora para chamar a atenção para si* (6.5). A oração ostentatória não é endereçada a Deus, mas é feita diante dos homens, para chamar a atenção dos homens, para receber recompensa apenas dos homens.

Em terceiro lugar, *um cristão não é um ator no palco, mas um pecador quebrantado longe dos holofotes* (6.6). O quarto aqui mencionado era o lugar onde se guardavam as provisões da casa, um cômodo sem janelas, absolutamente fechado aos olhos dos expectadores. Nessa mesma toada, Robert Mounce diz que a palavra grega *tameion* pode referir-se a uma "despensa", o único quarto da casa que não tem porta e, por isso mesmo, passível de privacidade.[9] O Pai vê em secreto e recompensa em secreto. Oração não é um discurso de ostentação diante dos homens, mas um derramar do coração diante de Deus. Tasker tem razão ao dizer que o contraste aqui não é entre o caráter secreto da visão do Pai e o caráter público da sua recompensa, mas entre a maravilhosa recompensa que o Pai dá e a recompensa relativamente miserável da aprovação humana.[10]

Em quarto lugar, *um cristão não imita os hipócritas fazendo cócegas em sua vaidade espiritual, mas ele se deleita em Deus, seu Pai* (6.6). A oração é uma conversa íntima com o Pai. Orar é deleitar-se em Deus, mais do que rogar as bênçãos de Deus. A dádiva, por mais excelente, não serve como substituto do doador. Deus é melhor do que suas bênçãos.

Em quinto lugar, *um cristão não imita os pagãos multiplicando palavras em vãs repetições* (6.7,8). Charles Spurgeon diz que as orações cristãs são medidas pela sinceridade, e não pela duração.[11] Os pagãos repetiam palavras e mais palavras, com o fim de serem ouvidos por seus deuses, mas o cristão é alguém que está na presença daquele que sonda os corações e conhece as necessidades do cristão antes mesmo que este faça algum pedido. A expressão grega *me battalogesete*, traduzida por "vãs repetições", traz a ideia de mero palavrório ou tagarelice, palavreado oco, conversa tola, repetição vazia. Traduz a expressão popular "blá-blá-blá". Podemos ilustrar isso com a prática dos adoradores de Baal (1Rs 18.26) e com os adoradores da deusa Diana (At 19.34).[12]

A oração que agrada a Deus (6.9-15)

Jesus ensina seus discípulos a orar. Essa não é uma oração para ser repetida como uma fórmula, mas para nos ensinar princípios acerca de quem é Deus e de quem somos nós. John Charles Ryle ressalta que a oração do Pai-nosso consiste em dez partes ou sentenças. Há uma declaração que diz respeito ao ser a quem oramos. Há três petições referentes ao nome de Deus, ao seu reino e à sua vontade. Há quatro petições a respeito de nossas necessidades diárias, nossos pecados, nossas debilidades e perigos. Há uma declaração sobre os nossos sentimentos a respeito do próximo. Há uma atribuição final de louvor. Em todas essas partes da oração, somos ensinados a dizer "nós" ou "nosso". Devemos nos lembrar das outras pessoas tanto quanto de nós mesmos.[13]

Essa oração está dividida em quatro partes, como vemos a seguir.

O fundamento da oração (6.9)

Jesus lança os fundamentos da oração, destacando três pontos, como vemos a seguir.

Em primeiro lugar, *devemos nos dirigir a Deus como Pai* (6.9). Deus não é um ser distante, mas está perto de nós, como Pai. Ama-nos, conhece-nos, protege-nos, abençoa--nos. Registro aqui as palavras oportunas de R. C. Sproul:

> Um estudioso alemão do Novo Testamento, Joachim Jeremias, escreveu um livro há muitos anos e fez nele uma afirmação surpreendente: em nenhum momento da história judaica e em nenhuma literatura judaica até o décimo século na Itália, é possível encontrar um judeu dirigindo-se a Deus como Pai. As notáveis exceções, disse ele, são as orações de Jesus no Novo Testamento. Em todas as orações, exceto uma, Jesus dirigiu-se a Deus diretamente como Pai e, em todas as vezes, seus contemporâneos pegaram em pedras para assassiná-lo, acusando-o de blasfemo. O que quero dizer com isso é que nós usamos a declaração inicial desta oração de forma tão rotineira que perdemos totalmente de vista seu significado fundamental. Na estrutura bíblica, Deus tem um filho, o filho unigênito. Portanto, a única pessoa em toda a história que tem o direito legítimo de chamar Deus de "Pai" é Jesus. Não obstante, Jesus, ao ensinar os discípulos a orar, instruiu-os a se dirigirem a Deus como "Pai nosso".[14]

Em segundo lugar, *devemos nos dirigir a Deus como nosso Pai* (6.9). Só podemos chamar Deus de "Pai nosso" porque ele nos adotou. Somente pelo Espírito Santo, o qual nos uniu a Cristo e promove nossa adoção à família de Deus, é que agora podemos dizer "Aba, Pai".[15] Somos membros da família de Deus. Somos irmãos uns dos outros. Somos filhos do mesmo Pai. Warren Wiersbe destaca o fato de que todos os pronomes da oração estão no plural, e não no singular. Ao orar, é preciso lembrar que somos parte da família de Deus, constituída de cristãos de todo o mundo.[16]

Em terceiro lugar, *devemos nos dirigir a Deus como nosso Pai que está no céu* (6.9). O fato de termos intimidade com Deus não anula sua grandeza insondável e sua glória incomparável. Ele é o nosso Pai que está no céu. Ele é elevado. Sublime. Glorioso.

O conteúdo da oração – as petições da oração em relação a Deus (6.9b,10)

Antes de buscarmos nossos interesses ou mesmo pleitearmos nossas necessidades, devemos nos voltar para Deus a fim de admirá-lo, adorá-lo e exaltá-lo. Três são os pedidos aqui apresentados, como vemos a seguir.

Em primeiro lugar, *o nome de Deus* (6.9). Devemos orar pela santificação do nome de Deus. Deus é santo em si mesmo, e não podemos agregar valor à sua plena santidade. Mas devemos orar para que o nome de Deus seja reverenciado, honrado, temido e obedecido.

Em segundo lugar, *o reino de Deus* (6.10). Devemos orar para que o reino de Deus venha a nós. O reino de Deus é o governo de Deus sobre os corações. Na medida em que o evangelho é anunciado e os pecadores se arrependem e creem, o reino de Deus vai alargando suas fronteiras. Orar, portanto, pela vinda do reino e acovardar-se no testemunho do evangelho é uma contradição. R. C. Sproul, citando Calvino, diz: "É tarefa da igreja dar visibilidade ao reino invisível".[17] Nossa vida precisa ser o palco da manifestação do reino de Deus neste mundo.

Em terceiro lugar, *a vontade de Deus* (6.10). Devemos orar para que a vontade de Deus seja feita na terra como é feita nos céus. Citando Robert Law, Warren Wiersbe escreve: "A oração é um instrumento poderoso não para realizar a vontade do homem no céu, mas para realizar a vontade de Deus na terra".[18] Deus, e não o homem, é o centro do universo. Sua vontade é boa, perfeita e agradável e deve prevalecer na terra. Michael Green está correto quando diz que oração não é informar a Deus o que ele ainda não sabe, nem procurar mudar a mente de Deus. Oração é a adoração submissa da criatura ao seu criador.[19]

O conteúdo da oração — as petições da oração em relação a nós (6.11-15)

Depois de rogarmos para que o nome de Deus seja santificado, que seu reino venha e que sua vontade seja feita, Jesus passa a ensinar-nos a rogar ao Pai por nós mesmos. Mais uma vez, ele destaca três áreas, que comentamos a seguir.

Em primeiro lugar, *em relação ao presente, devemos pedir o suprimento de nossas necessidades* (6.11). Devemos pedir não luxo, mas pão. Pedir não egoisticamente, mas pedir o pão nosso. Pedir pão não para o acumularmos, mas o pão de cada dia. Spurgeon diz que não pedimos o pão que pertence a outros, mas somente para o que é honestamente o nosso próprio alimento.[20] A palavra "pão" aqui deve ser entendida como símbolo de todas as nossas necessidades físicas e materiais. Deus nos criou pelo seu poder, nos redimiu por sua graça e nos sustenta por sua providência.

Em segundo lugar, *em relação ao passado, devemos pedir o perdão das nossas dívidas* (6.12). Temos dívidas impagáveis com Deus e não podemos saldá-las. Nossas dívidas são os nossos pecados. Precisamos não só de pão para o nosso corpo, mas também e, sobretudo, de perdão para a nossa alma. Riqueza material sem perdão espiritual é consumada miséria. Esse é o único item da oração que Jesus amplia (6.14,15), mostrando que o perdão divino a nós está condicionado ao perdão que concedemos ao próximo. O perdão vertical só acontece quando o horizontal é uma realidade.

Em terceiro lugar, *em relação ao futuro, devemos pedir livramento da tentação* (6.13a). A tentação em si não é pecaminosa, mas, se cairmos em tentação, pecamos contra Deus, contra o nosso próximo e contra nós mesmos. Precisamos, portanto, rogar a Deus para nos livrar do mal, ou seja, do maligno. Nossas tentações procedem do nosso coração corrupto e do tentador maligno. Precisamos nos acautelar.

O propósito da oração (6.13b)

Jesus conclui a oração como começou, com Deus. Devemos reconhecer três verdades gloriosas, como vemos a seguir.

Em primeiro lugar, *a Deus pertence o reino*. O reino é do Senhor e do seu Cristo. Esse reino não é político nem geográfico. É o domínio de Deus sobre seus súditos. É o governo universal de Cristo nos corações.

Em segundo lugar, *a Deus pertence o poder*. Ele tem todo o poder nos céus e sobre a terra. Seu poder é ilimitado. Ele pode tudo quanto quer. Nada lhe é impossível.

Em terceiro lugar, *a Deus pertence a glória para sempre*. Deus não dá sua glória a ninguém, nem mesmo a divide com ninguém. Ele tem glória em si mesmo, e toda a criação proclama a sua glória. Sua glória está em seu filho e também na igreja.

A verdadeira espiritualidade em relação a si mesmo – a prática do jejum longe dos holofotes (6.16-18)

John Charles Ryle diz que jejum é a abstinência ocasional de alimentos, a fim de levar o corpo em sujeição ao espírito.[21] Patriarcas, profetas e reis jejuaram. Jesus, os apóstolos e os cristãos primitivos jejuaram. Jejuar é abster-se do bom para alcançar o melhor. Quando comemos, alimentamo-nos do pão da terra, símbolo do Pão do céu; mas, quando jejuamos, alimentamo-nos não do símbolo, mas do simbolizado, ou seja, do próprio Pão do céu! Destacamos a seguir algumas lições preciosas.

Em primeiro lugar, *um cristão é alguém que não despreza a disciplina do jejum* (6.16). Mais uma vez, Jesus não diz "se jejuares", mas *quando jejuares*. Jesus pressupõe que um cristão é alguém que jejua. O único jejum que Deus exigia do povo judeu era aquele da celebração anual do Dia da Expiação (Lv 23.27). Os fariseus, porém, jejuavam duas vezes por semana (Lc 18.12) e o faziam de modo visível para todos. É óbvio que não é errado jejuar, se fizermos isso da forma certa, com a motivação certa. Os homens e as mulheres nos tempos do Antigo Testamento jejuaram. Jesus jejuou (Mt 4.3). Os crentes da igreja primitiva jejuaram (At 13.2). Tom Hovestol deixa claro que o jejum é uma prática universal:

> O jejum é proeminente no hinduísmo, islamismo, judaísmo e cristianismo, entre outras religiões, e serve a propósitos ritualísticos, ascéticos, religiosos, místicos e até políticos. Exige-se o jejum dos muçulmanos durante o Ramadã; dos judeus durante o *Yom Kippur*, e dos católicos romanos durante a Quaresma e o Advento.[22]

Em segundo lugar, *um cristão entende que o jejum não é autopropaganda, mas autoquebrantamento* (6.16,17). Se o hipócrita toca trombeta ao dar esmola, o falso espiritual desfigura o rosto quando jejua. Em ambas as situações, o propósito é o mesmo: ser visto e reconhecido pelos homens como uma pessoa espiritual e virtuosa. Não jejuamos para fazer propaganda de nossa espiritualidade, mas para nos humilharmos diante de Deus.

Em terceiro lugar, *um cristão pratica o jejum não para receber recompensa dos homens, mas para agradar a Deus*

(6.18). O jejum não é para ser visto pelos homens, com o fim de receber deles o reconhecimento, mas deve ser praticado na presença de Deus, que vê em secreto e recompensa em secreto. Concordo com Warren Wiersbe quando ele diz que o hipócrita coloca reputação no lugar do caráter, as palavras vazias no lugar da oração, o dinheiro no lugar da devoção sincera e o louvor superficial dos homens no lugar da aprovação eterna de Deus.[23]

NOTAS

[1] SPROUL, R. C. *Mateus*, p. 110.
[2] WIERSBE, Warren W. *Comentário bíblico expositivo*, p. 29.
[3] SPROUL, R. C. *Mateus*, p. 110.
[4] TASKER, R. V. G. *Mateus: introdução e comentário*, p. 57.
[5] MOUNCE, Robert H. *Mateus*, p. 63.
[6] IBIDEM, p. 64.
[7] IBIDEM.
[8] ROBERTSON, A. T. *Mateus*, p. 80.
[9] MOUNCE, Robert H. *Mateus*, p. 65.
[10] TASKER, R. V. G. *Mateus: introdução e comentário*, p. 58-59.
[11] SPURGEON, Charles H. *O evangelho segundo Mateus*, p. 95.
[12] ROBERTSON, A. T. *Mateus*, p. 81.
[13] RYLE, John Charles. *Meditações no evangelho de Mateus*, p. 38.
[14] SPROUL, R. C. *Mateus*, p. 124.
[15] IBIDEM.
[16] WIERSBE, Warren W. *Comentário bíblico expositivo*, p. 30.
[17] SPROUL, R. C. *Mateus*, p. 129.
[18] WIERSBE, Warren W. *Comentário bíblico expositivo*, p. 30.
[19] GREEN, Michael. *The message of Matthew*, p. 99.
[20] SPURGEON, Charles H. *O evangelho segundo Mateus*, p. 96.
[21] RYLE, John Charles. *Meditações no evangelho de Mateus*, p. 41.
[22] HOVESTOL, Tom. *A neurose da religião*, p. 113.
[23] WIERSBE, Warren W. *Comentário bíblico expositivo*, p. 31.

Capítulo 13

O testemunho do cristão diante do mundo

(Mt 6.19-34)

Depois de tratar das práticas espirituais como esmola, oração e jejum longe dos holofotes, no lugar secreto, Jesus volta sua atenção para o testemunho público dos súditos do reino. Aquele que vive em secreto na presença de Deus deve reverberar seu testemunho, de forma pública, diante dos homens. Quem somos determina o que fazemos.

Buscando uma correta interpretação dessa passagem bíblica, faremos quatro perguntas com o propósito de ajudá-lo a colocá-la em prática: Onde você coloca seus tesouros? Como são os seus olhos? A quem você serve como Senhor? O que ocupa o primeiro lugar em sua vida?

Onde está seu tesouro: no céu ou na terra? (6.19-21)

Jesus, no texto em apreço, dá duas ordens e um esclarecimento. A primeira ordem é negativa, e a segunda, positiva. Depois ele dá uma explicação sobre o motivo dessa dupla ordenança.

Em primeiro lugar, *uma ordem negativa* (6.19). *Não acumuleis para vós outros tesouros sobre a terra, onde a traça e a ferrugem corroem e onde ladrões escavam e roubam.* É claro que Jesus não está aqui condenando a riqueza, pois, quando esta vem como fruto do trabalho e da bênção de Deus, ela não traz desgosto. Também Jesus não está aqui proibindo a previdência, pois a Escritura nos exorta a considerar a ação das formigas que trabalham no verão para ficarem abastecidas no inverno. Jesus tampouco está condenando você por usufruir dos benefícios do seu trabalho. O que ele condena no texto é o acúmulo para si, a ganância desmedida e a avareza mesquinha. Os tesouros nos são dados para serem repartidos, e não para serem egoisticamente acumulados. Nada trouxemos e nada levaremos deste mundo. Entramos no mundo nus e sairemos dele nus. Não há gaveta em caixão. Aqui nossos tesouros são carcomidos por ferrugem, destruídos por traças e subtraídos por ladrões. O problema não é possuirmos dinheiro, mas o dinheiro nos possuir. O problema não é guardar dinheiro no bolso, mas entronizá-lo no coração. O problema não é o dinheiro, mas o amor ao dinheiro.

Em segundo lugar, *uma ordem positiva* (6.20). *Mas ajuntai para vós outros tesouros no céu, onde traça nem ferrugem corrói, e onde ladrões não escavam, nem roubam.* Ajuntar tesouros no céu não é criar uma linha de crédito celestial. Isso não é acumular méritos pessoais diante de Deus nem manter um saldo robusto no banco do céu em virtude das boas obras praticadas nesta vida. Quando usamos, porém, nossos tesouros para promover a causa do evangelho e socorrer os necessitados, isso é investir para a eternidade. Nesse sentido, ganhamos o que damos e perdemos o que retemos.

Em terceiro lugar, *uma explicação necessária* (6.21). *Porque, onde está o teu tesouro, aí estará também o teu coração.* O nosso tesouro arrasta nosso coração. Nosso coração estará na terra ou no céu, depende de onde o colocamos, se na terra ou no céu.

Como são os seus olhos? (6.22,23)

Jesus, no texto em tela, faz uma declaração, duas advertências – uma positiva e outra negativa – e uma conclusão.

Em primeiro lugar, *uma declaração solene* (6.22). *São os olhos a lâmpada do corpo...* Nossos olhos são o farol do nosso corpo. Podem nos enlevar ou nos derrubar; podem nos conduzir à prática do bem ou à prática do mal; podem nos levar pelas veredas da justiça ou puxar-nos para os caminhos escorregadios da iniquidade.

Em segundo lugar, *uma advertência positiva* (6.22). *... Se os teus olhos forem bons, todo o teu corpo será luminoso.* Os olhos bons são aqueles que se alegram com a beleza da criação divina sem a deturpar e sem a desejar maliciosamente.

Em terceiro lugar, *uma advertência negativa* (6.23). *Se, porém, os teus olhos forem maus, todo o teu corpo estará em trevas...* Os olhos maus são cheios de cobiça e ganância. São olhos cheios de impureza e lascívia. São olhos que não se deleitam com o belo para dar glória a Deus, mas que cobiçam maliciosamente o belo para o seu prazer pecaminoso.

Em quarto lugar, *uma conclusão solene* (6.23b). *... Portanto, caso a luz que em ti há sejam trevas, que grandes trevas serão!* Um cego tem olhos, mas não tem luz. Um cego anda em trevas. Não sabe para onde vai nem em que tropeça. Tudo para ele está cercado de densa escuridão. Assim eram os fariseus, cegos guiando cegos. Charles Spurgeon faz aqui um solene alerta:

> Se nossa religião nos leva a pecar, é pior do que a descrença. Se nossa fé for presunção, nosso zelo for egoísmo, nossa oração for formalidade, nossa esperança for uma ilusão e nossa experiência for entusiasmo, a escuridão é tão grande que até mesmo o nosso Senhor ergue as mãos com espanto e diz: "quão grandes trevas serão".[1]

A quem você serve como Senhor? (6.24)

Destacamos quatro realidades solenes no texto em tela: *Ninguém pode servir a dois senhores; porque ou há de aborrecer-se de um e amar ao outro, ou se devotará a um e desprezará ao outro. Não podeis servir a Deus e às riquezas* (6.24). Vejamos.

Em primeiro lugar, *Jesus diz que o dinheiro não é neutro* (6.24). Jesus diz que as riquezas são uma entidade, e não uma coisa. Chama as riquezas de *Mamom,* e não de moedas. As riquezas têm poder de subjugar as pessoas e torná-las escravas. A palavra *Mamom* é uma transliteração de um termo hebraico que significa "o que se armazena", ou de outro termo hebraico que significa "no que se confia". Portanto, essa palavra refere-se à personificação da riqueza.[2]

Em segundo lugar, *Jesus diz que o dinheiro é um senhor que exige dedicação exclusiva* (6.24). Jesus não chamou o diabo, o mundo nem mesmo César de "senhor", mas chamou as riquezas, *Mamom,* de "senhor". Esse senhor é carrasco. Escraviza seus súditos. Por amor ao dinheiro, pessoas se casam e se divorciam, matam e morrem, corrompem e são corrompidas. O dinheiro é um senhor que exige devoção exclusiva de seus súditos.

Em terceiro lugar, *Jesus diz que nem Deus nem as riquezas aceitam devoção parcial* (6.24). Deus não aceita dividir sua glória com ninguém. Ele não aceita coração dividido entre duas devoções. É possível um indivíduo ser empregado de dois patrões, mas não é possível um servo servir a dois senhores.

Em quarto lugar, *Jesus diz que não se pode servir a Deus e às riquezas* (6.24). Jesus é categórico: *Não podeis servir a Deus e às riquezas.* Quem serve a Deus, não pode viver mais debaixo do jugo de *Mamom.* Quem é escravo de *Mamom,* não pode ser servo de Deus.

O que ocupa o primeiro lugar em sua vida: o reino dos céus ou as coisas materiais? (6.25-34)

Você é uma pessoa ansiosa? Você é daquele tipo de gente que vive roendo as unhas, antecipando os problemas? Os problemas ainda estão longe e você pensa que eles estão batendo à sua porta? Você sofre pensando no que vai comer, com o que vai se vestir? Onde vai morar, onde vai trabalhar, onde seu filho vai estudar?

A ansiedade é o mal deste século. Atinge homens e mulheres, jovens e velhos, doutores e analfabetos, religiosos e ateus. As pessoas andam com os nervos à flor da pele. São como um vulcão prestes e entrar em erupção. São como um barril de pólvora pronto a explodir.

O que não é ansiedade

Antes de entendermos o que é ansiedade, vejamos o que a ansiedade não é.

Em primeiro lugar, *ansiedade não é desprezar as necessidades do corpo.* Jesus nos ensinou a orar: *O pão nosso de cada dia dá-nos hoje* (6.11). Mas o mundo está adotando um conceito reducionista, nivelando o homem com os animais. Parece que o bem-estar físico é o único objetivo da vida.

Em segundo lugar, *ansiedade não é proibir a previdência quanto ao futuro.* A Bíblia aprova o trabalho previdente da formiga. Também os passarinhos fazem provisão para o futuro, construindo ninhos e alimentando os filhotes. Muitos migram para climas mais quentes antes do inverno. O que Jesus proíbe não é a previdência, mas a preocupação ansiosa. O apóstolo Paulo aconselha: *Não andeis ansiosos de coisa alguma...* (Fp 4.6). O apóstolo Pedro exorta: [Lançai] *sobre ele toda a vossa ansiedade, porque ele tem cuidado de vós* (1Pe 5.7).

Em terceiro lugar, *ansiedade não é estar isento de ganhar a própria vida.* Não podemos esperar o sustento de Deus assentados, de braços cruzados. Temos de trabalhar. Cristo usou o exemplo das aves e das plantas: ambas trabalham. Os pássaros buscam o alimento que Deus proveu na natureza. As plantas extraem do solo e do sol o seu sustento.

Em quarto lugar, *ansiedade não é estar isento de dificuldades.* Estar livre de ansiedade e livre de dificuldade não é a mesma coisa. Embora Deus vista a erva do campo, não impede que ela seja cortada e queimada. Embora Deus nos alimente, ele não nos isenta de aflições e apertos, inclusive financeiros.

O que é ansiedade

Jesus fala sobre cinco evidências da ansiedade, como vemos a seguir.

Em primeiro lugar, *a ansiedade é destrutiva* (6.25). A palavra ansiedade (6.25) significa "rasgar", enquanto a palavra inquietação (6.31) significa "constante suspense". Essas duas palavras eram usadas para descrever um navio surrado pelos ventos fortes e pelas ondas encapeladas de um mar tempestuoso. A palavra "ansiedade" vem de um antigo termo anglo-saxônico que significa "estrangular". Ela puxa em direção oposta. Gera uma esquizofrenia existencial. Warren Wiersbe, citando Corrie ten Boom, diz que a ansiedade não esvazia o amanhã do seu sofrimento; ela esvazia o hoje do seu poder. Ansiedade é ser crucificado entre dois ladrões: o ladrão do remorso em relação ao passado e o ladrão da preocupação em relação ao futuro.[3]

Em segundo lugar, *a ansiedade é enganadora* (6.25,26). A ansiedade tem o poder de criar um problema que não existe. Muitas vezes sofremos não por um problema real, mas por um problema fictício, gerado pela nossa própria mente perturbada. Os discípulos olharam para Jesus andando sobre as águas vindo para socorrê-los e, cheios de medo, pensaram que era um fantasma. É sabido que as pessoas se preocupam mais com males imaginários do que com males reais. Estatisticamente falando, 70% dos problemas que nos deixam ansiosos nunca vão acontecer. Sofremos desnecessariamente.

A ansiedade tem o poder de aumentar os problemas e diminuir nossa capacidade de resolvê-los. Uma pessoa ansiosa olha para uma casa de cupim e pensa que está diante de uma montanha intransponível. As pessoas ansiosas são como os espias de Israel, só enxergam gigantes de dificuldades à sua frente e veem a si mesmos como gafanhotos. Davi agiu de forma diferente dos soldados de Saul. Enquanto todos viam a ameaça do gigante Golias, Davi olhou para a vitória sobre o gigante. Geazi olhou os inimigos de Israel e ficou com medo, ao passo que Eliseu olhou com outros olhos e viu os valentes de Deus cercando sua cidade.

A ansiedade tem o poder de desviar os nossos olhos de Deus e fixá-los nas circunstâncias. A ansiedade é um ato de incredulidade, de falta de confiança em Deus. Onde começa a ansiedade, aí termina a fé.

A ansiedade tem o poder de desviar os nossos olhos da eternidade e fixá-los apenas nas coisas temporais. Uma pessoa ansiosa restringe a vida ao corpo e às necessidades físicas. Jesus disse que aqueles que fazem provisão apenas para o corpo, e não para a alma, são loucos. John Rockefeller disse que o homem mais pobre é aquele que só tem dinheiro.

Em terceiro lugar, *a ansiedade é inútil* (6.27). Côvado aqui não se refere a estatura (45 centímetros), mas prolongar a vida, dilatar a existência. A preocupação, segundo Jesus, em vez de alongar a vida, pode muito bem encurtá-la. A ansiedade nos mata pouco a pouco. Rouba nossas forças, mata nossos sonhos, mina nossa saúde, enfraquece nossa fé, tira nossa confiança em Deus e nos empurra para uma vida menos do que cristã. Os hospitais estão cheios de pessoas vítimas da ansiedade. A ansiedade mata! Como já afirmamos, o sentido da palavra "ansiedade" é estrangular, é puxar em direções opostas. Quando estamos ansiosos, teimamos em tomar as rédeas da nossa vida e tirá-las das mãos de Deus.

A ansiedade nos leva a perder a alegria do hoje por causa do medo do amanhã. As pessoas se preocupam com exames, emprego, casas, saúde, namoro, empreendimentos, dinheiro, casamento, investimentos. A ansiedade é incompatível com o bom senso. É uma perda de tempo. Precisamos viver um dia de cada vez. Devemos planejar o futuro, mas não viver ansiosos por causa dele.

Preocupar-nos com o amanhã não nos ajuda nem amanhã nem hoje. Se alguma coisa nos rouba as forças hoje, isso significa que vamos estar mais fracos amanhã. Significa que vamos sofrer desnecessariamente se o problema não chegar a acontecer e que vamos sofrer duplamente se ele vier a acontecer.

Em quarto lugar, *a ansiedade é cega* (6.25b,26). A ansiedade é uma falsa visão da vida, de si mesmo e de Deus. A ansiedade nos leva a crer que a vida é feita só daquilo que comemos, bebemos e vestimos. Ficamos tão preocupados com os meios que nos esquecemos do fim da vida, que é glorificar a Deus. A ansiedade não nos deixa ver a obra da providência de Deus na criação. Deus alimenta as aves do céu. As aves do céu não semeiam, não colhem, não têm despensa (provisão para uma semana) nem celeiro (provisão para um ano).

Vejamos a seguir alguns dos argumentos de Jesus contra a ansiedade.

Primeiro, *do maior para o menor*. Se Deus nos deu um corpo com vida e, se o nosso corpo é mais do que o alimento e as vestes, ele nos dará alimentos e vestes (6.25). Deus é o responsável pela nossa vida e pelo nosso corpo. Se Deus cuida do maior (nosso corpo), não podemos confiar nele para cuidar do menor (nosso alimento e nossas vestes?).

Segundo, *do menor para o maior*. As aves e as flores são apresentados como exemplo (6.26,28). Martinho Lutero disse que Jesus está fazendo das aves nossos professores e mestres. O mais frágil pardal se transforma em teólogo e pregador para o mais sábio dos homens, dizendo: "Eu prefiro estar na cozinha do Senhor. Ele fez todas as coisas. Ele sabe das minhas necessidades e me sustenta". Os lírios se vestem com maior glória que Salomão. Valemos mais que as aves e os lírios. Se Deus alimenta as aves e veste os lírios do campo, não cuidará de seus filhos? O problema não é o pequeno poder de Deus; o problema é a nossa pequena fé (6.30).

Em quinto lugar, *a ansiedade é incrédula* (6.31,32). A ansiedade nos torna menos do que cristãos. Ela é incompatível com a fé cristã e nos assemelha aos pagãos. A ansiedade não é cristã. É gerada no ventre da incredulidade; é pecado. Quando ficamos ansiosos com respeito ao que comer, ao que vestir e coisas semelhantes, passamos a viver num nível inferior ao dos animais e das plantas. Toda a natureza depende de Deus, e ele jamais falha. Somente os homens, quando julgam depender do dinheiro, se preocupam, e o dinheiro sempre falha.

Como podemos encorajar as pessoas a colocarem a sua confiança em Deus com respeito ao céu, se não confiamos em Deus nem em relação às coisas da terra? Um crente ansioso é uma contradição. A ansiedade é o oposto da fé. É uma incoerência pregar a fé e viver a ansiedade. Peter Marshall diz que as úlceras não deveriam se tornar o emblema da nossa fé. Mas, geralmente, elas se tornam!

A ansiedade nos leva a perder o testemunho cristão. Jesus está dizendo que a ansiedade é característica dos gentios e dos pagãos, daqueles que não conhecem Deus. Mas um filho de Deus tem convicção do amor e do cuidado de Deus (Rm 8.31,32).

Como vencer a ansiedade

Jesus não apenas faz o diagnóstico, mas também dá o remédio para a cura da ansiedade, como vemos a seguir.

Em primeiro lugar, *vencemos a ansiedade quando entendemos que Deus é nosso Pai e conhece todas as nossas necessidades* (6.32). Vencemos a ansiedade quando confiamos em Deus (6.30). A fé é o antídoto para a ansiedade. Deus nos conhece e nos ama. É o nosso Pai. Ele sabe do que temos necessidade. Se pedirmos um pão, ele não nos dará uma pedra; se pedirmos um peixe, ele não nos dará uma cobra. Nele vivemos e existimos. Ele é o Deus que nos criou e nos mantém a vida. Ele nos protege, nos livra, nos guarda e nos sustenta.

O apóstolo Paulo nos ensinou a vencer a ansiedade orando a Deus (Fp 4.6,7). A ansiedade é um pensamento errado e um sentimento errado. Quando olhamos para a vida na perspectiva de Deus, a nossa mente é guardada pela paz de Deus. Quando alimentamos nossos sentimentos com a verdade de que Deus conhece e supre as nossas necessidades, então a paz de Deus guarda o nosso coração. A paz é uma sentinela que guarda a cidadela da nossa mente e do nosso coração.

Em segundo lugar, *vencemos a ansiedade quando sabemos que, ao cuidarmos das coisas de Deus, ele cuida das nossas necessidades* (6.33). Aqui temos uma ordem e uma promessa. A ordem é buscar o governo de Deus, a justiça de Deus, a vontade de Deus e o reinado de Deus em nosso coração em primeiro lugar. Deus, e não nós, deve ocupar o topo da nossa agenda. Os interesses de Deus, e não os nossos, devem ocupar nossa mente e nosso coração. Somos desafiados a buscar o governo e o domínio de Cristo em todas as áreas da nossa vida: casamento, lar, família, vida profissional, lazer. A promessa é que, quando cuidamos das coisas de Deus, ele cuida das nossas necessidades. ... *todas essas coisas vos serão acrescentadas* (6.33). Deus faz hora extra em favor dos seus filhos. Ele trabalha em favor daqueles que nele esperam.

Em terceiro lugar, *vencemos a ansiedade quando descansamos no cuidado diário de Deus* (6.34). Não administramos o futuro. Antecipar o futuro e começar a sofrer por ele não é prudente. Devemos cuidar do hoje e deixar o amanhã nas mãos daquele que cuida de nós.

NOTAS

[1] SPURGEON, Charles H. *O evangelho segundo Mateus*, p. 103.
[2] TASKER, R. V. G. *Mateus: introdução e comentário*, p. 63.
[3] WIERSBE, Warren W. *Comentário bíblico expositivo*, p. 33.

Capítulo 14

Julgar ou não julgar?

(Mt 7.1-29)

Jesus introduz um novo tema em seu sermão, tratando agora do complexo tema do julgamento. Ao mesmo tempo que condena o julgamento temerário (7.1-15), ele incentiva o julgamento daqueles que desprezam a mensagem de Deus e atacam os mensageiros (7.6). O que Jesus está condenando aqui, portanto, é o hábito de fazer crítica ferina e dura, e não o exercício da faculdade crítica pela qual os homens podem fazer, e se espera que façam, em ocasiões específicas, juízos de valor, escolhendo entre diferentes programas e planos de ação.[1]

Warren Wiersbe tem razão ao dizer que os escribas e fariseus julgavam falsamente a si mesmos, às outras pessoas e até mesmo a Jesus. Esse julgamento falso era alimentado por sua falsa justiça.[2]

Vamos examinar o texto em apreço.

O julgamento temerário (7.1-5)

O texto apresenta-nos algumas verdades solenes, como vemos a seguir.

Em primeiro lugar, *uma ordem expressa* (7.1a). *Não julgueis...* Não temos conhecimento suficiente para julgar imparcialmente nem temos poder para condenar. Esse julgamento subjetivo, temerário e tendencioso não deve ser praticado pelos súditos do reino. Resta claro que Jesus está se referindo ao hábito de condenar e criticar. Trata-se da crítica tendenciosa e injusta. Fritz Rienecker, nessa mesma linha de pensamento, escreve:

> Jesus se refere nesta passagem à atitude condenável de julgar sem amor, a qual ocorre com especial facilidade pelas costas do próximo. E qual é em geral o motivo do julgamento frio e da condenação pelas costas? É a satisfação malévola secreta com a desgraça do próximo. O próprio "eu" quer destacar-se com tanto maior brilho diante do fundo escuro da pretensa injustiça do outro. Gostamos de rebaixar o outro para que nós mesmos pareçamos grandes.[3]

Em segundo lugar, *uma justificativa clara* (7.1b). *... para que não sejais julgados.* Quem julga, será julgado. Quem se assenta na cadeira do juiz, assentar-se-á no banco dos réus. A seta que você lança contra o outro volta-se contra você. Robertson acredita que Jesus esteja aqui citando um provérbio semelhante a "quem tem telhado de vidro não joga pedra no telhado dos outros".[4]

Em terceiro lugar, *um critério justo* (7.2). *Pois, com o critério que julgardes, sereis julgados; e, com a medida com que tiverdes medido, vos medirão também.* Quando o homem exerce o juízo temerário, está não apenas usurpando um julgamento que só pertence a Deus, mas também estabelecendo o critério para seu próprio julgamento. A mesma régua que a pessoa usa para medir o outro, a fim de julgá-lo, será usada para seu próprio julgamento. Warren Wiersbe diz que os fariseus faziam o papel de Deus ao condenar os outros, mas não levavam em consideração que, um dia, eles próprios seriam julgados.[5]

Em quarto lugar, *um discernimento necessário* (7.3,4). É mais fácil enxergar um cisco no olho do irmão do que uma tábua em nossos próprios olhos. Somos complacentes com nós mesmos e implacáveis com os outros. Somos rasos demais para ver nossos erros e profundos demais para examinar os erros dos outros. Devemos ter discernimento não para ver com lentes de aumento os pecados dos outros, mas devemos ter clara visão para socorrermos o nosso irmão em seu desconforto. Warren Wiersbe está correto ao afirmar que os fariseus julgavam e criticavam os outros para exaltar a si mesmos (Lc 18.9-14), mas os cristãos devem julgar a si mesmos para ajudar a exaltar os outros.[6] Concordo com R. C. Sproul quando ele diz: "Nada divide a igreja com mais rapidez do que a ação daqueles que julgam duramente seus irmãos".[7]

Em quinto lugar, *uma denúncia solene* (7.5). Jesus chama de hipócrita aquele que vê transgressões pequenas na vida dos outros e não consegue enxergar os grandes pecados em sua própria vida. Antes de tratar dos outros, precisamos enfrentar a nós mesmos.

O julgamento necessário (7.6)

Fica evidente no texto em tela que Jesus não condena o julgamento. Como disse Charles Spurgeon, você não deve julgar, mas não deve agir sem julgamento.[8] Precisamos ter olhos abertos, ouvidos atentos e discernimento claro sobre a realidade à nossa volta. Jesus diz que devemos distinguir as ovelhas dos cães, dos porcos e dos lobos. Dar aos cães o que é santo e lançar pérolas aos porcos é agir insensatamente. Para saber quem são os cães e os porcos, é preciso julgamento. Para distinguir um falso profeta de um profeta verdadeiro, é preciso discernimento. O apóstolo João diz que devemos provar se os espíritos, de fato, procedem de Deus (1Jo 4.1).

Os cães não sentem atração pelo que é santo. Provavelmente o texto faz referência à carne oferecida em sacrifício que não deve ser arremessada aos cães. Não é que os cães não a devorariam, pois o fariam com muita gana, mas seria uma profanação dá-la a eles (Êx 22.31). De igual modo, as pérolas parecem ervilhas ou bolotas e enganariam os porcos até que descobrissem que foram ludibriados. Os porcos ou javalis pisoteiam e dilaceram com as presas qualquer coisa que os enfureça.[9] Em observância a esse princípio, é que Jesus se recusou a falar com Herodes (Lc 23.9), bem como a responder aos líderes religiosos que tentaram armar-lhe uma cilada (21.23-27). Foi por causa dessa mesma verdade que Paulo se recusou a argumentar com as pessoas que resistiam à Palavra de Deus (At 13.44-49). Tasker ainda comenta que "as verdades que Cristo ensinou, suas pérolas de grande preço, não devem ser distribuídas indiscriminadamente aos que as ridicularizam e as desprezam, tornando-se cada vez mais antagônicos".[10]

O julgamento das motivações, a prática da oração (7.7-12)

Jesus passa do julgamento dos ouvintes irreverentes para a necessidade de examinar-nos a nós mesmos. Nada perscruta mais nosso interior do que nossas próprias orações. Três verdades são aqui apresentadas, como vemos a seguir.

Em primeiro lugar, *a ordem de orar* (7.7). Há uma tríplice ordem aqui: pedi, buscai e batei. A oração tem a ver com humildade, perseverança e ousadia. Os imperativos presentes "continue a pedir", "continue a buscar" e "continue a bater" indicam que a oração não é um ritual semipassivo em que de vez em quando partilhamos nossos interesses com Deus. A oração exige vigor e persistência. Os que permanecem pedindo são os que recebem; os que permanecem buscando são os que acham. Deus abre a porta aos que permanecem batendo.[11]

Em segundo lugar, *a promessa a quem ora* (7.7,8). Quem pede, recebe; quem busca, acha; a quem bate, se lhe abrirão as portas. A promessa divina é: Todo o que pede, recebe; todo o que busca, acha; a todo o que bate, abrir-se-lhe-á. Não recebe o que pede, mas recebe o que precisa, e este recebe o melhor.

Em terceiro lugar, *a generosidade de quem atende à oração* (7.9-12). Um pai terreno, por mais que ame seus filhos, nem sempre dá o melhor para eles, mas o nosso Pai celeste, sendo perfeito e nos amando com amor perfeito, dá-nos o melhor. Como o Pai age conosco, devemos agir com o nosso próximo, fazendo a ele o que gostaríamos que ele fizesse a nós. Essa é a regra de ouro dos relacionamentos. Essa é a regra do amor. Essa é a síntese da lei e dos profetas. A. T. Robertson diz que a forma negativa dessa regra de ouro (7.12) consta em Tobias 4.15: "Não faças a ninguém o que não queres que te façam". Esse dito era usado por Hillel, Fílon, Isócrates e Confúcio. Jesus, porém, cita o dito na forma positiva.[12] Concordo com R. C. Sproul quando ele escreve: "Não podemos controlar o que os outros dizem a nosso respeito ou fazem conosco, mas podemos controlar o que dizemos a respeito deles e fazemos com eles. Devemos pensar em fazer *por* eles, em vez de fazer *com* e *contra* eles".[13]

O julgamento do falso caminho (7.13,14)

Há somente duas portas e dois caminhos. Pela porta larga entram muitas pessoas. Pelo caminho largo transitam multidões. Nesse caminho tudo é possível, nada é proibido. Esse caminho conduz à perdição. A outra porta é estreita, e são poucos os que entram por ela. O caminho é apertado, e são poucos os que o encontram, mas esse é o caminho que conduz à vida.

Há aqui duas lições solenes a considerar, como vemos a seguir.

Em primeiro lugar, *o caminho da perdição é a estrada das liberdades sem limites* (7.13,14). O mundo oferece prazeres, diversões, riquezas, sucesso, fama, e nada exige em troca. Nessa estrada das facilidades, é proibido proibir. Nesse caminho espaçoso, o homem é convidado a beber todas as taças dos prazeres. Nessa jornada de prazeres imediatos, nada é sonegado ao homem. Mas esse caminho congestionado conduz à perdição.

Em segundo lugar, *o caminho da vida é a estrada da renúncia* (7.13,14). O caminho estreito é sinuoso, íngreme e apertado. Exige renúncia, sacrifício e esforço. Poucos são aqueles que o encontram, mas o seu final é a glória, a vida eterna.

O julgamento dos falsos profetas (7.15-20)

Há no texto em pauta algumas lições importantes, que vemos a seguir.

Em primeiro lugar, *os falsos profetas parecem inofensivos* (7.15). Os falsos profetas são lobos, mas se apresentam como ovelhas. São assassinos da verdade, mas andam com a Bíblia na mão. Têm a voz sedosa, mas seus dentes são afiados. Parecem inofensivos, mas são "lobos devoradores". Os falsos profetas já existiam nos tempos do Antigo Testamento. Jesus prediz a vinda de falsos cristos e falsos profetas, que desviarão muitos (24.24). No tempo determinado, eles surgirão como se fossem anjos de luz. Entre eles, haveria os judaizantes (2Co 11.13-15), os protognósticos (1Tm 4.1; 1Jo 4.1). Por fora, parecem "ovelhas", mas por dentro são "lobos devoradores". Vale destacar que os lobos são mais perigosos do que cães e porcos.[14]

Em segundo lugar, *os falsos profetas são conhecidos por sua doutrina e suas obras* (7.16-18). Um falso profeta não é apenas um lobo, mas também uma árvore má. A seiva que o alimenta vem do maligno. A mensagem que está em sua boca é a mentira. Por ser uma planta venenosa, nenhum fruto nutritivo pode ser colhido dele. Uma árvore má não pode produzir bons frutos, apenas frutos maus, pois essa é sua natureza. Tanto sua doutrina como sua vida são pervertidas. Tanto suas palavras como suas obras são carregadas de veneno.

Em terceiro lugar, *os falsos profetas serão condenados* (7.19). Porque os falsos profetas são como uma árvore má, serão cortados e lançados ao fogo. Sua condenação é inexorável. Seu destino é a destruição.

Em quarto lugar, *os falsos profetas precisam ser identificados* (7.20). Teologia errada desemboca em vida errada.

Ensino falso deságua em práticas erradas. Um falso mestre nunca será um padrão de santidade nem jamais andará piedosamente. Porque é uma árvore má, seus frutos serão maus. Desta forma, pelos frutos podem ser identificados, julgados e condenados.

O julgamento dos falsos crentes (7.21-23)

O texto em tela, desmascarando os falsos crentes, mostra como podemos identificá-los. Para melhor compreensão da passagem, vemos a seguir como podemos distinguir um crente verdadeiro de um falso crente.

Em primeiro lugar, *um crente verdadeiro é conhecido não apenas por aquilo que professa* (7.21). Veja que a profissão de fé aqui registrada é ortodoxa e fervorosa. Esse falso crente chama Jesus de Senhor e o faz com intensidade em sua voz: "Senhor, Senhor". Mesmo assim, há um abismo entre o que ele fala e o que ele vive; entre o que ele diz e o que ele pratica. Há um hiato entre sua teologia e sua ética, entre seu credo e sua conduta. R. C. Sproul lança luz sobre esse tema:

> Essas palavras de Jesus são atordoantes. Ele está dizendo que nem todos os que se dirigissem a ele com palavras de profundo afeto (Senhor, Senhor) seriam salvos. Ele disse que alguns entrariam em sua presença no dia do juízo e, tratando-o com intimidade, procurariam lembrá-lo de tudo o que haviam feito em seu benefício. Em termos atuais, diriam: "Amado Senhor, não pregamos nós em teu favor? Não demos testemunho por tua causa? Não ensinamos em escolas dominicais por tua causa? Não fomos aos campos missionários por tua causa? Não demos dízimos por tua causa?" Tais pessoas acreditariam sinceramente que estavam em um relacionamento íntimo com Jesus e que o haviam servido com fidelidade. Porém, ele afirmou que estariam

enganadas. Jesus disse: "Nunca vos conheci. Apartai-vos de mim, os que praticais a iniquidade".[15]

Em segundo lugar, *um crente verdadeiro é conhecido não apenas pelas suas obras* (7.22,23). Esses falsos crentes pleitearão, no dia do juízo, o reconhecimento de suas obras portentosas: profecia, expulsão de demônios e muitos milagres. Todas as obras aqui mencionadas são sobrenaturais. Não se questiona a realidade delas, mas se reprovam todas, porque a vida daqueles que as praticaram estava imiscuída em iniquidade. Deus não está interessado apenas no que fazemos, mas também, e sobretudo, em como o fazemos. Deus requer obra certa e motivação certa. Ele quer verdade no íntimo. Concordo com A. T. Robertson quando ele diz que naquele dia Jesus lhes arrancará a pele de ovelha e exporá o lobo voraz.[16]

Em terceiro lugar, *um crente verdadeiro é conhecido pela obediência* (7.21). Quem vai entrar no reino dos céus não são aqueles que fazem profissões de fé ortodoxas e emocionantes, nem aqueles que fazem obras milagrosas, mas os que obedecem à vontade do Pai. Não é possível substituir obediência por *performance*. Tasker tem razão ao dizer que Jesus afirma aqui com grande ênfase que a conduta correta, o fazer a vontade do Pai, e não a adoração de lábios, é que constitui o passaporte para a travessia da porta que conduz à vida e que resulta num veredito de absolvição naquele dia do juízo.[17]

Em quarto lugar, *um crente verdadeiro será distinguido do crente falso no dia do juízo* (7.23). Enquanto caminhamos neste mundo, o joio estará misturado com o trigo, mas, no dia do juízo, os falsos crentes serão desmascarados e ouvirão seu veredito do reto juiz: *Nunca vos conheci. Apartai-vos de mim, os que praticais a iniquidade.*

O julgamento do falso fundamento (7.24-27)

Jesus termina seu célebre sermão citando dois construtores, duas casas e dois fundamentos. Ele também fala sobre as circunstâncias que virão sobre essas casas: chuva no telhado, vento na parede e rios no alicerce. Uma casa fica de pé e permanece inabalável diante da tempestade; a outra desaba, sendo grande sua ruína. Charles Spurgeon diz que de alto a baixo, e de todos os lados, vieram as provações: chuva, inundações e vento. Nenhum anteparo é interposto, pois todos esses combateram aquela casa.[18] A casa que estava edificada sobre a rocha não caiu; a outra desabou.

O construtor que edificou sobre a rocha é prudente; o que edificou sobre a areia é insensato. O sábio construtor é aquele que ouve as palavras de Jesus e as coloca em prática; o insensato é aquele que, mesmo ouvindo-as, não obedece. O construtor sábio investe no fundamento, aquilo que ninguém vê, para dar segurança à casa na hora da tempestade. O construtor insensato não investe no alicerce e, mesmo sua casa tendo bela aparência nos tempos de bonança, não consegue resistir à força da tempestade.

Ao longo da história, muitos foram os ataques ao fundamento da igreja. Os fariseus rejeitaram Cristo, a pedra fundamental da igreja, mesmo prestando lealdade a Abraão (Jo 8.56), a Moisés (Jo 5.46) e a Deus Pai (Lc 10.16; Jo 5.23). Fica claro que os fariseus não podiam rejeitar Jesus sem rejeitar Abraão, Moisés e até mesmo Deus Pai.[19] Nos primeiros séculos do cristianismo, o gnosticismo rejeitou Jesus, ao afirmarem seus seguidores ter conhecimentos secretos, percepções superiores ao ensinamento dos apóstolos. Esse ataque continuou na Idade Média, quando a figura do papa usurpou a centralidade de Cristo como fundamento, cabeça da igreja e o único mediador entre Deus e os homens. No século 18, esse ataque continuou com o Iluminismo. No século 19, prosseguiu com o liberalismo e, no século 20, com o neoliberalismo. Hoje, o ataque ao fundamento da igreja vem do secularismo de um lado e do sincretismo de outro. Somente a casa edificada sobre a rocha ficará de pé. Somente em Cristo, o homem pode livrar-se da tempestade do juízo!

O julgamento do pregador (7.28,29)

Quando Jesus terminou seu sermão, as multidões estavam chocadas e fora de si, maravilhadas de sua doutrina. Estavam maravilhadas por causa de seu conteúdo e forma. Ele não ensinava apenas a verdade, mas ensinava como quem tem autoridade. Jesus não era um hipócrita como os escribas, que falavam e não faziam. Ele é avalista de suas palavras. Jesus não é um alfaiate do efêmero, mas o escultor do eterno.

NOTAS

[1] TASKER, R. V. G. *Mateus: introdução e comentário*, p. 63.
[2] WIERSBE, Warren W. *Comentário bíblico expositivo*, p. 34.
[3] RIENECKER, Fritz. *Evangelho de Mateus*, p. 115.
[4] ROBERTSON, A. T. *Mateus*, p. 91.
[5] WIERSBE, Warren W. *Comentário bíblico expositivo*, p. 34.
[6] IBIDEM.
[7] SPROUL, R. C. *Mateus*, p. 163.
[8] SPURGEON, Charles H. *O evangelho segundo Mateus*, p. 112.
[9] ROBERSTON, A. T. *Mateus*, 2012, p. 92.
[10] TASKER, R. V. G. *Mateus: introdução e comentário*, p. 64.
[11] MOUNCE, Robert H. *Mateus*, p. 74.

[12] ROBERTSON, A. T. *Mateus*, p. 92.
[13] SPROUL, R. C. *Mateus*, p. 169.
[14] ROBERTSON, A. T. *Mateus*, p. 93.
[15] SPROUL, R. C. *Mateus*, p. 181.
[16] ROBERTSON, A. T. *Mateus*, p. 93.
[17] TASKER, R. V. G. *Mateus: introdução e comentário*, p. 67.
[18] SPURGEON, Charles H. *O evangelho segundo Mateus*, p. 122.
[19] SPROUL, R. C. *Mateus*, p. 186-187.

Capítulo 15

O poder e a compaixão do Rei diante da miséria extrema do homem

(Mt 8.1-4)

Inicio este capítulo lembrando as oportunas palavras de John Charles Ryle de que convinha que o maior sermão jamais pregado fosse imediatamente seguido por uma forte prova de que o pregador era o filho de Deus. Aqueles que ouviram o sermão do monte foram forçados a confessar que, assim como "jamais alguém falou como este homem", da mesma forma ninguém jamais fez tais prodígios.[1]

Antes de expor a passagem em tela, é necessário esclarecer alguns pontos. Até aqui, Mateus apresentou a pessoa do Rei (Mt 1–4) e em seguida esclareceu os princípios do rei (Mt 5–7). Agora, ele apresenta o poder do Rei (Mt 8–9). Nos capítulos 9 e 10 desse evangelho, Mateus faz o registro de dez milagres envolvendo graça para os rejeitados (8.1-22), paz para os atribulados (8.23—9.17), restauração para os devastados (9.18-38). Esses milagres tinham um tríplice propósito: compaixão pelo homem (4.23-25), cumprimento das profecias (8.17; Is 29.18,19; 35.4-6) e demonstração da verdade salvadora.[2] Lawrence Richards diz que esses milagres seguem uma ordem ascendente, demonstrando seu poder sobre as doenças (8.14-27), a natureza (8.23-27), o sobrenatural (8.28-32), o pecado (9.1-8) e a própria morte (9.18-26).[3]

Fica meridianamente claro que Jesus jamais fez milagres para atrair, com eles, as multidões. Ao contrário, com certa frequência, orientava as pessoas curadas a não contar nada a ninguém.[4]

Esse milagre, a purificação do leproso (8.1-4), está registrado nos três evangelhos sinóticos. Mateus é o evangelista que faz o mais sucinto relato do episódio. Também é o único que põe esse acontecimento imediatamente depois do sermão do monte (8.1). Somente Marcos nos conta que Jesus se sentiu "profundamente compadecido" à vista desse homem aflito; todos os evangelhos sinóticos, contudo, afirmam que Jesus, desafiando as regulamentações, "estendendo a mão, tocou-lhe". Jesus deixou que o constrangimento do amor divino tomasse precedência sobre a injunção que proibia tocar num leproso.[5] Quatro verdades são aqui tratadas, como vemos a seguir.

Uma doença humanamente incurável (8.2)

A lepra, causada pelo bacilo de Hansen, era a mais temida doença do século 1.[6] Além de incurável, trazia o drama do isolamento. Uma pessoa diagnosticada com lepra recebia uma sentença de morte. Era arrancada do convívio familiar. Não podia mais frequentar as sinagogas nem mesmo ir periodicamente ao templo para participar das grandes festas. Um leproso deveria ser recolhido a um leprosário e ali passar o resto de seus dias, vendo seu corpo apodrecer até a morte.

O leproso era considerado imundo (Lv 13.45,46). William Barclay diz que naquela época nenhuma enfermidade convertia o ser humano em uma ruína tão grande e por tanto tempo como a lepra.[7] Essa infecção terrível obrigava a vítima a viver separada dos outros e a gritar: "Imundo! Imundo!", quando alguém se aproximava, para que não fosse contaminado. Por isso, R. C. Sproul diz que a lepra era a única doença em Israel que envolvia não somente um parecer médico, mas também um parecer eclesiástico.[8]

A lepra era um símbolo do pecado (Is 1.5,6) e até mesmo da maldição divina: Miriã, Geazi e Asa foram atacados por lepra como sinal do juízo divino. Uma pessoa leprosa paulatinamente ia sendo deformada pela doença. As cartilagens do corpo eram devastadas. A pessoa ia apodrecendo viva, a ponto de tornar-se uma carcaça humana malcheirosa. As características da lepra são as mesmas do pecado: insensibiliza, separa, deforma e mata. À luz de Levítico 13, há uma estreita conexão entre a lepra e a natureza do pecado: não é um mal superficial (Lv 13.3), espalha-se (Lv 13.8), contamina e isola (Lv 13.45,46) e serve apenas para ser destruído pelo fogo (Lv 13.52,57).[9] Fritz Rienecker diz que a lepra era a pior enfermidade em três sentidos: no aspecto físico, social e religioso. O enfermo era devastado em sua pele, sua carne e seus ossos. O enfermo era isolado de sua família e da sociedade. O enfermo ficava impuro cerimonialmente.[10]

Um doente resolutamente esperançoso (8.2)

O evangelista Lucas, que era médico, dando um diagnóstico mais preciso da terrível doença desse indivíduo, diz que ele estava coberto de lepra. Mesmo estando sentenciado e à beira da morte, ouve falar sobre Jesus. Então, sai furtivamente do leprosário e se esgueira no meio da multidão, com a esperança da cura. Sua atitude enseja-nos algumas preciosas lições, como vemos a seguir.

Em primeiro lugar, *ele não desistiu, apesar das circunstâncias* (8.2). Esse homem já estava no estágio mais avançado de sua doença. Era uma carcaça humana. Uma chaga viva. Seu corpo estava mutilado pela doença. Estava apodrecendo vivo. Um mau cheiro insuportável exalava do seu corpo. Ele não podia aproximar-se de ninguém. Era impuro! Não obstante já estar sentenciado à morte, não desistiu de receber um milagre de Jesus.

Em segundo lugar, *ele se aproxima de Jesus, apesar de ser impuro* (8.2). Ninguém deve sentir-se demasiadamente impuro para aproximar-se de Jesus. Ele é o amigo dos pecadores. Todo aquele que vem a ele com o coração quebrantando não é lançado fora.

Em terceiro lugar, *ele adora a Jesus, apesar de ser leproso* (8.2). A lepra era o único mal para o qual a medicina rabínica não prescrevia remédio algum. Era uma doença incurável. Uma causa perdida. Um problema insolúvel. Mas os impossíveis dos homens são possíveis para Jesus. Esse homem não vem com arrogância, mas com humildade. Não faz nenhuma exigência, mas se prostra e adora.

Em quarto lugar, *ele suplica a Jesus, apesar de sentenciado à morte* (8.2). O homem demonstra duas atitudes fundamentais em relação a Jesus: confiança plena em seu poder e submissão absoluta à sua vontade. Ele sabia que Jesus tinha poder para curá-lo, mas se submete humildemente ao seu querer. William Barclay tem razão ao dizer que o leproso se aproximou de Jesus confiante, humilde e reverentemente. Ele pede, e não exige. Ele se prostra e adora![11]

O salvador absolutamente compassivo e poderoso (8.3)

Jesus não pega em pedras para expulsar o leproso nem insufla a multidão contra ele, chamando-o de maldito. Ao contrário, Jesus se aproxima ainda mais dele, tocando-o, curando-o e dando-lhe perfeita saúde. Alguns pontos merecem destaque, como vemos a seguir.

Em primeiro lugar, *o toque da compaixão* (8.3). Jesus toca esse homem porque se importa com ele. Havia muito tempo que aquele enfermo não sabia o que era um toque, um abraço. Sempre que alguém se aproximava dele, precisava fugir. Jesus identifica uma doença que devastava suas emoções, produzindo-lhe um sentimento de desvalor: o de sentir-se um monturo.

Em segundo lugar, *a palavra de poder* (8.3). Jesus não só tem compaixão, mas também poder. Sua vontade é na direção da cura, da libertação, da restauração. O impuro não tornou impuro o puro, mas o puro tornou puro o impuro. Jesus tocou-o e, em vez de ficar contaminado, o homem leproso é que ficou purificado. Não há doença incurável para Jesus. Seu poder é ilimitado.

Em terceiro lugar, *a cura imediata* (8.3). O homem ficou limpo imediatamente. Sua cura foi instantânea e completa. Não restou nenhuma sequela. Nenhum resquício. Quando Jesus faz, ele faz completo. J. Heading diz corretamente que os milagres de Jesus sempre foram imediatos, completos e permanentes.[12]

Um testemunho público necessário (8.4)

Jesus dá duas ordens ao homem curado – uma negativa e outra positiva –, como vemos a seguir.

Em primeiro lugar, *a ordem negativa* (8.4a). O mandamento "Não o digas a ninguém" visava suprimir a excitação e prevenir a hostilidade.[13] Mateus não registra a desobediência a essa ordem. O homem, porém, não ficou calado, mas passou a propalar o que Jesus havia feito em sua vida. A ordem de Jesus tinha a ver com duas precauções. A primeira era não criar uma mentalidade errada acerca de sua missão no mundo; a segunda era não antecipar um confronto com os opositores. Havia entre os judeus a expectativa de um messias libertador que haveria de quebrar o jugo de Roma. Jesus, porém, não queria alimentar esse sentimento dos judeus. Ele veio para quebrar o jugo espiritual. J. Heading esclarece esse ponto:

> A fama produz curiosidade, mas milagres não eram feitos para satisfazer nenhuma curiosidade. O Senhor desejava afastar as multidões curiosas. Em João 6.26, o povo o seguiu simplesmente porque foram saciados; a ressurreição de Lázaro fez com que muitos ficassem curiosos (Jo 12.18). Herodes estava curioso para ver algum milagre do Senhor (Lc 23.8). Marcos 1.45 diz que este leproso "começou a apregoar muitas coisas", contrariando assim as instruções do Senhor, portanto o Senhor permaneceu nos lugares desertos e não entrava na cidade. A desobediência pode afastar a presença do Senhor.[14]

O homem curado não obedeceu a essa ordem, e Marcos nos informa que Jesus não pôde entrar na cidade (Mc 1.45). No entanto, as multidões foram até ele.

Em segundo lugar, *a ordem positiva* (8.4b). A ordem de ir ao sacerdote e fazer a oferta estabelecida por Moisés tinha o propósito de respeitar as normas de saúde estabelecidas, uma vez que o sacerdote era a autoridade sanitária que dava o diagnóstico da doença, e só ele poderia legalmente considerar alguém livre desse mal (Lv 14.1-57).

Com isso, Jesus também estava dizendo que seus milagres são verificáveis. Lawrence Richards registra que os mesmos líderes religiosos que estavam entre os mais duros críticos a Jesus foram forçados a examinar o leproso curado e afirmar que ele estava limpo.[15] E, além disso, Jesus estava protegendo esse homem de quaisquer suspeitas ou acusações. Estava legitimando sua volta para casa, para a sua família, para o seu convívio social e religioso.

Notas

[1] Ryle, John Charles. *Meditações no evangelho de Mateus*, p. 52-53.
[2] Wiersbe, Warren W. *Comentário bíblico expositivo*, p. 39.
[3] Richards, Lawrence O. *Comentário histórico-cultural do Novo Testamento*, p. 37.
[4] Veja, por exemplo, Mateus 9.30; 12.16; 17.9; Marcos 1.34; 5.43; 7.36; 8.26.
[5] Tasker, R. V. G. *Mateus: introdução e comentário*, p. 69.
[6] Mounce, Robert H. *Mateus*, p. 81.
[7] Barclay, William. *Mateo I*, p. 310.
[8] Sproul, R. C. *Mateus*, p. 189.
[9] Wiersbe, Warren W. *Comentário bíblico expositivo*, p. 40.
[10] Rienecker, Fritz. *O evangelho de Mateus*, p. 126-127.
[11] Barclay, William. *Mateo I*, 1973, p. 312-313.
[12] Heading, John. *Mateus*. Ourinhos, SP: Edições Cristãs, 2002, p. 157.
[13] Robertson, A. T. *Mateus*, p. 97.
[14] Heading, John. *Mateus*, p. 158.
[15] Richards, Lawrence O. *Comentário histórico-cultural do Novo Testamento*, p. 38.

Capítulo 16

Jesus cura a distância

(Mt 8.5-13)

Mateus relata dois milagres "gentios": o registrado em Mateus 8.5-13, que será tratado aqui, e o da cura da menina sírio--fenícia (15.21-28). Em ambos os casos, o Senhor ficou impressionado com a grande fé dos gentios. Além disso, nos dois milagres, o Senhor curou a distância.[1]

Esse é o segundo milagre registrado por Mateus depois que Jesus desceu do monte das bem-aventuranças. Jesus entra em Cafarnaum, o quartel-general de seu ministério, e, tão logo chega, vai ao seu encontro um centurião, fazendo-lhe veemente um pedido em favor de seu servo que estava em casa, sofrendo horrivelmente, com uma paralisia. Jesus dispõe--se a ir curá-lo, mas o centurião não se sente digno de receber Jesus em sua casa. Roga-lhe apenas que cure seu servo a distância. Jesus admira-se de sua fé e atende ao seu pedido, e imediatamente o servo fica curado. Essa passagem enseja-nos quatro lições, como vemos a seguir.

Uma grande necessidade (8.5,6)

Jesus desce do monte das bem-aventuranças depois de proferir palavras de sabedoria para realizar grandes curas, demonstrando o seu poder. Um centurião romano, que tinha sob sua autoridade cem soldados, movido por compaixão, vai a Jesus e intercede a ele em favor de seu criado. O criado do centurião está em casa, acamado, sofrendo horrivelmente com paralisia. A enfermidade sempre traz desconforto e sofrimento. Também revela a fragilidade e a impotência humanas. Há momentos em que nossas necessidades são tais que a ciência, o dinheiro e os recursos humanos são insuficientes para minorá-las e resolvê-las. É nesse momento que esse centurião, despojando-se de qualquer vaidade, vai a Jesus, implorando em favor do seu criado.

Uma grande decisão (8.7)

Lucas, registrando esse mesmo episódio, destaca que os líderes de Israel pleiteiam diante de Jesus a causa desse homem. Mesmo ele não se considerando digno de receber Jesus em sua casa, eles o consideravam um homem digno da atenção de Jesus, uma vez que ele mesmo, com recursos próprios, havia construído a sinagoga de Cafarnaum. Jesus, ao ouvir a súplica do centurião, resolve imediatamente atender a seu pleito. Jesus nunca despreza um coração quebrantado. Aqueles que se achegam a ele com humildade jamais são despedidos vazios. Spurgeon diz que não é o mérito, mas a miséria, que deve ser a nossa alegação para com o salvador.[2]

Uma grande fé (8.8-12)

Diante da decisão de Jesus de ir à sua casa para curar seu criado, o centurião se sentiu indigno de tamanha honra e rogou que Jesus o curasse a distância. Mounce diz, com razão, que havia pouco Jesus estendera a mão para tocar um leproso. Portanto, Jesus jamais hesitaria em entrar na casa de um gentio.[3] Sendo homem que exercia autoridade sobre cem soldados e sabendo que suas ordens eram cumpridas por seus subalternos, ele se coloca debaixo da autoridade de Jesus, reconhecendo sua majestade e soberania.

Jesus, admirado, diz aos que o seguiam que nem mesmo em Israel havia encontrado fé tão genuína e robusta (8.10). Então, Jesus aproveita o ensejo para ensinar aos circunstantes que muitos gentios viriam do Oriente e do Ocidente e tomariam lugar no reino dos céus, ao passo que os judeus, os filhos do reino, seriam lançados fora, nas trevas, onde há choro e ranger de dentes. Concordo com Spurgeon quando ele diz que o céu será preenchido. Se os prováveis não virão, os improváveis virão. Que inversão! O mais próximo é lançado fora, e o mais distante é aproximado. O centurião vem do campo até Cristo, e o israelita vai da sinagoga para o inferno. A prostituta se curva aos pés de Jesus em arrependimento, enquanto o fariseu hipócrita rejeita a grande salvação.[4]

Um grande milagre (8.13)

A fé honra a Jesus, e Jesus honra a fé. Jesus ordena ao centurião que vá para casa e receba o milagre conforme sua fé. Naquela mesma hora, o servo do centurião é curado. Fé não é apenas acreditar que Jesus pode, mas também, e sobretudo, que Jesus quer.

NOTAS

[1] WIERSBE, Warren W. *Comentário bíblico expositivo*, p. 40.
[2] SPURGEON, Charles H. *O evangelho segundo Mateus*, p. 128.
[3] MOUNCE, Robert H. *Mateus*, p. 83.
[4] SPURGEON, Charles H. *O evangelho segundo Mateus*, p. 129-130.

Capítulo 17

A cura da sogra de Pedro

(Mt 8.14,15)

A cura da sogra de Pedro está registrada nos três evangelhos sinóticos, Mateus, Marcos e Lucas. Há pequenas nuances que distinguem as narrativas. Marcos informa que tanto a sogra como o irmão André moravam com Pedro (Mc 1.29,30). Mateus diz que a sogra de Pedro estava acamada, ardendo em febre (8.14). Marcos registra apenas que ela estava acamada, com febre (Mc 1.30). Mas Lucas, sendo médico, dá um diagnóstico mais preciso: *achava-se enferma, com febre muito alta* (Lc 4.38). Robert Mounce sugere que essa febre muito alta decorria da malária, muito comum naquela região.[1] Mateus diz que Jesus a tomou pela mão (8.15). Marcos informa que Jesus, aproximando-se, tomou-a pela mão (Mc 1.31). E Lucas, descrevendo Jesus como médico, completa: *Inclinando-se ele para ela* (Lc 4.39). Mateus e Marcos informam que a febre a deixou (8.15; Mc 1.31). Lucas, por sua vez, diz que Jesus repreendeu a febre, e esta a deixou (Lc 4.39). Mateus aponta que ela se levantou a passou a servi-lo (8.15). Marcos informa que ela passou a servi-los (Mc 1.31), e Lucas encerra: *E logo se levantou, passando a servi-los* (Lc 4.39).

Que lições podemos aprender desse milagre?

Jesus vai à casa de Pedro (8.14)

Pedro era um pescador. Tinha uma sociedade com seu irmão André e os filhos de Zebedeu, Tiago e João. Eram empresários de pesca. Embora Pedro tenha nascido em Betsaida, morava em Cafarnaum. Com ele moravam seu irmão André e sua sogra. Pedro era um homem hospitaleiro, pois abrigava em seu lar tanto sua sogra como seu irmão.

Era sábado, pois Jesus estava na sinagoga e daí vai imediatamente para a casa de Pedro, a pedido de seus discípulos. Mesmo sendo seu dia de descanso, atende os aflitos e dá prioridade àqueles que sofrem. A piedade não torna saudáveis os lugares insalubres. A santidade não garante imunização contra a enfermidade. Os crentes também ficam doentes. Os salvos também enfrentam terríveis sofrimentos.

Precisamos de Jesus em nossa casa. Há aflições dentro do nosso lar e, quando Jesus chega, chegam a cura, a libertação, a paz, a alegria, a salvação.

Jesus cura a sogra de Pedro (8.15a)

Duas verdades devem ser aqui observadas, como vemos a seguir.

Em primeiro lugar, *o toque amoroso de Jesus*. Mateus diz que Jesus a tomou pela mão. Marcos acrescenta o fato de que Jesus, aproximando-se, tomou-a pela mão. Lucas oferece, ainda, outro detalhe: *Inclinando-se ele para ela*.

Em segundo lugar, *a autoridade absoluta de Jesus*. Mateus e Marcos dizem que, logo que Jesus a tomou pela mão, a febre a deixou. As curas de Jesus eram instantâneas e completas. Lucas diz que Jesus repreendeu a febre, e ela a deixou (Lc 4.39). Nenhuma enfermidade pode resistir ao poder de Jesus. Quando Jesus chega à casa de Pedro sua sogra está acamada e ardendo em febre. A palavra grega "acamada" significa "prostrada". E a palavra grega empregada aqui para febre é a mesma usada para fogo. Mateus diz que a mulher ardia em febre.

Jesus é servido pela sogra de Pedro (8.15b)

Destacamos a seguir três aspectos da cura da sogra de Pedro.

Em primeiro lugar, *foi uma cura imediata*. A febre a deixou. As curas realizadas por Jesus foram instantâneas e completas. Não havia necessidade de período de convalescença. O cego imediatamente passava a ver, o surdo passava a ouvir, o mudo passava a falar, o aleijado passava a andar.

Em segundo lugar, *foi uma cura completa*. Logo ela se levantou. A sogra de Pedro não ficou debilitada na cama, com sequelas da febre. O mesmo poder que repreendeu a febre fortaleceu-a para que se levantasse.

Em terceiro lugar, *foi uma cura permanente*. Imediatamente depois da cura, ela passou a servi-lo. A sogra de Pedro não apenas se levantou, mas começou a servir. Foi restituída não apenas à plena saúde, mas também ao pleno trabalho.

NOTA

[1] MOUNCE, Robert H. *Mateus*, p. 84.

Capítulo 18

Libertando os cativos e curando os enfermos

(Mt 8.16,17)

Onde Jesus estava, para ali corriam os aflitos. Ele vivia como que em um hospital – e era um hospital de pessoas com doenças incuráveis. Ele expulsou demônios e não se omitiu diante de nenhuma enfermidade.[1] Os cativos eram libertos, e os enfermos eram curados.

O ministério de libertação (8.16a)

Depois da cura no recôndito de um lar, Jesus realiza seu ministério de cura e libertação em lugar público. Mesmo estando já tarde e com o esgotamento de uma intensa agenda, Jesus não afrouxa as mãos. Ele veio libertar os cativos e desfazer as obras do diabo. A Palavra de Deus retrata os demônios como ativamente hostis ao ser humano, atormentando homens e mulheres com doenças (4.22; 12.22; 15.22; Lc 4.33-35) e loucura (Mc 5.1-20; Lc 8.27-29).

Destacamos a seguir alguns pontos.

Em primeiro lugar, *os endemoninhados eram trazidos.* Essas pessoas estavam prisioneiras do diabo. Viviam no cabresto do inimigo. Eram capachos do destruidor. Não tinham forças nem disposição de virem a Jesus. Por isso, foram levadas a Jesus.

Em segundo lugar, *os endemoninhados eram muitos.* Aquela região, chamada de Galileia dos gentios, era um reduto de trevas e paganismo. Muitas pessoas eram oprimidas e possuídas pelos demônios. Ainda hoje, há muitas pessoas instigadas e possuídas pelos espíritos malignos.

Em terceiro lugar, *os endemoninhados eram libertos.* Jesus não usou mandingas para expulsar demônios. Expulsou-os apenas com a palavra. Nada de misticismo. Sua autoridade não decorria de fontes externas. Nem mesmo os demônios podiam resistir à sua autoridade.

O ministério de cura (8.16b,17)

Três verdades são destacadas a seguir.

Em primeiro lugar, *o poder de Jesus é ilimitado.* Jesus curou todos os que estavam doentes. Havia, como há até hoje, doenças curáveis e incuráveis. A ciência tem suas limitações. Porém, Jesus desconhece impossibilidades. Ele pode tudo quanto quer.

Em segundo lugar, *o poder de Jesus é prometido.* O ministério de cura de Jesus foi anunciado pelos profetas e, quando ele cura os enfermos, está chancelando suas credenciais como o Messias. Seus milagres são sinais de sua messianidade.

Em terceiro lugar, *o poder de Jesus é empático.* Jesus tomou as nossas dores e carregou as nossas doenças. A. T. Robertson diz que a compaixão de Jesus era tão intensa que ele realmente sentia as enfermidades e dores das outras pessoas. Em nossos fardos, Jesus se põe debaixo da carga junto conosco e nos ajuda a carregar.[2]

NOTAS

[1] SPURGEON, Charles H. *O evangelho segundo Mateus*, p. 131.
[2] ROBERTSON, A. T. *Mateus*, p. 100.

Capítulo 19

O preço de ser um seguidor de Jesus

(Mt 8.18-22)

Diante da grande multidão que se aglutinava ao seu redor, Jesus ordenou aos discípulos que passassem para o outro lado. Ele não cortejava notoriedade. Não se impressionava com popularidade. Não buscava a glória vinda dos homens.

Esse episódio é registrado apenas por Mateus e Lucas. Não há concordância entre os dois evangelistas quanto à disposição da matéria. Mateus coloca o episódio no contexto das curas em Cafarnaum, e Lucas, depois da experiência da transfiguração. Lucas menciona três personagens, e Mateus, apenas duas pessoas. Mateus informa que o primeiro personagem era um escriba, mas Lucas nada informa sobre sua identidade. Os dois personagens mencionados por Mateus demonstram certo interesse em seguir Jesus, mas não tinham uma clara prioridade em fazê-lo.

Vejamos esses dois casos a seguir.

Em primeiro lugar, *uma motivação errada* (8.18-20). Esse proponente anônimo em Lucas é um escriba em Mateus. Ele se dispõe entusiasticamente a seguir Jesus aonde quer que ele vá, mas está motivado pelas vantagens que poderia receber. Jesus, porém, joga uma pá de cal em seu entusiasmo, mostrando que o filho do homem não tem onde reclinar a cabeça. Aqueles que querem seguir Jesus motivados por vantagens pessoais e terrenas recebem dele imediata resistência. O seguidor de Jesus não deve contar com uma vida de luxo. Os candidatos a discípulos precisam considerar o preço do discipulado. Precisam entender que não serão aceitos enquanto não decidirem conscientemente pagar o preço de seguir um líder rejeitado.

A notável expressão "filho do homem" surge aqui pela primeira vez em Mateus. Jesus usa essa expressão como título messiânico. O termo é usado nos evangelhos cerca de 80 vezes, sendo 33 apenas em Mateus.

Em segundo lugar, *uma prioridade errada* (8.21,22). Se o primeiro homem foi muito rápido, o segundo foi muito lento.[1] Este, mediante a ordem de Jesus "Segue-me", colocou à frente do discipulado uma causa mais urgente. Antes de seguir Jesus, ele queria cuidar de seu pai até sua morte. Isso seria uma espécie de atraso indefinido. Depois de sepultar o pai, então estaria pronto a seguir Jesus. Mas Jesus deixa claro que pregar o reino é a maior das prioridades. Nenhuma outra agenda pode se interpor entre o discípulo e a pregação do evangelho do reino. A lealdade a Jesus e seu reino é mais importante do que a lealdade às normas culturais de sua sociedade. Em outras palavras, as exigências culturais da comunidade não são desculpas aceitáveis para o fracasso no discipulado. A. T. Robertson, citando João Crisóstomo, diz: "Ainda que seja uma boa ação enterrar os mortos, a melhor é pregar Cristo".[2]

Notas

[1] Spurgeon, Charles H. *O evangelho segundo Mateus*, p. 134.
[2] Robertson, A. T. *Mateus*, p. 102.

Capítulo 20

O poder de Jesus sobre a natureza

(Mt 8.23-27)

Esse episódio está registrado nos três evangelhos sinóticos. Mateus é o que faz o registro mais objetivo desse milagre. Marcos coloca o ocorrido logo após o ensinamento de Jesus por meio de parábolas. Mateus e Lucas, por sua vez, desvinculam o fato de seu contexto histórico. As lições do milagre, porém, são as mesmas.

Jesus acalmou duas tempestades no mar da Galileia. Esse é o primeiro milagre. Esse mar é chamado também de lago de Genezaré ou mar de Tiberíades. É um lago de água doce, de 21 quilômetros de comprimento por 14 quilômetros de largura. É encurralado pelas montanhas de Golã do lado oriental e pelas montanhas da Galileia do lado ocidental. Esse lago está 224 metros abaixo do nível do mar Mediterrâneo. As elevadas montanhas que o rodeiam são cortadas por profundas ravinas que funcionam como enormes funis pelos quais sopram ventos violentos, vindos de cima, os quais agitam o mar de repente, sem prévia advertência. O bote que leva Jesus é apanhado numa tempestade desse tipo.[1]

À guisa de introdução, destacamos quatro verdades a seguir.

Em primeiro lugar, *as tempestades são inevitáveis.* Elas chegam para todos, ricos e pobres, homens e mulheres, doutores e analfabetos, crentes e descrentes. A vida não é indolor. Não vivemos numa estufa, nem mesmo numa colônia de férias.

Em segundo lugar, *as tempestades são inesperadas.* Elas chegam inesperadamente, sem aviso prévio. Colhem-nos de surpresa e muitas vezes ameaçam nossa jornada. Periodicamente, os ventos gelados que descem do monte Hermom, em rajadas súbitas, emparedados pelas montanhas, batem na superfície aquecida desse lago e dão início imediatamente a uma tempestade de vento. A expressão *grande tempestade* (8.24) na língua grega é *seismos megas,* que traduzida ao pé da letra seria "um grande terremoto". É assim, também, em nossa vida. As crises chegam quando menos esperamos e conspiram contra nós. Nossas crises podem nos colher de surpresa, mas jamais surpreendem o Senhor Jesus.

Em terceiro lugar, *as tempestades são inadministráveis.* Os discípulos tentaram controlar o barco no mar revolto, mas este era varrido pelas ondas. Eles perderam o controle. Não tinham destreza nem poder para chegar ao porto desejado. Assim também são as tempestades da vida, maiores do que nossas forças. Nossas tempestades podem ser maiores do que nossas forças, mas jamais ameaçam o poder de Jesus.

Em quarto lugar, *as tempestades são pedagógicas.* As tempestades vêm para nos fortalecer, e não para nos destruir. Deus não desperdiça sofrimento na vida de seus filhos. As tempestades são pedagógicas.

Vejamos então cinco preciosas lições na passagem.

A tempestade (8.23,24)

Jesus é o primeiro a entrar no barco. Seus discípulos seguem-no. Nenhuma tempestade à vista. A viagem parecia segura. Mas, subitamente, o mar se agita, o vento encrespa as ondas, e o barco começa a ser varrido de um lado para o outro. Nesse momento, Jesus dormia! Que lições depreendemos dessa passagem?

Em primeiro lugar, *mesmo quando Jesus está conosco, enfrentamos tempestades na vida.* Mateus nos informa que Jesus foi o primeiro a entrar no barco, e Marcos nos diz que Jesus deu uma ordem aos discípulos: *Passemos para a outra margem* (Mc 4.35). Essa mesma ordem é repetida em Lucas 8.22. O fato de Jesus estar conosco não nos isenta de tempestades na caminhada. Ele nunca nos prometeu ausência de aflições; prometeu-nos, sim, estar conosco todos os dias até a consumação dos séculos.

Em segundo lugar, *nas horas mais tempestuosas, parece-nos que Jesus está dormindo.* Jesus passara aquele dia ensinando as parábolas do reino. Estava exausto. Entrou no barco, pegou um travesseiro e foi para a popa tirar um cochilo. Quando a tempestade veio, com toda a sua fúria, ele estava dormindo. Mesmo o barco sendo sacudido de um lado para o outro, ele permaneceu sereno, descansando nos braços do Pai. Às vezes, ainda hoje, quando enfrentamos as mais terríveis borrascas da vida, temos a sensação de que Jesus está dormindo.

O clamor (8.25)

Baldados todos os esforços dos discípulos, percebendo que eles não tinham força nem destreza para conduzir o barco rumo ao outro lado, acordaram Jesus e clamaram: *Senhor, salva-nos! Perecemos!* Marcos é mais contundente em seu registro: *mestre, não te importa que pereçamos?* (Mc 4.38). O que Mateus registra como um pedido em tom de exclamação, Marcos apresenta como uma pergunta em tom de censura. Spurgeon diz que os discípulos inquietaram Jesus mais do que a tempestade. Eles o despertaram aos gritos. A pequena fé orou: *Salva-nos*, e o grande medo gritou: *Perecemos!* Aqui havia três coisas: Primeiro, a reverência por Jesus: *Senhor*; segundo, uma súplica inteligente: *Salva-nos*; terceiro, um argumento irresistível: *Perecemos*.[2]

Precisamos recorrer a Jesus nas horas da nossa aflição. A Palavra de Deus nos ensina: *Invoca-me no dia da angústia; eu te livrarei, e tu me glorificarás* (Sl 50.15).

O confronto (8.26a)

Enquanto Marcos e Lucas situam o milagre antes do confronto, Mateus apresenta o confronto antes do milagre. Primeiro Jesus confronta os discípulos e depois ele acalma os ventos e o mar. Spurgeon diz que Jesus falou com os homens primeiramente, porque eles eram os mais difíceis de lidar; o vento e o mar poderiam ser repreendidos depois.[3] Existem horas em que a maior tempestade que enfrentamos não é o mar agitado ao redor de nós, mas a incredulidade dentro de nós. Jesus é poderoso para fazer sossegar o vendaval dentro da nossa alma e também para acalmar as circunstâncias que nos assolam.

Quando a fé é pequena, o medo é grande. Quando perdemos a percepção de que Jesus está conosco nas tempestades, ficamos alarmados e pensamos que vamos perecer. O medo e a fé não coexistem. A fé vence o medo, e a presença de Jesus acalma as tempestades do coração e faz sossegar os ventos e o mar. Spurgeon está correto quando escreve: "Se estamos certos de que temos alguma fé, devemos estar errados em ter qualquer medo".[4]

O milagre (8.26b)

O contexto mostra que Jesus tem poder sobre a natureza, os demônios, a enfermidade e a morte. Jesus tem todo o poder. Os ventos escutam sua voz, e o mar se aquieta diante de sua ordem. Aquilo que é maior do que nós está rigorosamente debaixo do seu comando soberano. Em lugar da tempestade, vem a bonança. Em lugar do medo, vem a paz. Em lugar do naufrágio, vem o salvamento.

A admiração (8.27)

As tempestades não vêm para nos destruir, mas para produzir em nosso coração profunda admiração por Jesus. Aqueles homens assustados, na iminência de perecerem, estão agora dizendo: *Quem é este que até o vento e o mar lhe obedecem?* (Mc 4.41). Respondemos que este é aquele que, com o Pai e o Espírito Santo, nos refolhos da eternidade, traçou um plano perfeito e vitorioso para a nossa salvação. Este é aquele que fez todas as coisas e sem ele nada do que foi feito se fez. Este é a semente da mulher, que esmagou a cabeça da serpente. Este é aquele sobre quem os patriarcas falaram e para quem os profetas apontaram. Este é aquele cujo cordeiro da Páscoa é um símbolo. Este é aquele que foi simbolizado pelo tabernáculo, pela arca da aliança, pelo santuário, pelos sacrifícios, pelas festas, pelo sábado. Tudo era sombra dele. Este é aquele que na plenitude dos tempos nasceu de mulher, sob a lei, para ser nosso redentor. Este é o Verbo que se fez carne e habitou entre nós. Este é aquele que andou por toda parte fazendo o bem e libertando os oprimidos do diabo. Este é aquele que deu vista aos cegos, voz aos mudos, audição aos surdos. Este é aquele que purificou os leprosos, levantou os paralíticos e ressuscitou os mortos. Este é aquele que morreu pelos nossos pecados e ressuscitou para nossa justificação. Este é aquele que voltou para o céu e está assentado à destra de Deus Pai intercedendo por nós. Este é aquele que governa os céus e a terra e voltará em glória para reinar com sua igreja. Este é o nosso grande Deus e salvador Jesus Cristo.

NOTAS

[1] MOUNCE, Robert H. *Mateus*, p. 86.
[2] SPURGEON, Charles H. *O evangelho segundo Mateus*, p. 138.
[3] IBIDEM, p. 139.
[4] IBIDEM.

Capítulo 21

O poder de Jesus sobre os demônios

(Mt 8.28-34)

Esse episódio está registrado nos três evangelhos sinóticos. Mateus é o que apresenta o relato mais sucinto, e Marcos, o mais exaustivo. Mateus diz que eram dois homens, e Marcos e Lucas dizem que era um homem. Não há contradição entre os evangelistas. Apenas Marcos e Lucas colocam ênfase no homem que, certamente, era o mais problemático.

Somente Marcos narra o que aconteceu com o homem endemoninhado depois de liberto e de que forma Jesus o comissiona como mensageiro de boas notícias entre os seus. Somente Mateus informa que os sepulcros onde os homens possessos viviam eram um caminho e que eles estavam a tal ponto furiosos que ninguém por ali podia passar.

Vejamos a seguir algumas importantes lições do texto.

O poder devastador dos demônios (8.28)

Jesus desembarca no lado oriental do mar da Galileia, no território gentio de Gadara, depois de uma avassaladora tempestade. Ele sai da fúria do mar para a fúria dos demônios. Nesse despenhadeiro, entre os sepulcros, dois homens endemoninhados e demasiadamente furiosos ameaçavam quem por ali passava. Esse fato enseja-nos duas lições, como vemos a seguir.

Em primeiro lugar, *os demônios desumanizam as pessoas.* Esses homens viviam longe do convívio familiar e até mesmo do convívio social, pois estavam entre os sepulcros. Viviam entre os mortos.

Em segundo lugar, *os demônios brutalizam as pessoas.* Esses dois homens estavam demasiadamente furiosos. Eram uma ameaça aos transeuntes. Eram agentes de violência, um poço de ódio, um transtorno para a sociedade.

O medo avassalador dos demônios (8.29)

Ao verem Jesus, os demônios gritaram: *Que temos nós contigo, ó filho de Deus! Vieste aqui atormentar-nos antes do tempo?* Concordo com A. T. Robertson quando ele diz que Jesus trata os demônios como seres reais e separa a existência deles da personalidade humana.[1] Depreendemos desse versículo duas verdades, como vemos a seguir.

Em primeiro lugar, *Jesus é o libertador dos homens e o atormentador dos demônios.* Aqueles que imprimiam terror no coração dos outros eram agora eles próprios vítimas do medo.[2] Eles sabem que estão debaixo da autoridade de

Jesus. Sabem que serão julgados e condenados. Eles temem e tremem diante daquele que manda no céu, na terra e no inferno. Eles sabem que já estão sentenciados ao juízo final, e agora rogam que não sejam atormentados antes desse dia final.

Em segundo lugar, *Jesus é reconhecido pelos demônios como o filho de Deus*. A teologia dos demônios é mais ortodoxa do que a teologia dos teólogos liberais. Eles creem e tremem.

O pedido desesperador dos demônios (8.30-32)

Dois fatos nos chamam a atenção nessa passagem, como vemos a seguir.

Em primeiro lugar, *o pedido dos demônios* (8.30,31). Eles pedem para não serem atormentados antes do tempo e para serem enviados à manada de porcos que pastavam na região. Esse era um território gentio e, por isso, os porcos eram criados e comercializados.[3] Os demônios pedem para continuar nesse mesmo reduto.

Em segundo lugar, *a concessão de Jesus* (8.32). Ao deferir o pedido dos demônios, estes saíram dos homens e entraram na manada de porcos, os quais se precipitaram despenhadeiro abaixo e pereceram afogados no mar. À luz de Marcos 5.9, sabemos que se tratava de uma legião de demônios, ou seja, uma corporação de seis mil soldados. E sabemos, ainda, à luz de Marcos 5.13, que se tratava de dois mil porcos. Por que Jesus atendeu ao pedido dos demônios? Por quatro razões pelo menos: Primeiro, para mostrar ao mundo que os demônios não são seres mitológicos, mas seres reais e malignos. Segundo, para mostrar o poder devastador dos demônios, capaz de levar à morte dois mil porcos. Terceiro, para mostrar os valores distorcidos do mundo, que ama mais os porcos do que as pessoas. Quarto, para mostrar que ele, Jesus, é quem tem autoridade. Os demônios ficam se ele permitir e saem se ele mandar.

A rejeição veemente dos gadarenos (8.33,34)

Mateus nada informa sobre o novo estado dos dois endemoninhados libertos, de sua súplica para acompanhar Jesus e de seu envio aos seus para contar-lhes tudo o que Senhor fizera por eles. Apenas destaca a fuga dos que cuidavam dos porcos à cidade e o relatório dado sobre a queda e destruição dos porcos e a libertação dos dois homens. Em face disso, a cidade toda saiu para encontrar-se com Jesus, porém não para adorá-lo, nem mesmo para alegrar-se com a libertação dos dois endemoninhados, mas para rogar que Jesus se retirasse da terra deles. Esse fato enseja-nos algumas lições, como vemos a seguir.

Em primeiro lugar, *o perigo de valorizarmos mais os porcos do que os homens.* Os gadarenos não se alegraram com a libertação desses dois homens, mas se entristeceram pela perda dos porcos. Para eles, os porcos valiam mais que pessoas. Tasker diz que em todos os séculos subsequentes o mundo tem recusado Jesus porque prefere os porcos.[4]

Em segundo lugar, *o perigo de rejeitar o único que pode dar esperança.* Os gadarenos não rogaram a Jesus que ficasse com eles, como os dois caminhantes de Emaús, mas lhe rogaram que se retirasse da terra deles. Perderam uma grande oportunidade de serem visitados pela graça, de terem sido visitados pela grande salvação de Deus. Concluo com as solenes palavras de Charles Spurgeon:

> Esta é uma rara ocorrência de uma cidade inteira encontrando Jesus, e essa cidade foi unânime em seu apelo a ele. Infelizmente, foi uma unanimidade má! Aqui uma cidade inteira estava reunida em oração,

rogando contra a sua própria bênção. Pense no Senhor entre eles, curando a pior das doenças e ainda sendo instado a se afastar deles! Eles queriam estar longe do único ser glorioso que poderia abençoá-los. A oração deles foi horrível, mas foi atendida, e Jesus saiu de seus termos. Ele não forçará a sua companhia a ninguém. Ele será um convidado bem-vindo ou irá embora.[5]

Notas

[1] Robertson, A. T. *Mateus*, p. 103.
[2] Tasker, R. V. G. *Mateus: introdução e comentário*, p. 74.
[3] Mounce, Robert H. *Mateus*, p. 88.
[4] Tasker, R. V. G. *Mateus: introdução e comentário*, p. 75.
[5] Spurgeon, Charles H. *O evangelho segundo Mateus*, p. 144.

Capítulo 22

O poder de Jesus para perdoar pecados

(Mt 9.1-8)

Esse extraordinário milagre está registrado nos três evangelhos sinóticos. Jesus sai da região de Gadara, no lado leste do mar da Galileia, e volta de barco para Cafarnaum, a cidade que adotou como seu quartel-general. Ele está em sua própria casa (9.1), onde uma multidão se amontoa para ouvi-lo, bloqueando até mesmo a porta de entrada (Mc 2.2). No meio de toda essa gente que ouvia seus ensinamentos, estavam também fariseus e mestres da lei (Lc 5.17). Jesus acabara de vir de um tempo de oração, e o poder do Senhor estava sobre ele para curar (Lc 5.16,17).

É nesse momento que quatro homens levam a Jesus um paralítico (Mc 2.3).

Não podendo entrar na casa por causa da multidão postada à porta, eles abriram um buraco no teto da casa e desceram o paralítico através dele, colocando-o diante de Jesus (Lc 5.18). Ao ver a fé daqueles amigos, Jesus profere palavras de perdão ao enfermo, e acaba por receber imediatamente a censura dos escribas e fariseus. Mas Jesus cala seus críticos, curando o enfermo e ordenando-lhe voltar para sua casa, enquanto o povo dá glória a Deus e se admira de tão estupendo milagre.

Esse episódio enseja-nos algumas importantes lições, como vemos a seguir.

Jesus honra a fé dos amigos do paralítico (9.1,2)

Um homem paralítico é levado a Cristo, porque não poderia fazer isso por si mesmo. Seus amigos tiveram a visão, a criatividade, a perseverança e a fé de colocarem aquele homem na presença de Jesus. O que eles não podiam fazer por ele, sabiam que Jesus era poderoso para fazer. Eles carregaram o homem sobre seu leito rua afora. Não desistiram de ver um milagre em sua vida, mesmo quando a multidão não abriu caminho junto à porta da casa. Correndo todos os riscos e enfrentando todos os desafios, fizeram o inesperado e abriram o telhado para introduzir o enfermo no interior na casa, à frente de Jesus. O homem está triste e paralisado; o peso do pecado está em sua consciência, e seu corpo está em prisão, diz Spurgeon.[1]

Jesus honrou a fé desses homens e, por causa da atitude deles, Jesus perdoou e curou o paralítico.

Jesus cura o paralítico (9.2)

Jesus prova sua divindade realizando um poderoso milagre na vida desse paralítico. Quatro foram as curas operadas em sua vida, como vemos a seguir.

Em primeiro lugar, *a cura emocional* (9.2). Jesus diz a esse homem: *Tem bom ânimo...* O paralítico tinha um desânimo crônico, mas seus amigos têm fé. Se dependesse dele, preferiria ter ficado prostrado em sua cama. Mas Jesus trata de seus sentimentos e cura-o emocionalmente.

Em segundo lugar, *a cura psicológica* (9.2). Jesus chama esse homem de *filho*. Esse homem rendido ao desânimo estava com as emoções amassadas e com um profundo senso de desvalor. Ele se sentia menos do que gente, apenas um peso morto para sua família. Jesus cura suas emoções e também seus traumas. Levanta sua autoestima, chamando-o de filho.

Em terceiro lugar, *a cura espiritual* (9.2). Jesus cura o paralítico espiritualmente, dizendo-lhe: *... estão perdoados os teus pecados.* Só Deus perdoa pecados. Portanto, Jesus ao perdoar os pecados desse enfermo, está provando que não é blasfemador charlatão, mas o próprio Deus entre os homens.

Robert Mounce explica que no mundo antigo havia uma crença generalizada segundo a qual a doença era resultado imediato do pecado (Jo 9.1-3). Visto ser aceito em geral que só Deus pode perdoar pecados (Is 43.25), o ponto de vista dos escribas de que Jesus cometera blasfêmia (9.3), ao declarar perdoados os pecados do paralítico, parecia irrefutável. A única alternativa seria que Jesus fosse verdadeiramente Deus, conclusão que os escribas decidiram rejeitar. Jesus, percebendo seus pensamentos, propôs-lhes uma prova. Se aceitassem a premissa de que as enfermidades eram o resultado do pecado, se alguém tivesse o poder de curar, deveriam aceitar-lhe a autoridade para perdoar os pecados determinantes daquela enfermidade. É por isso que Jesus, então, lhes diz: *Para que saibais que o filho do homem tem sobre a terra autoridade para perdoar pecados* (9.6). É digno de nota que em nenhuma outra passagem, exceto Lucas 7.48, Jesus é mostrado perdoando pecados. Embora lhe tivesse sido dado o nome de Jesus porque ele *salvará o seu povo dos pecados deles* (1.21), esse perdão adviria como resultado de sua morte expiatória (26.28), e não de um ministério de absolvição.[2]

Em quarto lugar, *a cura física* (9.6,7). Chegou a hora da verdade. Jesus comprova seu poder divino de perdoar, ordenando ao paralítico levantar-se, tomar seu leito e voltar para sua casa. O resultado foi imediato. O homem saltou sobre os próprios pés. A cura operou-se instantaneamente. O homem levantou-se e partiu para sua casa. Suas articulações foram regeneradas. Seus músculos atrofiados foram restaurados. O homem recebeu uma cura completa e imediata. A. T. Robertson é oportuno, quando escreve: "A cura física do paralítico tornou-se o sinal visível para provar o poder messiânico de Jesus de, na terra, perdoar pecados como Deus perdoa".[3] Fritz Rienecker diz que na vida desse paralítico Cristo comprovou visivelmente em suas pernas aquilo que antes tinha realizado invisivelmente em seu coração.[4]

Jesus confronta seus críticos (9.3-8)

Os escribas, os mestres da lei e os fariseus, como fiscais de plantão, estavam naquela casa não para beber dos ensinamentos de Jesus, mas para o apanharem em algum ponto falho. Como já destacamos na introdução desta obra, os fariseus tornaram-se os principais opositores de Jesus. Tom Hovestol diz que os fariseus são os atores coadjuvantes mais importantes no grande drama da salvação. Eles são mencionados em mais de cem versículos no Novo Testamento.[5] O mesmo autor alerta sobre o fato de que, ao examinarmos as Escrituras, é possível descobrir que os inimigos mais implacáveis de Jesus raramente são as pessoas "mundanas". Os principais inimigos dos justos são muitas vezes as pessoas religiosas. Os principais oponentes de Jesus são os fariseus; os de Paulo, os judaizantes; e a igreja primitiva tinha de contender constantemente com os falsos mestres.[6]

Logo que Jesus declarou que o homem estava curado, os escribas e fariseus disseram consigo: *Este blasfema* (9.3). Marcos diz que eles arrazoavam em seu coração: *Por que fala ele deste modo? Isto é blasfêmia! Quem pode perdoar pecados, senão um, que é Deus?* (Mc 2.7).

Em que consistia o erro desses críticos contumazes?

Em primeiro lugar, *um conhecimento limitado da pessoa de Jesus* (9.3,4). Jesus já havia visto a fé dos quatro amigos que levaram o paralítico e agora conhece os pensamentos dos críticos. Eles estavam certos e errados. Certos porque, na verdade, só Deus pode perdoar pecados. Errados porque não haviam entendido ainda que Jesus era o próprio Deus feito carne. Porque não entendiam que ele era o próprio Deus entre os homens, perseguiram-no, enquanto deveriam estar adorando-o. Aquilo que eles entendiam ser blasfêmia de Jesus era, na verdade, blasfêmia na boca deles, pois negavam a divindade de Cristo.

Em segundo lugar, *um conhecimento limitado do poder de Jesus* (9.6,7). Jesus apanhou os escribas e fariseus com as cordas de sua própria teologia. Eles entendiam que o perdão sempre precede a cura e que a cura é uma evidência do perdão. Jesus deixa claro que é Deus e tem autoridade para perdoar pecados, ao curar o paralítico e enviá-lo de volta à sua casa. A cura do paralítico era notória e irrefutável. Portanto, seu poder para perdoar era incontestável. O perdão é um ato que só pode ser visto por Deus; a cura é evidência impossível de não ser vista pelos homens.

Esse estupendo milagre produziu alguns resultados, como vemos a seguir.

Primeiro, *ele calou a boca dos críticos* (9.6,7). Jesus silenciou a objeção capciosa dos escribas. Ninguém pode interpor-se no caminho de Jesus e prevalecer. A voz dos críticos emudece diante do poder de Jesus para perdoar e curar. Jesus cura tanto o espírito quanto a carne. Ele perdoa a alma e cura o corpo.

Segundo, *ele promoveu a glória de Deus* (9.8). Deus foi glorificado por esse milagre. Quando as obras de Deus são feitas na terra, o nome de Deus é glorificado no céu.

Terceiro, *ele produziu temor nas multidões* (9.8). Quando os pecadores são perdoados e os enfermos são curados, isso produz temor nos corações.

Quarto, *ele gerou alegria na família* (9.7). Esse homem, que fora motivo de sofrimento em seu lar, agora volta para sua casa curado, restaurado, perdoado e salvo. Concordo com Charles Spurgeon quando ele escreve: "A restauração de um homem pela graça é mais comemorada em sua própria casa".[7]

Notas

[1] Spurgeon, Charles H. *O evangelho segundo Mateus*, p. 146.
[2] Mounce, Robert H. *Mateus*, p. 91.
[3] Robertson, A. T. *Mateus*, p. 108.
[4] Rienecker, Fritz. *Evangelho de Mateus*, p. 150.
[5] Hovestol, Tom. *A neurose da religião*, p. 42.
[6] Ibidem, p. 46-47.
[7] Spurgeon, Charles H. *O evangelho segundo Mateus*, p. 149.

Capítulo 23

O poder libertador do evangelho

(Mt 9.9-17)

Depois que Jesus perdoa e cura um paralítico, mandando-o de volta para sua casa, ele convoca um homem rejeitado e odiado em Israel a deixar seu trabalho e segui-lo. Tanto em Marcos 2.14 quanto em Lucas 5.27, Mateus recebe o nome de Levi, embora este não ocorra em nenhuma das listas dos doze apóstolos (10.3; Mc 3.18; Lc 6.15; At 1.13). Ou Mateus é nome que se deu a Levi, quando se tornou discípulo, ou ambos os nomes pertencem à mesma pessoa, desde o começo.[1]

A passagem em apreço enseja-nos algumas lições, como vemos a seguir.

O evangelho abre as portas da graça aos rejeitados (9.9)

Jesus está ainda em Cafarnaum, cidade aduaneira, no caminho de Damasco para o Egito, rota por onde passavam grandes caravanas com suas mercadorias. Ali, Mateus tinha seu posto de coletoria. Ele cobrava impostos sobre os produtos que trafegavam por essa rota comercial, além de cobrar impostos dos barcos que cruzavam o lago para sair do território de Herodes. Os publicanos eram uma classe odiada em Israel. Trabalhavam para o império romano e, no exercício dessa profissão, extorquiam o povo, cobrando mais do que o estipulado. Eram vistos pelos judeus como traidores da pátria. Eram considerados gentios e pagãos por seus compatriotas. Tinham um enorme desfavor público. A. T. Robertson diz que os publicanos eram detestados porque praticavam extorsão.[2]

Robert Mounce ajuda-nos ainda a compreender essa realidade, com as seguintes palavras:

> Nos dias de Jesus os romanos impuseram pesados impostos sobre o povo, para todo tipo de coisas. Além dos três principais impostos (territorial, de renda e *per capita*), havia impostos sobre todas as mercadorias importadas. Todas as caravanas que utilizavam as principais estradas e todos os navios que aportavam eram taxados. Mateus era membro de um grupo desprezadíssimo de funcionários que cobravam impostos do povo judeu, entregando-os a Herodes Antipas, o tetrarca da Galileia e Pereia. Mateus com certeza instalara seu escritório à beira da grande estrada que ligava Damasco ao mar.[3]

É a esse homem odiado pelo povo que Jesus chama para segui-lo. É a esse homem colaboracionista do império romano que Jesus convoca para ser um apóstolo. É esse homem que amealha riquezas cobrando pesados tributos ao povo que escreve o primeiro evangelho. A graça de Deus é surpreendente: alcança os inalcançáveis. Abre a porta da salvação para os rejeitados. John MacArthur Jr. diz que, segundo o padrão de seus dias, Mateus era o pecador mais vil e mais miserável em Cafarnaum. Sendo um publicano, era uma ferramenta voluntária a serviço do governo de Roma, ocupado com a tarefa odiosa de arrancar de seu próprio povo o dinheiro dos impostos. Mateus era visto como um traidor de Israel. Os publicanos não podiam entrar na sinagoga. Eram considerados animais imundos e tratados como porcos. Não podiam servir de testemunhas em nenhum julgamento, porque não eram de confiança. Eram contados como mentirosos, ladrões e assassinos. A tradição rabínica dizia que era impossível a um homem como Mateus arrepender-se.[4]

Jesus não argumenta com Mateus; apenas ordena que ele o siga. O Senhor tem autoridade e a exerce. Sua voz é poderosa. Sua vontade é soberana.

Mateus não questiona nem adia sua decisão. Atende ao chamado de Jesus imediatamente. O texto diz: *Ele se levantou e o seguiu*. Oh, quão glorioso é o poder de Jesus para transformar homens da pior estirpe em vasos de honra! John Charles Ryle diz, corretamente, que Mateus atendeu prontamente ao chamado de Jesus e em consequência recebeu uma grande recompensa. Ele escreveu um dos evangelhos, um livro que se tornou conhecido em todo o mundo. Tornou-se uma bênção para outras pessoas. Deixou atrás de si um nome que é mais conhecido do que o nome de príncipes e reis. O homem mais rico do mundo, ao morrer, logo é esquecido. Porém, enquanto durar o mundo, milhões de pessoas conhecerão o nome de Mateus, o publicano.[5]

O evangelho abre as portas da graça aos que se reconhecem pecadores (9.10-13)

Mateus não se contenta em seguir Jesus. Ele quer apresentar Jesus a seus amigos. Oferece um banquete a Jesus e convida seus amigos para um encontro com o seu senhor. Sua casa se enche de publicanos e pecadores. Quem é alcançado pela graça, não retém esse privilégio apenas para si. Quem foi alcançado, é também um enviado. Quem achou pão com fartura, anuncia isso a outrem.

Os convidados de Mateus não eram pessoas respeitáveis aos olhos dos fariseus. Eram a escória da sociedade. As pessoas mais desprezadas da comunidade. Não podiam participar da sinagoga nem testemunhar nos tribunais.[6] Os fariseus, como fiscais alheios, não perderam a oportunidade de participar também desse encontro. Estão ali para censurar Jesus mais uma vez. Se no caso do paralítico eles acusaram Jesus de blasfemar, colocando-se como Deus, agora o acusam de ter comunhão com pecadores e publicanos, a escória da sociedade (9.11).

Lawrence Richards diz que a literatura rabínica contém diversas listas de profissões desprezadas. Proeminentes entre os proscritos, sociais, estavam os cobradores de impostos, ou publicanos, que obtinham o seu direito de cobrar impostos mediante uma oferta de dinheiro e depois extorquiam mais dinheiro do que era devido, para enriquecerem.[7] Na cartilha dos fariseus, a graça era apenas para pessoas decentes como eles e jamais para pecadores e publicanos. Jesus, porém, como médico do corpo e da alma, via-se compelido a entrar em estreito contato com os desterrados sociais.[8] Tom Hovestol está correto quando escreve: "O ápice de considerar-me justo é condenar os outros pelos pecados de minha alma".[9]

Jesus responde aos fariseus com ironia, mostrando que não eram os sãos que precisavam de médico, mas, sim, os doentes. Os sãos eram os fariseus, que viam a si mesmos como não padecendo nenhuma necessidade, embora a verdadeira condição deles fosse bem o contrário. Os doentes eram os marginalizados que reconheciam a necessidade de cura.[10] Jesus ensina, portanto, que só aqueles que se reconhecem doentes procuram um médico. Da mesma forma, só aqueles que se reconhecem pecadores buscam o abrigo de sua graça. Os fariseus se consideravam sãos e justos e, por isso, rejeitavam a graça.

Jesus ainda ensina que a religiosidade pomposa daqueles que se consideram justos não é aceita por Deus. Ao contrário, Deus quer misericórdia, e não holocaustos. A citação é de Oseias 6.6. O ministério de Jesus entre os cerimonialmente inaceitáveis é um ato de misericórdia, algo que agrada mais a Deus do que a atenção cansativa devotada pelos fariseus às ofertas sacrificiais.[11]

John MacArthur Jr. diz que a resposta de Jesus é um poderoso argumento triplo: apela para a experiência (ao comparar os pecadores a enfermos que precisam de um médico); para as Escrituras, fazendo voar pelos ares o orgulho dos fariseus, ao dizer-lhes: *Ide, porém, e aprendei* (9.13); e para sua autoridade pessoal, ao declarar: *Não vim chamar justos e sim pecadores* [ao arrependimento] (9.13; v. tb. Lc 5.32). É como se Jesus dissesse: "Vocês afirmam que são justos, e recebo isso como uma autoavaliação. Mas, se é esse o caso, nada tenho a dizer-lhes, pois vim chamar pecadores ao arrependimento".[12]

Tom Hovestol diz oportunamente que, se entendermos corretamente o ataque que Jesus desferiu à tradição dos fariseus, a forma com que esmagou seu sistema, como ele destruiu as cercas que eles ergueram, como expôs a insinceridade velada deles, é fácil perceber de que maneira esse grupo passou a desprezá-lo.[13] Na mente desses fariseus legalistas, eles eram justos e bons, enquanto os demais homens eram injustos e maus. Porém, nenhum homem pode ser realmente bom até que saiba quanto é mau ou quanto poderia sê-lo. Nenhum homem é bom até que tenha espremido de sua alma a última gota do óleo dos fariseus.[14]

O evangelho abre as portas da graça para uma vida de jubilosa celebração (9.14,15)

No parágrafo anterior, a questão era se Jesus deveria estar comendo com marginais; agora a questão é se ele devia comer.[15] Jesus está sendo questionado agora não mais pelos fariseus, mas pelos discípulos de João. Os discípulos querem saber por que eles jejuam, mas os discípulos de Jesus não o fazem. Ao responder, Jesus reafirma que o jejum é um exercício espiritual legítimo e que chegará o dia em que seus discípulos jejuarão, mas agora, enquanto está com eles, estão como numa festa de casamento, e esse não é um tempo para jejuar, mas para celebrar. A vida cristã não é um funeral, mas uma festa. Não é um rosário de tristeza, mas uma celebração de alegria.

Charles Spurgeon, nessa mesma toada, diz que Jesus é o esposo que veio para conquistar e ganhar sua noiva; aqueles que o seguiam eram os convidados, os melhores companheiros do noivo; eles deveriam regozijar-se enquanto o noivo estivesse com eles, pois a tristeza não é adequada para as bodas. Nosso Senhor é a nossa alegria; sua presença é o nosso banquete. Em sua presença, há plenitude de alegria; em sua ausência, há profundidade de miséria.[16]

O evangelho abre as portas da graça para uma vida radicalmente nova (9.16,17)

Robert Mounce diz que as duas ilustrações da vida diária salientam a descontinuidade essencial entre as antigas formas de adoração no judaísmo e o novo espírito da era messiânica. No contexto, o pano novo e o vinho fresco representam o espírito alegre do cristianismo. O vestuário velho e os odres também velhos representam as formas restritivas do antigo culto.[17] Vejamos.

Em primeiro lugar, *a vida cristã não é uma mera reforma, mas uma vida absolutamente nova* (9.16). A vida cristã não é um remendo novo numa estrutura velha. Não é a reforma de uma casa velha nem um verniz de religiosidade numa estrutura podre. O evangelho produz uma mudança radical. A graça é transformadora. Faz do pecador uma nova criatura. Tudo se faz novo. Charles Spurgeon é oportuno quando escreve:

> Jesus não veio para reparar o manto desgastado de Israel, mas para trazer novas vestes [...]. Seus discípulos não deveriam reparar a velha religião do judaísmo, que se tornou desgastada. Eles eram homens novos, que não haviam sido escolhidos pelo espírito da tradição [...]. Jesus não veio para consertar nossa velha religiosidade exterior, mas para fazer um novo manto de justiça para nós. Todas as tentativas de adicionar o evangelho ao legalismo somente servirão para piorar as coisas.[18]

Em segundo lugar, *a vida cristã não pode ser acondicionada numa estrutura arcaica* (9.17). O farisaísmo com o seu legalismo pesado era como um odre velho, que não podia suportar o vinho novo da mensagem do reino dos céus. O poder do evangelho não pode ser aprisionado em velhas e arcaicas estruturas eclesiásticas. O vinho novo da vida cristã rompe os odres velhos das tradições religiosas. Charles Spurgeon, nessa mesma linha de pensamento, diz que o judaísmo, em sua condição degenerada, era um odre velho que já havia passado de seu prazo de utilidade, e nosso Senhor não deitaria o vinho novo do reino dos céus nele.[19]

Tasker diz que o vinho novo do perdão messiânico não seria conservado nos remendados odres do legalismo judaico.[20] Concordo com Richards quando ele diz que nossas categorias teológicas não devem nunca ter a mesma autoridade que as Escrituras. À medida que cada geração enfrenta novos desafios, precisamos retornar à Palavra de Deus, pedindo ao Espírito Santo que abra nosso coração e nossa mente para compreender a aplicar sua verdade.[21]

Fritz Rienecker diz, com razão, que essa palavra de Jesus tem máxima importância para todos os tempos. Mostra-nos quanto o Senhor ressaltou a importância da forma para o conteúdo. Revela com que clareza o Senhor reconheceu como imprescindível que a forma do cristianismo corresponda à sua natureza interior. Ou seja, não se pode colocar a forma acima da vida nem prender obstinadamente o espírito exuberante pela organização.[22]

NOTAS

[1] MOUNCE, Robert H. *Mateus*, p. 92.
[2] ROBERTSON, A. T. *Mateus*, p. 108.
[3] MOUNCE, Robert H. *Mateus*, p. 92.
[4] MACARTHUR JR., John. *O evangelho segundo Jesus*. São José dos Campos, SP: Fiel, 1991, p. 71-73.

[5] Ryle, John Charles. *Meditações no evangelho de Mateus*, p. 60.
[6] Sproul, R. C. *Mateus*, p. 233-234.
[7] Richards, Lawrence O. *Comentário histórico-cultural do Novo Testamento*, p. 39.
[8] Robertson, A. T. *Mateus*, p. 109.
[9] Hovestol, Tom. *A neurose da religião*, p. 49.
[10] Mounce, Robert H. *Mateus*, p. 93.
[11] Ibidem.
[12] MacArthur Jr., John. *O evangelho segundo Jesus*, p. 74-75.
[13] Hovestol, Tom. *A neurose da religião*, p. 51.
[14] Ibidem, p. 52.
[15] Mounce, Robert H. *Mateus*, p. 93.
[16] Spurgeon, Charles H. *O evangelho segundo Mateus*, p. 156-157.
[17] Mounce, Robert H. *Mateus*, p. 94.
[18] Spurgeon, Charles H. *O evangelho segundo Mateus*, p. 157.
[19] Ibidem, p. 158.
[20] Tasker, R. V. G. *Mateus: introdução e comentário*, p. 78.
[21] Richards, Lawrence O. *Comentário histórico-cultural do Novo Testamento*, p. 40.
[22] Rienecker, Fritz. *Evangelho de Mateus*, p. 158.

Capítulo 24

O poder de Jesus sobre a enfermidade

(Mt 9.20-22)

Jesus estava a caminho da casa de Jairo, para atender sua urgente necessidade, quando uma mulher hemorrágica toca, com fé, na orla de suas vestes e fica imediatamente curada. O milagre não se restringiu ao alívio imediato do sofrimento físico, mas abrangeu uma bênção maior, a salvação de sua vida.

Esse episódio foi registrado também por Marcos e Lucas. Tanto Marcos quanto Lucas informam que a mulher sofria havia doze anos e que despendera todos os seus bens com os médicos sem lograr nenhum êxito no tratamento. De igual modo, tanto Marcos como Lucas registram que Jesus interpela os transeuntes acerca do toque, pois sentira que dele saíra poder. Marcos e Lucas ainda declaram que a mulher se prostrou aos pés de Jesus, reconhecendo sua cura. Mateus faz o registro mais sucinto dessa ocorrência. Destacamos a seguir algumas lições oportunas.

Um sofrimento prolongado (9.20a)

Mateus registra: *E eis que uma mulher, que durante doze anos vinha padecendo de uma hemorragia...* Essa mulher é incógnita. Seu nome não é mencionado. O destaque é ao seu sofrimento. A hemorragia crônica não apenas a deixara anêmica, mas também impura. Essa mulher não podia casar-se, se fosse solteira, e não podia relacionar-se com o marido, se fosse casada. Não podia frequentar a sinagoga nem se relacionar com outras pessoas.

Além de amargar sofrimento tão atroz, vê seus recursos financeiros desidratando sem nenhum sinal de melhora. Assim como o sangue escoa de seu corpo, seus bens escoam na busca de uma cura que não vem. Seu estado se agrava à medida que os anos avançam.

Um toque de fé (9.20b,21)

Mateus prossegue: *... veio por trás dele e lhe tocou na orla da veste; porque dizia consigo mesma: Se eu apenas lhe tocar a veste, ficarei curada.* Essa mulher esconde-se no meio da multidão que segue a Jesus. Ele está na companhia de Jairo e de seus discípulos. Jesus está indo atender a uma causa urgente. A filha única do chefe da sinagoga está morta, e Jesus está a caminho para levantá-la da morte.

A mulher ouve acerca de Jesus. Não tentou agendar um encontro com ele. Nem sequer o interrompeu para pedir ajuda. Ela confia que, se apenas tocar na orla de sua veste, ficará curada.[1] Na mesma medida em que sua vida se debilitava por causa da hemorragia, sua fé se fortalecia. Ela tinha plena convicção de que bastava um toque. Mesmo que fosse sutil, anônimo, sem holofotes. Concordo, entretanto, com as palavras de Tasker: "Foi a presença e o poder de Jesus (Mc 5.30), não a fé da mulher, que efetuaram a cura. A fé desempenha o papel vital de liberar a atividade divina".[2]

Uma graça maravilhosa (9.22a)

O texto é enfático: *E Jesus, voltando-se e vendo-a, disse: Tem bom ânimo, filha, a tua fé te salvou...* Mateus não registra a pergunta de Jesus: *Quem me tocou?* Vai direto ao ponto e registra as palavras de encorajamento àquela mulher. Essa mulher experimenta três curas antes de receber a cura física: as curas emocional, existencial e espiritual. Vejamos.

Em primeiro lugar, *a cura emocional.* Jesus ordena a essa mulher ter bom ânimo. Ela já estava desanimada com a medicina. Os recursos dos homens não puderam lhe ajudar. Mas, agora, Jesus ordena que ela tenha bom ânimo. Jesus cura suas emoções amassadas pelos dramas da vida.

Em segundo lugar, *a cura existencial.* Jesus chama-a de filha. Essa mulher carregava muitos complexos. Era descartada. Não podia desfrutar da vida pública. Sentia-se sem valor, sem dignidade, sem prestígio. Sabendo das aflições de sua alma, Jesus restabelece em seu coração a dignidade da vida e chama-a de filha.

Em terceiro lugar, *a cura espiritual.* Jesus diz a ela: *A tua fé te salvou.* Essa mulher tinha uma doença mais devastadora que a hemorragia. Estava perdida. Seus pecados arruinavam sua alma. Ela recebe de Jesus perdão, antes de receber dele a cura.

Uma cura imediata (9.22b)

Mateus conclui o relato assim: ... *E, desde aquele instante, a mulher ficou sã*. O último estágio de sua cura foi a cura física. A hemorragia foi estancada. O mal foi debelado. A doença foi vencida. O poder de Jesus prevaleceu. A cura foi completa, imediata e eficaz.

Notas

[1] Sproul, R. C. *Mateus*, p. 244.
[2] Tasker, R. V. G. *Mateus: introdução e comentário*, p. 80

Capítulo 25

O poder de Jesus sobre a morte

(Mt 9.18,19,23-26)

Aqui vemos o segundo milagre de ressurreição operado por Jesus e registrado nos evangelhos. Depois de curar uma mulher que sofria de uma hemorragia crônica havia doze anos, ressuscita a filha de Jairo, de 12 anos. Jesus demonstra poder sobre a enfermidade e também sobre a morte.

Esse episódio está registrado nos três evangelhos sinóticos. Mateus faz o mais breve dos registros. Diferentemente de Marcos e Lucas, Mateus começa seu registro dizendo que a menina já estava morta quando Jairo se aproxima de Jesus. Mateus não registra as palavras de Jesus a Jairo; apenas destaca a caminhada de Jesus com Jairo até sua casa para ressuscitar sua filha. Semelhantemente, Mateus não faz nenhuma menção das palavras de Jesus endereçadas à menina morta; apenas diz que Jesus a tomou pela mão, e ela se levantou. Ainda, Mateus não menciona a ordem de Jesus à família para alimentar a menina; apenas destaca que a notícia sobre esse acontecimento correu por toda aquela terra.

Destacamos a seguir algumas lições oportunas.

O sofrimento nos leva aos pés de Jesus (9.18a)

Mateus escreve: *Enquanto estas coisas lhes dizia, eis que um chefe, aproximando-se, o adorou e disse: Minha filha faleceu agora mesmo...* (9.18). Esse chefe é chamado por Marcos e Lucas de Jairo. Era chefe da sinagoga de Cafarnaum. Homem de reconhecida reputação e destacado testemunho na sociedade. Homem de vida ilibada e respeitado pelo povo. A doença chegou à sua casa, e a morte arrancou de seus braços sua filha única, de apenas 12 anos. Essa tempestade de dor levou Jairo até Jesus. Seu sofrimento atroz fê-lo curvar-se aos pés do salvador para adorá-lo. Mais pessoas foram a Cristo na dor do que na alegria. Quando a angústia visita nossa casa, prostramo-nos aos pés de Jesus.

A fé não vê impossibilidades (9.18b)

Jairo continuou: *... mas vem, impõe a mão sobre ela, e viverá* (9.18). A fé ri das impossibilidades. A fé vê o invisível e apropria-se do impossível. O último milagre de ressurreição ocorrera no ministério de Eliseu, há mais de setecentos anos. Mas, agora, um grande profeta fora levantado. Jairo ouvira falar de como Jesus ressuscitara o filho único da viúva de Naim. A fé acende em sua alma a chama da esperança, e ele crê que nem mesmo a morte de sua filha poderia limitar o poder de Jesus.

Jesus sempre caminha conosco em nossas aflições (9.19)

Mateus registra: *E Jesus, levantando-se, o seguia, e também os seus discípulos* (9.19). Jesus nunca mandou embora aqueles que vieram a ele com o coração quebrantado. Ele caminha conosco em nossa dor. Ele não nos despreza nem nos desampara no dia da nossa aflição. Quando Jesus caminha conosco, não precisamos ter medo de más notícias. Quando ele vai conosco, a morte nunca tem a última palavra.

O solo da ressurreição prevalece sobre o coral da morte (9.23,24)

O vozerio dos tocadores de flauta e o alvoroço do povo na casa de Jairo anunciavam o drama da morte de uma menina que era a alegria de seus pais e ao mesmo tempo a garantia do futuro deles. Naquela casa enlutada, o coral da morte erguia seu lamento fúnebre. Lamentos extravagantes e gritos frenéticos se faziam ouvir. É diante desse coral da morte que Jesus faz o solo da ressurreição. Mateus assim registra: *Tendo Jesus chegado à casa do chefe e vendo os tocadores de flauta e o povo em alvoroço, disse: Retirai-vos, porque não está morta a menina, mas dorme. E riam-se dele*. Aqueles que estão desprovidos de fé escancaram a boca para o riso da zombaria, em vez de erguerem um cântico de vitória por causa da poderosa presença de Jesus, diante de quem a morte não pode erguer sua fronte altiva. Os incrédulos são retirados da casa antes de o milagre acontecer. Aos que não creem, não lhes é permitido ver o milagre!

Quando Jesus está conosco, a morte não tem a última palavra (9.25)

Jesus já havia demonstrado seu poder sobre o mar, os ventos, os demônios, a enfermidade e, agora, demonstra seu poder sobre a morte. Mateus escreve: *Mas, afastado o povo, entrou Jesus, tomou a menina pela mão, e ela se levantou*. Antes de Jesus entrar, ele afasta o povo incrédulo. Ao entrar, toma a menina pela mão, e ela se levanta da morte para a vida. O impossível aconteceu. A dor do luto foi estancada. A morte foi vencida. A alegria voltou àquela casa. O solo da ressurreição prevaleceu sobre o coral da morte. Fritz Rienecker registra esse milagre da seguinte maneira: "Com majestade régia, Jesus ordena à morte que devolva a sua presa. Nenhum sussurro, nenhuma fórmula, nem mesmo uma oração, mas somente: 'Eu te digo'. Assim como ele ordena aos demônios, também dá ordens à morte, e ela obedece. Chama o 'espírito', e ele retorna".[1]

O poder de Jesus torna-se notório (9.26)

O poder de Jesus sobre a morte tornou-se tão notório que a notícia desse acontecimento correu por toda aquela terra. Esses sinais confirmavam a messianidade de Cristo. Suas palavras eram irresistíveis, e suas obras, irrefutáveis.

NOTA

[1] RIENECKER, Fritz. *Evangelho de Mateus*, p. 161.

Capítulo 26

O poder extraordinário da fé

(Mt 9.27-31)

Jesus acabara de partir da casa de Jairo, quando dois cegos o seguiram até sua casa. Eles clamavam sem cessar, rogando compaixão ao filho de Deus. Jesus pergunta se eles tinham fé para crer que ele era poderoso para realizar o milagre. Eles sem detença afirmam que sim. Então, Jesus atende-lhes o pedido, e seus olhos são abertos. Conquanto Jesus lhes tivesse alertado de não contar a ninguém esse prodígio, eles saíram a divulgar esse grande milagre, e a fama de Jesus continuou espalhando-se por toda aquela terra.

Esse episódio enseja algumas lições, que vemos a seguir.

O clamor daqueles que têm fé (9.27)

Os dois cegos seguem Jesus, clamando por misericórdia. A cegueira não é uma doença dos olhos, mas a morte dos olhos. Assim como Jesus ressuscitara a filha de Jairo, eles rogam a Jesus para ressuscitar seus olhos. Estão mergulhados na escuridão. A não ser que Jesus opere neles o milagre, fecharão as cortinas da vida imersos em densas trevas. Eles nada exigem; apenas suplicam. Eles não pedem justiça; apenas compaixão. Eles reconhecem que Jesus é o Messias prometido, o filho de Davi. Quando esses dois cegos chamam Jesus de "filho de Davi", isso era muito mais do que reconhecer sua linhagem. Esse é um título messiânico. Sproul tem razão ao dizer que o reinado de Davi teve um fim. A idade de ouro transformou-se em bronze no reinado de Salomão, seu filho; e, após o reinado de Salomão, o reino se transformou em ferrugem ao ser dividido em dois. O registro dos reis de Israel e Judá é uma história de perversidade presente na vida e cultura do Antigo Testamento até ambos os reinos serem conquistados.[1]

A confiança inabalável da fé (9.28)

Ao entrar em sua casa e vendo que os cegos ainda clamavam por sua compaixão, Jesus lhes pergunta: *Credes que eu posso fazer isso? Responderam-lhe: Sim, Senhor!* A fé vê o invisível, ouve o inaudível e toma posse do impossível. A fé não se concentra nas limitações intransponíveis dos homens, mas na onipotência absoluta de Jesus. A fé não é sugestionamento emocional. Seu objeto é o próprio Deus. Não se fundamenta em misticismo. Não é crendice. Não é fanatismo. A fé tem um alicerce sólido. A. T. Robertson diz que os homens tinham fé, e Jesus lhes recompensa a fé.[2]

Devemos nos aproximar de Jesus com plena certeza de fé. Ele pode o impossível. Para ele, não há doença incurável nem vida irrecuperável. Ele pode tudo quanto quer. Para ele, não há impossíveis. Sua compaixão é sem limites, e seu poder é incomensurável.

A confirmação do poder da fé (9.29)

Mateus registra: *Então, lhes tocou os olhos, dizendo: Faça-se-vos conforme a vossa fé*. A fé move as mãos de Jesus, e Jesus não apenas ressuscita os olhos desses cegos, mas toca neles com ternura. A fé honra a Cristo, e Cristo honra a fé. Os cegos receberam a visão de Cristo, mas conforme a sua fé. Porque creram, eles viram. Porque confiaram, eles saíram da escuridão para a luz.

A vitória retumbante da fé (9.30,31)

O texto informa: *Abriram-se-lhes os olhos*. O milagre aconteceu. As células mortas ganharam vida. A parte morta do corpo voltou a viver. A fé que clama também confia, e a fé que confia recebe o milagre. A cura foi instantânea e completa. A luz voltou aos olhos daqueles dois cegos e, mesmo sob severa advertência para não fazerem propaganda do milagre, os homens não calaram a sua voz. Jesus advertiu-os de terem cautela porque não queria atrair oposição das autoridades judaicas precocemente nem queria que o povo o visse apenas como um operador de milagres.

Após a ressurreição da filha de Jairo, a fama do milagre correu por toda aquela terra (9.26). Agora, depois da cura dos dois cegos, a fama de Jesus se espalhou mais uma vez por toda a região (9.31). Os gloriosos feitos de Jesus, como ondas gigantescas, vão crescendo e se espalhando por toda a Galileia.

NOTAS

[1] SPROUL, R. C. *Mateus*, p. 250.
[2] ROBERTSON, A. T. *Comentário de Mateus*, p. 111.

Capítulo 27

Admiração e blasfêmia

(Mt 9.32-34)

Logo que os dois homens curados saíram da casa de Jesus, trouxeram-lhe um mudo endemoninhado. Jesus expulsou o demônio do homem e ele passou a falar. Enquanto as multidões admiradas diziam nunca ter visto tal coisa em Israel, os fariseus murmuravam e blasfemavam, dizendo que Jesus expelia os demônios pelo maioral dos demônios. Esse episódio enseja-nos algumas lições.

O poder dos demônios é real (9.32)

A mudez desse homem levado a Jesus não tinha uma causa física, mas espiritual. O que estava nele não era uma enfermidade, mas um demônio. Nenhum remédio podia aliviar-lhe o sofrimento.

Os demônios não são mitos. Não são seres lendários. São seres espirituais malignos. Atormentam os homens com sofrimento físico, emocional e espiritual. Esse homem tem língua, mas sua língua está impedida. Ele vive no cativeiro do silêncio. Jesus não lida com os sintomas, mas com a fonte da doença. A mudez era o sintoma, mas a causa era um demônio. O demônio havia silenciado o homem e, assim, quando o demônio foi expulso, o mal se foi; e, quando o mal se foi, o mudo falou.

O poder de Jesus é absoluto (9.33a)

Se o poder dos demônios é real, o poder de Jesus é absoluto. Os demônios estão debaixo de sua autoridade. Não podem resistir ao seu poder. Eles saem se Jesus mandá-los embora e ficam se Jesus o permitir. Tão logo Jesus expeliu o demônio, o homem passou a falar. Sua língua foi destravada.

A admiração da multidão é genuína (9.33b)

Esse extraordinário milagre produziu grande admiração nas multidões. Elas não puderam se conter, mas exclamaram: *Jamais se viu tal coisa em Israel!* Afirmam, portanto, a singularidade de Jesus. Ele não é um entre tantos homens revestidos de poder. Ele é o Deus todo-poderoso. Até mesmo as chaves da morte e do inferno estão em suas mãos (Ap 1.18).

A blasfêmia dos fariseus é condenável (9.34)

Movidos por inveja, os fariseus, vendo as multidões deixar suas fileiras para seguir Jesus e receber dele tão magníficos milagres, não podendo negar seus gloriosos feitos, atribuíram esses feitos ao poder do maioral dos demônios. A. T. Robertson tem razão ao dizer que os fariseus, incapazes de negar a realidade dos milagres, procuram desacreditá-los tentando relacionar Jesus com o próprio diabo, o príncipe dos demônios.[1] Nessa mesma linha de pensamento, Fritz Rienecker diz que, como não podem negar *os fatos* de suas curas, os fariseus precisam difamar *a causa* desses eventos poderosos como sendo inspirados pelo diabo.[2] Charles Spurgeon aponta que os fariseus sugeriram que tal poder sobre os demônios se dava em virtude de um pacto profano de Jesus com o príncipe dos demônios.[3] Aqui os fariseus cruzaram a linha demarcatória. Aqui caíram no abismo da apostasia plena e irremediável. Aqui blasfemaram contra o Espírito Santo, o pecado sem perdão, pois atribuíram a Satanás o milagre realizado por Jesus pelo poder do Espírito Santo.

Notas

[1] Robertson, A. T. *Comentário de Mateus*, p. 112.
[2] Rienecker, Fritz. *Evangelho de Mateus*, p. 164.
[3] Spurgeon, Charles H. *O evangelho segundo Mateus*, p. 173.

Capítulo 28

Os fundamentos da missão

(Mt 9.35-38)

O texto em apreço trata do ministério itinerante de Jesus e oferece as ênfases de seu ministério: ensino, pregação e curas. Vamos examiná-lo:

O exemplo de Jesus (9.35)

Antes de Jesus enviar os discípulos, dando-lhes claras instruções, ele lhes deu seu exemplo. O exemplo não é uma forma de ensinar, mas a única maneira eficaz de fazê-lo. O ministério de Jesus foi dividido em três atividades fundamentais: ensino, pregação e cura. Essas atividades nos revelam que o Cristo que *fala* é o mesmo Cristo que *trabalha*. Ou seja, a atuação de Jesus se dá com palavras e atos, com cuidado pela alma e cuidado pelo corpo.[1] Vejamos essas três atividades com mais detalhes a seguir.

Em primeiro lugar, *o ministério do ensino* (9.35). Jesus não era um mestre comum, mas o mestre dos mestres. Não era um alfaiate do efêmero, mas o escultor do eterno. Ensinou não banalidades, mas a verdade. Ensinou não como os escribas e fariseus, mas com autoridade. Não ensinou dentro de uma sala de aula, mas percorreu todas as cidades e povoados. Só na Galileia havia 204 cidades com mais de quinze mil habitantes. Seu ensino ultrapassou as fronteiras de uma sala. Foi para a rua, para as vielas, para as vilas, para os campos. Onde estava o povo, lá estava Jesus ensinando. Aos sábados, ele ia às sinagogas para abrir o Sagrado Livro e ensinar o povo.

Em segundo lugar, *o ministério da pregação* (9.35). Em vez de Jesus gastar tempo com seus críticos, ele percorria todas as cidades e aldeias, ensinando, pregando e curando. Charles Spurgeon diz que essa foi a sua resposta às calúnias e blasfêmias dos fariseus. Em vez de perder o foco com os homens maus, Jesus demonstrou maior zelo em fazer o bem.[2] Jesus não pregava as doutrinas correntes dos rabinos nem uma mensagem de ataque ao sistema político vigente. Pregava o evangelho do reino, as boas-novas de salvação. A palavra grega *kerusso,* traduzida aqui por "pregando", traz a ideia do arauto. O arauto é aquele que traz uma mensagem do rei. Jesus foi enviado pelo Pai para pregar (Mc 1.38).

Em terceiro lugar, *o ministério de cura* (9.35). Jesus curou não apenas algumas doenças, mas toda sorte de doenças e enfermidades. Ele tratou do corpo e da alma. Terapeutizou o corpo e lancetou os abscessos da alma. Por intermédio de suas mãos, os cegos viram, os surdos ouviram, os mudos falaram, os aleijados andaram, os leprosos foram purificados, os endemoninhados foram libertos e os aflitos foram consolados. Nas palavras de William Barclay, "Jesus transformou as palavras da verdade cristã em ações de amor cristão".[3]

A compaixão de Jesus (9.36)

Jesus viu o povo num tempo em que os líderes espirituais de Israel eram incapazes de enxergá-lo. Ele viu o povo e tinha compaixão dele. A palavra grega *splagchnizomai,* traduzida por "compaixão", é a mais forte na língua grega para expressar a compaixão a outro ser humano. Deriva-se do substantivo *splagchna,* que significa "entranhas".[4] Não há missão sem compaixão. Não há ministério eficaz sem misericórdia. Jesus amava pessoas. Ele gostava de gente. Importava-se com elas. Era capaz de diagnosticar as angústias, as aflições e a exaustão das multidões. Via essas multidões como ovelhas sem pastor, frágeis, indefesas, inquietas, sem proteção, sem provisão.

Precisamos sentir compaixão pelas pessoas. Muitos obreiros fraudulentos olham as multidões apenas para explorá-las. Veem as ovelhas apenas como fonte de lucro. Arrancam sua lã e comem sua carne em vez de apascentá-las.

A constatação de Jesus – a carência de obreiros (9.37)

Jesus alerta seus discípulos acerca da vastidão da seara e do pequeno número de obreiros. Há escassez e deficiência de trabalhadores. O trigo maduro está pronto para a colheita; as multidões estavam prontas para serem ensinadas, mas havia poucos capazes de instruí-las. A demanda é maior do que a oferta. Nosso campo é o mundo. Precisamos ir até os confins da terra, pregando o evangelho a toda criatura, fazendo discípulos de todas as nações. Os fariseus olhavam as multidões sem nenhuma compaixão, como palha que devia ser queimada no fogo; Jesus, porém, via as multidões como uma linda seara a ser colhida e entesourada. Para que a ceifa seja realizada, é necessário mais ceifeiros. Cada salvo deveria ser um ceifeiro. Há uns que vão, há outros que ficam, mas todos devem trabalhar na seara.

Passados dois mil anos da vinda de Jesus ter vindo ao mundo, de ele ter morrido pelos nossos pecados e ressuscitado para a nossa justificação, ainda há milhares de etnias não alcançadas. Muitos povos ainda não têm sequer um versículo da Bíblia traduzido para seu idioma. A carência é imensa. O tempo urge. Se falharmos em ganhar essa geração, teremos fracassado rotundamente. A ignorância não é um caminho para Deus. As falsas religiões prosperam. A igreja não pode se acovardar.

O mandamento de Jesus (9.38)

Antes de Jesus enviar seus discípulos a pregar, ordena que eles orem e orem para que o senhor da seara mande mais trabalhadores para a sua seara. Não podemos cumprir essa missão sozinhos. Precisamos de mais trabalhadores.

Não somos nós quem despertamos vocações. É Deus quem chama. É Deus quem manda trabalhadores. Somente Deus pode mandar ceifeiros. Charles Spurgeon diz que ministros feitos pelo homem são inúteis.[5] Nós precisamos orar para que aqueles que estão fazendo investimentos apenas para esta vida possam erguer os olhos e ver os campos brancos para a ceifa. A obra missionária se faz com os joelhos que oram, com os pés que vão e com as mãos que ofertam. A. T. Robertson diz que a oração é o remédio oferecido por Jesus para essa crise da falta de obreiros.[6] John Charles Ryle é oportuno quando diz que pela oração alcançamos aquele sem o qual o trabalho e o dinheiro disponível são em vão.

Mediante a oração, obtemos a ajuda do Espírito Santo. O dinheiro pode financiar. As universidades podem conferir erudição. As congregações podem eleger obreiros, e as autoridades eclesiásticas podem ordená-los. Porém, somente o Espírito Santo pode fazer os verdadeiros ministros do evangelho ou levantar obreiros leigos para a seara espiritual, obreiros que não têm de que se envergonhar.[7]

NOTAS

[1] RIENECKER, Fritz. *Evangelho de Mateus*, p. 166.
[2] SPURGEON, Charles H. *O evangelho segundo Mateus*, p. 173.
[3] BARCLAY, William. *Mateo I*, p. 371.
[4] IBIDEM, p. 372.
[5] SPURGEON, Charles H. *O evangelho segundo Mateus*, p. 176.
[6] ROBERTSON, A. T. *Comentário de Mateus*, p. 112.
[7] RYLE, John Charles. *Meditações no evangelho de Mateus*, p. 65.

Capítulo 29

A escolha dos apóstolos

(Mt 10.1-4)

A primeira coleção de discursos de Jesus foi o sermão do monte (Mt 5–7), onde ele falou do caráter dos súditos do reino e da espiritualidade do reino. Agora, no segundo discurso (Mateus 10), Jesus dá instruções aos discípulos em como pregar o evangelho do reino. Warren Wiersbe diz que, antes de Jesus enviar seus embaixadores para ministrar, pregou um "sermão de ordenação" para encorajá-los e prepará-los.[1]

Uma escolha soberana (10.1a)

Mateus é o mais sucinto dos três evangelhos sinóticos no registro desse importante episódio. Marcos diz que Jesus subiu ao monte e chamou os que ele mesmo quis, e esses vieram para junto dele (Mc 3.13). Lucas diz que Jesus se retirou para o monte, a fim de orar, e passou a noite orando a Deus. E, quando amanheceu, chamou a si os seus discípulos (Lc 6.12). Mateus não menciona o tempo de oração que precedeu a escolha nem mesmo enfatiza o fato de Jesus ter escolhido soberanamente os que ele mesmo quis. Fica, porém, implícito que, ao escolher seus doze discípulos (10.1), também chamados de apóstolos (10.2), Jesus foi absolutamente soberano nessa escolha. Nenhuma indicação humana nem pressão externa induziu Jesus a escolher este ou aquele. Ele faz todas as coisas conforme o conselho de sua vontade.

R. C. Sproul diz que há enorme diferença entre discípulo e apóstolo. Por definição, apóstolo é alguém enviado por um indivíduo poderoso que recebe dele autoridade. Como consequência, a pessoa enviada carrega a mesma autoridade de quem a enviou, e as ordens dela devem ser obedecidas como se viessem do próprio emissor.[2] Quando Jesus chamou os discípulos, delegou a eles a autoridade que havia recebido de Deus. Jesus deu aos apóstolos poder (*exousia*) sobre os demônios e doenças. Expulsar demônios ou curar doenças exige um poder que, por natureza, os homens não têm. Trata-se de um poder sobrenatural. Jesus outorgou esse poder aos doze para que eles fossem capazes de realizar essas obras poderosas.[3]

Uma autoridade concedida (10.1b)

Marcos registra que Jesus designou doze para estarem com ele, pregarem e exercerem autoridade de expelir demônios (Mc 3.14,15). Lucas só faz menção da escolha dos discípulos e relata o nome deles, mas não cita nenhuma autoridade a eles conferida para pregar ou expulsar demônios

(Lc 6.12,13). Mateus, por sua vez, não menciona o fato de Jesus ter designado os apóstolos para estarem com ele nem menciona o fato de Jesus tê-los enviado a pregar, mas aponta que Jesus deu a eles autoridade sobre espíritos imundos para os expelir e para curar toda sorte de doenças e enfermidades (10.1). É óbvio que essa tríplice autoridade foi dada aos apóstolos: pregar, libertar e curar. Vamos discorrer um pouco mais sobre esse importante tema a seguir.

Em primeiro lugar, *autoridade para pregar*. Embora a aflição física fosse imensa, a aflição espiritual era maior ainda. Daí a pregação ser a maior responsabilidade da igreja e a maior necessidade do mundo.

Em segundo lugar, *autoridade para libertar*. O homem sem Cristo é um prisioneiro. Prisioneiro dos demônios, de suas paixões e do sistema do mundo. O homem responde à pregação com arrependimento e fé, mas o homem precisa, também, ser liberto das forças espirituais que o oprimem.

Em terceiro lugar, *autoridade para curar*. O pecado produziu no homem doenças e enfermidades. No bojo da missão de Jesus, está também a cura dos males físicos. Os apóstolos receberam autoridade para curar toda sorte de doenças e enfermidades. A igreja tem uma missão terapêutica no mundo. O evangelho produz efeitos não só na alma, mas também no corpo (Tg 5.13-16). Como fica claro, os apóstolos receberam poderes especiais e a autoridade de Cristo para realizar milagres. Tais milagres faziam parte de suas "credenciais" (At 2.43; 5.12; 2Co 12.12; Hb 2.1-4). Eles curaram enfermos, purificaram leprosos, expulsaram demônios e ressuscitaram mortos. Esses quatro ministérios são paralelos aos milagres realizados por Jesus em Mateus 8 e 9. Era preciso possuir algumas qualificações para ser um apóstolo, como ter visto o Cristo ressurreto (1Co 9.1), ter tido comunhão com ele (At 1.21,22) e ter sido escolhido por ele (Ef 4.11). Os apóstolos lançaram os alicerces da igreja (Ef 2.20). De acordo com Apocalipse 21.14, os nomes dos doze apóstolos estão inscritos nos alicerces das muralhas da nova Jerusalém. Seguindo esses critérios, nenhum cristão nos dias de hoje pode ser considerado apóstolo.[4]

Um grupo heterogêneo (10.2-4)

Essa é a primeira menção dos doze apóstolos em Mateus. Os doze apóstolos representam o novo Israel: as doze tribos de Israel encontram sua contrapartida nos doze discípulos. Eles são chamados aqui de apóstolos (10.2); aliás, essa é a única vez que a palavra aparece em Mateus.[5] Esses poucos a quem Jesus confiou sua missão e aos quais concedeu sua autoridade viraram o mundo de cabeça para baixo (At 17.6).

As três listas dos apóstolos registradas pelos evangelhos sinóticos possuem ligeira diferença. Marcos coloca o nome de André, irmão de Pedro, depois dos filhos de Zebedeu. Lucas coloca o nome de Mateus antes do nome de Tomé e substitui o nome Tadeu por Judas, filho de Tiago. Tasker é da opinião de que Judas deveria ser o seu nome original, mas, depois, por causa do estigma ligado ao nome de Judas Iscariotes, foi substituído por Tadeu, que significa "ardoroso".[6] Mateus coloca o nome dos doze apóstolos em pares e é o único evangelista que traz a informação de que era publicano.[7] Fritz Rienecker enfatiza que, nas quatro listas do Novo Testamento, essas doze pessoas estão distribuídas em três grupos de quatro integrantes cada, sem que aconteça troca de um apóstolo de um grupo para outro. Disso parece resultar que o colegiado de apóstolos era formado por três círculos concêntricos, cujo relacionamento com Jesus se dava em graus decrescentes de intimidade.[8]

O grupo escolhido por Jesus era assaz heterogêneo. Havia homens da extrema direita como Mateus, que trabalhava a favor do império romano como cobrador de impostos, e Simão, o zelote, que defendia a luta armada contra o regime dos imperialistas. Esses homens eram galileus, exceto Judas Iscariotes, e também iletrados. Quatro deles eram pescadores. Dois deles, Tiago, filho de Alfeu, e Tadeu não são mencionados em nenhum outro lugar da Bíblia. Passaram incógnitos. Vamos detalhar a seguir um pouco mais sobre a vida de cada um deles.

Em primeiro lugar, *Simão Pedro*. Pedro, chamado Simão, era um pescador por profissão. Nascido em Betsaida (Jo 1.44), morava em Cafarnaum (8.5,14). Era um homem que falava sem pensar. Era inconstante, contraditório e temperamental. No início, não era um bom modelo de firmeza e equilíbrio. Ao contrário, estava constantemente mudando de um extremo para outro.

Pedro mudou da confiança para a dúvida (14.28,30); de uma profissão de fé clara em Jesus Cristo para a negação desse mesmo Cristo (16.16,22); de uma declaração veemente de lealdade para uma negação vexatória (26.33-35,69-75; Mc 14.29-31,66-72; Lc 22.33,54-62); de *nunca me lavarás os pés* para *não somente os pés, mas também as mãos e a cabeça* (Jo 13.8,9). Ele vivia sempre nos limites extremos, ora fazendo grandes declarações, *Tu és o Cristo, o filho do Deus vivo*, ora repreendendo a Cristo. Pedro fazia promessas ousadas sem poder cumpri-las: *Por ti darei minha vida*, e logo depois negava a Cristo. Pedro é o homem que fala sem pensar, que repreende a Cristo, que dorme na batalha, que foge e segue Jesus de longe, que nega a Cristo. No entanto, Jesus chama as pessoas não por aquilo que elas são, mas por aquilo que elas virão a ser em suas mãos.

Depois que Pedro foi restaurado, tornou-se um homem de oração, um homem ousado que não temia prisões nem açoites. Ao pregar, os corações se derretiam. Ao orar pelos enfermos, eles eram curados.

Em segundo lugar, *Tiago e João*. Eles eram explosivos, temperamentais, filhos do trovão. Um dia, pediram que Jesus mandasse fogo do céu para consumir os samaritanos (Lc 9.54). Eles eram também gananciosos e amantes do poder. A mãe deles pediu a Jesus um lugar especial para eles no reino (20.20,21). Tiago foi o primeiro a receber a coroa do martírio (At 12.2). Enquanto ele foi o primeiro a chegar ao céu, seu irmão, João, foi o último a permanecer na terra. Enquanto Tiago não escreveu nenhum livro da Bíblia, João escreveu cinco livros: o evangelho, três epístolas e o Apocalipse.

Em terceiro lugar, *André, irmão de Pedro*. Era um homem que sempre trabalhava nos bastidores. Foi ele quem levou o irmão Pedro a Cristo (Jo 1.40-42). Foi ele quem levou o garoto com um lanche a Jesus (Jo 6.8,9).

Em quarto lugar, *Filipe de Betsaida*. Filipe era de Betsaida, cidade de André e Pedro (Jo 1.44). Foi ele quem encontrou Natanael e o convidou para ver a Jesus (Jo 1.45,46). Era um homem cético, racional. Quando Jesus perguntou: *Onde compraremos pães para lhes dar a comer?* (Jo 6.5), ele respondeu: *Não lhes bastariam duzentos denários de pão, para receber cada um o seu pedaço* (Jo 6.7). Jesus disse: o problema não é *onde*, mas *quanto*. Quando Jesus estava ministrando a aula da saudade, no cenáculo, no último dia, Filipe levantou a mão no fundo da classe e perguntou: *Senhor, mostra-nos o Pai, e isso nos basta* (Jo 14.8).

Em quinto lugar, *Bartolomeu*. Bartolomeu é o mesmo Natanael que Filipe levou a Cristo.[9] Era um homem preconceituoso. Foi ele quem perguntou: *De Nazaré pode sair alguma coisa boa?* (Jo 1.46).

Em sexto lugar, *Mateus*. Era empregado do império romano, um cobrador de impostos (9.9). Era publicano, uma classe repudiada pelos judeus (10.3). Tornou-se o escritor do evangelho mais conhecido no mundo.

Em sétimo lugar, *Tomé*. Era um homem de coração fechado para crer. Quando Jesus disse: *... E vós sabeis o caminho para onde eu vou* (Jo 14.4), Tomé respondeu: *Senhor, não sabemos para onde vais, como saber o caminho?* (Jo 14.5). Tomé não creu na ressurreição de Cristo e disse: *Se eu não vir nas suas mãos o sinal dos cravos, e ali não puser o meu dedo, e não puser minha mão no seu lado, de modo algum acreditarei* (Jo 20.25). Contudo, quando o Senhor ressurreto apareceu para ele, prostrou-se aos seus pés em profunda devoção e disse: *Senhor meu e Deus meu!* (Jo 20.28).

Em oitavo lugar, *Tiago, filho de Alfeu, e Tadeu*. Nada sabemos desses dois apóstolos. Eles faziam parte do grupo. Pregaram, expulsaram demônios, mas nada sabemos mais sobre eles. Não se destacaram.

Em nono lugar, *Simão, o zelote*. Ele era membro de uma seita do judaísmo extremamente nacionalista.[10] Os zelotes eram aqueles que defendiam a luta armada contra Roma. Eram do partido de esquerda radical. Simão, o zelote, estava no lado oposto de Mateus. Eram posições radicalmente opostas. Os zelotes opunham-se ao pagamento de tributos a Roma e promoviam rebeliões contra o governo romano.

Em décimo lugar, *Judas Iscariotes*. Ele era natural da vila de Queriot, localizada no sul da Judeia, ou seja, era o único discípulo não galileu. Ocupou um lugar de confiança dentro do grupo. Era o tesoureiro e o administrador do patrimônio do "colégio apostólico". Não obstante esses privilégios, ele não era convertido. Era ladrão e roubava da bolsa (Jo 12.6).

Judas Iscariotes vendeu o seu Senhor por trinta moedas de prata. Era mesquinho, infiel, avarento, traidor e diabólico. Judas foi um instrumento do diabo (Jo 6.70,71). Depois de ter recebido as trinta moedas de prata como recompensa para entregar Jesus (26.14-16), Judas ainda teve a chance de arrepender-se, pois Jesus disse ao grupo apostólico: *Um dentre vós me trairá* (26.21). Mas Judas ainda teve a audácia de perguntar a Jesus: *Acaso sou eu, mestre*? (26.25). Judas serviu de guia para a soldadesca armada até os dentes que foi prender Jesus no Getsêmani (26.47), traindo o filho de Deus com um beijo. Judas traiu Jesus e não se arrependeu. Preferiu o suicídio ao arrependimento (27.3-5; At 1.18). A tragédia chocante da vida de Judas é prova não da impotência de Cristo, mas da impenitência do traidor. Charles Spurgeon alerta sobre a descrição que segue o seu nome: *aquele que o traiu.* Queira Deus que isso nunca seja citado após o nome de nenhum de nós![11]

Jesus transformou esses homens limitados e fez deles grandes instrumentos para transformar o mundo. Metade dos apóstolos não teve seus nomes destacados, nem são registradas quaisquer obras que tenham realizado por Cristo. Esses homens foram um elo digno com o passado de Israel e um fundamento sólido para a igreja do futuro.

Notas

[1] Wiersbe, Warren W. *Comentário bíblico expositivo*, p. 45.
[2] Sproul, R. C. *Mateus*, p. 261.
[3] Ibidem, p. 262.
[4] Wiersbe, Warren W. *Comentário bíblico expositivo*, p. 45-46.
[5] Mounce, Robert H. *Mateus*, p. 99.
[6] Tasker, R. V. G. *Mateus: introdução e comentário*, p. 85.
[7] Ibidem.
[8] Rienecker, Fritz. *Evangelho de Mateus*, p. 170.
[9] Spurgeon, Charles H. *O evangelho segundo Mateus*, p. 181.
[10] Unger, Merrill F. *The new unger's Bible hand book*. Chicago, IL: Moody Publishers, 1984, p. 387.
[11] Spurgeon, Charles H. *O evangelho segundo Mateus*, p. 181.

Capítulo 30

As diretrizes ministeriais de Jesus

(Mt 10.5-42)

Os doze apóstolos são agora enviados, a fim de proclamarem a mensagem do reino. Vejamos as diretrizes dadas por Jesus a esses homens chamados para serem enviados.

Instruções necessárias (10.5-15)

Depois de dar o exemplo aos seus discípulos (9.35), agora Jesus comissiona seus apóstolos (10.5). Destacamos a seguir algumas lições.

Em primeiro lugar, *Jesus dá o comissionamento* (10.5). Jesus envia os doze para uma grande jornada evangelística. A palavra grega *apesteilen,* traduzida por "enviou", vem da mesma raiz da palavra grega traduzida por "apóstolos". Marcos diz que Jesus os envia de dois em dois (Mc 6.7). Na comissão aos doze apóstolos, Jesus concede a eles poder e autoridade. Poder é a capacidade de realizar uma tarefa, e autoridade é o direito de realizá-la. Jesus concedeu ambos a eles.

Em segundo lugar, *Jesus dá a direção* (10.5b,6). Essa foi uma missão de Israel para Israel. A Galileia era rodeada por nações pagãs por todos os lados, exceto ao sul. Nessa direção, estava Samaria, área em que os israelitas que não foram deportados se misturaram racialmente com as forças de ocupação.[1] Jesus ordena aos doze apóstolos seguirem não rumo aos gentios, mas, de preferência, às ovelhas perdidas da casa de Israel. Concordo com as palavras de A. T. Robertson de que a proibição de ir aos gentios e samaritanos só se aplicou a essa aventura inicial. Os apóstolos tinham de dar a primeira oportunidade aos judeus e não se envolver com tensões inter-raciais que prejudicariam a sua causa nessa fase.[2] Somente depois da morte de Jesus, quando ele voltaria no triunfante poder da sua ressurreição, eles receberiam a comissão para evangelizar o mundo dos gentios (28.18-20).[3]

Em terceiro lugar, *Jesus dá a mensagem* (10.7,8). A missão dos discípulos era proclamar a vinda do reino e preparar o caminho do Rei. Os discípulos não criaram a mensagem; apenas a entregaram. Não levaram aos homens sua opinião, mas o evangelho do reino. Essa mensagem deveria ser pregada aos ouvidos e aos olhos. Eles deveriam pregar a proximidade do reino, curar os enfermos, ressuscitar os mortos e libertar os endemoninhados. A cura e a libertação fazem parte do evangelho. O Messias veio para libertar os cativos. Ele se manifestou para libertar os oprimidos do diabo e desfazer suas obras. O reinado de Deus não estava penetrando num vácuo de poder.

Charles Spurgeon chama a atenção para o fato de que esses atos de misericórdia estão em escala ascendente. Tudo isso, porém, deveria ser feito sem dinheiro ou recompensa: as suas capacidades não tinham sido compradas, e suas mensagens não deveriam ser vendidas.[4] Concordo com Fritz Rienecker quando ele diz que o envio dos doze abrange duas dimensões. A primeira é a pregação (10.7), e a segunda, o exercício da misericórdia (10.8). Ajudar com palavras e com ação – **esses** são os dois lados do envio. O envio autêntico sempre tem duas mãos. A mão direita traz a palavra; a mão esquerda, o amor. A mão direita traz o pão da vida; a mão esquerda, o pão de cada dia.[5]

Em quarto lugar, *Jesus dá a provisão* (10.9,10). Os discípulos não deveriam levar excesso de bagagem, mas apenas o suficiente para a jornada. Jesus não promete a eles luxo, mas o suficiente. Promete a eles não conforto, mas alimento. A obra é urgente, e o foco não está no conforto dos enviados, mas nas necessidades das pessoas que precisam ser alcançadas. Os obreiros devem concentrar suas atenções na tarefa em andamento, e não nos preparativos minuciosos. Deviam viajar sem carga, para poderem ir mais rápido e mais longe. Jesus não promete aos evangelistas luxo nem fausto, mas provisão adequada. O pregador cujas afeições estão centradas no dinheiro, em vestes, diversões e busca de prazeres evidentemente está compreendendo mal a sua vocação.

Os apóstolos deveriam confiar no provedor, e não na provisão. Eles não deveriam levar ouro, prata, cobre, túnica extra, alforje ou dinheiro. Deviam confiar na provisão divina enquanto faziam a obra. Jesus estava lhes mostrando que o trabalhador é digno do seu salário. Jesus queria que eles fossem adequadamente supridos, mas não a ponto de cessarem de viver pela fé. Jesus alerta sobre o perigo da ostentação.

Os mensageiros não deviam ser temidos nem invejados. Eles não deviam fazer da obra de Deus uma fonte de lucro.

Em quinto lugar, *Jesus dá a estratégia cultural* (10.11-13a). Os discípulos deveriam ir de cidade em cidade, de povoado em povoado e de casa em casa. Eles, que eram uma bênção nas mãos de Deus, deveriam ir com uma bênção para as famílias dignas que lhes franqueariam as portas. O que torna uma casa digna é a prontidão em receber os pregadores e sua mensagem. Outrossim, os evangelistas são dignos de seu sustento (1Co 9.14,15; 2Co 11.8), mas devem ter sensibilidade cultural. Não devem buscar casas mais ricas nem famílias mais aquinhoadas. Devem entrar numa casa e ficar ali até o fim da jornada. Os apóstolos deveriam ser sensíveis à cultura do povo. Deveriam comer o que se colocava na mesa em vez de ficar mudando de casa, enquanto permaneciam numa cidade.

Vale destacar que a hospitalidade era um dever sagrado no Oriente. Da hospitalidade, faziam parte a saudação, lavar os pés, oferecer comida, proteger e acompanhar na despedida. Os pregadores não podem violentar a cultura do povo ao pregar a Palavra de Deus. O evangelho deve ser anunciado dentro do contexto cultural de cada povo.

Em sexto lugar, *Jesus dá a orientação para aproveitar as portas abertas e não forçar as portas fechadas* (10.13b,14a). Onde houvesse rejeição, os apóstolos não deveriam permanecer; ao contrário, deveriam seguir adiante. Era preciso buscar portas abertas. Paulo orou por portas abertas e, onde elas se abriam, ele permanecia pregando, mas, onde elas se fechavam, ele ia adiante. O critério do investimento era o vislumbre de portas abertas.

Em sétimo lugar, *Jesus dá uma advertência sobre o perigo de rejeitar o evangelho* (10.14b,15). Os apóstolos deveriam sacudir o pó de suas sandálias e considerar aquele território pagão. Esse era um gesto de vigoroso desfavor.[6] Qualquer lugar, seja uma casa, seja uma vila ou cidade, que recuse aceitar o evangelho, deve ser considerado impuro, como se fosse um solo pagão. Não há salvação fora do evangelho. Não há salvação onde a Palavra de Deus é rejeitada. Rejeitar o enviado de Jesus é o mesmo que rejeitar a Jesus, aquele que envia. Receber os enviados de Jesus é o mesmo que recebê-lo (10.40). Rejeitar o evangelho do reino e seus benefícios imediatos e eternos é agravar ainda mais a condenação no dia do juízo.

Charles Spurgeon diz que as cidades malditas da planície (Sodoma e Gomorra) parecem ter tido uma terrível condenação, mas a sua porção não será tão insuportável quanto a daqueles a quem o evangelho é pregado com toda a liberdade; e, ainda assim, elas não desejam receber os seus mensageiros, nem mesmo ouvir a sua mensagem.[7]

Michael Horton, por outro lado, soa o alarme ao denunciar os pregadores modernos que têm diluído e radicalmente alterado o conteúdo do evangelho para transformá-lo apenas numa mensagem de terapia.[8] Um evangelho palatável para agradar os ouvidos dos pecadores é ineficaz para salvá-los. Isso é outro evangelho, um falso evangelho. O verdadeiro evangelho é repugnante aos lobos, mas é o evangelho que traz em suas asas salvação.

Advertências oportunas (10.16-23)

O texto em apreço contém solenes e oportunas advertências, que consideramos a seguir.

Em primeiro lugar, *um campo perigoso* (10.16a). O mundo sempre foi e sempre será hostil ao evangelho. Os mensageiros não são enviados para receber aplausos do mundo, mas para serem perseguidos pelo mundo. São ovelhas enviadas para o meio de uma alcateia. Os lobos são predadores de ovelhas. Quanto mais fiel for a igreja no mundo, mais o mundo perseguirá a igreja. Charles Spurgeon, entretanto, argumenta: "Quando Jesus envia ovelhas, elas podem ir sem medo, ainda que ao meio de lobos. Ele as envia não para lutar com os lobos, nem para retirá-los de seus covis, mas para transformá-los".[9]

Em segundo lugar, *uma atitude necessária* (10.16b). Jesus orienta seus discípulos a manter prudência e simplicidade em pleno equilíbrio. Eles devem ser prudentes como as serpentes e símplices como as pombas. O obreiro de Deus não deve provocar oposição gratuita nem negociar a verdade para viver em paz com o mundo. A. T. Robertson diz que a combinação de cautela e inocência é necessária para a proteção das ovelhas e a derrota dos lobos.[10]

Em terceiro lugar, *uma oposição generalizada* (10.17). A perseguição será política e religiosa. Os servos de Deus serão entregues nos tribunais e açoitados nos redutos religiosos. Cautela é a instrução dada por Jesus aos seus discípulos.

Em quarto lugar, *um propósito claro* (10.18). Mesmo quando os discípulos de Cristo são perseguidos, acusados e açoitados por causa de seu nome, o propósito de Deus não é frustrado. O Senhor permite isso para que, nessas circunstâncias, seus discípulos deem fiel testemunho de sua fé perante reis, governadores e todos os gentios.

Em quinto lugar, *uma promessa segura* (10.19,20). Jesus promete dar a seus discípulos palavras de sabedoria vindas do Espírito Santo nessas horas críticas de enfrentamento de tribunais, prisões e açoites. Como o apóstolo entendeu, um cristão preso é um embaixador em cadeias. Os homens podem prender um cristão, mas não podem algemar a Palavra de Deus. É óbvio que Jesus não está aqui desaconselhando os pastores a não preparar sermões.

Em sexto lugar, *uma perseguição familiar* (10.21). Os discípulos precisam estar preparados para toda sorte de embate e perseguição. A perseguição mais intensa não vem de fora, mas de dentro da própria família. Um irmão entregará à morte outro irmão, e o pai, ao filho. filhos se levantarão para matar seus próprios progenitores.

Charles Spurgeon diz, com razão, que ódios desnaturados emanam de amargura religiosa. A antiga serpente não apenas se esforça para envenenar a relação da criatura com o criador, mas mesmo a do filho com o pai e a da mãe com o filho.[11] Tasker afirma que os discípulos devem esperar perseguição, pois são discípulos e emissários daquele que foi desprezado e sofreu abusos, cujo ensino sempre causará divisões entre os homens, e não menos entre os membros da mesma família. Porém, nenhum volume de perseguição será capaz de impedir que esses apóstolos do mestre proclamem em público o que dele aprenderam em secreto.[12]

Em sétimo lugar, *uma perseverança recompensada* (10.22). Os discípulos receberão o ódio do mundo, mas também a recompensa de Deus. Aqueles que perseverarem até o fim serão salvos e receberão as venturas da vida eterna.

Em oitavo lugar, *uma atitude prudente* (10.23). A fé não anula o bom senso. Um cristão não deve expor-se a riscos desnecessários. Se a perseguição vem sobre ele numa cidade, ele deve fugir para outra cidade. Os discípulos não deveriam parar em uma cidade e contender com os magistrados, criando confusão e desordem, mas rapidamente deveriam sair quando sofressem oposição cruel. É o máximo de tolice tentar forçar os homens a aderirem à religião; avançamos com brandura, e não pela violência.[13] Como havia mais de duzentas cidades na Galileia, Jesus diz que eles nem chegariam a percorrer todas elas até que ele próprio fosse crucificado e voltasse a eles ressurreto dentre os mortos.

Encorajamento importante (10.24-33)

Depois de admoestar seus discípulos, Jesus encoraja-os, dando-lhes quatro palavras de estímulo, como vemos a seguir.

Em primeiro lugar, *o discípulo não tem imunidade especial, mas um exemplo superior* (10.24,25). Se o mundo odiou a Jesus, odiará seus discípulos também. Se chamaram Jesus de Belzebu, senhor das moscas, ou senhor dos sacrifícios idólatras, um epíteto ultrajante,[14] o que não farão aos seus domésticos? Os discípulos não devem esperar vida fácil à medida que saírem pregando, curando e libertando. A hostilidade do mundo, porém, não deve fazê-los desanimar. Nessas horas, eles precisam pensar em como o seu Senhor também foi tratado pelo mundo. O sofrimento é algo esperado. Charles Spurgeon tem razão ao dizer: "Se recebermos o mesmo tratamento que o nosso Senhor, temos honra suficiente, e isso é mais do que temos o direito de esperar".[15]

Em segundo lugar, *o discípulo não precisa ter medo dos homens, pois o poder humano sobre ele é limitado* (10.26-28). Os discípulos devem ter intrepidez para pregar. O mundo pode nos perseguir e até matar o nosso corpo, mas não tem o poder de matar a nossa alma. O poder do mundo é limitado. Devemos temer a Deus, que pode fazer perecer no inferno tanto a alma como o corpo. É o temor de Deus que nos livra do temor dos homens. Tasker interpreta corretamente a passagem quando diz que nenhum volume de perseguição será capaz de impedir que esses apóstolos do Messias proclamem em público o que dele aprenderam em secreto.[16] A pessoa que teme a Deus não tem mais nada a temer. Concordo com Warren Wiersbe quando ele escreve: "O julgamento dos homens no presente não nos assusta, pois vivemos em função do julgamento vindouro de Deus".[17]

Em terceiro lugar, *o discípulo não precisa ter medo das circunstâncias, pois sua vida é preciosa para Deus e está sob os seus cuidados* (10.29-31). Nem um pardal, cujo valor é tão pequeno, pode cair em terra sem o consentimento de nosso Pai. Portanto, não precisamos temer as circunstâncias porque valemos muito mais para Deus. Até mesmo os fios de cabelo de nossa cabeça estão contados, e nenhum deles se perderá (Lc 21.18).

Em quarto lugar, *o discípulo deve ter coragem para confessar Cristo na terra, para que Jesus o confesse diante do Pai que está nos céus* (10.32,33). Mesmo que o discípulo, no cumprimento de sua missão, seja preso e torturado, não deve negar a Cristo diante dos homens. A confissão na terra produz confirmação no céu. A negação na terra produz reprovação nos céus. Um dia estaremos diante do trono do julgamento, quando as recompensas serão distribuídas (1Co 5.10; Rm 10.14). Os servos fiéis ouvirão seu Senhor dizer-lhes: *Muito bem, servo bom e fiel.*

Renúncia imperativa (10.34-39)

Ser discípulo não é um programa ameno, mas um chamado para o sacrifício. Jesus, no texto em apreço, fala sobre quatro verdades solenes, que comentamos a seguir.

Em primeiro lugar, *Cristo causa divisão dentro da própria família* (10.34-36). Jesus veio não para estabelecer uma paz a qualquer preço, mas para trazer a espada da divisão entre o homem e seu pai, entre a filha e sua mãe e entre a nora e sua sogra. Quando o evangelho é recebido por uns e rejeitado por outros, isso levanta a perseguição dentro da própria família e, assim, os inimigos do homem serão os da sua própria casa (10.36). A. T. Robertson diz acertadamente que não é sentimentalismo piegas que Cristo prega, nem paz a qualquer preço. A cruz de Cristo é a resposta à oferta do diabo de fazer concessões ao domínio mundial. Para Cristo, o reino de Deus é retidão viril, e não mero sentimentalismo.[18] Concordo com Fritz Rienecker quando ele diz que não é o discípulo que tem de tomar a espada, mas é o inimigo que usa a espada. O inimigo quer exterminar o cristianismo. A luta até os extremos é a consequência natural e necessária da atuação de Jesus.[19]

Em segundo lugar, *Cristo exige renúncia* (10.37). O amor à família é natural, mas, se pai e mãe, filho e filha se interpuserem entre nós e Cristo, devemos escolher Cristo. Nosso amor a Cristo deve estar acima do nosso amor à família. Quem amar pai e mãe, filho e filha, mais do que a Cristo, não é digno dele. Nossos familiares não podem se transformar em nossos ídolos. Temos de estar prontos para fazer aquilo que Lutero exortou os cristãos na Marselhesa da Reforma: "Se temos de perder os filhos, bens, mulher; embora a vida vá, por nós Jesus está".[20]

Em terceiro lugar, *Cristo exige sacrifício* (10.38). Jesus deixa claro que o caminho do discipulado é tomar a cruz e segui-lo. É a primeira vez que Jesus usa a palavra "cruz" nesse evangelho. A cruz é instrumento de morte. Tomar a cruz significa enfrentar o maior sacrifício. É não considerar a vida preciosa para si mesmo. Nas palavras de Tasker, o discípulo precisa estar disposto a sofrer a morte de mártir, como um criminoso sentenciado, forçado a levar o madeiro da cruz ao lugar da execução.[21] Charles Spurgeon chama atenção para o fato de que há uma cruz para cada um, de modo que ela pode ser considerada "a sua cruz". E mais, não devemos arrastar a cruz atrás de nós, mas tomá-la sobre nós. Carregando a cruz, devemos seguir após Jesus, pois carregar uma cruz sem seguir Cristo é algo absolutamente miserável.[22]

Em quarto lugar, *Cristo mostra que seus valores estão em oposição aos valores do mundo* (10.39). No mundo, quem acha a vida, ganha; no reino de Deus, quem ganha a vida, perde. Perder a vida por causa de Cristo é ganhá-la. Tasker escreve: "Assegurar a sua vida negando a fé sob perseguição, ou, de outra maneira, conformar-se com o mundo à custa da sua própria consciência, é perder a vida".[23]

Recompensa garantida (10.40-42)

Depois de falar sobre a renúncia que os discípulos devem fazer, Jesus conclui seu discurso mencionando as recompensas que seus discípulos receberão. Destacamos a seguir três verdades.

Em primeiro lugar, *o discípulo tem a recompensa de representar aquele que o envia* (10.40). O discípulo é pequeno, vulnerável e frágil, mas quem o recebe, recebe aquele que o enviou, e quem recebe a Jesus, recebe o Pai, que o enviou. Logo, o discípulo que vai fazendo a obra representa o Deus que envia para a obra. Tem sua autoridade.

Em segundo lugar, *aqueles que recebem os enviados de Deus receberão galardão semelhante ao dos enviados* (10.41). Quem recebe um profeta enviado por Cristo, recebe o galardão de profeta. E quem recebe um justo, recebe o galardão de um justo.

Em terceiro lugar, *aqueles que cuidam dos enviados de Cristo não perderão o seu galardão* (10.42). O menor ato de serviço ao menor discípulo de Cristo será recompensado como se tivesse sido prestado ao próprio Cristo. Até mesmo o gesto mais singelo de oferecer um copo de água fria a um mensageiro de Deus não ficará esquecido aos olhos de Deus. Esse, de modo algum, ficará sem galardão.

Encerra-se aqui a primeira seção principal de Mateus, a revelação do Rei. Vimos até este ponto sua pessoa (1–4), seus princípios (5–7) e seu poder (8–10).[24]

NOTAS

[1] MOUNCE, Robert H. *Mateus*, p. 100.
[2] ROBERTSON, A. T. *Comentário de Mateus*, p. 116.
[3] TASKER, R. V. G. *Mateus: introdução e comentário*, p. 82-83.
[4] SPURGEON, Charles H. *O evangelho segundo Mateus*, p. 182.
[5] RIENECKER, Fritz. *Evangelho de Mateus*, p. 173.
[6] ROBERTSON, A. T. *Comentário de Mateus*, p. 118.
[7] SPURGEON, Charles H. *O evangelho segundo Mateus*, p. 185.
[8] HORTON, Michael. *Christless christianity: the alternative gospel of the american church*. Grand Rapids, MI: Baker, 2008, p. 75-76.
[9] SPURGEON, Charles H. *O evangelho segundo Mateus*, p. 188.
[10] ROBERTSON, A. T. *Comentário de Mateus*, p. 119.
[11] SPURGEON, Charles H. *O evangelho segundo Mateus*, p. 190.
[12] TASKER, R. V. G. *Mateus: introdução e comentário*, p. 83.
[13] SPURGEON, Charles H. *O evangelho segundo Mateus*, p. 191.
[14] ROBERTSON, A. T. *Comentário de Mateus*, p. 120.
[15] SPURGEON, Charles H. *O evangelho segundo Mateus*, p. 192.
[16] TASKER, R. V. G. *Mateus: introdução e comentário*, p. 83.
[17] WIERSBE, Warren W. *Comentário bíblico expositivo*, p. 48.
[18] ROBERTSON, A. T. *Comentário de Mateus*, p. 122.
[19] RIENECKER, Fritz. *Evangelho de Mateus*, p. 183.

[20] Hino "Castelo Forte", escrito por Martinho Lutero em 1529.
[21] TASKER, R. V. G. *Mateus: introdução e comentário*, p. 87.
[22] SPURGEON, Charles H. *O evangelho segundo Mateus*, p. 198.
[23] TASKER, R. G. V. *Mateus: introdução e comentário*, p. 87.
[24] WIERSBE, Warren W. *Comentário bíblico expositivo*, p. 49.

Capítulo 31

Quando a dúvida assalta a fé
(Mt 11.1-19)

Cinco vezes em Mateus ocorre uma fórmula de transição entre os grandes discursos da narrativa: *Quando Jesus acabou* (7.28); *tendo acabado* (11.1); *Tendo Jesus proferido* (13.53); *e aconteceu que, concluindo Jesus* (19.1); e *Tendo Jesus acabado* (26.1). Consequentemente, a divisão de capítulo não deveria estar aqui, pois 11.1 pertence à seção precedente.[1]

Esse episódio foi registrado apenas por Mateus e Lucas. Jesus está num ritmo intenso de trabalho. Ele não apenas dá instruções a seus discípulos e os envia a pregar, mas também os comissiona a ensinar e pregar nas cidades deles (11.1). É no meio dessa azáfama evangelística intensa de Jesus que João Batista, da prisão de Maquerós, a leste do mar Morto,[2] envia mensageiros a Jesus expressando as angústias de sua alma.

O filho do deserto está preso. O ministério de Jesus cresce, enquanto João Batista é esquecido na prisão. Os milagres de Jesus são notórios, enquanto o seu precursor vive na escuridão lôbrega do cárcere. As multidões fluem a Jesus e recebem seus milagres, enquanto João amarga o ostracismo de uma prisão imunda no calor escaldante do deserto da Judeia.

Concordo com Tasker quando ele diz que João, embora uma figura única na história bíblica, não era um super-homem. Ele estava sujeito, como todos os seres humanos, à depressão e à decepção. Não surpreende, pois, que, quando confinado ao cárcere, na fortaleza de Maquerós, junto ao mar Morto, depois de ter sido detido por Herodes, estivesse ficando impaciente e começando a perguntar por que Jesus não afirmava suas prerrogativas messiânicas de modo mais categórico e aberto. Talvez ele também esperasse que, se Jesus fosse o Messias, asseguraria a sua libertação do cárcere, onde era vítima das perversas maquinações de Herodes e Herodias.[3]

João está preso, mas seus discípulos levam a ele as notícias dos milagres operados por Jesus. É nesse contexto que quatro verdades saltam aos nossos olhos no texto em tela.

A dúvida que atormenta a alma (11.2,3)

Os milagres de Cristo eram públicos e chegavam ao conhecimento de João na prisão. Este, homem do deserto, estava preso na masmorra de Maquerós, nas proximidades do mar Morto. Diante de tantos sinais extraordinários operados por Jesus, João talvez tivesse a expectativa de ser libertado daquela masmorra por uma intervenção sobrenatural.

John Charles Ryle entende que a dúvida aqui não é de João Batista, mas foi formulada em benefício de seus discípulos.[4] Entendo, porém, que homens de Deus têm, também, seus momentos de fraqueza. Charles Spurgeon diz que pensamentos obscuros podem ficar mais avultados quando reprimidos em uma cela estreita.[5] Porém, em virtude de as circunstâncias não mudarem, João envia dois de seus discípulos a Jesus, para saber se ele era mesmo o Messias, ou haveria de esperar outro. Quais seriam as possíveis dúvidas de João?

Em primeiro lugar, *como conciliar as maravilhas que Jesus opera com a dolorosa situação que o atinge?* Jesus cura enfermos, liberta endemoninhados e ressuscita mortos, mas onde está Jesus que não vai ao encontro do seu profeta para libertá-lo? Esse é, também, o nosso drama. Como conciliar o poder de Jesus com as angústias que sofremos? Como conciliar o poder de Jesus com a inversão de valores da sociedade: Herodes no trono e João Batista na cadeia? Como conciliar o poder de Jesus num tempo em que uma moça fútil, uma mulher adúltera e um rei bêbado podem atentar contra a vida do maior homem, do maior profeta, sem nenhuma intervenção do céu?

Em segundo lugar, *como conciliar o silêncio de Jesus com a urgente necessidade de seu precursor?* Por que Jesus não se pronunciou em defesa de João? Por que não fez um discurso desbancando a prepotência de Herodes? Por que Jesus não foi apresentar-se como advogado de João Batista? Não é fácil conviver com o silêncio de Jesus na hora da aflição. João esperou libertação, mas sua cabeça foi cortada pela lâmina afiada de um soldado romano.

Em terceiro lugar, *como conciliar a não intervenção de Jesus com a mensagem de juízo que ele anunciara sobre o*

Messias? João anunciou um Messias que traria o juízo de Deus. O Messias que colocaria o machado na raiz da árvore. O Messias que recolheria a palha e a jogaria na fornalha acesa. João esperou que Jesus viesse exercer seu juízo, sua vingança, brandindo a espada, com uma corte celestial para libertá-lo. Mas o que João escuta é sobre os atos de misericórdia de Jesus. O Messias não se move para libertá-lo. Enquanto Jesus está cuidando dos enfermos, João está mais próximo do martírio.

Em quarto lugar, *a dúvida de João é alimentada não pelo calabouço, mas por expectativas não correspondidas.* João está enfrentando problemas, e Jesus continua suas atividades normalmente. O que vale a pena destacar é que João não engoliu suas dúvidas. Ele as expôs. Ele fez perguntas. Ele buscou a Jesus para resolver seus conflitos. Os homens de Deus, às vezes, são assaltados pela dúvida. Os homens mais santos são suscetíveis às dúvidas mais profundas. Isso aconteceu com outros servos de Deus no passado. Moisés quase desistiu certa ocasião (Nm 11.10-15). Elias pediu para morrer (1Rs 19). Jeremias também teve seu momento de angústia (Jr 20.7-9,14-18). Até o apóstolo Paulo chegou a ponto de desesperar-se da própria vida (2Co 1.8,9).

A resposta que pacifica o coração (11.4-6)

Duas coisas merecem destaque, como vemos a seguir.

Em primeiro lugar, *o que Jesus não disse.* Jesus não fica zangado diante das nossas dúvidas sinceras. Deus não rejeitou as perguntas de Abraão, de Jó e de Moisés, nem Jesus rejeitou as perguntas de João Batista. Por outro lado, Jesus não livrou João da prisão. Aquele que andou sobre o mar podia mudar o pensamento de Herodes e ferir de cegueira os soldados. Aquele que expulsou demônios podia abrir as portas da prisão de Maquerós. Mas Jesus não fez isso. Nenhum plano de batalha. Nenhum grupo de salvamento. Nenhuma espada flamejante. Apenas uma mensagem do reino.

Em segundo lugar, *O que Jesus fez.* Em vez de Jesus responder aos discípulos de João com palavras, responde-lhes com obras, com ações poderosas, curando muitos de moléstias, flagelos e espíritos malignos, e dando vista a muitos cegos (11.4,5). As obras evidenciadas por Jesus não são de juízo, mas de misericórdia. Jesus então diz para os mensageiros falarem a João Batista o que estavam vendo e ouvindo: os cegos veem, os coxos andam, os leprosos são purificados, os surdos ouvem, os mortos ressuscitam, e aos pobres é anunciado o evangelho (11.5). Talvez João quisesse ouvir: "Meus exércitos já estão reunidos. Cesareia, a sede do governo romano, está por cair. O juízo já começou". Mas Jesus manda "dizer: A misericórdia de Deus está aqui".

Três verdades devem ser aqui destacadas, como vemos a seguir.

Jesus dá provas de que ele é o Messias (11.5). Esses sinais seriam operados pelo Messias esperado (Is 29.18,19; 35.4-6; 42.1-7). Não era, portanto, necessário esperar outro Messias, pois o Jesus histórico é o Messias de Deus! Concordo com Tasker quando ele escreve: "A réplica de Jesus aos mensageiros de João expressa a sua consciência de que as suas obras de cura e de exorcismo são indicações do seu messiado (11.2-6)".[6] E Spurgeon acrescenta acertadamente: "Jesus é a sua própria prova. Se os homens quiserem argumentos em favor do evangelho, que eles ouçam e vejam o que ele é e o que faz. Digamos, portanto, à nossa alma na prisão da dúvida o que temos visto Jesus fazer".[7]

Jesus prega aos ouvidos e aos olhos (11.4). Jesus fala e faz, prega e demonstra, revela conhecimento e também poder.

Jesus prega aos ouvidos e aos olhos. A mensagem de Jesus a João tem três ênfases, como vemos a seguir.

Primeiro, a mensagem de Jesus mostra que o reino de Deus abre as portas para que os rejeitados sejam aceitos. Ninguém era mais discriminado na sociedade do que os cegos, os coxos, os leprosos e os surdos. Eles não tinham valor. Eram feridas cancerosas da sociedade. Eram excesso de bagagem à beira da estrada. Mas a esses que a sociedade chamava de escória, Jesus valorizou, restaurou, reciclou, curou, levantou e devolveu a dignidade da vida. Jesus manda dizer a João que o reino que ele está implantando não tem os mesmos valores dos reinos deste mundo.

Segundo, a mensagem de Jesus mostra que no reino de Deus a sepultura não tem força e a morte não tem a última palavra. O problema do homem não é o tipo de morte que enfrenta, mas o tipo de ressurreição que o aguarda. Se Jesus é o nosso Senhor, então a morte não tem mais poder sobre nós. Seu aguilhão foi arrancado. A morte foi vencida.

Terceiro, a mensagem de Jesus mostra que no reino de Deus há uma oferta gratuita de vida eterna. O reino de Deus é para o pobre, que se considera falido espiritualmente, não importando sua condição social. Enquanto João está pedindo a solução do temporário, Jesus está cuidando do eterno.

Jesus adverte sobre o perigo de não o reconhecer como Messias (11.6). Feliz é aquele que não encontra em Cristo motivo de tropeço. As vicissitudes da vida não podem abalar os fundamentos da nossa fé.

As credenciais que dignificaram João Batista (11.7-15)

Jesus envia os mensageiros de volta a João Batista e, então, em vez de fazer uma censura ao seu precursor, enaltece-o diante do povo. Cinco fatos sobre João Batista devem ser aqui destacados, como vemos a seguir.

Em primeiro lugar, *um homem que não se dobra diante das circunstâncias adversas* (11.7). João Batista não era um caniço agitado pelo vento, que se curva diante das adversidades. Era um homem incomum e inabalável. Ele preferiu ir para a prisão e ficar com a consciência livre a ficar livre com a consciência prisioneira. Ele preferiu a morte à conivência com o pecado do rei Herodes. O martírio é preferível à apostasia!

Em segundo lugar, *um homem que não se dobra às seduções do poder* (11.8). João Batista era um homem insubornável. Ele não viveu bajulando os poderosos, tecendo-lhes elogios, apesar de seus pecados. Ao contrário, confrontou-os com firmeza granítica e robustez hercúlea. Ele não vendeu sua consciência para alcançar o favor do rei. Não buscou as glórias deste mundo para angariar favores efêmeros, mas cumpriu cabal e fielmente o seu ministério.

Em terceiro lugar, *um homem preparado por Deus para uma grande obra* (11.9,10). João Batista era um grande profeta. Veio ao mundo em cumprimento à profecia. Seu nascimento foi um milagre, sua vida foi um exemplo, seu ministério foi uma obra de preparação para a chegada do Messias e sua morte foi uma demonstração de indobrável coragem. Spurgeon está certo quando escreve: "João era tudo o que os maiores profetas foram; e ele esteve mais próximo de Jesus do que os demais; os passos do seu mestre vinham logo atrás de seus calcanhares".[8]

Em quarto lugar, *um homem enaltecido pelo filho de Deus* (11.11). João Batista era um grande homem. Entre os grandes homens da antiga dispensação, João Batista foi o maior de todos (Mt 11.11). Muitos profetas apontaram para o Messias que viria, mas foi João Batista quem disse: *Eis o cordeiro de Deus, que tira o pecado do mundo!* (Jo 1.29). Foi ele quem preparou o caminho do Senhor (3.3-6). Foi ele quem batizou Jesus para que este desse início ao seu ministério.

Morris diz, com razão, que Jesus não parou ali. Disse que o menor no reino de Deus é maior do que João Batista. A vinda de Jesus marcava uma linha divisória. Ele veio inaugurar o reino. E o menor daquele reino é maior do que o maior entre os homens. João pertencia à era da promessa. O menor do reino é maior não por causa de quaisquer qualidades que venha a possuir, mas, sim, porque pertence ao tempo do cumprimento. Jesus não está subestimando a importância de João; está colocando a membresia do reino na perspectiva apropriada.[9]

Warren Wiersbe, na mesma linha de pensamento, diz que João foi arauto do Rei, anunciando o reino. Os cristãos de hoje são filhos do reino e amigos do Rei (Jo 15.15).[10] Tasker acrescenta: "Como precursor imediato do Messias, João é maior do que os profetas que predisseram a vinda do Messias, mas ele mesmo não é súdito do reino que o Messias viera inaugurar (11.7-15)".[11]

Em quinto lugar, *um homem que veio em cumprimento de profecias* (11.12-15). João Batista veio no espírito e no poder de Elias. Assim como Elias, na força do Senhor, confrontou o rei Acabe, o povo e os profetas de Baal, conclamando o povo de Israel a abandonar os ídolos e a voltar-se para Deus, João Batista também confrontou o rei Herodes Antipas, o povo e as autoridades religiosas de Israel, conclamando o povo ao arrependimento. A. T. Robertson esclarece esse ponto assim:

Aqui Jesus identifica João Batista como o "Elias" prometido em Malaquias. As pessoas entendiam que Malaquias 4.1 significava que Elias voltaria. João Batista negou que ele fosse o Elias renascido (Jo 1.21). Mas Jesus afirma que João Batista desempenhou o papel de Elias (17.12). E enfatiza o ponto: "Quem tem ouvidos para ouvir, ouça".[12]

A rejeição aos enviados de Deus (11.16-19)

Jesus comparou aquela geração a meninos imaturos, que não se contentavam com coisa alguma. João pregava uma mensagem severa e vivia de forma austera, e eles o rejeitaram, acusando-o de endemoninhado (11.16-18). Jesus andava entre o povo, identificava-se com o povo e pregava uma mensagem de salvação repleta de graça, e eles acusaram Jesus de glutão, beberrão e amigos dos pecadores (11.19) Aquela perversa geração recusou o precursor do Messias e também o Messias. Richards diz que Deus havia enviado dois mensageiros a essa geração: João Batista, o poderoso pregador nos moldes de Elias, e Jesus, cujo ministério foi marcado pela bondade e pelos milagres de cura. No entanto, os doutores da lei rejeitaram a ambos.[13] Warren Wiersbe destaca que eles não queriam nem o funeral nem o casamento, pois nada lhes agradava.[14]

Notas

[1] Robertson, A. T. *Comentário de Mateus*, p. 127.
[2] Mounce, Robert H. *Mateus*, p. 111.

[3] Tasker, R. V. G. *Mateus: introdução e comentário*, p. 90-91.
[4] Ryle, John Charles. *Meditações no evangelho de Mateus*, p. 75.
[5] Spurgeon, Charles H. *O evangelho segundo Mateus*, p. 203.
[6] Tasker, R. V. G. *Mateus: introdução e comentário*, p. 87.
[7] Spurgeon, Charles H. *O evangelho segundo Mateus*, p. 204.
[8] Ibidem, p. 205.
[9] Morris, Leon L. *Lucas: introdução e comentário*, p. 136.
[10] Wiersbe, Warren W. *Comentário bíblico expositivo*, p. 255.
[11] Tasker, R. V. G. *Mateus: introdução e comentário*, p. 87-88.
[12] Robertson, A. T. *Comentário de Mateus*, p. 130.
[13] Richards, Lawrence O. *Comentário histórico-cultural do Novo Testamento*, p. 155.
[14] Wiersbe, Warren W. *Comentário bíblico expositivo*, p. 255.

Capítulo 32

O convite da salvação

(Mt 11.20-30)

À guisa de introdução, destacamos a seguir duas verdades solenes.

Em primeiro lugar, *aqueles que rejeitam a oferta da salvação buscam sempre motivos para se desculparem* (11.16-19). Deus enviou João Batista pregando arrependimento, a fim de preparar o caminho para a chegada de Cristo, e os judeus disseram: ele tem demônio. O maior homem entre os nascidos de mulher é chamado de endemoninhado pelos incrédulos. Suas mentes estavam cegas pelo preconceito.

Deus enviou Jesus pregando o evangelho e os judeus disseram: ele é um glutão, bebedor de vinho e amigo dos pecadores. Ao último profeta e ao próprio filho de Deus, os homens rechaçaram.

Em segundo lugar, *aqueles que voluntariamente se tornam impenitentes não escaparão das consequências de seus pecados* (11.20-24). Jesus destaca aqui a responsabilidade humana. Essas cidades deveriam ter se arrependido, ou Cristo não as teria acusado. O arrependimento é um dever. Quanto mais os homens ouvem e veem a obra do Senhor, maior é a sua obrigação de se arrependerem.[1] A questão prática era a culpa daquelas cidades favorecidas na medida em que permaneciam insensíveis à visitação que teria convertido os sidônios pagãos; sim, e os faria se arrependerem rapidamente *há muito*, e isso de forma mais humilhante: *com saco e com cinza*. É um fato triste que os nossos ouvintes impenitentes rejeitem a graça que traria canibais aos pés do salvador.[2]

Jesus disse que haverá menor rigor para Tiro, Sidom e Gomorra, no dia do juízo, do que para as cidades que tinham visto seus milagres e ouvido sua pregação. As mais degradadas cidades do mundo estarão em situação mais confortável no dia do juízo do que aqueles que se recusaram a se arrepender e crer no evangelho de Cristo. Fritz Rienecker destaca a gravidade de rejeitar a graça. Ele diz que nada, nenhum pecado, por maior e mais execrável que seja, pode ser comparado a isso. Quem ouviu a mensagem da redenção pelo sangue de Cristo, e apesar disso continua seu próprio caminho em oposição a Deus, sobrecarrega-se com uma culpa maior que a do pior criminoso.[3]

Tasker afirma que a importante cidade de Cafarnaum, situada na costa do mar da Galileia, pela qual passava a grande estrada de Damasco ao Mediterrâneo, achava-se segura e próspera, satisfeita e autossuficiente. Foi tentada a dizer, é o que Jesus deixa entrever pela forma da pergunta que ora lhe dirige (11.23), aquilo que Isaías retratou como sendo dito por Babilônia: *Eu subirei ao céu; acima das estrelas de Deus exaltarei o meu trono* [...] *subirei acima das mais altas nuvens, e serei semelhante ao altíssimo.* E à espera da sua arrogância está uma condenação parecida com a que se prediz nas palavras dirigidas pelo profeta a Babilônia: *Serás precipitado para o reino dos mortos* (Is 14.13-15). É castigo maior do que aquele que sobrevirá a Sodoma no dia do juízo.[4]

É nesse contexto de rejeição e juízo que Jesus vai nos ensinar cinco importantes lições sobre a verdadeira conversão: humildade (11.25,26), revelação (11.27), arrependimento (11.28), fé (11.28) e submissão (11.29,30).[5]

Vamos examinar a passagem em tela, olhando cinco verdades magnas a seguir.

O orgulho fecha a porta da graça, enquanto a humildade é sua porta de entrada (11.25,26)

Depois de enfatizar a doutrina da responsabilidade humana (11.20-24), Jesus passa a tratar da gloriosa doutrina da eleição (11.25-27). Depois de pronunciar palavras de juízo sobre Corazim, Betsaida e Cafarnaum e falar que os sábios e entendidos estavam desprovidos de entendimento espiritual, Jesus fala a respeito da revelação do Pai aos pequeninos. Depois de falar sobre as trevas espessas do juízo, ele passa a tratar da aceitação da salvação. Os humildes e pequenos aceitam mais o evangelho do que os sábios e poderosos deste mundo.[6]

Charles Spurgeon destaca aqui quatro verdades sobre a eleição: Primeiro, o autor da eleição (11.25). Deus Pai é o autor da eleição. É o Pai quem escolhe e revela suas bênçãos. Segundo, os sujeitos da eleição (11.25). Os sujeitos da eleição podem ser vistos sob dois aspectos: escolhidos e rejeitados. Os pequeninos veem porque as santas verdades são reveladas a eles. Os homens que são sábios e entendidos aos seus próprios olhos não podem ver, porque confiam em sua própria fraca luz e não aceitarão a luz de Deus. Terceiro, a razão da eleição (11.26). A eleição é feita sobre o fundamento da soberana vontade do Pai. Quarto, o meio pelo qual a eleição opera (11.27). Tudo foi entregue a Jesus, o mediador. Não há outra maneira de conhecer o Pai a não ser por meio de Jesus.[7] O próprio filho é um mistério que ninguém conhece, a não ser o Pai ou aquele a quem o Pai quiser revelar (16.17).

Tasker tem razão ao dizer que os prósperos e autossuficientes habitantes das cidades da Galileia podiam estar cegos para a verdadeira natureza de Jesus e do significado das suas ações. Mas Jesus mesmo, longe de ter ressentimento pessoal, deu graças a Deus porque havia alguns, na maioria os menos sofisticados e os menos importantes, que se voltavam para ele para satisfazerem as suas mais profundas necessidades, pois compreenderam quem ele era realmente.[8] Robert Mounce é oportuno quando escreve:

> Os sábios e entendidos são os escribas e fariseus, guardiões oficiais da sabedoria israelita. Paulo se refere depreciativamente ao "sábio" e sagaz "inquiridor deste século", observando que, de acordo com as Escrituras, Deus destruirá "a sabedoria dos sábios" e aniquilará "a inteligência dos entendidos" (1Co 1.19,20). Os pequeninos são os seguidores de Jesus que, desembaraçados das ideias preconcebidas sobre como Deus deveria agir, aceitam Jesus e suas obras poderosas com fé simples.[9]

William Barclay observa que devemos prestar atenção para entendermos bem o que Jesus quis dizer com essas palavras. Jesus está muito longe de condenar a capacidade intelectual; o que ele condena é o orgulho intelectual. O coração, e não a cabeça, é a morada do evangelho. Não é a inteligência que fecha a porta, mas o orgulho. Jesus não relaciona a ignorância com a fé, mas relaciona a modéstia com a fé. Um homem pode ser culto como Salomão, mas, se não tiver humildade, fecha a porta da graça com as próprias mãos.[10]

Deus ainda continua enchendo de bens os famintos e despedindo vazios os ricos (Lc 1.53). O orgulho fecha a porta da graça. Aqueles que se julgam grandes por seus talentos, virtudes, riquezas, poder e merecimentos jamais poderão ser salvos, pois jamais sentirão necessidade de arrependimento e jamais sentirão necessidade do salvador.

John Charles Ryle diz que, para darmos o primeiro passo no caminho do céu, é necessário saber que estamos no caminho do inferno e que necessitamos do Espírito Santo para guiar-nos e ensinar-nos.[11]

Somente por meio de Jesus os pecadores poderão conhecer Deus (11.27)

Jesus se dirige a Deus como seu Pai e como o Senhor do céu e da terra. Ele destaca sua soberania na salvação e sua sabedoria em distribuí-la. Só podemos conhecer Deus porque ele se revelou a nós. Os sábios e entendidos são cegos espirituais. Eles confiam em sua própria sabedoria e desprezam o conhecimento de Deus. Por outro lado, Deus se revela aos pequeninos, àqueles que são desprovidos da sabedoria do mundo.

Jesus é quem revela o Pai. Jesus não é apenas *um* filho de Deus; ele é *o* filho de Deus. Ele é quem revela o Pai a nós. Ele é da mesma essência do Pai. Ele é coigual, coeterno e consubstancial com o Pai. Ele e o Pai são um. Ele é Deus de Deus e luz de luz. Se você quer ver como Deus é, se você quer ver a mente de Deus, o coração de Deus, a natureza de Deus, se você quer ver a atitude de Deus em relação aos pecadores, precisa olhar para Jesus.[12]

Ele é o único nome dado entre os homens pelo qual importa que sejamos salvos. Ele é o único mediador que nos reconcilia com o Pai. Ele é o Caminho, a Verdade e a Vida, e ninguém pode ir ao Pai senão por ele. Ele é a Porta. Nas suas mãos estão as chaves do paraíso. Ele é o Pastor: ouçamos sua voz e o sigamos. Ele é o médico: necessitamos, portanto, do seu auxílio, se desejamos libertar-nos da lepra do pecado. Ele é o Pão da Vida: necessitamos alimentar-nos dele. Ele é a Água da Vida. Devemos nos dessedentar nele. Ele é a luz do mundo: devemos segui-lo.[13]

O mais glorioso de todos os convites (11.28a)

Tendo Jesus toda a autoridade e todo o poder, ele nos faz o mais glorioso de todos os convites. Esse convite só é registrado por Mateus. O convite de Jesus é dirigido em primeira instância àqueles sobre cujas costas os fariseus lançavam pesadas cargas, exigindo meticulosa observância das intrincadas elaborações que fizeram da lei.

O convite de Jesus tem três características, que comentamos a seguir.

Em primeiro lugar, é um convite universal (11.28). *Vinde a mim todos os que estais.* Jesus dirige essas palavras exatamente nas mesmas cidades onde foi rejeitado. Mesmo naquelas cidades onde é chamado de glutão e beberrão, ele está disposto a receber e perdoar as pessoas. Jesus não disse à humanidade pecadora: "Afastem-se de mim", mas, sim: *Vinde a mim.*

Esse convite é dirigido a todos os homens, de todos os lugares, de todos os tempos, de todas as culturas, de todos os estratos sociais. É dirigido ao rico e ao pobre, ao doutor e ao analfabeto, às crianças e aos idosos, aos homens e às mulheres, aos ateus e aos religiosos.

Esse convite é dirigido a você. Jesus não tem preconceitos; ele não faz acepção de pessoas. Ele não escolhe as pessoas pela cor da sua pele, pelo seu *status* social ou pela sua religião. Ele ama a todos sem distinção e convida a todos à salvação. A porta da graça está aberta. A porta do céu está escancarada. O banquete da salvação está preparado. E o convite é dirigido a você, agora!

Jesus está pronto a aliviar a sua bagagem. Ele está pronto a perdoar seus pecados. Ele está pronto a dar a você um novo coração, uma nova mente, uma nova vida, um novo futuro.

Jesus o convida na condição em que você está. Venha a Cristo mesmo cansado e sobrecarregado. É ele quem vai aliviar você. É ele quem vai dar a você descanso. Há muitos que estão descansando em Jesus, mas ainda há lugar para você vir e descansar nele também. Só nele você encontra descanso para sua alma.

Em segundo lugar, é um convite para uma relação pessoal com Jesus (11.28). *Vinde a mim*... A salvação não é uma relação com uma instituição. Jesus não convida para ir à religião; às obras; à caridade; à penitência; ao sacrifício. Ele convida: Vinde a mim. Ele convida para uma relação pessoal com ele. Ele convida você para ir a ele. Ele é a fonte. Ele é o Caminho. Ele é a Porta. Ele é o mediador. Ele é o salvador. Ele é a Vida Eterna. Só Jesus satisfaz. Só ele pode perdoar seus pecados. Só ele pode reconciliar você com Deus. Só ele pode guiá-lo ao céu.

A sua religião não pode salvar você. A sua igreja não pode salvar você. A sua doutrina não pode salvar você. As suas obras não podem salvar você. Maria não pode salvar você. Pedro não pode salvar você. Só Jesus pode dar sentido à sua vida e dar a você a vida eterna.

O que leva Jesus a convidar você a ir a ele? Não é porque ele seja incompleto sem você. Não é porque ele precisa de você. Não é porque você merece. Não é porque você tem méritos. É pela graça de Deus. A causa do amor de Cristo está nele mesmo.

Em terceiro lugar, é um convite para aqueles que têm consciência de sua necessidade (11.28). ... *todos os que estais cansados e sobrecarregados*. O verbo *kopiáo* descreve um cansaço que se instala após pesado trabalho corporal, enquanto *portizo* expressa o estar sob pesada carga de responsabilidade.[14] Concordo com John Charles Ryle quando ele diz que Jesus não se dirige àqueles que se sentem justos e dignos em si mesmos, mas a todos os que sentem um peso no coração e desejam tornar-se livres da carga do pecado.[15]

Esse convite de Jesus é dirigido em primeira instância àqueles sobre cujas costas os fariseus lançavam pesadas cargas, exigindo meticulosa obediência às suas pesadas tradições.[16] William Barclay destaca que, para um judeu ortodoxo, a religião era algo que consistia em pesadas cargas.[17] Jesus disse que os fariseus *atam fardos pesados* [e difíceis de carregar] *e os põem sobre os ombros dos homens; entretanto, eles mesmos nem com o dedo querem movê-los* (23.4). Eles tinham regras e mais regras, preceitos e mais preceitos. Viviam esmagados debaixo dessas inúmeras regras e tradições. Jesus diz, porém, que o seu jugo é suave e o seu fardo é leve. A palavra "suave" significa do tamanho certo, pois seu jugo é feito sob medida para nossa vida e nossas necessidades, e não é pesado realizar sua vontade.[18]

O convite da salvação não é oferecido àqueles que se julgam bons, justos, merecedores. É endereçado aos que têm consciência da sua necessidade, aos pecadores, aos injustos, aos que gemem debaixo da canga pesada de seus pecados, aos que sofrem pelo peso da culpa, aos que choram por suas mazelas.

O convite de Jesus é dirigido aos que se sentem cansados, tristes, sem amparo. Jesus chama a si aqueles que desejam libertar-se do profundo desânimo de que se acham possuídos, provocado quer pelo pecado, quer pelo infortúnio, quer pelo remorso.[19] Concordo com Sproul quando ele diz que não há fardo mais esmagador para a alma humana do que a culpa. Quando carregamos culpas não resolvidas, culpas não perdoadas, elas nos oprimem e minam nossa alegria. Na magnífica alegoria *O peregrino,* de John Bunyan, quando Cristão saiu da cidade da destruição, ele carregou um peso enorme nas costas que o perturbou até que fosse descarregado na cruz. Essa bagagem que o oprimia era a culpa.[20]

Jesus destaca dois pontos, como vemos a seguir.

Há pessoas cansadas que precisam de descanso. Se você está cansado de seus pecados, se você está cansado de lutar sozinho para vencer suas fraquezas, se você está cansado de tentar fazer o melhor para Deus e fracassar, então esse convite é para você.

Se você está cansado de gemer sob o peso da culpa, com a consciência atormentada pelos flageladores, se você anda perturbado e sem paz, fustigado e atormentado pelo acusador, então esse convite é para você.

Se você está cansado de guardar preceitos e mais preceitos, regras e mais regras, enfastiado com um legalismo opressor, sem paz na alma, sem alegria no coração, sem certeza de vida eterna, então esse convite é para você.

Se você está cansado de viver no cabresto do diabo, prisioneiro do legalismo, da impureza, da cobiça, da maldade, acorrentado pelas grossas correntes dos vícios, então esse convite é para você.

Se você está cansado de lutar sozinho para se libertar de práticas que atormentam a sua alma no recesso da sua vida íntima, então esse convite é para você. Jesus oferece a você descanso!

Há pessoas sobrecarregadas que precisam de alívio. O pecado é um peso. O pecado é malignissimo. O pecado é pior do que a pobreza, do que a doença e do que a morte. Ele faz você gemer debaixo de uma carga esmagadora. Você está achatado, esmagado, amassado e não sabe como sair debaixo desse peso opressor. Então é hora de clamar a Jesus e deixar que esse fardo role para a cruz de Cristo.

Se você está sobrecarregado por causa do pecado, da culpa, do remorso e do medo da morte, esse convite de Jesus é para você.

Se você está sobrecarregado pela ansiedade, pela angústia, pelo desespero, esse convite de Jesus é para você.

Se você está sobrecarregado por sofrimento, doença, pobreza, opressão e conflitos familiares, esse convite de Jesus é para você.

Se você está sobrecarregado por dúvidas, tentações, conflitos e prisões morais, esse convite de Jesus é para você.

A mais gloriosa de todas as promessas (11.28b,29)

Jesus promete: *...eu vos aliviarei* [...] *e achareis descanso para a vossa alma.* O descanso para a alma não está na religião, não está na igreja, não está nos credos, não está nas obras, não está nas preces, não está na ioga, não está na meditação transcendental, não está nas penitências, não está na psicologia de autoajuda. Está em Jesus. Só ele pode aliviar nossa bagagem. Só ele pode dar-nos o alívio. Só Jesus pode nos dar verdadeiro descanso para a alma.

Vivemos num mundo que busca o prazer. Um mundo que corre atrás de satisfação e felicidade. Mas as festas do mundo terminam em cinzas. No fundo da garrafa, está não o descanso da mente, mas o tormento da alma. Na cama do adultério, está não o prazer que satisfaz, mas o gosto de enxofre. Nas viagens fantasiosas das drogas, está não a paz interior, mas uma dependência avassaladora que faz arder até os ossos com o fogo do inferno. A satisfação não está no sucesso. Muitos daqueles que chegam ao topo dessa pirâmide se atiram de lá de cima no abismo do suicídio ou das drogas. A satisfação da alma não está no dinheiro. A riqueza material não preenche esse vazio da sua alma. Essa satisfação só pode ser encontrada em Jesus.

Assim como a pomba de Noé encontrou uma arca sobre a qual pôde repousar, também você pode encontrar em Jesus Cristo tranquilidade, proveniente do perdão dos seus pecados, e descanso, resultado da paz com Deus. Jesus oferece a você descanso para a consciência por meio de sua expiação e de seu perdão. Jesus oferece a você descanso para a mente, pela sua infalível instrução da verdade. Jesus oferece a você descanso para o coração pelo derramamento de seu amor no seu coração. Jesus oferece a você descanso para a alma pela certeza que lhe dá de seu amor, perdão e graça.

William Hendriksen tem razão quando diz que tal descanso não é só negativo, ausência de incerteza, temor, ansiedade e desespero; positivamente, é paz na mente e, no coração, certeza de salvação.[21]

A mais gloriosa de todas as parcerias (11.29,30)

Tomai sobre vós o meu jugo e aprendei de mim, porque sou manso e humilde de coração; e achareis descanso para a vossa alma. Porque o meu jugo é suave e, o meu fardo é leve (Mt 11.29,30).

Destacamos a seguir algumas verdades importantes.

Em primeiro lugar, *Jesus nos chama para uma vida de propósito* (11.29). *Tomai sobre vós o meu jugo.* Fritz Rienecker fala sobre o jugo como um instrumento de trabalho.[22] Somos chamados ao trabalho, e não à ociosidade. Somos chamados à ação, e não à contemplação. Somos chamados ao engajamento, e não ao isolamento.

O jugo mais conhecido é o jugo duplo. Muitas vezes são dois animais que trabalham sob a mesma canga. No jugo duplo, os dois animais se colocam lado a lado para trabalharem juntos. Um ajuda o outro a puxar a carga e trabalhar. O desafio é trabalhar ao lado de Jesus, em parceria com ele. Jesus está conosco. Ele nos ajuda a levar o fardo. Ele não nos promete ausência de luta, mas nos promete companhia. Ele nos promete ajuda e parceria.

O jugo também sugere alívio considerável do trabalho. O jugo de Jesus, de igual forma, facilita o trabalho, uma vez que ele mesmo nos capacita a fazer a sua obra. O Espírito Santo nos assiste em nossa fraqueza.

O jugo ainda proporciona um direcionamento seguro para o alvo. Quantos saltos para o lado um animal não daria e em quantos desvios não entraria, se não fosse dirigido sempre de novo pelo jugo e por aquele que dirige o jugo para o rumo certo!

Jugo também remete a submissão. O homem sempre será escravo. Ou você está debaixo do jugo de Cristo, ou estará debaixo do jugo do pecado. O jugo do pecado escraviza;

o jugo de Cristo liberta. O jugo do pecado mata; o jugo de Cristo dá vida.

Em segundo lugar, *Jesus nos chama para uma vida de discipulado* (11.29). *... e aprendei de mim, porque sou manso e humilde de coração.* Jesus nos chama não apenas para a salvação, mas, também, para o discipulado. Ele nos chama não para aprendermos regras, mas para aprendermos dele. Seus mandamentos não são como as regras opressoras do legalismo. Seus mandamentos são deleitosos. Seus caminhos são retos. Sua palavra é melhor do que o ouro e mais deliciosa do que o mel.

O caminho da vida que Jesus deseja que os seus discípulos sigam é a sua própria vida. O nosso guia de conduta não é mais um amontoado de regras que pesa sobre nós como uma pesada carga, mas o exemplo de Cristo. *Aprendei de mim* é a instrução que ele dá. E ser aluno de Jesus é ter um Professor muito gentil e inclinado à mansidão e humildade, que nunca se impacienta com os que são lentos para aprender e jamais é intolerante com os que tropeçam.[23]

Jesus é manso e humilde. Ele não oprime; liberta. Ele não condena; perdoa. Ele não esmaga; alivia. Ele restaura o caído, levanta o abatido e põe de pé o prostrado. Ele reergueu Davi de seu adultério. Levantou Pedro de sua negação. Libertou Maria Madalena. Deu salvação a Zaqueu. Curou o cego de Jericó. Deu um novo sentido de viver para a mulher samaritana. Ele pode fazer o mesmo com você.

Em terceiro lugar, *Jesus nos garante que a vida com ele é deleitosa, e não uma caminhada cheia de opressão e gemidos* (11.29,30). *... e achareis descanso para a vossa alma. Porque o meu jugo é suave, e o meu fardo é leve.* A palavra grega para "suave" é *chrestos,* que significa "adequado", "bem adaptado".[24] Na Palestina, os jugos dos bois eram feitos de madeira. Levava-se o boi para tirar a medida e então sob medida se fazia o jugo.[25] O jugo precisa ser adequado, ou seja, precisa ajustar-se bem, estar sob medida. O jugo de Jesus se adapta bem. Ele é adequado. A vida com Jesus é adequada, feliz, bem-aventurada. Seu jugo não esfola nosso pescoço. Jesus não oprime seus filhos. Robert Mounce diz que o fardo de Jesus é leve porque não se trata de mera obediência a mandamentos externos, mas de lealdade a uma Pessoa.[26] Jesus mesmo disse: "Se você me ama, você guarda os meus mandamentos". Quando recordamos o amor de Deus, quando sabemos que nossa carga consiste em amar a Deus e aos homens, a carga se converte em uma canção.

Certamente Jesus não promete a seus discípulos uma vida de inatividade ou repouso, nem isenção de tristezas ou lutas, mas lhes assegura que, se eles se mantiverem bem unidos a ele, acharão alívio de esmagadores fardos, como os da angústia arrasadora, do sentimento de frustração e futilidade, e da desgraça de uma consciência carregada de pecados.[27]

O diabo oprime, mas Jesus liberta. O pecado cansa, mas a graça alivia. O mundo desencanta, mas Jesus salva. A vida sem Cristo é um arremedo de vida, mas a vida com ele é o mais fascinante projeto de vida.

Vinde! Tomai! Aprendei! Eis os imperativos da graça!

NOTAS

[1] SPURGEON, Charles H. *O evangelho segundo Mateus*, p. 212.
[2] IBIDEM, p. 213.
[3] RIENECKER, Fritz. *Evangelho de Mateus*, p. 193.
[4] TASKER, R. V. G. *Mateus: introdução e comentário*, p. 95.
[5] MACARTHUR JR., JOHN. *O evangelho segundo Jesus*, p. 124-130.

[6] Ryle, John Charles. *Comentário expositivo do evangelho segundo Mateus*, p. 56.
[7] Spurgeon, Charles H. *O evangelho segundo Mateus*, p. 214-215.
[8] Tasker, R. V. G. *Mateus: introdução e comentário*, p. 96.
[9] Mounce, Robert H. *Mateus*, p. 116.
[10] Barclay, William. *Mateo II*, p. 20-21.
[11] Ryle, John Charles. *Comentário expositivo do evangelho segundo Mateus*, p. 56.
[12] Barclay, William. *Mateo II*, p. 22.
[13] Ryle, John Charles. *Comentário expositivo do evangelho segundo Mateus*, p. 56-57.
[14] Rienecker, Fritz. *Evangelho de Mateus*, p. 198.
[15] Ryle, John Charles. *Meditações no evangelho de Mateus*, p. 81.
[16] Tasker, R. V. G. *Mateus: introdução e comentário.* São Paulo, SP: Vida Nova, p. 97.
[17] Barclay, William. *Mateo II*, p. 23.
[18] Wiersbe, Warren W. *Comentário bíblico expositivo*, p. 51.
[19] Ryle, John Charles. *Comentário expositivo do evangelho segundo Mateus*, p. 57.
[20] Sproul, R. C. *Mateus*, p. 314.
[21] Hendriksen, William. *El evangelio segund San Mateo*, p. 527.
[22] Rienecker, Fritz. *Evangelho de Mateus*, p. 199.
[23] Tasker, R. V. G. *Mateus: introdução e comentário*, p. 97.
[24] Mounce, Robert H. *Mateus*, p. 118.
[25] Barclay, William. *Mateo II*, p. 24.
[26] Mounce, Robert H. *Mateus*, p. 118.
[27] Tasker, R. V. G. *Mateus: introdução e comentário*, p. 98.

Capítulo 33

O legalismo escraviza, Jesus liberta

(Mt 12.1-8)

O sábado judaico tinha se transformado numa ferramenta de opressão nas mãos dos legalistas. Em vez de ser um deleite para o homem, o sábado se tornara o carrasco do homem. Tornara-se um fardo insuportável em vez de um elemento terapêutico. John Charles Ryle diz, corretamente, que Jesus não aboliu a lei do sábado. Tão somente ele a liberou das interpretações incorretas, purificando-a de adições inventadas pelos homens. Jesus não arrancou do Decálogo o quarto mandamento. Apenas o desnudou das miseráveis tradições pelas quais os fariseus haviam incrustado o dia, transformando-o em uma carga insuportável, em vez de ser uma bênção.[1]

Deus deu a lei do sábado a Israel no Sinai (Ne 9.13,14) e fez desse dia um sinal entre ele e a nação (Êx 20.8-11; 31.12-17). O sábado é uma lembrança da conclusão da "antiga criação", enquanto o dia do Senhor lembra a obra consumada do Senhor em sua "nova criação". O sábado refere-se ao descanso depois do trabalho e é relacionado à lei, enquanto o dia do Senhor se refere ao descanso antes do trabalho e é relacionado à graça.[2] O sábado era sombra (Os 2.11), e a realidade é Cristo (Cl 2.16,17). Jesus foi categórico ao afirmar que o sábado foi criado para o homem, e não o homem para o sábado (Mc 2.27). No propósito de Deus, o sábado é uma instituição da misericórdia, que deve servir ao ser humano para o bem, para repouso e restauração (Dt 5.14; Êx 23.12), para bênção e santificação. Deus deseja abençoar, presentear e alegrar por intermédio do sábado. O sábado deve servir para o ser humano como repouso e equilíbrio da alma. Os fariseus, porém, distorciam o benefício de Deus, transformando-o em flagelo. Concordo com William Hendriksen quando ele diz que, por meio de seu legalismo excessivamente minucioso, esses homens estavam constantemente sepultando a lei de Deus debaixo do pesado fardo de suas tradições.[3]

Os evangelhos registram sete confrontos entre Jesus e os fariseus a respeito do sábado (12.1-8,9-14; Lc 13.10-17; 14.1-6; Jo 5.1-9; 7.21-24; 9.1-41). As leis que cresceram em volta do sábado eram volumosas. Essas leis estavam oprimindo as pessoas em vez de oferecer a elas um descanso para a alma. As cercas do sábado, conforme construídas pelos fariseus, evoluíram de tal forma que impediam os atos de misericórdia e até mesmo condenavam aqueles que realizavam esses atos, enquanto Deus sempre colocou a compaixão acima do ritual.[4]

Por essa causa, os fariseus, ao verem os discípulos de Jesus colhendo e comendo espigas nas searas no dia de sábado, debulhando-as com as mãos (12.1,2; Mc 2.23; Lc 6.1), advertiram Jesus nesses termos: *Eis que os teus discípulos fazem o que não é lícito fazer em dia de sábado* (12.2).

Em face dessa posição legalista dos fariseus, Jesus aproveitou o ensejo para ensinar preciosas lições, como vemos a seguir.

Em primeiro lugar, *os discípulos não estavam fazendo algo proibido pela lei* (12.1,2). A prática de colher espigas nas searas para comer estava rigorosamente em conformidade com a lei de Moisés (Dt 23.24,25). Mas os escribas e fariseus estavam escondendo a verdadeira lei de Deus debaixo da montanha de tradições tolas que eles tinham fabricado. Eles haviam acrescentado à lei 39 regras sobre a maneira de guardar o sábado, tornando a sua observância um fator escravizante e opressor. Segundo as estritas normas dos fariseus, os discípulos haviam quebrado a lei do sábado, e isso era um pecado mortal.

Em segundo lugar, *o conhecimento da Palavra de Deus nos liberta da opressão do legalismo* (12.3,4). Spurgeon está certo quando diz que comer o pão santo por blasfêmia, gracejo ou leviandade poderia ser a causa da morte do transgressor, mas fazê-lo por necessidade urgente não foi censurável no caso de Davi.[5] Por isso, Jesus combate o legalismo com as Escrituras. Ele cita as Escrituras para os fariseus e mostra como Davi quebrou a lei cerimonial comendo com seus homens os pães da proposição, só permitido aos sacerdotes (1Sm 21.1-6). Só os sacerdotes podiam comer esses pães da proposição (Lv 24.9), mas a necessidade humana prevaleceu sobre a lei cerimonial. Se, pois, Davi tinha o direito de ignorar uma provisão cerimonial divinamente ordenada, quando a necessidade assim exigia, quanto mais seu antítipo, Jesus, o ungido de Deus, tinha em um sentido muito mais profundo o direito de pôr de lado uma regra humana totalmente injustificada acerca do sábado.[6] Concluímos, pois, dizendo que, se Davi tinha o direito de ignorar as provisões cerimoniais, divinamente ordenadas, quando a necessidade assim exigia, não teria Jesus, o filho de Deus, num sentido muito mais evidente, o direito, sob as mesmas condições de necessidade, de deixar de lado os regulamentos sabáticos não autorizados, feitos pelo homem?

Warren Wiersbe, analisando esse episódio na perspectiva de Mateus, afirma que Jesus usou três argumentos para defender os seus discípulos: o que Davi fez (12.3,4), o que os sacerdotes fizeram (12.5,6) e o que o profeta Oseias diz (12.7-9).[7]

Os pães da proposição nunca foram tão sagrados como quando utilizados para alimentar um grupo de homens famintos. O sacerdote entendeu que a necessidade dos homens era mais importante do que os regulamentos cerimoniais. O dia do descanso nunca é tão sagrado como quando é usado para prestar ajuda aos necessitados. O árbitro final com respeito aos ritos sagrados não é o legalismo, mas o amor. Jesus está dizendo com isso que a religião cristã não consiste em regras. As pessoas são mais importantes do que o sistema. A melhor maneira de adorar a Deus é ajudando as pessoas. Esse é o único modo autêntico de dá-las a Deus, pois Deus se preocupa mais em suprir as necessidades humanas do que em resguardar regulamentos religiosos.

Em terceiro lugar, *o exercício da misericórdia é mais importante do que a oferta de sacrifícios* (12.5-7). Concordo com Robert Mounce quando ele diz que Jesus não tem o propósito de rebaixar a lei cerimonial ao compará-la com a lei moral. A questão é que os atos de bondade assumem precedência sobre os ritos religiosos, quando a pessoa precisar tomar uma decisão em determinada situação. O reino de Deus tem importância superior à legislação cerimonial, a qual meramente preparou o caminho para a chegada desse reino. Se os fariseus houvessem entendido esse princípio, não teriam criticado os discípulos por haverem apanhado uns grãos de trigo no sábado.[8]

Nessa mesma direção, Tasker tem razão ao dizer que a necessidade humana deve ter precedência sobre os tecnicismos legais. Os fariseus, portanto, estavam cegos para a grande verdade guardada como relíquia em Oseias 6.6: *Misericórdia quero, e não sacrifício* (9.13; 12.7). As obras da piedade são lícitas e necessárias no sábado. Deus é misericordioso e espera que o seu povo mostre misericórdia para os demais e não critique os misericordiosos. A ausência dessa misericórdia não pode ser substituída pela oferta de sacrifícios, ainda que numerosos.[9] Concordo com as palavras de Sproul: "Quando houver conflito entre ritual e misericórdia, sempre devemos escolher misericórdia".[10]

Reafirmamos, portanto, que a melhor maneira de adorar a Deus é ajudando as pessoas. A melhor maneira de fazer uso das coisas sagradas é pondo-as a serviço dos que padecem necessidade. Concordo com A. T. Robertson quando ele diz que no Antigo Testamento a verdadeira adoração sempre era mais importante do que as formas de adoração.[11]

Em quarto lugar, *o senhorio de Cristo traz liberdade, e não escravidão* (12.8). Jesus é maior do que o templo (12.6) e também é o Senhor do sábado. Seu senhorio não é escravizante nem opressor. O legalismo é um caldo mortífero que envena, asfixia e mata as pessoas. Ele é vexatório e massacrante. Chegou a ponto de transformar o que Deus criou para aliviar o homem, o sábado, num tirano cruel.

William Hendriksen interpreta a questão corretamente quando escreve: "O sábado foi instituído para ser uma bênção para o homem: para a conservação de sua saúde, para fazê-lo feliz e para torná-lo mais santo. O homem não foi criado para ser escravo do sábado".[12] O mesmo autor diz, corretamente, que, ao longo da antiga dispensação, a semana começava com seis dias de trabalho. Estes eram seguidos de um dia de descanso. Depois, pelo trabalho de seu sofrimento vicário, Cristo, o grande sumo sacerdote, alcançou para o povo de Deus o eterno descanso sabático (Hb 4.9). A ordem trabalho-descanso,portanto, se inverte para descanso-trabalho: muito apropriadamente, a semana agora começa com o dia de descanso.[13]

O governo de Jesus traz liberdade e alegria. Agostinho disse que, quanto mais servos de Cristo somos, mais livres nos sentimos. Jesus é maior que o templo (12.6), maior do que Jonas (12.41), maior do que Salomão (12.42). Ele é o Senhor do sábado (12.8). Warren Wiersbe conclui:

> É importante observar que Jesus apelou para um rei, um sacerdote e um profeta, pois ele é Rei, sacerdote e profeta; também afirmou ser "maior" em três aspectos: como sacerdote, ele é "maior do que o templo" (12.6); como profeta, ele é "maior do que Jonas" (12.41); e como Rei, ele é "maior do que Salomão" (12.42).[14]

NOTAS

[1] RYLE, John Charles. *Meditações no evangelho de Mateus*, p. 83.
[2] WIERSBE, Warren W. *Comentário bíblico expositivo*, p. 245.
[3] HENDRIKSEN, William. *Mateus*. Vol. 2. São Paulo: Cultura Cristã, 2010, p. 13-14.
[4] HOVESTOL, Tim. *A neurose da religião*, p. 148,156.
[5] SPURGEON, Charles H. *O evangelho segundo Mateus*, p. 221.
[6] HENDRIKSEN, William. *Mateus*. Vol. 2, p. 16,
[7] WIERSBE, Warren W. *Comentário bíblico expositivo*. Vol 5. 2006, p. 52.
[8] MOUNCE, Robert H. *Mateus*, p. 123.
[9] TASKER, A. G. V. *Mateus: introdução e comentário*, p. 99.
[10] SPROUL, R. C. *Mateus*, p. 319.
[11] ROBERTSON, A. T. *Comentário de Mateus*, p. 138.
[12] HENDRIKSEN, William. *Mateus*. Vol. 2, p. 18.
[13] IBIDEM, p. 19.
[14] WIERSBE, Warren W. *Comentário bíblico expositivo*, p. 52.

Capítulo 34

Amor e ódio num lugar de adoração

(Mt 12.9-14)

O episódio aqui narrado nos três evangelhos sinóticos. Mateus é o mais sucinto na sua narrativa. Lucas nos informa que Jesus entrou na sinagoga para ensinar e que ali estava um homem com a mão direita mirrada (Lc 6.6). Ali também estavam os fariseus, não com o propósito de adorar, mas para buscar uma oportunidade de acusarem Jesus de ser transgressor do sábado (12.9). Lucas informa que entre os fariseus estavam também os escribas (Lc 6.7).

Essa polêmica acerca do sábado estava posta e se constituía no principal ponto de tensão. Jesus não se submetia à tradição criada pelos homens para desfigurar o sábado e torná-lo uma ferramenta de opressão. A oposição, que era velada e indireta, agora ganha contornos de uma conspiração para matar Jesus (Mc 3.6).

À medida que Mateus relata a história, o conflito entre Jesus e seus adversários começa a intensificar-se. Nos versículos 1-8, os fariseus lançaram seu ataque contra os discípulos, mas, nos versículos 9-14, a oposição deles é endereçada diretamente a Jesus. A essa altura, esses inimigos de plantão já viam Jesus como inimigo. Ele havia arrogado a si o poder de perdoar pecados (9.6,7), comia com publicanos e pecadores (9.11) e transgredia suas regras sabáticas (12.1-8). Agora, Jesus cura o homem que não estava correndo perigo. Há aqui uma situação tensa (12.9-12), um milagre espantoso (12.13) e uma reação furiosa (12.14).

Destacamos a seguir esses três pontos.

Uma situação tensa (12.9-12)

Jesus tinha o hábito de ir às sinagogas aos sábados. Onde o povo estava, ali também estava Jesus. A sinagoga era um lugar de ensino da lei, por isso Jesus entrou ali para ensinar (Lc 6.6). Ali estava um homem com a mão direita ressequida e atrofiada, talvez aguardando de Jesus um milagre ou mesmo plantado pelos opositores de Jesus. Os fariseus, antevendo que Jesus faria ali um milagre, anteciparam uma pergunta capciosa a ele, na expectativa de reunir material para acusá-lo de ser um transgressor do sábado.

Perguntaram: *É lícito curar no sábado?* (12.10). Jesus, que nunca caíra na armadilha dos fariseus nem jamais se deixara embaraçar por perguntas de algibeira, respondeu-lhes com outra pergunta: *Qual dentre vós será o homem que, tendo uma ovelha, e, num sábado esta cair numa cova, não fará todo o esforço, tirando-a dali?* (12.11). Depois de responder à pergunta dos fariseus, Jesus faz um juízo de valor, indagando:

Ora, quanto mais vale um homem que uma ovelha? (12.12a). Então, arremata, fazendo uma afirmação irretocável: *Logo, é lícito, nos sábados, fazer o bem* (12.12b). A conduta ética e o exercício da misericórdia são sempre mais importantes do que a obediência cerimonial. Quanto vale uma vida para os fariseus? (12.10-12). Mateus deixa claro que os fariseus davam mais valor aos rituais do que à vida humana. Destacamos a seguir três pontos.

Em primeiro lugar, *os fariseus dão mais valor aos rituais do que à vida humana* (12.10-12). Jesus já havia ensinado que o sábado fora criado por causa do homem (Mc 2.27) e que ele era o Senhor do sábado (12.8), porém os fariseus se importavam mais com suas tradições do que com a vida humana. Os fariseus não viram um homem necessitado, mas apenas uma oportunidade de acusarem Jesus como violador do sábado. Era mais importante para eles proteger suas leis do que libertar um homem do sofrimento.

É importante enfatizar que o zelo deles não era pela Palavra de Deus, mas pela tradição dos homens. Eles haviam acrescentado 39 regras do que não se podia fazer no sábado e entre elas estava a de curar um enfermo. Só o perigo de vida teria servido como exceção. Os fariseus estavam valorizando muito mais os rituais criados pelos rabinos do que a ordem divina de amar e zelar pelo bem-estar do próximo. Era um dia de sábado, dentro de uma sinagoga e, mesmo sendo no dia de Deus, na hora da adoração a Deus, os fariseus estavam tramando todo o mal contra Jesus (Pv 5.14). O entendimento embotado dos fariseus, ao verem Jesus curando um homem no sábado, levou-os à conclusão de que a autoridade de Jesus não procedia de Deus. Mas Jesus revelou que as tradições deles eram ridículas. Deus é Deus de pessoas, e não de tradições engenhosamente fabricadas pelos homens. O melhor tempo para socorrer alguém é quando esse indivíduo está passando por uma necessidade. Antes de defender nossas tradições, precisamos perguntar: Elas servem aos propósitos de Deus? Revelam o caráter de Deus? Ajudam as pessoas a entrar na família de Deus ou as mantêm fora dessa relação? Têm fortes raízes bíblicas? Tradições saudáveis precisam passar por esses testes.

Em segundo lugar, *os fariseus dão mais valor à aparência do que à verdade* (12.14). Eles coavam um mosquito e engoliam um camelo. Eram mais leais ao seu sistema religioso do que a Deus. O que era pior: restaurar a saúde de uma pessoa enferma ou tramar a morte e alimentar o ódio por uma pessoa inocente? Devia Jesus estar envergonhado por fazer o bem? E eles não estavam envergonhados de fazer o mal?

Nenhum cristão deve hesitar em fazer o bem no dia do Senhor. O exercício da misericórdia, a cura do enfermo, o alívio da dor do aflito devem ser sempre praticados sem escrúpulo. Fazer o bem no dia do Senhor não é certamente buscar o nosso próprio prazer ou o nosso próprio lucro, alerta John Charles Ryle.[1] Conforme disse Fritz Rienecker, para Jesus existe somente uma única questão: o bem precisa ser feito, imediatamente![2]

Em terceiro lugar, *os fariseus* dão mais valor a um animal do que ao ser humano (12.11,12). Os fariseus haviam perguntado a Jesus se era lícito curar no sábado (12.10), ao que Jesus respondeu: *Qual dentre vós será o homem que, tendo uma ovelha, e, num sábado esta cair numa cova, não fará todo o esforço, tirando-a dali? Ora, quanto mais vale um homem que uma ovelha? Logo, é lícito, nos sábados, fazer o bem* (12.11,12). Os fariseus socorriam uma ovelha, mas não um homem. Eles davam mais valor a um animal do que a um homem doente. Tinham mais compaixão de uma ovelha do que de um homem. Valorizavam mais os ritos, os animais e o dinheiro do que o ser humano. Tasker diz que, se for aceito que a salvação de um animal ferido é ocupação válida no sábado, então a salvação de um ser humano ferido é uma ocupação mais válida ainda, especialmente se quem o faz é aquele que é o Senhor do sábado e que demonstra seu poder supremo mostrando misericórdia e fazendo o bem.[3]

Três fatos podem ser destacados, ainda, sobre os fariseus nesse texto.

Eles fiscalizam Jesus (12.10). Os fariseus não são adoradores, mas detetives. Não querem ouvir a Palavra de Deus, mas impor suas ideias aos outros. Não ouvem os ensinos de Jesus, mas o censuram. Não entram na sinagoga para socorrer os aflitos, mas olham para eles apenas como objetos descartáveis. Os fariseus estavam na sinagoga para observar Jesus e ajuntar mais provas contra ele. Estavam interessados na acusação, e não na cura.

Eles são confrontados por Jesus (12.11,12). Jesus desmascara a falsa teologia dos fariseus. Mostra-lhes que o sábado não foi dado por Deus para encolher a mão de fazer o bem. O sábado é tempo oportuno para a prática do bem e a defesa da vida. Os fariseus estavam preocupados com o dia, ao passo que Jesus estava interessado em salvar vidas nesse dia.

Eles se endurecem contra Jesus (12.14). O mesmo sol que amolece a cera endurece o barro. Ao ser confrontados por Jesus, em vez de se arrependerem, ele se encheram de furor e saíram da sinagoga para conspirarem contra Jesus a fim de tirar-lhe a vida. Depois desse milagre, já entraram em contato com os herodianos para tramarem a morte de Jesus (Mc 3.6). Hendriksen escreve: "A miséria produz estranhas confrarias, especialmente quando está vinculada à inveja. Reunidos os dois grupos, agora tramam como aniquilar Jesus".[4]

Um milagre espantoso (12.13)

Os fariseus estavam preocupados com rituais, e Jesus, com a vida de um homem. Eles se importavam com o dia, e Jesus, com a prática do bem nesse dia. Na sinagoga, havia um homem cuja mão direita estava ressequida, rendido ao complexo de inferioridade e incapacitado de trabalhar. Jesus alivia seu sofrimento, restaura sua autoestima e devolve-lhe a saúde. No campo, Jesus baseou sua defesa nas Escrituras do Antigo Testamento (12.3-7), mas, na sinagoga, tomou como base a natureza da lei divina do sábado. Deus deu a lei para ajudar as pessoas, e não para prejudicá-las. *O sábado foi estabelecido por causa do homem, e não o homem por causa do sábado* (Mc 2.27). Qualquer homem ali presente salvaria uma ovelha no sábado; então, por que não salvar um homem criado à imagem de Deus? (12.11,12).

Desfeitos os embaraços levantados pelos fariseus, refutada a intenção perversa deles, Jesus se volta para o homem enfermo, dando-lhe uma ordem expressa: *Estende a mão* (12.13). Diante dessa ordem absoluta, o homem responde com obediência imediata: *Estendeu-a* (12.13). O resultado foi glorioso: ... *e ela ficou sã como a outra* (12.13).

Destacamos a seguir dois fatos.

Em primeiro lugar, *uma deficiência severa* (12.10). Esse homem tinha um defeito físico notório. Sua mão destra estava não apenas inativa, mas ressequida (Lc 6.6). Esse homem sofria não apenas fisicamente, mas, também, emocionalmente. Seu problema era uma causa perdida para a medicina, um problema insolúvel para os homens. O melhor que ele tinha estava seco e mirrado. Há pessoas mirradas ainda hoje no meio da congregação, gente com deformidades físicas, emocionais e morais. Gente que carrega o peso dos traumas e das avassaladoras deficiências.

Em segundo lugar, *uma cura extraordinária* (12.13). O ministério de ensino não pode ser divorciado do ministério de socorro. Precisamos falar e fazer, ensinar e agir. Jesus não apenas ensinava a Palavra de Deus na sinagoga; ele também socorria os aflitos. Ele não via as pessoas apenas como um auditório, mas como pessoas que precisavam ser socorridas em suas aflições. Jesus curou o homem da mão ressequida, ainda que isso tenha despertado a fúria dos fariseus contra ele.

Jesus dá a esse homem três ordens para sarar seus traumas emocionais e curar sua enfermidade.

Levanta-te (Lc 6.8). Antes de ser curado, esse homem precisava admitir publicamente sua deficiência. Talvez esse homem vivesse se escondendo, cheio de complexos. Mas Jesus quer que ele assuma quem é, para depois receber a cura.

Vem para o meio (Lc 6.8). Mais um passo deve ser dado em direção à cura. Esse homem deve mostrar a todos a sua real situação antes de ser curado por Jesus.

Estende a mão (12.13). Agora a fé precisa ser exercida. Aquilo que nunca conseguiu fazer, ele fará em obediência à ordem expressa de Jesus. A fé crê no impossível, toca o intangível e toma posse do impossível! O resultado? *... e ela ficou sã como a outra* (12.13). Quando se obedece à ordem de Jesus, a fé toma posse do milagre, pois aquele que ordena é o mesmo que dá poder para que a ordem se cumpra. Quando Deus ordena, ele também capacita. São oportunas aqui as palavras de Fritz Rienecker:

> Jesus nos ensina a não capitular diante do mal em nenhuma circunstância, mas, sim, partir para o ataque com a força do alto, com a ajuda do poder divino. Cristo nos mostra como se deve introduzir no império de Satanás o reino de Deus, como a mão ressequida, atrofiada e

morta precisa ser transformada em uma mão viva, que restaura, traz ofertas, ora e luta.[5]

Uma reação furiosa (12.14)

Os fariseus rejeitaram a luz, taparam os ouvidos às Escrituras e saíram da sinagoga não para mudarem sua conduta, mas para conspirarem contra Jesus, sobre como lhe tirariam a vida (12.14). Já que não podiam silenciá-lo, resolveram matá-lo. A cegueira espiritual deles era tanta que acusaram Jesus de quebrar o sábado por fazer o bem, mas não se viam como transgressores do sábado tramando o mal.

Esses espiões da fé só conseguem olhar para os outros, e não para si mesmos. Transformam a verdade em mentira e atacam aqueles que não se enquadram em sua míope cosmovisão. Seus pensamentos foram devassados por Jesus. Aquele que tudo vê, tudo conhece e a todos sonda tirou a máscara deles e expôs sua intenção maligna.

Muitos ainda hoje vão à igreja e saem piores, mais duros e mais culpados. John Charles Ryle pergunta: Por que tantos entre os profetas do Senhor foram mortos? Por que os nomes dos apóstolos foram rejeitados pelos judeus como malignos? Por que os primeiros mártires cristãos foram executados? Por que Jan Hus, Girolamo Savonarola, Ridley e Latimer foram queimados na fogueira? Não por causa de algum pecado que houvessem cometido. Todos sofreram porque eram homens piedosos.[6]

Jesus sabia que a cura daquele homem da mão mirrada desencadearia uma perseguição que culminaria em sua morte na cruz. Depois desse episódio, os fariseus começaram a perseguir Jesus e a orquestrar com os herodianos a sua morte. O evangelista Marcos é o único que fala sobre essa coligação espúria entre os fariseus e os herodianos para tramarem a morte de Jesus. Os herodianos eram um radical partido político judeu que esperava restaurar a linhagem de Herodes, o Grande, ao trono. Eles apoiavam o domínio de Roma sobre a Palestina e assim estavam em direto conflito com os líderes judeus. Os fariseus e os herodianos não tinham nada em comum até Jesus ameaçá-los. Jesus ameaçou a autoridade dos fariseus sobre o povo e ameaçou os herodianos ao anunciar seu reino eterno. Assim, os fariseus e herodianos, inimigos históricos, uniram-se para tramar a morte de Jesus. As facções inimigas entre os judeus foram esquecidas momentaneamente de suas rivalidades, unidas por seu ódio ao Senhor. Foi o inimigo comum, Jesus, que uniu esses dois grupos rivais. Aquela foi uma estranha coalizão entre os falsos santos e os sacrílegos. Tramar a morte de Jesus no sábado não era visto por eles como violação do sábado, mas curar uma pobre pessoa doente o era. De fato, a cegueira deles era terrível.

Notas

[1] Ryle, John Charles. *Mark.* Downers Grove, IL: Inter-Varsity Press, 1993, p. 33.

[2] Rienecker, Fritz. *Evangelho de Mateus*, p. 203.

[3] Tasker, R. V. G. *Mateus: introdução e comentário*, p. 88.

[4] Hendriksen, William. *Mateus.* Vol. 2, p. 23.

[5] Rienecker, Fritz. *Evangelho de Mateus*, p. 204.

[6] Ryle, John Charles. *Meditações no evangelho de Mateus*, p. 85.

Capítulo 35

A missão do Messias

(Mt 12.15-21)

A conspiração contra Jesus, urdida pelos fariseus e herodianos, já estava posta, por isso Jesus se afasta dali; muitos, porém, o seguem, sendo todos por ele curados (12.15). Em vez de fazer estardalhaço acerca de seu poder, Jesus ordena às pessoas curadas que não o exponham à publicidade (12.16). A razão dessa postura é que isso se enquadrava na profecia de Isaías acerca de sua missão como Messias (Is 42.1-4).

A profecia de Isaías, citada apenas por Mateus, descreve o Messias de algumas formas, que destacamos a seguir.

O Messias tem poder, mas não altivez (12.15,16)

Ele cura, mas não faz propaganda de seu poder. Ele faz as obras de Deus, mas não busca holofotes. A humildade de Jesus reprova toda altivez humana. Hendriksen tem razão quando diz que Jesus não buscava fama. Ele não desejava se sobressair como operador de milagres. A exibição vã e a glória terrena não constituíam a razão de sua encarnação e peregrinação entre os homens.[1]

O Messias é o servo e ao mesmo tempo o amado de Deus (12.17,18a)

Ele é o servo escolhido de Deus, em quem o Senhor se compraz. Jesus é o deleite do Pai, em quem ele tem todo o seu prazer. Mesmo sendo da mesma forma de Deus, não julgou como usurpação ser igual a Deus; antes, a si mesmo se esvaziou e assumiu a forma de servo. Mateus traça um nítido contraste entre os ímpios fariseus, oponentes de Cristo, com Cristo mesmo, o amado filho do Pai, sempre disposto a fazer a vontade daquele que o enviou.[2]

O Messias é revestido com o Espírito e anuncia juízo aos gentios (15.18b)

Jesus foi concebido por obra do Espírito Santo. Foi revestido com o Espírito Santo em seu batismo. Cheio do Espírito Santo, venceu o diabo no deserto. Capacitado pelo Espírito Santo, deu início ao seu ministério de pregação, cura e libertação. Realizou prodígios pelo poder do Espírito Santo. E, subindo aos céus, derramou o Espírito Santo sobre a igreja, para que ela fosse até os confins da terra, anunciando aos gentios tanto a salvação de Deus como o seu juízo.

O Messias vem humildemente, e não com arrogância (12.19)

Jesus entrou no mundo de forma despretensiosa. Nasceu de uma virgem pobre, num lugar pobre. Cresceu num lugar pobre e não tinha onde reclinar a cabeça. Jamais ostentou seu poder para demonstrar proeminência entre os homens. Era manso e humilde de coração. Fritz Rienecker diz que o quadro maravilhoso do salvador traçado por Mateus dará novas forças e consolo para a nossa vida. Cabe-nos andar calmamente no caminho que Deus delineou para cada um, sem olhar para a direita ou para a esquerda, sem ter em mente alvos e desejos pessoais. Contudo, devemos caminhar na direção do alvo, através de todos os obstáculos e dificuldades, unicamente correspondendo de modo obediente à vontade do Pai, comedidos e não obstante firmes e conscientes, humildes mas com passo seguro.[3]

O Messias vem agindo com misericórdia, e não com truculência (12.20)

Lawrence Richards diz que a cana quebrada é a flauta do pastor, produzida com gentis pancadinhas em uma cana até que a casca amoleça e se solte uma única peça. Se a casca quebrasse, a vara estaria arruinada, e a cana, agora inútil, seria quebrada e jogada fora. Da mesma maneira, o morrão (torcida que fumega), usado em um lampião, queimava quando coberto com carvão e fuligem, tornando-se inútil. A imagem é poderosa: o Servo de Deus não aparecerá primeiramente como um Conquistador, varrendo todos os pecadores diante dele. Ele virá como aquele que é completamente movido pela compaixão, a ponto de não estar disposto a descartar nem mesmo os quebrados e inúteis da sociedade de Israel. Até que chegue o dia do juízo.[4]

Jesus usou seu poder para curar e restaurar. Estendeu suas mãos não para esmagar os fracos, mas para ajudá-los. Não usou seu poder para condenar, mas para perdoar. Não veio para condenar, mas para salvar. Foi amigo dos pecadores. Acolheu os inacolhíveis. Tocou os intocáveis. Alimentou os famintos. Deu esperança aos desassistidos de esperança. Charles Spurgeon diz que os mais fracos não são rejeitados por nosso Senhor Jesus, embora aparentemente inúteis como uma cana quebrada ou mesmo realmente inofensivos como uma torcida que fumega. Ele é terno e não adota atitudes severas. Jesus sustenta e perdoa aqueles que são desagradáveis aos seus olhos. Ele deseja ligar a cana quebrada e soprar a fumaça do morrão, acendendo a chama da vida.[5] Nessa mesma linha de pensamento, William Hendriksen diz que Jesus curará o doente (4.23-25; 9.35; 11.5; 12.15), buscará e salvará os publicanos e pecadores (9.9,10), confortará os que choram (5.4), animará os temerosos (14.13-21), encherá de convicção os que têm dúvidas (11.2-6), alimentará os famintos (14.13-21) e concederá perdão aos que se arrependem de seus pecados (9.2). Ele é o genuíno Emanuel (1.23).[6] Nessa mesma toada, Sproul diz que o Messias continuará cuidando das canas quebradas e protegendo as torcidas que fumegam. Continuará buscando e salvando os perdidos até que a cortina da história se feche. Além disso, a missão do Messias vai além da casa de Israel: *E, no seu nome, esperarão os gentios.*[7]

O Messias, sendo judeu, é a esperança dos gentios (12.21)

Seu nome é o único nome em quem os povos têm salvação. Não há outro redentor. Não há outro mediador. Só em Jesus há salvação.

Notas

[1] Hendriksen, William. *Mateus.* Vol. 2, p. 24.

[2] Ibidem, p. 25.

[3] Rienecker, Fritz. *Evangelho de Mateus*, p. 205.

[4] Richards, Lawrence O. *Comentário histórico-cultural do Novo Testamento*, p. 46.

[5] Spurgeon, Charles H. *O evangelho segundo Mateus*, p. 230.

[6] Hendriksen, William. *Mateus.* Vol. 2, p. 27.

[7] Sproul, R. C. *Mateus*, p. 326.

Capítulo 36

A blasfêmia contra o Espírito Santo

(Mt 12.22-32)

Entraremos aqui num dos pontos mais controversos e delicados, registrado nos evangelhos, a questão da blasfêmia contra o Espírito Santo. Não há consenso entre os estudiosos. Por isso, daremos alguns esclarecimentos, antes de entrarmos na exposição do texto.

O que não é a blasfêmia contra o Espírito Santo

Elencamos a seguir seis fatos que não podem ser confundidos com a blasfêmia contra o Espírito Santo.

Em primeiro lugar, não é a incredulidade final. Billy Graham, em seu livro *O Espírito Santo,* diz que a blasfêmia contra o Espírito Santo é a rejeição total e irrevogável de Jesus Cristo.[1] Não obstante o fato de que a incredulidade até a hora da morte seja um pecado imperdoável, visto que não há oportunidade de salvação depois da morte, o contexto prova que Jesus está dizendo que o pecado imperdoável é um pecado que se comete não no leito da enfermidade, mas antes da morte.[2]

Em segundo lugar, não é rechaçar por um tempo a graça de Deus. Muitas pessoas vivem na ignorância, na desobediência por longos anos, e depois são convertidas ao Senhor. Por um tempo, Paulo rejeitou a graça de Deus (At 26.9; 1Tm 1.13). Os próprios irmãos de Jesus não creram nele até sua ressurreição (3.21; Jo 7.5).

Em terceiro lugar, não é a negação de Cristo. Paulo perseguiu a Cristo (At 9.4). Pedro negou a Cristo (26.69-75). Os irmãos de Cristo no início não criam nele (Jo 7.5). Cristo disse que quem blasfemasse contra o filho seria perdoado (Lc 12.10). Um ateu não necessariamente cometeu o pecado imperdoável.[3]

Em quarto lugar, *não é a negação da divindade do Espírito Santo*. Se assim fosse, nenhum ateu poderia ser convertido. Se fosse essa a interpretação, nenhum membro da seita Testemunhas de Jeová poderia ser salvo.

Em quinto lugar, não é a mesma coisa que os pecados contra o Espírito Santo. A Palavra de Deus menciona alguns pecados contra o Espírito Santo que não são a blasfêmia contra ele, como vemos a seguir.

1. Não é entristecer o Espírito Santo (Ef 4.30). Um crente pode entristecer o Espírito Santo, porém jamais pode cometer o pecado imperdoável. Davi entristeceu o Espírito Santo, mas se arrependeu.
2. Não é apagar o Espírito Santo (1Ts 5.19). Um crente pode apagar o Espírito Santo, deixando de

obedecer-lhe, deixando de honrá-lo, mas jamais pode blasfemar contra o Espírito Santo.

3. Não é resistir ao Espírito Santo (At 7.51). Muitas pessoas que, durante um tempo, resistem ao Espírito Santo, depois se humilham diante dele, como alguns dos sacerdotes que rejeitaram a mensagem de Estêvão, mas posteriormente foram convertidos a Cristo.
4. Não é mentir ao Espírito Santo (At 5.3). Ananias mentiu ao Espírito Santo por meio da dissimulação. Muitas pessoas ainda hoje tentam impressionar os outros para ganhar o aplauso deles, por isso mentem ao Espírito Santo, aparentando ser quem não são.

Em sexto lugar, *não é a queda dos salvos.* Os salvos não podem blasfemar contra o Espírito Santo, pois quem o pratica é réu de pecado eterno (Mc 3.29), enquanto o ensino claro das Escrituras é que, uma vez salvo, salvo para sempre (Jo 10.28). É impossível uma pessoa salva cair permanentemente e perecer (Fp 1.6). Hebreus 6.4,5 não se refere às pessoas salvas, mas aos réprobos, aqueles que deliberadamente rejeitam a graça e, por isso, estão incluídos no pecado da blasfêmia contra o Espírito Santo.[4]

O que é a blasfêmia contra o Espírito Santo

A palavra "blasfêmia" significa injuriar, caluniar, vituperar, difamar, falar mal. A blasfêmia contra o nome de Deus era um pecado imperdoável no Antigo Testamento (Lv 24.10-16). Por isso, os fariseus e os escribas julgaram Jesus passível de morte porque ele dizia ser Deus, o que para eles era blasfêmia (Mc 2.7; Mc 14.64; Jo 10.33). A alma que pecava por ignorância trazia oferenda pelo pecado, mas a pessoa que pecava deliberadamente era eliminada, ao cometer um pecado imperdoável (Nm 15.30).

Pecar consciente e deliberadamente contra um conhecimento claro da verdade é evidência da blasfêmia contra o Espírito Santo, e, por natureza, esse pecado faz que o perdão seja impossível, porque a única luz possível é deliberadamente apagada.

A blasfêmia contra o Espírito é a atitude consciente e deliberada de negar a obra de Deus em Cristo pelo poder do Espírito e atribuir o que Cristo faz ao poder de Satanás. A blasfêmia consiste no fato de afirmar que o poder que age em Cristo não é o Espírito Santo, mas Satanás. É afirmar que Cristo está não apenas possesso, mas possesso do maioral dos demônios. É dizer que Cristo é aliado de Satanás, em vez de estar engajado contra ele. O pecado imperdoável é uma espécie de apostasia total.

Aquele que cometeu esse pecado nunca terá perdão. Toda a igreja pode orar por ele, mas ele nunca será salvo. De fato, a igreja nem deveria orar por ele, pois cometeu pecado para morte (1Jo 5.16), é réu de pecado eterno (Mc 3.29) e não terá perdão nem neste mundo nem no vindouro (12.32).

Tendo em vista essas considerações preliminares, vamos agora nos deter na exposição do texto bíblico em apreço, ou seja, Mateus 12.22-33. Destacamos a seguir alguns pontos.

Em primeiro lugar, *a libertação do endemoninhado* (12.22). Jesus libertou e curou um endemoninhado cego e mudo. Ao sair o demônio, o homem passou a ver e a falar. Os demônios não podem resistir à autoridade de Jesus, e a enfermidade não pode resistir ao poder dele. Tasker diz que o poder de Satanás já estava sendo desfeito e que a sua panóplia seria destruída por Aquele que estava armado com o poder de Deus, irresistível afinal. O fúnebre dobrar dos sinos pelo príncipe do mal passou a ser ouvido quando o reino de Deus no ministério de Jesus, o Messias, foi se tornando realidade entre os homens.[5]

Em segundo lugar, *a admiração da multidão* (12.23). Diante do poder extraordinário de Jesus para curar e libertar, a multidão, tomada de admiração, interroga: *É este, porventura, o filho de Davi?* Os sinais operados por Jesus eram uma confirmação de seu messiado.

Em terceiro lugar, *a acusação dos fariseus* (12.24). Mateus diz que os acusadores foram os fariseus (12.24), ao passo que, para Marcos, foram os escribas (Mc 3.22). Qual foi o teor da acusação dos fariseus? *Este não expele demônios senão pelo poder de Belzebu, maioral dos demônios* (12.24). "Belzebu" era um dos nomes do deus filisteu Baal (2Rs 1.1-3) e significa "senhor das moscas". Em vez de os líderes religiosos se alegrarem por ter Deus enviado o redentor, eles se rebelaram contra o Cristo de Deus e difamaram sua obra, atribuindo-a a Satanás.

Os fariseus, por inveja deliberada e consciente, acusam Jesus de ser aliado e agente de Satanás e de estar possesso do maioral dos demônios. Eles atribuem as obras de Cristo não ao poder do Espírito Santo, mas à influência de Satanás. A acusação contra Cristo foi a seguinte: Jesus, habitado por Belzebu e em parceria com Satanás, estava expulsando demônios pelo poder derivado desse espírito mau.

Em quarto lugar, *a refutação de Jesus* (12.25-28). Jesus refutou o argumento dos escribas contando-lhes duas parábolas com o mesmo significado: o reino dividido e a casa dividida. Com essas duas parábolas, Jesus mostra quanto o argumento dos escribas era ridículo e absurdo. Satanás estaria destruindo sua própria obra e derrubando seu próprio império. Estaria havendo uma guerra civil no reino do maligno. Não há poder onde há divisão. Robert Mounce chama esse argumento de *reductio ad absurdum,* uma vez que os reinos engajados em guerra civil estão a caminho da autodestruição. Portanto, se uma parte do reino de Satanás estiver expulsando outra, em breve nada sobrará.[6] Tratando ainda desse assunto no texto paralelo de Marcos, William Hendriksen argumenta:

> Se o que os escribas diziam era verdade, o dominador estaria destruindo o seu próprio domínio; o príncipe, o seu próprio principado. Primeiro, ele estaria enviando os seus emissários, os demônios, para criar confusão e desordem no coração e na vida dos seres humanos, destruindo-os, muitas vezes pouco a pouco. Depois, como se existisse uma base de ingratidão e loucura suicida, ele estaria suprindo o poder necessário para a derrota vergonhosa e expulsão dos seus próprios servos obedientes. Nenhum reino assim dividido contra si mesmo consegue sobreviver por muito tempo.[7]

O reino de Satanás é um sistema fechado. A aparência pluralista é ilusória. Contra Jesus, Pilatos e Herodes se uniram e se tornaram amigos (Lc 23.12). Herodes e Pilatos *se ajuntaram* [...] *contra o teu santo Servo Jesus* [...] *com gentios e gente de Israel* (At 4.27). Isso faz sentido: Satanás junta suas forças e não trabalha contra si mesmo. As forças do mal insurgem-se contra as do bem, e não umas contra as outras. O argumento dos adversários é desprovido de bom senso e prenhe de irracionalidade.

Em quinto lugar, *a explicação de Jesus* (12.29,30). Jesus explica sua vitória sobre os demônios e Satanás: *Ou como pode alguém entrar na casa do valente e roubar-lhe os bens sem primeiro amarrá-lo? E, então, lhe saqueará a casa* (12.29). Não há libertação para o homem a não ser pela vitória de Jesus sobre Satanás. Hendriksen argumenta corretamente que, longe de Jesus ser um parceiro de Satanás, ele está engajado em derrotá-lo. Durante o seu ministério terreno, os enfermos estavam sendo curados, os mortos ressuscitados, os leprosos purificados, os demônios expulsos, os pecados perdoados, a verdade difundida e as mentiras refutadas.[8]

Jesus explica que, em vez de ser aliado de Satanás e estar agindo na força dele, está saqueando sua casa e arrancando dele e de seu reino aqueles que estavam cativos (At 26.18; Cl 1.13). Jesus está ensinando algumas preciosas lições, como vemos a seguir.

Primeiro, Satanás é valente. Jesus não nega o poder de Satanás nem subestima a sua ação maligna; antes, afirma que ele é um valente.

Segundo, Satanás tem uma casa. Satanás tem uma organização, e seus súditos estão presos e seguros nessa casa e nesse reino.

Terceiro, Jesus tem autoridade sobre Satanás. Jesus é o mais valente. Ele tem poder para amarrar Satanás. Jesus venceu Satanás e rompeu o seu poder. Isso não significa que Satanás está inativo, mas sob autoridade. Por mais ativo e forte que seja Belzebu, ele não tem poder para impedir os acontecimentos, pois está amarrado. O seu poder está sendo seriamente diminuído pela vinda e obra de Cristo. Jesus venceu Satanás no deserto e triunfou sobre todas as suas investidas. Esmagou sua cabeça na cruz, triunfando sobre suas hostes (Cl 2.15). Satanás é um inimigo limitado e está debaixo da autoridade absoluta de Jesus.

Quarto, Jesus tem poder para libertar os cativos das mãos de Satanás. Jesus não apenas amarra Satanás, mas, também, arranca de suas mãos os cativos. O poder que está em Jesus não é o poder de Belzebu, mas o poder do Espírito Santo. Satanás está sendo e continuará a ser progressivamente destituído dos seus "bens", ou seja, a alma e o corpo dos seres humanos, e isso não somente por meio de curas e expulsões demoníacas, mas principalmente por meio de um majestoso programa missionário (Jo 12.31,32; Rm 1.16). Os milagres de Cristo, longe de serem provas do domínio de Belzebu, como se o maligno fosse o grande capacitador, são profecias de seu julgamento.

Quinto, o perigo da neutralidade (12.30). É impossível ser neutro nessa guerra espiritual. Nessa tensão entre o reino de Deus e a casa de Satanás, não há campo neutro. Não há um reino intermediário entre o reino de Satanás e o reino de Deus. Ninguém pode ficar em cima do muro. A neutralidade representa uma oposição a Cristo. Há duas forças espirituais agindo no mundo, e devemos escolher uma delas. Satanás espalha e destrói, mas Jesus Cristo ajunta e constrói. Devemos fazer uma escolha e, se optarmos por não escolher um lado, já teremos decidido ficar contra o Senhor. O homem está no reino de Deus ou na potestade de Deus (At 26.18). Está no reino da luz ou no império das trevas (Cl 1.13). É liberto por Cristo ou está na casa do valente (12.29). Com respeito às coisas espirituais, não há neutralidade nem indecisão. O homem é escravo de sua liberdade. Ele não pode deixar de decidir. Até a indecisão é uma decisão, a decisão de não decidir. Quem não se decide por Cristo, decide-se contra Cristo. Quem com ele não ajunta, espalha. William Barclay, citando W. C. Allen, diz: "Nesta luta contra as fortalezas de Satanás, só há dois lados, com Jesus ou contra ele, ou seja, ajuntar com Jesus ou espalhar com Satanás".[9]

Em sexto lugar, *a exortação de Jesus* (12.31,32). Jesus introduz essa solene exortação com um alerta profundo: *Por isso, vos declaro: todo pecado e blasfêmia serão perdoados aos homens; mas a blasfêmia contra o Espírito não será perdoada. Se alguém proferir alguma palavra contra o filho do homem, ser-lhe-á isso perdoado; mas, se alguém falar contra o Espírito Santo, não lhe será isso perdoado, nem neste mundo nem no porvir* (12.31,32). Marcos diz: *Mas aquele que blasfemar contra o Espírito Santo não tem perdão para sempre, visto que é réu de pecado eterno. Isto, porque diziam: Está possesso de um espírito imundo* (Mc 3.29,30). Esses versículos ressaltam duas solenes verdades, como vemos a seguir.

Primeiro, a imensa misericórdia de Deus. Ele perdoa todos os pecados. O sangue de Cristo nos purifica de todo pecado. Se confessarmos nossos pecados, ele é fiel e justo para nos perdoar os pecados (1Jo 1.9). Deus perdoa os pecados que cometemos contra ele e contra o próximo. O monte mais alto da maldade é sobrepujado pelo cume da graça de Deus. Geralmente as pessoas perdem essa promessa e preocupam-se apenas com a advertência que se segue. Mas precisamos estar convencidos de que, quando há confissão e arrependimento, nenhum pecado está além da possibilidade do perdão de Deus. Essa doutrina do livre e completo perdão é a coroa e a glória do evangelho.

Segundo, o imenso perigo de se cruzar a linha divisória da paciência de Deus. Há um pecado que não tem perdão nem neste mundo nem no vindouro; é a blasfêmia contra o Espírito Santo. Por esse pecado, uma alma pode perecer eternamente no inferno. Esse pecado não é simplesmente uma palavra ou ação, mas uma atitude. Não é apenas rejeitar a Jesus, mas rejeitar o poder que está atrás dele.

Os pecados mais horrendos podem ser perdoados. Manassés era feiticeiro e assassino, mas se arrependeu. Nabucodonosor era um déspota sanguinário, mas se arrependeu. Davi adulterou e matou, mas foi perdoado. Saulo perseguiu a igreja de Deus, mas foi convertido. Maria Madalena era possessa, mas Jesus a transformou. A blasfêmia contra o Espírito Santo, porém, não tem perdão. Quem pratica esse pecado, atravessa a linha divisória da oportunidade e torna-se réu de pecado eterno.

O processo de endurecimento chega a um ponto em que é impossível que essa pessoa seja renovada para o arrependimento (Hb 6.4-6). Deus entrega a pessoa a si mesma e a uma disposição mental reprovável (Rm 1.24-28). Ela comete o pecado para morte (1Jo 5.16). Não tem perdão para sempre, visto que é ré de pecado eterno (Mc 3.29). Só lhe resta uma expectativa horrível de juízo (Hb 10.26-31).

Por que a blasfêmia contra o Espírito Santo não pode ser perdoada? Porque aqueles que a cometem dizem que Jesus é ministro de Satanás, que a fonte de seu poder não é o Espírito Santo, mas Belzebu. É imperdoável porque rejeitam o Espírito Santo e Cristo, dizendo que o salvador é ministro de Satanás. É imperdoável porque é um pecado consciente, intencional e deliberado de atribuir a obra de Cristo pelo poder do Espírito Santo a Satanás. Esse pecado constitui uma irreversível dureza de coração. William Barclay diz que, quando uma pessoa chega a esse estado, é impossível arrepender-se. Se alguém não pode reconhecer o bem quando o vê, não pode desejá-lo. Se alguém não pode reconhecer que o mal é mal, não pode arrepender-se dele. E, se não pode arrepender-se, não pode ser perdoado, porque o arrependimento é a única condição necessária para o perdão.[10]

A blasfêmia contra o Espírito Santo não é um pecado de ignorância. Não é por falta de luz. Para que uma pessoa seja perdoada, ela precisa estar arrependida. O perdão precisa ser desejado. Os fariseus, entretanto, mesmo sob a evidência incontroversa das obras de Cristo, negam e invertem essa obra. Eles não sentiam nenhuma tristeza por seu pecado. Substituíram a penitência pela insensibilidade, e a confissão, pela intriga. Portanto, dada a sua insensibilidade criminosa e completamente indesculpável, eles estavam condenando a si mesmos. Eles fecharam a porta da graça com suas próprias mãos. Robert Mounce diz que o pecado imperdoável é o estado de insensibilidade moral causado pela contínua recusa em atender ao clamor do Espírito de Deus.[11] Charles Spurgeon destaca que o indivíduo culpado desse pecado ultrajante, de imputar as obras de Cristo e seu poder gracioso à agência diabólica, pecou em uma condição na qual a sensibilidade espiritual está morta e o arrependimento se tornou moralmente impossível.[12] Hendriksen argumenta que a blasfêmia contra o Espírito Santo é o resultado de gradual progresso no pecado. Entristecer o Espírito (Ef 4.30), se não há arrependimento, leva à resistência ao Espírito (At 7.51), a qual, se continuada, desenvolve-se até que o Espírito é apagado (1Ts 5.19). Então, vem a blasfêmia contra o Espírito (12.31,32).[13]

Concluindo, destacamos três implicações a seguir.

Primeiro, *evitar o julgamento.* Billy Graham diz que devemos tocar nesse assunto com muito cuidado. Devemos hesitar em sermos dogmáticos em nossas afirmações sobre aqueles que cruzaram essa linha divisória da paciência de Deus. Devemos deixar essa decisão com Deus. Somente Deus sabe se e quando alguém ultrapassa essa linha do pecado para morte.

Segundo, *evitar o desespero.* Muitos crentes ficam angustiados e preocupados de terem cometido esse pecado imperdoável. Ninguém pode sentir tristeza pelo pecado sem a obra do Espírito Santo. Quem comete esse pecado, jamais sente tristeza por ele. O medo excruciante de pensar ter cometido o pecado imperdoável é, por si só, evidência de que tal pessoa não o cometeu.

Terceiro, *evitar a leviandade*. Aqueles que zombam de Deus e da sua graça podem cruzar essa linha invisível e perecerem para sempre.

NOTAS

[1] GRAHAM, Billy. *O Espírito Santo.* São Paulo, SP: Vida Nova, 1978, p. 121.
[2] PALMER, Edwin H. *El Espiritu Santo.* Edinburgh: El Estandarte de la Verdad, n. d., p. 227.
[3] IBIDEM, p. 228.
[4] IBIDEM, p. 231-233.
[5] TASKER, R. V. G. *Mateus: introdução e comentário*, p. 89.
[6] MOUNCE, Robert H. *Mateus*, p. 127.
[7] HENDRIKSEN, William. *Marcos.* São Paulo, SP: Cultura Cristã, 2003, p. 179.
[8] HENDRIKSEN, William. *Mateus.* Vol. 2, p. 32.
[9] BARCLAY, William. *Mateo II*, p. 46-47.
[10] IBIDEM, p. 52.
[11] MOUNCE, Robert H. *Mateus*, p. 129.
[12] SPURGEON, Charles H. *O evangelho segundo Mateus*, p. 236.
[13] HENDRIKSEN, William. *Mateus.* Vol. 2, p. 36.

Capítulo 37

Um diagnóstico profundo

(Mt 12.33-50)

Depois que Jesus tratou do pecado sem perdão, ele alertou para o perigo de parecer uma coisa e ser outra. Aqueles que são piedosos precisam demonstrar essa piedade por sua conduta. A árvore determina o fruto, e o fruto revela a natureza da árvore. Concordo com Hendriksen quando ele escreve: "Fruto e árvore vão juntos. Não devem separar-se".[1] As palavras diagnosticam o coração, e o coração se faz conhecido pelas palavras. Vejamos alguns pontos importantes.

O fruto revela a árvore, e a boca revela o coração (12.33-37)

Jesus usa duas figuras para ilustrar a verdade de que a nossa natureza revela as nossas ações, e as nossas palavras são a radiografia do nosso coração. Depois, faz um alerta. Vejamos essas duas figuras a seguir.

Em primeiro lugar, *os frutos revelam a natureza da árvore* (12.33). Uma árvore é boa ou má. Se é boa, produz bons frutos; se é má, produz frutos maus. Não se colhem figos de espinheiros nem se vindimam uvas de abrolhos. Uma árvore sempre produzirá frutos segundo a sua natureza. Uma laranjeira produzirá laranjas, uma mangueira produzirá mangas e uma macieira produzirá maçãs. Uma laranjeira não é laranjeira porque produz laranjas; ela produz laranjas porque é laranjeira. É de sua natureza produzir laranjas, e não mangas. Assim também são a conduta, as palavras e as ações de um homem: refletem a sua natureza. A conduta é o grande teste do caráter. Nossa conduta é o que os homens falarão a nosso respeito em nosso funeral, mas o nosso caráter é aquilo que os anjos testemunharão a nosso respeito na presença de Deus.

Em segundo lugar, *as palavras revelam o que está no coração* (12.34,35). O coração de uma pessoa é um reservatório, um armazém.[2] É como um tesouro bom ou mau. O homem bom tira do bom tesouro o bem; o homem mau tira do mau tesouro o mal. Da mesma forma, o homem tira do coração suas palavras, pois a boca fala do que está cheio o coração. Tentar encobrir a sujeira do coração com palavras bonitas é hipocrisia. É o mesmo que tentar encontrar as virtudes mais nobres nos abismos mais profundos da iniquidade. A conversa de um homem revela o estado de seu coração. Nossas palavras desvendam as profundezas da nossa alma. Nossas palavras trazem à luz as camadas abissais do nosso coração. Se o que está no coração é bom, o excedente que vaza será bom; se o conteúdo do ser interior é ruim, o que vaza pela boca será também ruim.

Em terceiro lugar, *nossas palavras testemunharão contra nós no tribunal de Deus* (12.36,37). No dia do juízo, as palavras frívolas que proferimos se levantarão contra nós. Essas palavras serão testemunhas de acusação ou de defesa. Justificar-nos-ão ou nos condenarão. Nossas palavras podem dar vida ou matar (Pv 18.21). Nossa língua tem o poder de dirigir como um leme de um navio ou como o freio de um cavalo. Também tem o poder de destruir como veneno ou como fogo. Ainda, a língua pode ser uma fonte de águas doces ou amargas. Precisamos usar nossas palavras para abençoar, e não para maldizer; para edificar a vida alheia, e não para denegri-la; para promover o bem, e não para espalhar o mal; para glorificar a Deus, e não para blasfemar contra seu nome.

A procura de sinais revela uma cegueira incorrigível (12.38-42)

Os escribas e fariseus ouviram muitos ensinamentos e viram muitos milagres, mas a perversidade persiste. Querem sinais. Desejam provas. Buscam evidências. Só que eles não estavam vendo por falta de luz, mas por falta de olhos espirituais. Eram cegos.

Eles estavam perdendo a grande oportunidade de ouvir com os ouvidos da alma e ver com os olhos da fé. O filho de Deus estava entre eles, e ainda estavam agarrados à incredulidade. O Messias havia chegado, e eles ainda queriam mais sinais. A lei e os profetas apontavam para Jesus, que estava entre o povo fazendo o bem e libertando os oprimidos do diabo. João Batista preparou o caminho de sua chegada e apontou para ele, dizendo: *Eis o cordeiro de Deus, que tira o pecado do mundo* (Jo 1.29), mas os seus não o receberam (Jo 1.11).

A expulsão de demônios não era para eles uma legitimação divina suficiente de sua condição de Messias. Eles queriam um sinal do céu. A exigência do sinal, porém, era tão somente um pretexto para justificar sua incredulidade. Jesus já tinha curado enfermos, purificado leprosos, ressuscitado mortos e eles ainda se mantinham reféns de seu coração endurecido. Até mesmo quando Jesus estava dependurado no madeiro, disseram sobre ele: *Desça da cruz e creremos nele*. O problema deles, entretanto, não era evidência suficiente, mas cegueira incorrigível.

O mestre usa duas ilustrações para mostrar a cegueira dos escribas e fariseus: Jonas (12.38-41) e Salomão (12.42).

Jonas — a morte, o sepultamento e a ressurreição de Jesus nos confrontam (12.38-41)

Os escribas e fariseus pediram um sinal a Jesus. Ao apresentarem sua solicitação, observam as formas exteriores da cortesia e do respeito. Tal polidez, contudo, não passava de mera aparência. Esses homens odiavam Jesus.[3] Queriam uma prova incontestável de que, de fato, ele era o Messias, mesmo depois de tantas evidências e provas. Queriam algo emocionante, excitante, sensacional, um sinal do céu. Jesus deu-lhes o sinal de Jonas, que representa sua morte, sepultamento e ressurreição. É a morte e a ressurreição de Jesus que provam incontestavelmente que ele é o Messias, o filho de Deus (Rm 1.4), e foi isso que Pedro pregou a Israel no dia de Pentecostes (At 2.22-36). O testemunho da igreja primitiva girava em torno da ressurreição de Jesus (At 1.22; 3.15; 5.30-32; 13.32,33). Jonas era um milagre vivo, como também o é o nosso Senhor.

Jonas foi um sinal para os ninivitas, assim como o filho do homem o seria para essa geração (12.40). Da mesma forma que Jonas passou no ventre do grande peixe três dias e três noites (Jn 1.17), Jesus também passou três dias e três noites no ventre da terra. A evidência mais eloquente de que Jesus era o Messias não eram seus sinais espetaculares nem seus milagres estupendos, mas sua morte, seu sepultamento e sua ressurreição.

Jesus diz que, no dia do juízo, os ninivitas se levantarão para condenar essa geração (12.41), pois aqueles atenderam à pregação de Jonas e se arrependeram, mas Jesus, sendo maior do que Jonas, não foi ouvido por sua geração, que permaneceu incrédula e perversa. Pessoas menos iluminadas obedeceram a uma pregação menos iluminada; pessoas muito mais iluminadas, porém, negaram-se a obedecer à luz do mundo.

Salomão — a sabedoria de Jesus nos confronta (12.42)

A ênfase desse versículo não está nas obras de um profeta, mas na sabedoria de um rei. A rainha do sul, a rainha de Sabá, se levantará no juízo para condenar aquela geração, pois fez uma longa viagem, dos confins da terra, para ouvir a sabedoria de Salomão (1Rs 10). Sendo Jesus maior do que Salomão, não creram em suas palavras, mesmo ele estando entre eles.

As duas figuras usadas por Jesus abrangiam os gentios. Os ninivitas gentios, ao ouvirem Jonas, arrependeram-se e foram poupados. A rainha de Sabá, sendo gentia, ao ouvir as palavras do rei Salomão, maravilhou-se e creu. Se, com todos os seus privilégios, os judeus não se arrependerem, o povo de Nínive e a rainha de Sabá testemunharão contra eles no julgamento final.

A falta de compromisso com Deus, a grande ameaça (12.43-45)

Jesus trata aqui de um homem que foi liberto de um espírito imundo, mas deixou de comprometer-se com Deus.

O demônio que saiu do homem ainda o chama de "minha casa". O demônio saiu, mas o Espírito Santo não entrou. A vida tornou-se melhor, mas a transformação não aconteceu. Então, o demônio que saiu, ao ver a casa vazia, varrida e ornamentada, voltando com outros sete demônios, piores do que ele, vem e habita naquele homem, e o seu último estado torna-se pior do que o primeiro. A palavra grega *katoichei,* traduzida aqui por "habitar", significa "estabelecer-se", "viver permanentemente".

Muitas pessoas pensam que, pelo fato de não fumarem, não beberem, não adulterarem, não fazerem falso juramento, já são por isso cristãs. Mas uma série de zeros não faz um cristão. Um milhão de negativas não produz sequer um positivo. Uma pessoa com a mente vazia é digna de lástima. Nas questões espirituais, não avançar equivale a retroceder.

Praticar a Palavra de Deus, o maior de todos privilégios (12.46-50)

Mateus conclui a sua temática sobre a suprema importância de praticar a Palavra, trazendo a lume um episódio ocorrido com a família de sangue de Jesus. Satanás não se importa com o fato de aprendermos verdades bíblicas, desde que não vivamos de acordo com elas. A verdade que permanece na mente é apenas acadêmica e não chegará ao coração se não for praticada pela vontade.

Robert Mounce tem razão ao dizer que não apenas os religiosos judeus, mas até a própria família de Jesus, falharam em não entender sua missão e sua mensagem.[4] A mãe de Jesus e seus irmãos, preocupados com o bem-estar dele, em virtude da esmagadora demanda de seu ministério, foram ao seu encontro. Alguns de seus amigos já haviam dito que ele estava fora de si (Mc 3.21). Como em tantas ocasiões, havia uma multidão à porta, fazendo uma espécie de cordão de isolamento. Eles não puderam se aproximar. Então, mandaram um recado para Jesus, dizendo que sua mãe e seus irmãos estavam do lado de fora e queriam vê-lo.

Nesse momento, Jesus aproveita o ensejo para concluir seu ensino sobre a supremacia da Palavra, dizendo aos circunstantes: *Quem é minha mãe e quem são meus irmãos? E, estendendo a mão para os discípulos, disse: Eis minha mãe e meus irmãos. Porque qualquer que fizer a vontade de meu Pai celeste, esse é meu irmão, irmã e mãe* (12.48-50). Com isso, Jesus não estava desmerecendo sua família de sangue; estava, sim, enaltecendo privilégio ainda maior, o de ouvir e praticar a Palavra de Deus. Mais importante do quer ter feito parte da família de sangue de Jesus é participar de sua família espiritual e ser membro da família de Deus. Os familiares espirituais lhe estão mais próximos que os parentes de sangue. Concordo com Charles Spurgeon quando ele diz que todos os crentes em Jesus fazem parte da família real, são feitos príncipes e irmãos de Cristo.[5]

Reafirmamos que é acima de qualquer suspeita que Jesus não está repudiando sua família. Ele pensou em sua mãe até mesmo quando estava pendurado na cruz, na agonia de realizar a redenção do mundo (Jo 19.26,27). O que ele quer dizer é que nosso dever diante de Deus deve tomar precedência sobre as demais coisas. Concordo com William Hendriksen quando ele escreve: "Os laços espirituais são muito mais importantes do que os laços físicos".[6]

NOTAS

[1] HENDRIKSEN, William. *Mateus.* Vol. 2, p. 37.
[2] IBIDEM, p. 38.
[3] IBIDEM, p. 40.
[4] MOUNCE, Robert H. *Mateus*, p. 132.
[5] SPURGEON, Charles H. *O evangelho segundo Mateus*, p. 249.
[6] HENDRIKSEN, William. *Mateus.* Vol. 2, p. 55.

Capítulo 38

Diferentes respostas à Palavra de Deus

(Mt 13.1-23)

Este é o terceiro discurso de Jesus registrado por Mateus. Nele, Jesus conta sete parábolas para descrever o avanço espiritual do "reino dos céus" nesta era.[1] Carlos Osvaldo Pinto diz que as duas parábolas iniciais lidam com a questão do estabelecimento do reino; as duas seguintes lidam com seu crescimento no mundo; a quinta e a sexta lidam com seu valor; e a última trata das responsabilidades dos discípulos no reino.[2]

Jesus foi o mestre dos mestres e sabia disso (Jo 13.13). Como já dissemos, ele não foi um alfaiate do efêmero, mas o escultor do eterno. Foi o mestre por excelência, e isso por três motivos: pela grandeza de sua doutrina, pela irrepreensibilidade de seu exemplo e pela excelsitude de seus métodos.

Jesus contou parábolas e histórias. Usou símbolos e imagens. Símbolos falam mais do que palavras, e imagens são mais eloquentes do que discursos. Quando Jesus falou sobre humildade, não fez um discurso, mas pegou uma criança nos braços. Quando falou sobre a influência do mal, não dragou os porões da iniquidade, mas disse que um pouco de fermento leveda a massa toda. Quando falou sobre a influência interna e externa da igreja, disse que seu povo é o sal da terra e a luz do mundo.

Jesus usou parábolas. O termo grego *parabolē* significa "colocar ao lado para medida ou comparação como parâmetro".[3] Mounce está correto quando diz que a parábola é uma história simples da vida diária que ilustra uma verdade ética ou religiosa.[4] Tasker, porém, diz que Jesus adotou deliberadamente o método de ensinar por parábolas num particular estágio do seu ministério com o fim de reter a mais ampla verdade sobre ele e o reino do céus, privando disso as multidões que se tinham mostrado surdas às suas reivindicações e que não foram responsivas aos seus apelos. De agora em diante, quando Jesus se dirige à multidão incrédula, ele fala somente em parábolas (13.34), que privadamente interpreta para os seus discípulos. Resta claro, portanto, dizer que as parábolas do reino não são ilustrações gerais de verdades morais e espirituais fáceis de entender, mas elementos essenciais da revelação de Deus que se estava efetuando concretamente na pessoa e na obra de Jesus, o Messias.[5] William Hendriksen corrobora dizendo que o propósito de Jesus ao usar parábolas era ao mesmo tempo revelar e ocultar. Revelar de forma mais plena a verdade àqueles que aceitaram o mistério e ocultá-la daqueles que rejeitaram o óbvio, sendo ambos esses propósitos claramente indicados nessa passagem (13.10.17).[6]

Jesus deixa claro que as parábolas são janelas abertas para uns e uma porta fechada para outros. Assim, por meio de parábolas, Jesus revelou o mistério do reino de Deus. O que é um mistério? É aquilo que não pode ser conhecido à parte da revelação divina! Esse mistério é revelado a uns e encoberto a outros. As parábolas tanto revelam como ocultam a verdade. São uma mina de informações para os sinceros, mas um juízo sobre os descuidados. Em virtude da dureza de coração dos fariseus (13.13,15), eles ouviam, mas não entendiam. Por isso, eram confrontados com a responsabilidade de sua própria cegueira e impenitência. O Senhor endurece aqueles que endureceram a si mesmos. Quando o faraó endurece seu coração (Êx 7.22; 8.15,19,32; 9.7), Deus endurece o coração do faraó (Êx 9.12).[7] Quando as pessoas, por sua própria vontade, rejeitam o Senhor e tratam sua mensagem com desdém, mesmo sendo avisadas dos perigos e das promessas, ele, então, as endurece, para que aquelas que não quiserem se arrepender não sejam mais capazes de fazê-lo e ser, então, perdoadas. O maior juízo de Deus é entregar o homem ao seu próprio desejo (Rm 1.24,26,28).

Deus deu ao faraó muitas oportunidades para submeter-se às advertências de Moisés. Diante da sua resistência, Deus disse: Muito bem, faraó, faça-se a sua vontade. O Senhor então endureceu o coração de faraó (cf. Êx 9.12). Deus não endureceu o coração do faraó contra sua vontade. Ele simplesmente confirmou o que o faraó livremente escolheu: resistir a Deus (Rm 9.14-18). Hendriksen tem razão ao dizer que o endurecimento humano é seguido do endurecimento divino.[8]

A parábola do semeador é a porta de entrada para o entendimento de outras parábolas. Essa parábola é uma espécie de chave hermenêutica para a compreensão das outras parábolas. Quem não compreender sua mensagem não poderá alcançar o significado espiritual das demais. Essa parábola precisa de aplicação, e não de explicação. Nessa parábola, Jesus falou sobre seis verdades fundamentais: o semeador, a semente, o solo, a semeadura, o crescimento e a colheita.

A parábola revela, ainda, que Jesus não se impressiona com as multidões que o seguiam. A maioria daquelas pessoas que seguia Cristo não produziria frutos dignos de arrependimento. O coração delas era uma espécie de solo pobre.

A parábola mostra quatro tipos de solo, que simbolizam quatro tipos de resposta à Palavra de Deus: o coração que não corresponde (13.19), o coração impulsivo (13.20,21), o coração preocupado com outras coisas (13.22) e o coração que corresponde (13.23).[9] Vejamos.

À beira do caminho, corações endurecidos (13.4,19)

Para melhor compreensão dessa estratégica parábola, buscamos detalhes oferecidos também pelos outros evangelhos sinóticos. Jesus enfatiza três características do coração endurecido, como vemos a seguir.

Em primeiro lugar, *um coração endurecido ouve a Palavra, mas não a compreende* (13.19). Um coração duro é como um solo batido pelo tropel daqueles que vão e vêm. É o coração inquieto e perturbado com a passagem e o tropel das coisas do mundo, umas que vão, outras que vêm, outras que atravessam e todas que passam, e nele é pisada a Palavra de Deus. Esse ouvinte é o homem indiferente que a rotina da vida insensibilizou. Essa pessoa conforma-se com o rodar dos carros e a passagem dos homens, e vai vivendo a vida sem abrir sulcos na alma para a bendita semente da verdade.

John MacKay diz que, para muitos homens, o mais sério de todos os problemas é não perceber nenhum problema. Eles estão satisfeitos consigo mesmos. Agarrados ao hábito, escravos da rotina, orgulhosos de suas crenças ou da ausência delas, consumidos no prazer, nada levam a sério. O mais leve pretexto é bastante para que não assistam a uma conferência, não leiam um livro ou não façam nem recebam uma visita que possa prejudicar, de algum modo, o seu prestígio ou conturbar o seu sossego monótono e artificial.[10] John MacArthur Jr., nessa mesma linha de pensamento, diz que esse tipo de ouvinte é insensível, apático, distante, indiferente, negligente e até hostil. Não quer saber do evangelho. A mensagem bate nele e volta.[11]

Um coração duro ouve, mas lhe falta compreensão e entendimento espiritual. Ele escuta o sermão, mas não presta atenção. A Palavra de Deus não produz nenhum efeito nele mais do que a chuva na pedra. Esses ouvintes são semelhantes àqueles denunciados pelo profeta Ezequiel: *Eis que tu és para eles como quem canta canções de amor, que tem voz suave e tange bem; porque ouvem as tuas palavras, mas não as põem por obra* (Ez 33.32). Há uma multidão de ouvintes que domingo após domingo vai à igreja, mas Satanás rouba a semente do seu coração. Semana após semana, eles vivem sem fé, sem temor, sem rendição ao Senhor Jesus. Nesse mesmo estado geralmente eles morrem, são sepultados e se perdem eternamente no inferno. A. T. Robertson diz que o diabo está sempre ocupado arrebatando ou apoderando-se, como um bandido, da Palavra do reino antes que ela tenha tempo de germinar.[12]

Em segundo lugar, *um coração endurecido é onde a semente é pisada* (Lc 8.5). A semente que é pisada pelos homens nem chega a brotar. A semente que o diabo teme é aquela que os homens pisam.[13] O solo se torna duro quando muitos pés transitam por ele. Aqueles que abrem o coração para todo tipo de pessoas e influências estão em perigo de desenvolver um coração insensível. Esse coração é como um campo de pouso que precisa ser arado antes de receber a semeadura da Palavra (Jr 4.3; Os 10.12). John MacArthur Jr., comentando sobre esses caminhos da Galileia, escreve:

> A Palestina era coberta de campos. Não eram rodeados por muros ou cercas, sendo que seus únicos limites eram trilhas estreitas. A terra dessas trilhas era batida, comprimida, não cultivada, nunca arada ou amolecida. O constante pisar dos pés dos transeuntes, bem como o clima seco, compactava o solo dessas trilhas de uma tal maneira que se tornava duro como um asfalto. A semente que caía ali não penetrava o solo, mas ficava ali até ser pisada pelos homens e comida pelas aves.[14]

Em terceiro lugar, *um coração endurecido é onde a semente é roubada pelo diabo para que o ouvinte não creia e seja salvo* (Lc 8.12). Antonio Vieira diz que todas as criaturas do mundo se armaram contra essa sementeira. Todas as criaturas quantas há no mundo se reduzem a quatro gêneros: criaturas racionais, como os homens; criaturas sensitivas, como os animais; criaturas vegetativas, como os espinhos; e criaturas insensíveis, como as pedras. E não há mais. Faltou alguma dessas que se não armasse contra a semeadura? Nenhuma! A natureza insensível a perseguiu nas pedras; a vegetativa, nos espinhos; a sensitiva, nas aves; a racional, nos homens. As pedras a secaram; os espinhos a afogaram; as aves a comeram; e os homens a pisaram.[15]

A semeadura atrai imediatamente Satanás (13.19). O ouvinte tipo "à beira do caminho" ouve, mas Satanás arrebata a semente do seu coração. Satanás é um opositor da evangelização. Onde o semeador sai a semear, Satanás sai para roubar a semente. A evangelização é não apenas um campo de semeadura, mas também um campo de batalha espiritual. O diabo cega o entendimento dos incrédulos (2Co 4.4). Como parte do seu ataque cósmico contra Deus, Satanás e seus agentes buscam ativamente destruir a Palavra no coração daqueles que a ouvem, antes mesmo que ela comece a crescer. Sem dúvida, ele também está ativo nos lugares pedregosos e nos espinheiros, combatendo a frutificação da Palavra.

Solo rochoso, coração superficial (13.5,6,20,21)

John MacArthur Jr. está correto quando diz que o "solo rochoso" não se refere a um solo pedregoso; qualquer agricultor que cultivasse um campo removeria dele todas as pedras que pudesse. Contudo, por todo o Israel, há uma camada de rochas calcárias no subsolo. Em certos lugares, essa camada chega tão próximo à superfície que restam apenas alguns centímetros até o topo. À medida que a semente cai nesses lugares rasos e começa a germinar, suas raízes logo alcançam essa camada rochosa, sem terem para onde se expandir. Sem condições de aprofundar-se, as novas plantas geram uma folhagem exuberante, fazendo-se mais atraentes do que o restante da plantação. Mas, vindo o sol, tais plantas são as primeiras a morrer, porque as suas raízes não podem aprofundar-se em busca de umidade. Essa parte da plantação acaba mirrando bem antes de poder frutificar.[16] No solo rochoso, a semente tem um início promissor, mas um final frustrante. Como podemos descrever esse solo? Como podemos caracterizar esse coração superficial?

Em primeiro lugar, *um coração superficial tem uma resposta imediata à Palavra de Deus, mas irrefletida* (13.5,20). Tanto Mateus como Marcos usam, por duas vezes, a palavra "logo" com o sentido de "imediatamente". Essas pessoas agem "no calor do momento". Elas *imediatamente* aceitam a Palavra (13.20) e o fazem até mesmo com alegria. Então, *imediatamente* se escandalizam (13.21). Sua decisão é baseada na emoção, e não na reflexão. São os ouvintes emotivos, entusiastas "fogos de palha"; sentem alegria, mas passageira.[17] John MacKay chama esse ouvinte de homem leviano porque ele abraça com alegria o que não entende, apenas pela novidade da ideia, ou para agradar ao que a anunciou.[18] Esse é o ouvinte volúvel, que muda de lado conforme sopra o vento. O terreno pedregoso representa as pessoas que vivem e reagem superficialmente. Elas mostram uma promessa inicial que não se confirma. Tanto sua resposta quanto seu abandono são rápidos.

Em segundo lugar, *um coração superficial não tem profundidade nem perseverança* (13.5,21). Esse ouvinte não tem raiz em si mesmo. Sua fé é temporária. Na verdade, sua resposta ao evangelho foi apenas externa. Não houve novo nascimento nem transformação de vida. Houve adesão, mas não conversão; entusiasmo, mas não convicção. Vale destacar que esse ouvinte parece estar em vantagem em relação às demais pessoas. Sua resposta é imediata, e seu crescimento inicial é espantoso. Mas não tem profundidade, nem umidade, nem resistência ao calor do sol. A vida que o sol traz gera nele morte. Fica evidente que esse ouvinte construiu sua vida cristã numa base falsa. Ele não construiu sua fé em Cristo, mas nas vantagens imediatas que lhe foram oferecidas. Não havia umidade, raiz nem suporte para crescimento e frutificação. Hoje, vemos muitas pessoas pregando saúde, prosperidade e sucesso. As pessoas abraçam imediatamente esse evangelho do lucro, das vantagens imediatas, mas elas não perseveram, porque não têm raiz, não têm umidade, não suportam o sol, não permanecem na congregação dos justos. Elas se escandalizarão e se desviarão.

Em terceiro lugar, *um coração superficial não avalia os custos do discipulado* (13.6,21). Esse ouvinte abraça não o evangelho, mas outro evangelho, o evangelho da conveniência. Ele crê não em Cristo, mas num outro cristo. Quando, porém, chegam a angústia e a perseguição por causa da Palavra, logo se escandaliza, porque não calculou o custo de seguir a Cristo. Esse tipo de ouvinte se desvia porque não entende que o verdadeiro discipulado implica autonegação, sacrifício, serviço e sofrimento. Ele ignora o fato de que o caminho da cruz é o que nos leva à bem-aventurança eterna.

Esse ouvinte tem prazer em ouvir sermões em que a verdade é exposta. Ele fala com alegria e entusiasmo acerca da doçura do evangelho e da felicidade de ouvi-lo. Chora em resposta ao apelo da pregação e fala com intensidade acerca de seus sentimentos. Mas infelizmente não há estabilidade em sua religião. Não há uma obra real do Espírito Santo em seu coração. Seu amor por Deus é como a névoa que cedo passa (Os 6.4). Na verdade, esse ouvinte ainda está totalmente enganado. Não há real obra de conversão. Mesmo com todos os seus sentimentos, alegrias, esperanças e desejos, ele está realmente no caminho da destruição.

Solo cheio de espinhos, coração ocupado (13.7,22)

John MacArthur Jr. mais uma vez está correto quando define o solo cheio de espinhos como tendo uma boa aparência. Esse solo é profundo, rico, argiloso e fértil. Na época da semeadura, parece limpo e preparado. A semente que nele cai começa a germinar, mas as raízes fibrosas das pragas que se escondem sob a superfície também brotam e sufocam a plantação. A planta cultivada carece de cuidado, mas os espinheiros não. Crescem mais rapidamente e soltam suas folhas, que sombreiam a planta cultivada, não deixando que esta tome sol. Suas raízes são mais fortes e, portanto, absorvem toda a umidade do solo. No fim, as plantas boas acabam sufocadas.[19]

O semeador saiu a semear (13.3); parte da semente caiu entre os espinhos, e os espinhos cresceram e a sufocaram (13.7). Jesus explica que *o que foi semeado entre os espinhos é o que ouve a palavra, porém os cuidados do mundo e a fascinação das riquezas sufocam a palavra, e fica infrutífera* (13.22). Destacamos a seguir algumas lições.

Em primeiro lugar, *um coração ocupado ouve a Palavra de Deus, mas também se distrai com outras coisas* (13.7,22). Mateus e Marcos dizem que a semente caiu entre os espinhos (13.7; Mc 4.7), e Lucas diz que os espinhos cresceram com a semente (Lc 8.7). Esses espinhos representam ervas daninhas espinhosas. Não havia arado que conseguisse arrancar suas raízes de até 30 centímetros de profundidade. Em alguns lugares, esses espinheiros formavam uma cerca viva fechada, no meio da qual alguns pés de cereal até conseguiam crescer, mas ficavam medíocres e não carregavam a espiga. Essa semente disputou espaço com outras plantas. Ela não recebeu primazia; ao contrário, os espinhos concorreram com ela e a sufocaram (13.22). Os espinhos cresceram, mas a Palavra foi sufocada. Marcos retrata esse coração como um campo de batalha disputado (Mc 4.19). O espírito do mundo o inunda como uma enxurrada e sufoca a semente da Palavra. Uma multiplicidade de interesses toma o lugar de Deus. Esse ouvinte não tem uma ordem de prioridade correta, pois são muitas as coisas que tratam de tirar Cristo do lugar principal.

Em segundo lugar, *um coração ocupado é sufocado pela concorrência dos cuidados do mundo* (13.22). Esse ouvinte chegou a ouvir a Palavra, mas os cuidados do mundo prevaleceram. O mundo falou mais alto que o evangelho. As glórias do mundo tornaram-se mais fascinantes que as promessas da graça. A concupiscência dos olhos, a concupiscência da carne e a soberba da vida tomaram o lugar de Deus na vida desse ouvinte. Ele pode ser chamado de crente mundano. Ele quer servir a dois senhores. Quer agradar a Deus e ser amigo do mundo. Quer atravessar o oceano da vida com um pé na canoa do mundo e outro dentro da igreja.

Em terceiro lugar, *um coração ocupado é sufocado pela concorrência da fascinação da riqueza* (13.22). Esse ouvinte dá mais valor à terra que ao céu, mais importância aos bens materiais que à graça de Deus. O dinheiro é o seu deus. A fascinação da riqueza fala mais alto que a voz de Deus. O esforço para conseguir posição social, por meio de posses e segurança material, traz ansiedade tal que sufoca as aspirações por Deus.

Em quarto lugar, *um coração ocupado é sufocado pela concorrência de muitas ambições* (Mc 4.18,19). Marcos menciona *demais ambições* e Lucas cita os *deleites da vida* (Lc 8.14). Esse ouvinte é obcecado pelos prazeres da vida. Ele é um hedonista, e não um cristão.

Em quinto lugar, *um coração ocupado é infrutífero* (13.22). A semente fica mirrada. Ela nasce, mas não encontra espaço para crescer. Ela chega até a crescer, mas não produz fruto. Esse ouvinte desvirtua-se numa coisa aparente, numa casca vazia, numa sombra pálida. É como o anjo da igreja de

Sardes: tem nome de que vive, mas está morto (Ap 3.1). Concordo com A. T. Robertson quando ele diz que as primeiras três classes não dão fruto, mostrando que não são salvas, pois toda pessoa que pertence ao semeador é frutífera.[20]

A terra boa, coração frutífero (13.8,23)

John MacArthur Jr. afirma, corretamente, que esse solo é fofo, ao contrário daquele à beira do caminho. É profundo, o que não acontece com o rochoso. É limpo, diferentemente do solo infestado de pragas. Aqui a semente abre-se para a vida e produz enorme colheita, a cem, a sessenta e a trinta por um.[21]

Há três fatos importantes que destacamos a seguir.

Em primeiro lugar, *um coração frutífero ouve e compreende a Palavra de Deus* (13.23). Mateus diz que esse ouvinte ouve a Palavra e a compreende. Marcos diz que esse indivíduo ouve e recebe a Palavra (4.20). Lucas diz que ele ouve com bom e reto coração e também retém a Palavra (Lc 8.15). Essas pessoas não apenas ouvem, mas ouvem com o coração aberto, disposto, com o firme propósito de obedecer. Elas colocam em prática a mensagem, por isso frutificam. O texto não diz "acolhe com alegria", mas "acolhe e frutifica". A boa terra, ou o coração receptivo, faz três coisas: ouve, recebe e pratica. Nesses dias tão agitados, poucos são os que param para ouvir a Palavra. Mais escassos são aqueles que meditam no que ouvem. Só os que ouvem e meditam podem colocar em prática a Palavra e frutificar. Essas pessoas são aquelas que verdadeiramente se arrependem do pecado, depositam sua confiança em Cristo, nascem de novo e vivem em santificação e honra. Elas aborrecem o pecado e a ele renunciam. Amam Cristo e servem a ele com fidelidade.

Cada um dos três corações infrutíferos é influenciado por um diferente inimigo: no coração endurecido, Satanás mesmo rouba a semente; no coração superficial, os enganos da carne por meio do falso sentimento religioso impedem a semente de crescer; no coração ocupado, as coisas do mundo impedem a semente de frutificar. Esses são os três grandes inimigos do cristão: o diabo, a carne e o mundo (Ef 2.1-3).

Em segundo lugar, *um coração frutífero produz fruto* (13.8,23). Mateus diz que parte da semente caiu em boa terra e deu fruto (13.8). Marcos diz que produziu fruto que vingou e cresceu (Mc 4.8,9). O que distingue esse campo dos demais é que nele a semente não apenas nasce e cresce, mas o fruto vinga e cresce. Lucas diz que ele frutifica com perseverança (Lc 8.15). Jesus está descrevendo aqui o verdadeiro crente, porque o fruto, ou seja, uma vida transformada, é a evidência da salvação (2Co 5.17; Gl 5.19-23). Os outros três tipos de corações não produziram fruto, ou seja, não nasceram de novo. A marca do verdadeiro crente é que ele produz fruto. A árvore é conhecida pelo seu fruto. Uma árvore boa produz fruto bom. A marca dessa pessoa não é apenas fruto por algum tempo, mas perseverança na frutificação. Há uma constância na sua vida cristã. Essa pessoa não se desvia por causa das perseguições do mundo nem fica fascinada pelos prazeres mundanos e deleites da vida. Sua riqueza está no céu, e não na terra; seu prazer está em Deus, e não nos deleites da vida.

É importante frisar que o semeador semeia a Palavra de Deus. Há muitos semeadores que semeiam doutrinas de homens, e não a Palavra de Deus. Semeiam o que os homens querem ouvir, e não o que os homens precisam ouvir. Semeiam o que agrada aos ouvidos, e não o que salva a alma. Essa semente pode parecer muito fértil, mas não produz fruto que permanece para a vida eterna.

Outros pregadores pregam palavras de Deus, e não a Palavra de Deus. O diabo também pregou palavras de Deus, mas ele usou a Bíblia para tentar. Palavras de Deus na boca do diabo não são a Palavra de Deus, mas a palavra do diabo. E elas não podem produzir frutos dignos de Deus.

Em terceiro lugar, *um coração frutífero produz frutos em diferentes proporções* (13.8,23). Hendriksen diz que a importância da frutificação espiritual, como marca do verdadeiro crente, é enfatizada no Antigo Testamento (Sl 1.1-3; 92.14), nos evangelhos (3.10; 7.17-20; 12.33-35) e no restante do Novo Testamento (At 2.38; Gl 5.22; Ef 5.9).[22] Jesus deixa claro que, embora todas as sementes sejam frutíferas, nem todas produzem na mesma proporção. Marcos descreve essa produção em ordem ascendente: trinta, sessenta e cem por um (Mc 4.8,20); enquanto Mateus a descreve em ordem descendente: a cem, a sessenta e a trinta por um (13.8). Embora todos os corações sejam frutíferos, nem todos são frutíferos na mesma proporção. Há uma diferença no grau de frutificação. Nem todos são igualmente consagrados e cheios do Espírito Santo. Nem todos são igualmente comprometidos em produzir frutos para Deus (Jo 15.5).

Essa parábola, enseja-nos três conclusões solenes, como vemos a seguir.

Primeiro, não devemos subestimar as forças opositoras à semeadura. Jesus terminou a parábola dizendo: *Quem tem ouvidos* [para ouvir], *ouça* (13.9). O diabo, o mundo e a carne se armam para impedir a conversão dos pecadores.

Segundo, não devemos superestimar as respostas imediatas. As aparências enganam. Nem toda pessoa que diz "Senhor, Senhor" entrará no reino dos céus. Muitas pessoas vão aderir à fé cristã, mas apenas temporariamente, sem perseverança, sem conversão.

Terceiro, não devemos subestimar o poder da Palavra. A verdade é tão poderosa que até nos terrenos pedregosos e cheios de espinhos ela nasce e no bom solo produz a cem, a sessenta e a trinta por um.

NOTAS

[1] WIERSBE, Warren W. *Comentário bíblico expositivo*, p. 57.
[2] PINTO, Carlos Osvaldo Cardoso. *Foco & desenvolvimento no Novo Testamento*, p. 51.
[3] ROBERTSON, A. T. *Comentário de Mateus*, p. 148.
[4] MOUNCE, Robert H. *Mateus*, p. 135.
[5] TASKER, R. V. G. *Mateus: introdução e comentário*, p. 107-109.
[6] HENDRIKSEN, William. *Mateus.* Vol. 2, p. 59-60.
[7] IBIDEM, p. 65.
[8] IBIDEM, p. 66.
[9] IBIDEM, p. 71.
[10] MACKAY, John. ... *Eu vos digo.* Lisboa: Papelaria Fernandes, 1962, p. 262-263.
[11] MACARTHUR JR., John. *O evangelho segundo Jesus*, p. 140.
[12] ROBERTSON, A. T. *Comentário de Mateus*, p. 153.
[13] VIEIRA, Antonio. *Sermões.* Vol. 1. Lisboa: Lello & Irmãos Editores, 1951, p. 33.
[14] MACARTHUR JR., John. *O evangelho segundo Jesus*, p. 137.
[15] VIEIRA, Antonio. *Sermões.* Vol. 1, p. 3.
[16] MACARTHUR JR., John. *O evangelho segundo Jesus*, p. 137-138.
[17] CAMARGO, Sátila do Amaral. *Ensinos de Jesus atrás de suas parábolas.* São Paulo, SP: Imprensa Metodista, 1970, p. 30.
[18] MACKAY, John. ... *Eu vos digo*, p. 264.
[19] MACARTHUR JR., John. *O evangelho segundo Jesus*, p. 138.
[20] ROBERTSON, A. T. *Comentário de Mateus*, p. 154.
[21] MACARTHUR JR., John. *O evangelho segundo Jesus*, p. 138.
[22] HENDRIKSEN, William. *Mateus.* Vol. 2, p. 75.

Capítulo 39

O reino de Deus visto por meio de parábolas

(Mt 13.24-52)

Nesse terceiro grupo de discursos, Jesus ensina por meio de parábolas. Já consideramos no capítulo anterior a principal dessas parábolas. Agora, veremos as outras seis que se seguem.

A parábola do joio e do trigo – o verdadeiro e o falso crente (13.24-30,36-43)

De forma semelhante à parábola do semeador, essa parábola é também de fácil entendimento. Jesus explica, a pedido dos discípulos (13.36), o significado da parábola (13.37-39). O semeador aqui não é o crente alcançado pela graça, mas o filho do homem. O campo é o mundo. A boa semente aqui não é a

Palavra, mas os filhos do reino; o joio, por sua vez, são os filhos do maligno. O inimigo que o semeou é o diabo; a ceifa é a consumação dos séculos; e os ceifeiros são os anjos.

O diabo é um opositor da obra de Deus. Como ele não pode destruir o crente verdadeiro, a boa semente semeada na boa terra, ele planta no meio do povo de Deus o falso crente. Warren Wiersbe alerta sobre essa realidade quando diz que devemos ter cuidado com as falsificações de Satanás, pois ele possui crentes falsos (2Co 11.26), que acreditam num evangelho falso (Gl 1.6-9). Ele estimula uma falsa justificação (Rm 10.1-3) e tem até mesmo uma igreja falsa (Ap 2.9). No final dos tempos, chegará ao cúmulo de produzir um falso cristo (2Ts 2.1-12).[1] John MacArthur Jr. esclarece esse ponto assim:

> Os crentes não se disfarçam de filhos do diabo. O oposto disso é que é verdade. Satanás se finge de anjo de luz, e os seus servos imitam os filhos da justiça (1Co 11.14,15). Quando as Escrituras reconhecem a dificuldade em se distinguir as ovelhas dos bodes, a questão central não é que os crentes possam parecer incrédulos, mas, pelo contrário, que os ímpios frequentemente parecem justos. Em outras palavras, o rebanho deve estar alerta para os lobos vestidos de ovelhas, e não tolerar ovelhas que fazem o papel de lobo.[2]

Destacamos a seguir algumas lições.

Em primeiro lugar, *os crentes verdadeiros e os crentes falsos estão juntos na igreja visível* (13.24-26). Os filhos do reino e os filhos do maligno estão presentes na igreja. Crescem juntos. Nem sempre é fácil distinguir um do outro. Eles têm algumas semelhanças. O crente verdadeiro foi plantado por Deus, mas o crente falso foi plantado pelo diabo. O crente verdadeiro é diferente do crente falso por sua origem e natureza. O crente verdadeiro procede de Deus e tem uma vida transformada. O crente falso procede do diabo e tem uma vida de mera aparência de piedade. John Charles Ryle, nessa mesma linha de pensamento, diz que a igreja visível é um vasto campo onde crescem, lado a lado, o trigo e o joio. Devemos estar preparados para encontrar crentes e incrédulos, convertidos e não convertidos, os filhos do reino e os filhos do maligno, todos misturados uns com os outros.[3]

Em segundo lugar, *não temos autorização para arrancar os crentes falsos do meio dos crentes verdadeiros* (13.27,28). Não temos competência para arrancar o joio do meio do trigo, porque nossos critérios de avaliação são passíveis de erro. Correríamos o perigo de arrancar trigo como se joio fosse. Então, essa separação só acontecerá na segunda vinda de Cristo, quando os anjos farão precisa distinção entre um e outro. Naquele dia, então, o trigo irá para o celeiro de Deus, e o joio irá para o fogo.

Em terceiro lugar, *a disciplina na igreja precisa ser cautelosa para não jogar fora o trigo nem promover o joio* (13.29). A igreja precisa ter muita cautela para não tirar da igreja trigo pensando ser joio ou proteger na igreja joio como se trigo fosse. O extremo rigor na disciplina pode bandear para esse risco fatal. Na verdade, só o Senhor conhece aqueles que são seus (2Tm 2.19). Charles Spurgeon alerta sobre o fato de que disciplinadores precipitados muitas vezes expulsam o melhor e mantêm o pior. Onde o mal é claro e aberto, não podemos hesitar em lidar com ele; mas, onde é questionável, é melhor esperar até que tenhamos uma orientação mais completa.[4] Hendriksen é mais enfático: "Quão amiúde não têm os homens de eminente posição eclesiástica tentado expulsar da igreja os que, por uma ou outra razão, não os favoreciam, ainda quando às vezes eles não haviam cometido falta alguma?"[5] John Charles

Ryle escreve: "Quem não se importa com o que acontece ao trigo, contanto que possa desarraigar o joio, demonstra possuir bem pouco da mente de Cristo".[6]

Em quarto lugar, *embora o falso crente por um tempo possa ser visto como verdadeiro crente, sua verdadeira identidade será manifestada na segunda vinda de Cristo* (13.30). Na consumação dos séculos, na segunda vinda de Cristo, os anjos, os ceifeiros de Deus, não errarão no diagnóstico. Eles farão uma separação rigorosa e precisa entre joio e trigo. Jamais trigo será lançado no fogo, e jamais joio será recolhido no celeiro de Deus. No céu não há hipócrita nem no inferno, crentes verdadeiros. Naquele dia, diz John Charles Ryle, os santos e fiéis servos de Cristo receberão glória, honra e vida eterna. Os mundanos, os ímpios, os descuidados e os não convertidos serão lançados na fornalha acesa.[7]

Em quinto lugar, *tanto a bem-aventurança eterna como a condenação eterna são realidades inevitáveis* (13.30,40-43). O trigo, os crentes verdadeiros, será reunido no celeiro, e os molhos de joio serão atados e jogados na fornalha. Na mesma medida em que uns serão bem-aventurados, os outros serão atormentados. O engano da obra do diabo não dura para sempre. As máscaras dos falsos crentes cairão. E eles sofrerão penalidade de eterna destruição (Jd 6,7; Ap 14.9-11; 20.10), enquanto os filhos do reino desfrutarão de felicidade eterna (Ap 21.1-5). Hendriksen está certo ao escrever: "Os recipientes da graça aqui serão os recipientes da glória lá".[8]

A parábola do grão de mostarda – o crescimento externo e visível do reino de Deus (13.31,32)

Essa parábola aponta para o progresso do reino de Deus no mundo. Três verdades nos chamam a atenção, como vemos a seguir.

Em primeiro lugar, *o reino de Deus começou de forma humilde e despretensiosa* (13.31,32). A igreja, agente do reino, começou pequena e fraca em seu berço. A semente de mostarda é um símbolo proverbial daquilo que é pequeno e insignificante. Era a menor semente das hortaliças (13.32). Foi usada para representar uma fé pequena e fraca (Lc 17.6). O reino chegou com um bebê deitado numa manjedoura. Jesus nasceu em uma família pobre, numa cidade pobre e cresceu como filho de um carpinteiro pobre. Ele não tinha onde reclinar a cabeça. Seus apóstolos eram homens iletrados. O Messias foi entregue nas mãos dos homens, preso, torturado e crucificado entre dois criminosos. Seus próprios discípulos o abandonaram. A mensagem da cruz era escândalo para os judeus e loucura para os gentios. Em todas as coisas do reino, o mundo vê as marcas da fraqueza. Aos olhos do mundo, o começo da igreja reveste-se de consumada fraqueza.

Em segundo lugar, *grandes resultados desenvolvem-se de pequenos começos* (13.32). Grandes rios surgem em pequenas nascentes de água; o carvalho forte e alto cresce de uma pequena noz. A parábola do grão de mostarda é a história dos contrastes entre um começo insignificante e um desfecho surpreendente; entre o oculto hoje e o revelado amanhã. O reino de Deus é como tal semente: seu tamanho atual e sua aparente insignificância não são, de modo algum, indicadores de sua consumação, a qual abrangerá todo o universo.

A igreja cresceu a partir do Pentecostes de forma exponencial. Aos milhares, os corações iam se rendendo à mensagem do evangelho. Os corações duros eram quebrados. Doutores e analfabetos capitulavam diante do poder da Palavra de Deus. A igreja expandiu-se por toda a

Ásia, África e Europa. O império romano, com sua força, não pôde deter o crescimento da igreja. As fogueiras não puderam destruir o entusiasmo dos cristãos. As prisões não intimidaram os discípulos de Cristo, que, por todas as partes, preferiam morrer a blasfemar. Os cristãos preferiam o martírio à apostasia.

A igreja continua ainda crescendo em todo o mundo. De todos os continentes, aqueles que confessam o Senhor Jesus vão se juntando a essa grande família, a esse imenso rebanho, a essa incontável hoste de santos. Nas palavras do profeta Daniel, o reino de Deus é como uma pedra que quebra todos os outros reinos e enche toda a terra (Dn 2.34,35), como as águas cobrem o mar (Hc 2.14).

As aves que se aninham nos seus ramos frequentemente são um símbolo das nações da terra (Ez 17.23; 31.6; Dn 4.12). E, de fato, quarenta anos depois da morte e ressurreição de Cristo, o evangelho tinha chegado a todos os grandes centros do mundo romano. Desde aquele tempo, ele continua se expandindo e ganhando pessoas de todas as raças e nações.

A parábola do fermento – a influência interior e invisível do reino de Deus (13.33)

Se a parábola da semente de mostarda se refere à expansão externa do reino, a parábola do fermento remete à sua influência invasiva, secreta e interna. O fermento aqui não é usado no sentido negativo como em outros textos (Êx 12.14-20; 1Co 5.7), mas para falar sobre sua influência rápida, silenciosa e eficaz. Uma vez que a obra da graça se iniciou em um coração, ela jamais permanecerá quieta. Pouco a pouco, ela influenciará a consciência, as afeições, a mente e a vontade, até que todo o homem seja afetado pelo seu poder e ocorra uma completa transformação.

Foi pela influência do evangelho que as grandes causas sociais foram promovidas: a libertação da escravidão; a valorização das crianças e das mulheres; o amparo aos idosos; o alívio à pobreza; a valorização do conhecimento, das ciências e das belas artes; a promoção do crescimento econômico e social da sociedade. O evangelho não aliena os homens. Ao contrário, transforma-os e faz deles agentes de transformação.

William Barclay, analisando o texto paralelo de Lucas, diz que essas duas parábolas encerram quatro lições: 1) O reino de Deus começa de forma pequena, como a menor das sementes; 2) O reino de Deus trabalha sem ser visto, de modo silencioso, como o fermento age na massa; 3) O reino de Deus trabalha de dentro para fora, pois a massa não pode crescer a não ser que o fermento nela opere esse crescimento; 4) O reino de Deus provém de fora. A massa não tem poder de mudar a si mesma, tampouco nós o temos.[9]

Jesus fala por meio de parábolas (13.34,35)

As parábolas eram janelas abertas para uns e portas fechadas para outros. Às multidões, Jesus falava por parábolas, para que se cumprisse a profecia de Salmo 78.2: *Abrirei os lábios em parábolas e publicarei enigmas dos tempos antigos*. Marcos, entretanto, acrescenta que *tudo* [...] *Jesus explicava em particular aos seus próprios discípulos* (Mc 4.34).

A parábola do tesouro escondido (13.44)

Essa parábola revela o valor incomparável do reino dos céus. Esse reino vale o maior investimento. É prudente aquele que abre mão de tudo para tomar posse do reino. Esse reino vale mais que todos os tesouros, pois é o tesouro por excelência. É óbvio que o dinheiro não compra a salvação. Ela é um dom gratuito de Deus (Is 55.1). Hendriksen diz que só podemos comprá-la no sentido em que granjeamos uma posse lícita dela. Fazemos isso pela graça, mediante a fé no Senhor Jesus Cristo, compreendendo que até mesmo a fé é dom divino.[10]

A parábola da pérola (13.45,46)

As pérolas, geralmente obtidas do golfo Pérsico ou do oceano Índico, eram de um valor fabuloso, muito além do poder aquisitivo da pessoa comum. Somente os ricos podiam adquiri-las.[11] A parábola da pérola de grande valor tem o mesmo significado que a parábola anterior. O reino dos céus é mais valoroso que as melhores pérolas, que os mais ricos tesouros. Investir no reino dos céus é fazer o melhor, o mais sábio e o mais duradouro de todos os investimentos. É um investimento de consequências eternas.

A parábola da rede (13.47-50)

A parábola da rede, à semelhança da parábola do joio, revela que a igreja visível é formada de convertidos e não convertidos, "bons" e "ruins". Muitos são arrastados pela rede pescadora do evangelho, e nessa rede vêm os verdadeiros convertidos e os supostamente convertidos. Somente na consumação dos séculos é que os maus serão separados dos justos e lançados na fornalha.

O pai de família (13.51,52)

Os ensinos de Jesus precisam ser entendidos. Aqueles que são versados no reino dos céus se assemelham a um pai de família que tira do seu depósito coisas novas e coisas velhas. Concordo com John Charles Ryle quando ele diz que Jesus está fazendo aqui uma poderosa aplicação das sete admiráveis parábolas desse capítulo. A aplicação pessoal tem sido chamada de "alma da pregação". Um sermão sem aplicação é como uma carta enviada sem o endereço do destinatário.[12]

NOTAS

[1] WIERSBE, Warren W. *Comentário bíblico expositivo*, p. 57.
[2] MACARTHUR JR., John. *O evangelho segundo Jesus*, p. 148.
[3] RYLE, John Charles. *Meditações no evangelho de Mateus*, p. 98.
[4] SPURGEON, Charles H. *O evangelho segundo Mateus*, p. 264.
[5] HENDRIKSEN, William. *Mateus*. Vol. 2, p. 89.
[6] RYLE, John Charles. *Meditações no evangelho de Mateus*, p. 99.
[7] IBIDEM, p. 100.
[8] HENDRIKSEN, William. *Mateus*. Vol. 2, p. 87.
[9] BARCLAY, William. *Lucas*, p. 175-176.
[10] HENDRIKSEN, William. *Mateus*. Vol. 2, p. 93.
[11] IBIDEM.
[12] RYLE, John Charles. *Meditações no evangelho de Mateus*, p. 103.

Capítulo 40

O perigo da incredulidade

(Mt 13.53-58)

Nazaré foi a cidade que mais conviveu com Jesus. Ali ele passou sua infância e juventude. Ali foi carpinteiro. Dali ele saiu para iniciar seu ministério público. A cidade de Jesus não o reconheceu como Messias e por incredulidade o expulsou. Quatro fatos são dignos de nota com respeito à incredulidade do povo de Nazaré, como vemos a seguir.

Primeiro, a indesculpabilidade da incredulidade. Nesse tempo, Jesus já havia se manifestado plenamente ao mundo e havia operado muitos milagres em Cafarnaum, a trinta quilômetros de Nazaré.

Segundo, a causa da incredulidade. O povo tornou-se incrédulo por causa da origem de Jesus. Viam-no apenas como o carpinteiro, filho de Maria, cujos irmãos e irmãs eles conheciam. Além do mais, Jesus não tinha estudado em escolas rabínicas e eles não podiam explicar seu conhecimento nem seu poder.

Terceiro, a reprovação da incredulidade. Jesus disse que um profeta não tem honra em sua própria terra. Seus irmãos não creram nele. Sua cidade não creu nele. Os líderes religiosos não creram nele. A familiaridade, em vez de gerar fé, produziu preconceito e incredulidade.

Quarto, a consequência da incredulidade. Jesus ficou admirado com a incredulidade deles e ali não realizou nenhum milagre; em vez disso, deixou a cidade. Enfermos deixaram de ser curados e pecadores deixaram de ser perdoados por causa da incredulidade.

Vejamos a seguir alguns pontos de destaque nesse texto.

O perigo da admiração sem fé (13.53,54a)

Jesus já havia sido expulso da sinagoga de Nazaré no começo do seu ministério (Lc 4.16-30). Naquela ocasião, quiseram matá-lo; então, Jesus mudou-se para Cafarnaum (4.13; 9.1). Agora, Jesus vai outra vez a Nazaré, dando ao povo uma nova oportunidade.

Nazaré era a cidade mais privilegiada do mundo, pois ali o filho de Deus havia passado sua infância e juventude, permitindo que os nazarenos vissem muito de perto a *glória de Deus, na face de Cristo* (2Co 4.6). Por trinta anos, Jesus andou pelas ruas de Nazaré e o povo contemplou sua vida irrepreensível, mas, quando ele lhes anunciou o evangelho, eles rejeitaram tanto a mensagem quanto o mensageiro. Eles admiraram sua sabedoria e o seu poder, mas rejeitaram sua mensagem.

O perigo da familiaridade com o sagrado (13.54b-57)

A familiaridade com Jesus produziu preconceito, e não fé. Nada é mais perigoso para a alma do que se acostumar com o sagrado. A origem e a profissão de Jesus foram obstáculos para os seus concidadãos. Às vezes, estamos demasiadamente próximo das pessoas para ver sua grandeza. Eles pensaram que o conheciam, mas seus olhos estavam cegos pela incredulidade. Egidio Gioia diz que, na religião, a familiaridade gera o desprezo por causa da inveja.[1] Hendriksen acrescenta: "O que Jesus disse é que onde quer que um profeta tenha honra, certamente não será entre seu povo e sua família".[2]

O perigo do conhecimento divorciado da fé (13.54c-57)

O povo de Nazaré reconhecia que Jesus fazia coisas extraordinárias e tinha uma sabedoria sobre-humana. Eles levantaram várias perguntas: De onde lhe vêm esta sabedoria e estes poderes miraculosos? Não é este o filho do carpinteiro? Não se chama sua mãe Maria, e seus irmãos, Tiago, José, Simão e Judas? Não vivem entre nós todas as suas irmãs? De onde lhe vem, pois, tudo isso? Eles tinham a cabeça cheia de perguntas e o coração vazio de fé. Porque eles não puderam explicá-lo, então o rejeitaram. O contraste entre o humilde carpinteiro e o profeta sobrenatural foi muito grande para eles compreenderem. Então eles escolheram a descrença, uma escolha que deixou Jesus admirado (Mc 6.6).

O perigo de fechar as portas para o profeta e seus milagres (14.57,58)

Quão terrivelmente desastroso é o pecado da incredulidade. A incredulidade rouba do povo as maiores bênçãos. Onde se rejeita o doador, a dádiva é sem sentido, talvez até prejudicial. Como um princípio geral, o poder segue a fé. Na maioria das vezes, Jesus operou maravilhas em resposta e em cooperação com a fé.

Jesus não estava disposto a fazer milagres onde as pessoas o rejeitavam por preconceito e incredulidade. Na ausência da fé, Jesus não poderia fazer obras poderosas, segundo o propósito de seu ministério, pois operar milagres onde a fé está ausente, na maioria dos casos, seria meramente agravar a culpa dos homens e endurecer o coração deles contra Deus.

A incredulidade é o mais tolo e inconsequente dos pecados, pois leva as pessoas a recusarem a mais clara evidência, a fechar os olhos ao mais límpido testemunho, e ainda a crer em enganadoras mentiras. Pior de tudo, a incredulidade é o pecado mais comum no mundo. Milhões são culpados desse pecado por todos os lados.

NOTAS

[1] GIOIA, Egidio. *Notas e comentários à harmonia dos evangelhos.* Rio de Janeiro, RJ: Juerp, 1969, p. 164.

[2] HENDRIKSEN, William. *Mateus.* Vol. 2, p. 99.

Capítulo 41

Um homem que ouve, mas não crê

(Mt 14.1-12)

A família herodiana tem uma passagem sombria pela história. Era uma família cheia de mentiras, assassinatos, traições e adultério. Herodes, o Grande, foi um rei insano, desconfiado e inseguro. Ele se casou dez vezes e matou esposas e filhos. Mandou matar as crianças de Belém, pensando com isso eliminar o infante Jesus, rei dos judeus.

Herodes Antipas era o filho de Herodes, o Grande (2.1). Mounce diz que a árvore genealógica de Herodes, o Grande, é notavelmente complexa. Herodias se casara com Herodes Filipe de Roma (14.3), que era filha de Herodes, o Grande, e de Mariane II. A filha dela, Salomé (14.6-11), se casara com Filipe, o tetrarca (Lc 3.1), meio-irmão de Herodes Antipas (filho caçula de Herodes, o Grande, e de sua esposa samaritana Maltace).[1]

Herodes Antipas era chamado de rei, mesmo que o seu título oficial fosse "tetrarca" (Lc 3.19), o governador de uma quarta parte da nação. Quando seu pai morreu, os romanos dividiram seu território entre seus três filhos; e Antipas foi feito tetrarca da Galileia e Pereia aos 16 anos, de 4 a.C. até 39 d.C. Herodes Agripa foi o Herodes que mandou prender Pedro e matar Tiago (At 12). Era neto de Herodes, o Grande. Agripa II foi o Herodes que julgou Paulo (At 25.13–26.32).

Herodes Antipas era culpado de incesto, pois se casou com sua cunhada e sobrinha Herodias. De acordo com Warren Wiersbe, ele ouviu a voz da tentação em vez de ouvir a voz de Deus. Outras vozes o haviam advertido, como a voz do profeta (14.3-5), a voz da consciência (14.1,2), a voz de Jesus (Lc 23.6-11) e a voz da história. Herodes perdeu seu prestígio e poder. Seus exércitos foram derrotados pelos árabes, e seus pedidos (sob pressão da esposa) para ser coroado rei foram negados pelo imperador Calígula. Herodes foi banido para a Gália (França), onde morreu.[2]

Vejamos a seguir algumas características desse homem que fechou a porta da graça com as suas próprias mãos.

Em primeiro lugar, *Herodes foi um homem atormentado pela culpa* (14.1-3). Ao ouvir a fama de Jesus, disse que Jesus era João Batista ressurreto. Herodes temia João Batista vivo, mas agora o teme ainda mais morto. Sua consciência está atormentada, e ele não sabe como se livrar dela. Uma consciência culpada vive assombrada. Herodes divorciou-se da sua mulher para casar com Herodias, mas não consegue divorciar-se de si mesmo, nem se livrar de sua consciência culpada. Ninguém pode evitar viver consigo mesmo; e, quando o ser interior se transforma no acusador, a vida se torna insuportável. Concordo com as palavras de John Charles Ryle: "Um homem ímpio não precisa de outro atormentador, sobretudo no caso de crimes de sangue, mais do que o seu próprio coração".[3]

Duas coisas atormentam Herodes: o assassinato de João Batista e o medo de haver ele ressuscitado. João Batista havia se interposto no caminho do pecado de Herodes. Este, para agradar sua mulher e acalmar sua consciência, colocou João na prisão, um calabouço chamado Maquerós, em elevada colina a leste do mar Morto. Herodes prendeu João, porque a palavra de João prendeu Herodes. Depois mandou decapitá-lo. Herodias temia o povo, Herodes temia a João, mas este não temia nem um nem outro. João Batista morreu em paz, mas aqueles viveram em tormento.

Em segundo lugar, *Herodes foi um homem prisioneiro da superstição* (14.2). Herodes pensa que Jesus é João Batista que ressuscitou para perturbá-lo. Ele está tão confuso acerca de Jesus quanto a multidão da Galileia. Sua crença está desfocada. Sua teologia é mística e supersticiosa, e uma teologia assim traz tormento, e não libertação. A superstição é uma fé baseada em sentimentos e opiniões. Não emana das Escrituras, por isso não oferece segurança nem paz.

Em terceiro lugar, *Herodes foi um homem culpado de adultério e incesto* (14.3,4). Herodes Antipas era casado com uma filha do rei Aretas, rei de Damasco. Divorciou-se dela para casar com Herodias, mulher de seu irmão Filipe de Roma, não Filipe, o tetrarca. Herodias era cunhada e sobrinha de Herodes. Era filha de Aristóbulo, seu meio-irmão. Ao casar com Herodias, portanto, Herodes Antipas cometeu pecado de adultério e incesto, violando assim a moral e a decência (Lv 18.16,20,21). Herodias divorciou-se de Filipe para casar com Antipas depois que este se divorciou da sua esposa, a filha de Aretas, rei da Arábia.[4] O casamento do rei foi duramente condenado por João Batista e de forma reiterada. Este não era um profeta da conveniência, mas a voz de Deus quer no deserto quer no palácio. João estava pronto a ser preso e a morrer, mas não a calar sua voz. Herodes prendeu João, colocou-o em cadeias e encerrou-o em um profundo e terrível calabouço que formava parte de seu palácio e castelo em Maquerós.[5] Charles Spurgeon diz que João Batista recebeu a sua coroa no céu, embora tivesse perdido a sua cabeça na terra.[6]

Em quarto lugar, *Herodes foi um homem cheio de conflitos* (14.5). Herodes teme a João (Mc 6.20), gosta de ouvi-lo, respeita-o, mas manda prendê-lo. A voz de Herodias falava mais alto que a voz da sua consciência. Ele não foi corajoso o suficiente para obedecer à palavra de João, mas agora se sente escravo da sua própria palavra e manda matar um homem inocente. Não basta admirar e gostar de ouvir grandes pregadores. Herodes fez isso, mas pereceu. Herodes e Herodias estavam tão determinados a continuar na prática do pecado que taparam os ouvidos à voz da consciência e mais tarde silenciaram o profeta, mandando degolá-lo. Herodes silenciou João, mas não conseguiu silenciar sua própria consciência culpada.

Em quinto lugar, *Herodes foi um homem inconsequente em suas promessas* (14.6-12). Herodes festeja com seus convivas. As festas reais eram extravagantes tanto na demonstração de riqueza quanto na provisão de prazeres. Homens, mulheres, luxo, mundanismo, bebidas, músicas profanas e danças, pecados e Satanás com seus emissários. Nessa festa havia de tudo, menos o temor de Deus. É nesse contexto que Herodes fez promessas irrefletidas à filha de Herodias (14.7; Mc 6.22,23). Para manter sua palavra, manda decapitar o homem a quem respeitava e temia. Herodes era um homem que agia por impulso e falava antes de pensar. Ele está no trono, mas quem comanda é Herodias. Ele fala muito e pensa pouco. Quando age, o faz de forma insensata. Sua festa de aniversário tornou-se uma festa macabra. O bolo de aniversário não veio coberto de velas, mas de sangue, com a cabeça do maior homem entre os nascidos de mulher, o precursor do Messias. Faltou-lhe coragem moral para temer a Deus, em vez de temer quebrar os seus votos insensatos, a pedido de uma mulher vingativa e de convivas coniventes.

Em sexto lugar, *Herodes foi um homem que fechou a porta da graça com as próprias mãos* (14.9-12). Herodes transgrediu sua consciência e mandou decapitar João Batista para cumprir seu voto tolo, a fim de atender uma mulher vingativa e não perder a pose diante de seus convivas. Em vez de Herodes ouvir o profeta de Deus, prendeu-o, matou-o e endureceu ainda mais o coração. Mais tarde, Jesus o chamou de raposa. Quando estava sendo julgado, Jesus esteve com ele face a face, mas Herodes zombou de Jesus. Foi exilado e morreu na escuridão em que sempre viveu. No ano 39 d.C., Herodes Agripa, seu sobrinho, o denunciou ao imperador romano Calígula, e ele foi deposto e banido para um exílio perpétuo em Lyon, na Gália, onde morreu.

Notas

[1] Mounce, Robert H. *Mateus*, p. 157.
[2] Wiersbe, Warren W. *Comentário bíblico expositivo*, p. 63.
[3] Ryle, John Charles. *Meditações no evangelho de Mateus*, p. 106.
[4] Robertson, A. T. *Comentário de Mateus*, p. 164.
[5] Hendriksen, William. *Mateus*. Vol. 2, p. 105.
[6] Spurgeon, Charles H. *O evangelho segundo Mateus*, p. 283.

Capítulo 42

A primeira multiplicação de pães e peixes

(Mt 14.13-21)

Esse é o único milagre, à parte da ressurreição de Jesus, narrado pelos quatro evangelistas. Os três evangelhos sinóticos colocam o registro desse episódio extraordinário imediatamente depois da morte de João Batista e da confusão mental de Herodes. Marcos informa que, em virtude da agenda congestionada dos discípulos e da morte de João Batista, Jesus toma a decisão de sair com seus discípulos para um tempo de descanso num lugar deserto (Mc 6.30-32). Mateus também afirma que o milagre aconteceu num lugar deserto (14.13,15). Lucas diz que esse retiro ocorreu numa cidade chamada Betsaida (Lc 9.10). João diz que o ocorrido se deu no monte (Jo 6.3). Fica evidente que esse monte ficava próximo de Betsaida e que o lugar era deserto, uma vez que por ali não havia como comprar pão para aquela vasta multidão.

A passagem enseja-nos algumas lições, que comentamos a seguir.

O cuidado de Jesus com seus discípulos (14.13a)

Em virtude do esgotamento dos discípulos e da tristeza pela morte de João Batista, Jesus sai com eles para um lugar deserto, para um tempo de refrigério. O convite de Jesus ao descanso é a expressão de seu cuidado pastoral pelos discípulos. Enquanto curam os outros, os discípulos não estão isentos de estafa provocada pelo trabalhar com pessoas. Jesus enfatiza também que precisamos cuidar de nós mesmos antes de cuidar dos outros.

A compaixão de Jesus pela multidão (13.13b,14)

Jesus se compadece da multidão, em vez de vê-la como estorvo. Jesus acolhe a multidão, em vez de despedi-la faminta e enferma.

O verbo "compadecer-se" expressa, no Novo Testamento, o grau mais elevado de simpatia pelo que sofre. Denota uma preocupação profunda que se traduz em auxílio ativo. Essa palavra significa literalmente "condoer-se por dentro" e é muito mais forte do que a simples solidariedade. Tratase de um termo usado seis vezes nos evangelhos; em cinco dessas ocasiões, é relacionado a Jesus Cristo. Em duas ocasiões, o Senhor compadeceu-se ao ver multidões famintas (14.14; 15.32). Os dois homens cegos (20.34) e o leproso (Mc 1.41) também despertaram a compaixão de Jesus; ele ainda se apiedou do sofrimento da viúva de Naim (Lc 7.13).[1] De modo algum Jesus despede a multidão por estar de férias; antes, ele vai ao encontro da multidão para socorrê-la. Jesus não veio para despedir as pessoas, mas para salvá-las. Jesus encarou aquela multidão como ovelhas sem pastor. Os líderes religiosos de Israel não estavam cuidando espiritualmente do povo. Uma ovelha é um animal frágil e dependente que precisa de sustento, direção e proteção.

Jesus supre as necessidades da multidão, em vez de pensar apenas no seu bem-estar. Jesus faz três coisas para suprir a necessidade dessa multidão. Primeiro, ele ensinou a multidão acerca do reino de Deus. Não ensinou banalidades, mas falou acerca do reino. Supriu a necessidade da mente. Segundo, ele curou os enfermos. Jesus atendeu às necessidades físicas. Terceiro, ele alimentou a multidão. Aquele pão era um símbolo do pão do céu (Jo 6.22-40). Assim, Jesus atende não apenas às necessidades físicas, mas também espirituais.

A incapacidade dos discípulos (14.15)

Depois de um dia intenso de atividade com a multidão carente, no qual Jesus ensinou e curou os enfermos, os discípulos resolvem agir. Eles se sentem impotentes diante da situação, mas fazem suas sugestões, como vemos a seguir.

Os apóstolos querem despedir a multidão (14.15). O argumento dos apóstolos estava repleto de prudência. Eles viam quatro dificuldades intransponíveis, como vemos a seguir.

Em primeiro lugar, *o local era deserto*. Um local ermo não era um ambiente favorável para uma multidão com mulheres e crianças. O deserto era tanto um lugar de descanso como de prova. Jesus não estava apenas cuidando da multidão, mas também provando seus discípulos.

Em segundo lugar, *a hora já estava avançada*. A noite em breve cairia com suas sombras espessas, e aquela multidão estaria exposta a toda sorte de perigos.

Em terceiro lugar, *havia uma grande multidão*. Havia um grande déficit no orçamento deles. A despesa era maior do que a receita. Eles eram poucos, e os recursos também eram poucos para atender a tão grande multidão. O melhor plano deles é muito ruim. Eles não veem outra solução a não ser despedir a multidão. Que a multidão arranje solução para seus próprios problemas. Charles Spurgeon destaca que o Senhor tem pensamentos mais nobres do que esses. Ele mostrará sua generosidade real à faminta multidão.[2]

Em quarto lugar, *eles não tinham recursos para suprir a necessidade da multidão*. Para os apóstolos, tudo era desfavorável: o local era deserto, a hora estava avançada, a multidão era enorme, e eles não tinham dinheiro suficiente. Os discípulos enfatizam o que eles não têm.

A ordem de Jesus (14.16,17)

Jesus ordena que os apóstolos alimentem a multidão. A ordem é perturbadora: *Dai-lhes, vós mesmos, de comer* (14.16). Os apóstolos foram confrontados com três problemas humanamente insolúveis, como vemos a seguir.

Em primeiro lugar, *era uma grande multidão*. Havia cinco mil homens, além de mulheres e crianças. Era uma grande demanda e uma urgente necessidade a ser atendida por eles. A despesa era imensamente maior do que a receita.

Em segundo lugar, *os apóstolos não tinham onde comprar pão*. O problema é que eles estavam num deserto, e não na cidade. Havia um problema de logística. Ainda que tivessem recursos, não havia onde buscar tanto pão para alimentar aquela multidão.

Em terceiro lugar, *os apóstolos não tinham dinheiro suficiente.* Eles não apenas estavam no lugar errado, na hora errada, mas também lhes faltavam recursos financeiros suficientes. Era um beco sem saída. Os discípulos estavam encurralados por circunstâncias insuperáveis. Mais uma vez, Spurgeon é oportuno quando escreve: "É bom que saibamos quão pobres somos e quão longe estamos de ser capazes de satisfazer as necessidades do povo ao nosso redor".[3]

O milagre realizado por Jesus (14.18-21)

Jesus, antes de operar o milagre da multiplicação dos pães e dos peixes, toma algumas medidas pedagógicas, que comentamos a seguir.

Em primeiro lugar, é preciso saber quais são os recursos disponíveis (14.17; Mc 6.38). O milagre de Deus acontece quando o homem decreta sua falência. Eles tinham um déficit imenso. Era um orçamento desfavorável: cinco pães e dois peixes para alimentar uma grande multidão.

Em segundo lugar, é preciso colocar *o pouco que se tem nas mãos de Jesus* (14.18). Jesus deseja que entreguemos em suas mãos o que possuímos. Ele fará que o pouco seja suficiente para muitos.[4] O garoto entregou seu lanche a André, este o levou a Jesus, e Jesus o multiplicou. Não podemos fazer o milagre, mas podemos levar o que temos e colocá-lo nas mãos de Jesus. Warren Wiersbe diz que precisamos começar com o que temos e entregar tudo o que temos ao Senhor.[5]

Em terceiro lugar, é preciso *organização para que todos sejam atendidos* (14.19). Nosso Deus é Deus de ordem. Ele criou o universo com ordem. Ele não é Deus de confusão. Não deveria haver tumulto. Todos deveriam ser igualmente atendidos.

Em quarto lugar, *o milagre acontece nas mãos de Jesus, mas as mãos dos discípulos devem repartir o pão* (14.19b). Jesus ensina a seus discípulos onde eles devem esperar os suprimentos da graça: *Erguendo os olhos ao céu...* Só de Deus vem pão com fartura para alimentar as multidões famintas. Somos cooperadores de Deus. O milagre vem de Jesus, mas nós o repartimos com a multidão. Não temos o pão, mas o distribuímos por meio das mãos de Jesus. Charles Spurgeon diz que Jesus é o anfitrião da festa, e nós somos os seus garçons.[6]

Em quinto lugar, *o alimento que Jesus oferece satisfaz plenamente* (14.20). Jesus tem pão com fartura. Aquele que se alimenta dele não tem mais fome. Ele satisfaz plenamente. Assim como Deus alimentou o povo com o maná no deserto, agora Jesus está alimentando a multidão. O mesmo Deus que multiplicou o azeite da viúva está agora multiplicando pães e peixes. O mesmo Jesus que transformou a água em vinho está agora exercendo o seu poder criador para multiplicar os pães e os peixes.

Em sexto lugar, *não se deve desperdiçar a provisão divina* (14.20b,21). O dom de Deus não deve ser desperdiçado. O pão é fruto da graça de Deus, e não podemos jogar fora a graça de Deus. O que sobeja precisa ser aproveitado. Concordo com William Hendriksen quando ele diz que o desperdício é algo pecaminoso.[7] Charles Spurgeon observa que, ao alimentarmos os outros, nosso estoque aumenta. Aquilo que sobrou foi maior do que aquilo que deram. Aqueles que enchem a boca dos outros terão as suas próprias cestas cheias. Todos ficam satisfeitos quando Jesus dá o banquete.[8]

O evangelista João coloca esse texto no contexto da proximidade da Páscoa e do célebre sermão de Jesus sobre o pão da vida (Jo 6.1-71). Os milagres de Jesus eram pedagógicos. Ele estava multiplicando os pães para ilustrar a gloriosa verdade de que ele é o Pão da Vida.

NOTAS

[1] WIERSBE, Warren W. *Comentário bíblico expositivo*, p. 63-64.
[2] SPURGEON, Charles H. *O evangelho segundo Mateus*, p. 288.
[3] IBIDEM.
[4] IBIDEM.
[5] WIERSBE, Warren W. *Comentário bíblico expositivo*, p. 64.
[6] SPURGEON, Charles H. *O evangelho segundo Mateus*, p. 289.
[7] HENDRIKSEN, William. *Mateus.* Vol. 2, p. 116.
[8] SPURGEON, Charles H. *O evangelho segundo Mateus*, p. 290.

Capítulo 43

Vencendo as tempestades da vida

(Mt 14.22-36)

Jesus estava saindo de férias com seus discípulos. Eles estavam tão cansados que não tinham tempo nem para comer (Mc 6.31). Além da agenda congestionada, haviam acabado de receber a dolorosa notícia de que João Batista tinha sido degolado na prisão de Maquerós, por ordem de um rei bêbado, a pedido de uma mulher adúltera.

Jesus, então, proporciona aos discípulos um justo e merecido descanso (14.13; Mc 6.31). Eles saem para um lugar solitário. Mas, ao chegarem no destino, uma multidão de gente carente, doente e faminta já havia descoberto o plano e antecipado a cavarana dos discípulos (14.14; Mc 6.33). Para espanto e surpresa dos discípulos, Jesus não despede a multidão; antes, cancela as férias e passa o dia ensinando, curando e alimentando aquele povo aflito como ovelhas sem pastor. Pior, ao fim do dia, em vez de Jesus continuar o programa das férias, compele seus discípulos a entrar no barco e voltar para casa (14.22).

Por que Jesus despediu os discípulos antes de despedir a multidão (14.22)? Por duas razões, pelo menos, como vemos a seguir.

Primeiro, para livrá-los de uma tentação. O evangelista João nos informa que a intenção da multidão era fazê-lo rei (Jo 6.14,15). Jesus estava poupando os discípulos dessa tentação, ou seja, de uma visão distorcida da sua missão. Os doze não estavam prontos para enfrentar esse tipo de teste, visto que sua visão do reino ainda era muito nacional e política.[1] Jesus não se curvou à tentação da popularidade; antes, manteve-se em seu propósito e resistiu à tentação por meio da oração.

Segundo, para interceder por eles na hora da prova (14.23). Jesus não tinha tempo para comer (Mc 3.20), mas tinha tempo para orar. A oração era a sua própria respiração. Jesus estava no monte em oração quando os viu em dificuldade (Mc 6.48). O Senhor nos vê quando a tempestade nos atinge. Não há circunstância que esteja fora do alcance de sua intervenção. Os nossos caminhos jamais estão escondidos aos seus olhos. Ele está junto ao trono do Pai, intercendo por nós (Rm 8.34). Ele sente o fardo que carregamos e sabe pelo que estamos passando (Hb 4.14-16).

O mínino que esses discípulos podiam esperar era uma viagem tranquila de volta para casa, uma vez que o tempo de descanso fora interrompido. Mas, ao voltarem, eles são colhidos por uma terrível tempestade. Esse episódio encerra grandes lições e traz à baila as grandes tensões da alma humana.

As tempestades da vida chegam (14.22-24)

A vida não se desenrola numa estufa espiritual nem numa colônia de férias. As tempestades chegam, e chegam para todos. Elas são inevitáveis: alcançam ricos e pobres, doutores e analfabetos, crentes e descrentes. Elas são imprevisíveis: chegam sem aviso prévio, colhendo-nos de surpresa. Elas são inadministráveis: fogem ao nosso controle. Elas são pedagógicas: sempre nos ensinam uma lição. Os discípulos de Jesus enfrentam uma avassaladora tempestade. Não temos imunidades especiais. Deus nos livra nas tempestades, mas não das tempestades.

Muitas vezes, as maiores tempestades que enfrentamos não são aquelas que acontecem fora de nós, mas as que agitam a nossa alma e levantam vendavais furiosos em nosso coração. Os tufões mais violentos não são aqueles que agitam as circunstâncias, mas os que deixam turbulentos os nossos sentimentos.

As tempestades da vida chegam mesmo quando estamos no caminho da obediência (14.22-24)

Jesus não pediu, não sugeriu nem aconselhou os discípulos a passar para o outro lado do mar. Ele os compeliu, os obrigou (14.22). Os discípulos não tinham opção; deviam obedecer. E, ao obedecerem, foram empurrados para o epicentro de uma avassaladora tempestade. Como entender isso? Por que Deus permite que sejamos apanhados de surpresa por situações adversas? Por que Deus nos empurra para o epicentro da crise? Por que somos sacudidos por vendavais maiores que nossas forças? Por que acidentes trágicos, perdas dolorosas e doenças graves assolam aqueles que estão fazendo a vontade de Deus?

É mais fácil entender que a obediência sempre nos leva para os jardins engrinaldados de flores, e não para a fornalha da aflição. É mais fácil aceitar que a obediência nos livra da tempestade, em vez de crer que ela nos arrasta para as torrentes mais caudalosas. Fica claro, portanto, que a presença de problemas nem sempre significa que estamos fora do propósito de Deus ou que Deus é indiferente à nossa dor. Na verdade, a vida cristã não é uma sala *vip* nem um parque de diversões. Não fique desanimado por causa das tempestades de sua vida. Elas podem ser inesperadas para você, mas não para Deus. Elas podem estar fora do seu controle, mas não do controle do altíssimo. Você pode não entender a razão delas, mas elas são instrumentos pedagógicos de Deus na sua vida.

Warren Wiersbe esclarece esse ponto:

> Ao ler a Bíblia, descobrimos que há dois tipos de tempestades: as que vêm para a correção, quando Deus nos disciplina, e as que vêm para o aperfeiçoamento, quando Deus nos ajuda a crescer. Jonas enfrentou uma tempestade porque havia desobedecido a Deus e, portanto, deveria ser corrigido. Os discípulos enfrentaram uma tempestade porque haviam obedecido a Cristo e precisavam ser aperfeiçoados. Jesus os havia testado numa tempestade anteriormente, quando estava no barco com eles (8.23-27). Mas agora ele os testou permanecendo fora do barco.[2]

As tempestades da vida se agravam quando Jesus parece demorar (14.23,24)

Os discípulos de Jesus passaram horas amargas e de grande desespero procurando remar contra a maré (Mc 6.48). O mesmo mar, tão conhecido deles, está agora irreconhecível. O inesperado mostra a sua carranca. O trivial transforma-se num monstro assustador. O barco é levantado por vagalhões em fúria, e o vento, encurralado pelas montanhas de Golã de um lado e pelas montanhas da Galileia do outro, increspa as ondas e sova o frágil barco com desmesurado rigor. Todo o esforço de controlar a embarcação esvai-se no coração daqueles bravos combatentes. Nesse momento de pavor, os discípulos esperam pela presença de Jesus, mas ele não chega; antes, a tempestade se agrava. Essa é uma das maiores tensões da vida: a demora de Deus!

Esse foi o drama vivido pela família de Betânia. Quando Lázaro ficou enfermo, Marta e Maria mandaram um recado para Jesus: *Está enfermo aquele a quem amas* (Jo 11.3). Quem ama, tem pressa em socorrer a pessoa amada. Quem ama, importa-se com o objeto do seu amor. As irmãs de Lázaro tinham certeza de que Jesus iria socorrê-las. Certamente as pessoas perguntavam a elas: "Será que Jesus ama mesmo vocês? Será que ele virá curar Lázaro? Será que chegará a tempo?" A todas essas perguntas perturbadoras, Marta deve ter respondido com segurança: "Certamente ele vem. Ele nunca nos abandonou. Ele nunca nos decepcionou". A certeza foi substituída pela ansiedade, esta pelo medo, e o medo pela decepção. Lázaro morreu, e Jesus não chegou. Marta ficou engasgada com essa dolorosa e constrangedora situação. Quatro dias se passaram depois do sepultamento de Lázaro. Só então Jesus chegou. Marta correu ao seu encontro e logo despejou sua dor: *Senhor, se estiveras aqui, não teria morrido meu irmão* (Jo 11.21). A demora de Jesus havia aberto uma ferida em sua alma. Sua expectativa de livramento foi frustrada. Sua dor não foi terapeutizada. Suas lágrimas não foram enxugadas. A vida do seu irmão não foi poupada. Marta está tão machucada que não pode mais crer na intervenção sobrenatural de Jesus (Jo 11.39,40). Antes de censurar Marta, deveríamos sondar o nosso coração. Quantas vezes as pessoas nos ferem com perguntas venenosas: "O teu Deus, onde está?"; "Se Deus se importa com você, por que você está passando por problemas?"; "Se Deus ama você, por que você está doente?"; "Se Deus satisfaz todas as suas necessidades, por que você está sozinho, nos braços da solidão?"; "Se Deus é bom, por que ele não poupou você ou a pessoa que você ama daquele trágico acidente?"; "Se Deus é o Pai de amor, por que a pessoa que você ama foi arrancada dos seus braços pelo divórcio ou pela morte?" Muitas vezes o maior drama que enfrentamos não é a tempestade, mas a demora de Deus em vir nos socorrer.

Jesus, na verdade, não estava longe nem indiferente ao drama dos seus discípulos; estava no monte orando por eles (14.23; Mc 6.46-48). Quando você pensa que o Senhor está longe, na verdade ele está trabalhando em seu favor, preparando algo maior e melhor para você. Ele não dorme nem cochila, mas trabalha para aqueles que nele esperam. Ele não chega atrasado, nem a tempestade está fora do seu controle. Jesus não chegou atrasado a Betânia. A ressurreição de Lázaro foi um milagre mais notório do que a cura de um enfermo. Sossegue o seu coração. Jesus sabe onde você está, como você está e para onde ele vai levar você.

Nas tempestades da vida, Jesus sempre vem ao nosso encontro (14.25,26)

Os problemas são como as ondas do mar: quando uma onda se quebra na praia, a outra já está se formando. Muitas vezes, quando você tenta se recuperar de um solavanco, outra onda chega, açoita-o de novo e o joga ao chão. Mas, quando você pensa que a causa está perdida, que a esperança já se dissipou, então Jesus surge no horizonte da sua história. Quando você decreta a falência dos seus recursos, Jesus chega e põe um ponto final na crise.

Jesus não chegou atrasado ao mar da Galileia. O seu socorro veio na hora oportuna. Aquela tempestade só tinha uma finalidade: levar os discípulos a uma experiência mais profunda com Jesus. As tempestades não são autônomas nem chegam por acaso. Estão na agenda de Deus. Fazem parte do currículo de Deus em nossa vida. Não aparecem simplesmente; elas são enviadas pela mão da providência. É conhecida a expressão usada por William Cowper, poeta inglês, que diz que por trás de toda providência carrancuda, esconde-se uma face sorridente.

Nas tempestades da vida, Jesus vem ao nosso encontro mesmo quando achamos que não há mais esperança de livramento (14.25)

A noite era dividida pelos judeus em quatro vigílias: a primeira, das 6 horas da tarde às 9 horas da noite; a segunda, das 9 horas à meia-noite; a terceira, da meia-noite às 3 horas da madrugada; e a quarta, das 3 horas da madrugada às 6 horas da manhã. Aqueles discípulos entraram no mar ao cair da tarde. Ainda era dia quando chegaram ao meio do mar (14.23,24). De repente, o mar começou a agitar-se, varrido pelo vento forte que soprava (Jo 6.18), e o barco foi açoitado pelas ondas (14.24). Eles remaram com todo o empenho do cair da tarde até as 3 horas da madrugada, e ainda estavam no meio do mar, no centro do problema, no ponto mais fundo, mais perigoso, sem sair do lugar.

Às vezes, temos a sensação de que os nossos esforços são inúteis. Remamos contra a maré. Esforçamo-nos, choramos, clamamos, jejuamos, mas o perigo não se afasta. Nessas horas, os problemas tornam-se maiores que as nossas forças. Sentimo-nos esmagados debaixo dos vagalhões. Perdemos até mesmo a esperança do salvamento (At 27.20). Mas, quando tudo parece perdido, quando chega a hora mais escura, a madrugada da nossa história, Jesus aparece para pôr fim à nossa crise.

Jesus sempre vem ao nosso encontro, ainda que na quarta vigília da noite. O Senhor não vem quando desejamos; ele vem quando necessitamos. O tempo de Deus não é o nosso. Deus não livrou os amigos de Daniel *da* fornalha; livrou-os *na* fornalha. Deus não livrou Daniel *da* cova dos leões, livrou-o *na* cova. Deus não livrou Pedro *da* prisão, mas *na* prisão.

Há momentos, portanto, em que Deus não nos livra *da* morte, mas *na* morte. Nem sempre Deus nos poupa do sofrimento, mas nos livra e nos leva para a casa do Pai por meio dele. Deus não livrou Paulo da espada de Roma, mas o conduziu à glória mediante o martírio.

Nas tempestades da vida, Jesus vem ao nosso encontro colocando o que nos ameaça debaixo dos seus pés (14.25,26)

Os discípulos esperavam com ansiedade o socorro de Jesus, mas, quando ele veio, eles não o discerniram. Aquela era uma noite trevosa. O mar estava coberto por um manto de total escuridão. Ocasionalmente, os relâmpagos luzidios riscavam os céus e despejavam um faixo de luz sobre as ondas gigantescas que faziam o barco rodopiar. Exaustos, desesperançados e cheios de pavor, num desses lampejos os discípulos enxergam uma silhueta caminhando resolutamente sobre as ondas. Assustados e tomados de medo, gritaram: "É um fantasma!"

Eles esperavam por Jesus, mas não de maneira tão estranha. O Senhor vem a eles de forma inusitada, andando sobre as ondas. Não apenas a tempestade era pedagógica, mas também o era a maneira pela qual Jesus chega aos discípulos. Esse episódio nos ensina duas grandes lições, como vemos a seguir.

A primeira lição é que as ondas que nos ameaçam estão literalmente debaixo dos pés de Jesus. O mar era um gigante imbatível, e as ondas suplantavam toda a capacidade de resistência dos discípulos. Mas aquilo que era maior do que os discípulos, e que conspirava contra eles, estava literalmente debaixo dos pés do Senhor Jesus. Ele é maior do que os nossos problemas. As tempestades da nossa vida podem estar fora do nosso controle, mas não fora do controle de Jesus. Ele calca sob os pés aquilo que se levanta contra nós.

A segunda lição é que Jesus faz da própria tempestade o seu caminho para chegar à nossa vida. Ele não apenas anda sobre a tempestade, mas faz dela a estrada para ter acesso à nossa vida. Muitas vezes, o sofrimento é a porta de entrada de Jesus em nosso coração. Ele usa até os nossos problemas para aproximar-se de nós. O profeta Naum diz que o Senhor tem o seu caminho na tormenta e na tempestade (Na 1.3). Mais pessoas se encontram com o Senhor nas noites escuras da alma do que nas manhãs radiosas de folguedo. As mais ricas experiências da vida são vivenciadas no vale da dor. Com certeza, os caminhos de Deus não são os nossos. Eles são mais altos e mais excelentes!

Nas tempestades da vida, Jesus vem para nos dar pleno livramento (14.27-32)

Jesus não apenas vem ao nosso encontro na hora da nossa aflição, mas vem para nos socorrer. Ele tem amor e poder. O texto em apreço nos ensina algumas preciosas lições, como vemos a seguir.

Em primeiro lugar, *Jesus vem para acalmar as tempestades da nossa alma* (14.27). A primeira palavra de Jesus não foi ao vento nem ao mar, mas aos discípulos. Antes de acalmar a tempestade, ele acalmou os discípulos. Antes de aquietar o vento, ele fez serenar a alma dos discípulos. Jesus distinguiu que a tempestade que estava dentro deles era maior do que a tempestade que estava fora deles. A tempestade da alma era mais avassaladora do que a tempestade das circunstâncias. O problema interno era maior que o externo. Jesus compreendeu que o maior problema deles não era circunstancial, mas existencial; não eram os fatos, mas os sentimentos.

Jesus disse aos assustados discípulos: *Tende bom ânimo! Sou eu. Não temais!* (14.27). Antes de mudar o cenário que rodeava os discípulos, Jesus acalmou o coração deles, usando dois argumentos, como vemos a seguir.

Primeiro, Jesus levanta o ânimo deles. É natural perder o ânimo depois de uma longa tempestade. Havia se dissipado toda esperança de livramento no coração daquele grupo. Então, a primeira palavra não é de censura, mas de ânimo. Jesus se importa com os nossos sentimentos. Ele é o supremo psicólogo. Ele nos dá um banho de consolação e encorajamento antes de começar a transformar a nossa situação.

Segundo, Jesus diz que sua presença é o antídoto para o nosso medo. Jesus usa um só argumento para banir o medo dos discípulos: sua presença com eles. Ele disse aos discípulos: *Sou eu. Não temais* (14.27). Entre o medo e o ânimo, está Jesus. Onde Cristo está, a tempestade se aquieta, o tumulto se converte em paz, o impossível se torna possível, o insuportável se torna suportável, e os homens passam o vale do desespero sem se desesperar. A presença de Cristo conosco é a nossa conquista da tempestade. O criador do céu e da terra está conosco. Aquele que sustenta o universo é quem nos socorre. Jesus prometeu estar conosco todos os dias. Mesmo quando não o vemos, ele está presente. Mesmo quando a tempestade vem, ele está no controle.

Em segundo lugar, *Jesus vem para corrigir nossas ideias distorcidas* (14.26,27). Quando os discípulos viram Jesus andando sobre as águas, registraram erradamente os sinais da sua presença divina. Pensaram que ele era um fantasma. Em vez de gritar para ele, eles gritaram seu medo um na cara do outro. Aquele era um brado de terror, porque supersticiosamente eles pensavam que os espíritos da noite traziam desgraças. A superstição é algo forte ainda hoje. Mesmo nos dias de hoje, existem pessoas, incluindo membros de igreja, que consultam adivinhos. Há os que, na sexta-feira 13, quando um gato preto cruza o seu caminho, entendem tal coincidência como indicando mau agouro; os que recuam, horrorizados, para não passar por baixo de uma escada; ou os que, quando se dirigem a um quarto de número 13 – assumindo que há tal quarto –, lá derramam uma quantidade razoável de sal! Além disso, essas pessoas se recusam, enfaticamente, a fazer essas coisas se o horóscopo indica o dia como sendo "azarado" para elas.

Em terceiro lugar, *Jesus vem para socorrer-nos do nosso naufrágio* (14.28-31). Ouvindo a voz de Jesus, Pedro dispõe-se a ir ao seu encontro. Movido pela fé, caminhou sobre as ondas revoltas. Porém, reparando na força do vento, teve medo e, começando a submergir, gritou: *Salva-me, Senhor!* Jesus, prontamente, estendendo a mão, tomou-o e lhe disse: *Homem de pequena fé, por que duvidaste?* Jesus sempre nos socorre quando, nas tempestades da vida, clamamos por seu socorro. Pedro é uma espécie de gangorra: ora em cima, ora embaixo. Ele oscila entre fé e incredulidade, exaltação a Cristo e reprovação a Cristo, lealdade a Cristo e negação a Cristo. Na passagem em apreço, Pedro vai da confiança à dúvida. William Hendriksen chega a escrever sobre ele: "Pessoa interessantíssima, esse Pedro. Parece não fazer nada pela metade. Quando é bom, é muito bom; quando é mau, é muito mau; e, quando se arrepende, chora amargamente".[3]

Em quarto lugar, *Jesus vem para acalmar as tempestades das circunstâncias* (14.32). Jesus, depois que acalmou os discípulos, também pôs fim à tempestade. Mateus registra: *Subindo ambos para o barco, cessou o vento.* Jesus ainda hoje continua acalmando as tempestades da nossa vida. Ele faz o nosso barco parar de balançar. Estanca o fluxo da nossa angústia e amordaça a boca da crise que berra aos nossos ouvidos. Quando Jesus chega, a tempestade precisa se encolher. Sua voz é mais poderosa que a voz do vento. Ele é o Senhor da natureza. Tudo que existe está sob sua autoridade. O vento ouve sua voz, e o mar lhe obedece. As ondas se aquietam diante da sua palavra.

Jesus é poderoso para acalmar as nossas tempestades existenciais. A tempestade conjugal que assola a sua vida pode ser solucionada por ele. O divórcio doloroso do cônjuge e dos filhos, que está fazendo sangrar seu peito, pode ser estancado por ele. A crise financeira que jogou você ao chão e o deixou falido, desempregado e endividado pode ser resolvida por ele. A enfermidade que rouba os seus sonhos, drena suas forças e estiola o seu vigor pode ser curada. A depressão que aperta o seu peito, tira o seu oxigênio e afunda você num pântano de angústia, embaçando seus olhos, pode ser vencida. O medo que suga as suas energias pode acabar. A tempestade pode ser maior do que você, mas ela está debaixo dos pés de Jesus.

Nas tempestades da vida, Jesus vem para reconhecermos que ele é digno de adoração (14.33)

Por que Deus permite tempestades em nossa vida? Primeiro, para reconhecermos quão grande ele é, o verdadeiro filho de Deus. Segundo, para que o adoremos. As tempestades abrem os olhos da nossa alma e nos colocam de joelhos!

Nas tempestades da vida, Jesus vem para curar os enfermos (14.34-36)

Quando Jesus chegou a Genesaré, outra multidão o reconheceu. Do meio da dor, brotava um clamor, um rogo para que os enfermos tocassem em Jesus, e todos quantos o tocavam saíram curados. Devemos nos esforçar de igual modo para levar todos aqueles que estão necessitados de remédio espiritual ao médico dos médicos, para serem curados. Nele há uma fonte inesgotável de vida, perdão, cura e salvação.

Charles Spurgeon diz que nosso Rei é mestre tanto na terra como no mar. Seja sobre o mar de Genesaré, seja na terra de Genesaré, o seu poder e majestade supremos são infalivelmente comprovados. Ele acalma as tempestades e cura as enfermidades. Ele toca as ondas com os pés, e elas ficam firmes; ele toca os corpos doentes com as mãos, e eles ficam curados.[4]

As curas de Jesus não podem ser esteriotipadas. Algumas vezes, Jesus tocava as pessoas para as curar (8.3); outras vezes, eram as pessoas que tocavam em Jesus para serem libertas do seu mal (9.21). Em outras ocasiões, não havia toque algum envolvido (12.13). Por onde quer Jesus passava, a virtude fluía dele para aliviar as pessoas de seus fardos.

NOTAS

[1] WIERSBE, Warren W. *Comentário bíblico expositivo*, p. 65.
[2] IBIDEM.
[3] HENDRIKSEN, William. *Mateus.* Vol. 2, p. 123.
[4] SPURGEON, Charles H. *O evangelho segundo Mateus*, p. 299-300.

Capítulo 44

A tradição religiosa divorciada da Palavra de Deus

(Mt 15.1-20)

Jesus está em Jerusalém, a sede da conspiração contra ele. Mateus descreveu vários confrontos entre Jesus e os líderes. Eles o acusaram de assumir prerrogativas divinas (9.3), relacionar-se com pessoas "ruins" (9.11), permitir que os seus discípulos "não guardassem" o sábado (12.2), e de ele mesmo não guardar o sábado (12.10) e expulsar demônios por Belzebu (12.24). Essa confrontação, agora, centra-se ao redor de uma questão básica (15.2): "O que deve regular a vida: a tradição humana ou a Palavra de Deus?" A resposta de Jesus abre clareiras sobre a verdadeira espiritualidade.

Quando a tradição religiosa toma o lugar da Palavra de Deus (15.1,2)

As tradições fazem parte inalienável de nossa vida. Tom Hovestol diz que, sem as tradições, não saberíamos quem somos (nossa identidade), de onde viemos (nossas raízes), em que acreditamos (nossa estrutura mental) nem como deveríamos nos comportar (nosso estilo de vida). Portanto, as tradições são padrões habituais e familiares de fazer as coisas conforme nos passaram aqueles que vieram antes de nós.[1]

Sproul está certo quando diz que as tradições não são negativas em si mesmas, porém elas jamais podem ocupar o lugar da Palavra de Deus. Ele exemplifica isso com a Dieta de Worms, em 1521, quando Lutero respondeu a seus interlocutores, que exigiam que ele se retratasse de seus escritos. Ele respondeu: "A menos que eu seja convencido pelas Escrituras e pela razão pura, não aceitarei a autoridade dos papas e dos concílios, pois eles se contradizem – minha consciência permanecerá cativa à Palavra de Deus. Não posso e não retirarei coisa alguma, porque ir contra a própria consciência não é certo nem seguro. Deus me ajude. Amém".[2]

O problema dos fariseus é que eles colocaram essas tradições acima da Palavra de Deus, transformando a tradição, a fé viva dos mortos, em tradicionalismo, a fé morta dos vivos. John Leith alerta sobre o fato de que, quando as tradições são mortas, elas só se conservam por meio do legalismo de seus adeptos.[3] William Hendriksen diz que esses fariseus estavam mais preocupados com "a tradição dos anciãos" do que com a Palavra de Deus. Substituíam a genuína piedade pelo mero legalismo, a atitude de coração e mente pela conformidade externa da tradição e a alegre obediência pela torturante escrupulosidade.[4]

Tom Hovestol ainda alerta contra o perigo de as igrejas contemporâneas viverem presas a essa tradição que virou tradicionalismo. Assim ele escreve:

> Na igreja, quase tudo que fazemos se fundamenta nas tradições concebidas pelos homens. Os dias, as horas e os lugares em que nos reunimos para adoração não passam de tradições. As reuniões que temos e os ministérios que oferecemos são, em grande parte, fundamentados na tradição, e não nas Escrituras. O modo de nos vestir, a estrutura do nosso culto, nosso estilo de música e os instrumentos usados são ditados em grande parte pela tradição. Temos tradições teológicas, tradições denominacionais, tradições psicológicas, tradições sociológicas, tradições étnicas, tradições nacionais e, até mesmo, tradições geográficas. O problema é que, muitas vezes, nós as elevamos ao patamar de verdades inabaláveis, exatamente como os fariseus fizeram.[5]

Voltemos ao texto em pauta. Alguns escribas e fariseus fazem uma pergunta em tom de censura a Jesus: *Por que transgridem os teus discípulos a tradição dos anciãos? Pois não lavam as mãos, quando comem* (15.2). A tradição dos anciãos era um corpo de literatura oral oriunda de um desejo de expor a lei escrita e aplicá-la às novas circunstâncias. A tradição dos anciãos, em nome de ser uma santa tradição, estava roubando a prioridade e a centralidade das Escrituras e perpetuando-se. As tradições tendem a ser mantidas muito depois de terem perdido sua utilidade. Mas devemos deixar claro que não é a cultura que deve julgar as Escrituras, mas as Escrituras que devem julgar todas as culturas e tradições dos homens. A mensagem das Escrituras é o fundamento, e não os usos e costumes. Esses vêm e vão. Podem ser úteis e também tornar-se prejudiciais. Precisamos ousar mudar os métodos sem jamais negociar a verdade. Sproul corrobora dizendo: "Regras externas – não comer, não tocar, não mexer – não são capazes de resolver o verdadeiro problema, a saber, o mal presente no coração dos homens. Só Jesus, operando pelo poder de seu Espírito Santo, pode transformar o coração".[6]

Destacamos dois pontos a seguir.

Em primeiro lugar, *os acusadores* (15.1). Jesus estava em Genesaré, às margens do mar da Galileia, quando os fariseus e escribas vieram interrogá-lo. Esses homens eram fiscais da vida alheia. Eram caçadores de heresias. Tinham a língua afiada para denunciar qualquer pessoa que deles divergisse. Eram detetives, e não pastores. Eram rigorosos na observância de sua tradição religiosa, mas transgressores da Palavra de Deus.

Os escribas eram os especialistas da lei. Eles a estudavam, a interpretavam e a ensinavam ao povo. Mais exatamente, eles transmitiam para sua própria geração as tradições, as quais, de geração em geração, tinham sido passadas com respeito à interpretação e aplicação da lei. Essas tradições tinham tido sua origem no ensino de rabinos veneráveis do passado. Os fariseus, por sua vez, eram aqueles que tentavam fazer todos crerem que eles, os separatistas, estavam vivendo de acordo com o ensino dos escribas.

Em segundo lugar, *a acusação* (15.2). Esses farejadores de heresia acusaram os discípulos de Jesus de transgredirem a tradição dos anciãos. O que os incomodava era que os discípulos comiam sem lavar as mãos. As acusações sobre "lavar as mãos" não tinham nenhuma relação com a higiene. Referiam-se às lavagens cerimoniais praticadas pelos judeus mais ortodoxos.[7] Essas regras foram impostas pelos anciãos, mas não tinham amparo na Palavra de Deus. Lavar as mãos antes das refeições não é uma exigência do

Antigo Testamento. Era uma lei de purificação criada pelos homens, mas não estabelecida por Deus. Essa lavagem de mãos, como já afirmamos, não tinha nada a ver com higiene pessoal ou a ordenança da lei, mas apenas com a tradição dos escribas e fariseus. Isso era mais um fardo que eles inventaram para o povo carregar (23.4). Concordo com A. T. Robertson quando ele diz que a questão era pôr a tradição dos anciãos no lugar dos mandamentos de Deus. Jesus apoia a verdadeira justiça e a liberdade espiritual, e não a escravidão à mera cerimônia e tradição. Os rabinos colocavam a tradição (a lei oral) acima da lei de Deus.[8]

Quando a tradição religiosa transgride a Palavra de Deus (15.3-9)

Destacamos alguns pontos a seguir.

Em primeiro lugar, *uma tradição que está em oposição à Palavra de Deus* (15.3). Em vez de Jesus sucumbir à acusação dos fariseus e escribas, devolve a pergunta a eles, encurralando-os com a verdade: *Por que transgredis vós também o mandamento de Deus, por causa da vossa tradição?* (15.3). Charles Spurgeon pergunta: "O que é uma tradição quando comparada com um mandamento? O que é uma tradição quando está em conflito com um mandamento? Quem são os anciãos quando comparados com Deus?"[9]

Os discípulos quebravam uma tradição humana, e os acusadores transgrediam um mandamento de Deus. Os discípulos não pecavam contra Deus ao comer sem lavar as mãos, mas os fariseus e escribas pecavam contra Deus seguindo rigorosamente o manual de suas tradições. A tradição dos anciãos levava as pessoas à transgressão, e não à obediência aos mandamentos de Deus. Os fariseus e escribas estavam enganados quanto à natureza do pecado. A santidade é uma questão de afeição interna, e não de ações externas. Eles pensavam que eram santos por praticarem ritos externos de purificação. O contraste entre os fariseus e escribas e os discípulos de Cristo não era apenas entre a lei e os ritos, entre a verdade de Deus e a tradição dos homens, mas uma divergência profunda sobre a doutrina do pecado e da santidade.[10] Esse conflito não é periférico, mas toca o âmago da verdadeira espiritualidade.

Ainda hoje, muitos segmentos evangélicos coam um mosquito e engolem um camelo. Os escribas e fariseus, em nome de uma espiritualidade sadia, negligenciaram o mandamento de Deus, jeitosamente rejeitaram o preceito de Deus e invalidaram a Palavra de Deus. Eles eram culpados de colocar a mera tradição humana acima do mandamento divino, uma regra feita pelo homem acima de um mandamento dado por Deus. Os rabinos haviam dividido a lei mosaica, ou Torá, em 613 decretos distintos, com 365 deles contendo proibições, enquanto 248 eram orientações positivas. Além disso, em conexão com cada decreto, haviam desenvolvido distinções arbitrárias entre o que consideravam "permitido" e o que "não era permitido". Por meio dessas distinções, eles tentavam regular cada detalhe da conduta dos judeus: seus sábados, viagens, comida, jejuns, abluções, comércio e relações interpessoais.

Em segundo lugar, *uma tradição que invalida a Palavra de Deus* (15.4-6). Jesus cita um caso específico dessa transgressão jeitosamente elaborada pelos anciãos. Trata-se da lei do corbã. *Korban* (termo técnico para sacrifício, encontrado em Ez 20.28) era a prática de devotar coisas a Deus e, desse modo, arrebatá-las de outras pessoas que poderiam ter legítimo direito a elas.[11] É mandamento de Deus que os filhos honrem pai e mãe (Êx 20.12; Dt 5.16). Mas alguns filhos, desonrando seus progenitores, os desamparavam. Em vez de assistir os pais, esses filhos diziam: "Não podemos socorrê-los, porque o que temos e o que vocês esperam de nós é oferta ao Senhor". Com essa manobra, eles invalidavam a Palavra de Deus, com o manual de sua tradição em mãos.

Dando mais um passo na compreensão do assunto em tela, destacamos que a palavra "corbã" quer dizer "um presente"[12] ou "dedicado a Deus", e se empregava quando um homem queria dedicar seus bens à tesouraria do templo. Mas, por um acordo com os sacerdotes israelitas, podia "dedicar" seu dinheiro ou sua propriedade ao templo, ao mesmo tempo que desfrutava deles durante a sua vida, deixando-os como um legado a serviço do templo. Caso esse homem, segundo a santa obrigação natural e legal, tivesse o dever de manter os pais idosos ou enfermos, os mesmos sacerdotes o impediam de ajudá-los com esses fundos que eram "corbã", para não subtrair o legado do templo. Esse caso suscitou a justa indignação do Senhor, pois por um ímpio subterfúgio, e sob uma aparência de piedade, violava-se um dos principais mandamentos de Deus.

Em terceiro lugar, *uma tradição que produz hipocrisia, e não adoração* (15.7-9). A tradição dos anciãos produzia hipocrisia, e não adoração sincera. Charles Spurgeon afirma: "Eles se importavam com a lavagem das mãos e, ainda assim, puseram as mãos sujas na santíssima lei de Deus".[13] Jesus evoca o profeta Isaías, dizendo: *Este povo honra-me com os lábios, mas o seu coração está longe de mim. E em vão me adoram, ensinando doutrinas que são preceitos de homens* (15.8,9). Jesus deu a seus oponentes as Escrituras, em vez da tradição. Quebrou suas armas de madeira com a espada do Espírito. As Sagradas Escrituras devem ser nossa arma contra uma espiritualidade de meras tradições. Concordo com Charles Spurgeon quando ele escreve: "A forma mais meticulosa de devoção é adoração vã, se ela é regulada pelo mandamento de homens e se aparta da ordem do próprio Senhor".[14]

Hipócrita é o homem que esconde suas intenções reais por trás de uma máscara de virtude simulada. É aquele que fala uma coisa e sente outra. Há um abismo entre suas palavras e seus sentimentos, um hiato entre suas ações e seu coração, uma esquizofrenia entre seu mundo interior e o exterior. O hipócrita é um enganador, fraudulento, impostor, uma serpente sobre a relva e um lobo em pele de cordeiro. Ele finge ser o que, na verdade, não é.

Quando a tradição religiosa não discerne a Palavra de Deus (15.10-20)

Destacamos alguns pontos a seguir.

Em primeiro lugar, *uma parábola esclarecedora* (15.10-14). Em vez de praticar purificações cerimoniais, devemos afiar nosso entendimento e nossos ouvidos. Em vez de serem prisioneiros do legalismo farisaico, Jesus exorta a multidão a ter uma espiritualidade governada pelo entendimento da verdade de Deus. Jesus dá grande ênfase à necessidade de ouvir e compreender. Não podemos seguir interpretações enganosas; antes, devemos inclinar nossos ouvidos à Palavra de Deus. Para elucidar esse intrincado problema, Jesus lança mão de uma parábola. Nesse momento, a conversa deixa de ficar restrita apenas aos fariseus e escribas acusadores e aos discípulos acusados, pois Jesus convoca a multidão. A parábola de Jesus é assaz objetiva: *Não é o que entra pela boca o que contamina o homem, mas o que sai da boca, isto, sim, contamina o homem* (15.11). Concordo com

Mounce quando ele escreve: "Esse conceito revolucionário destruiria todo o sistema ritualístico judaico. Ameaçava a ideia básica da religião, uma vez que a fonte última da contaminação é o coração, e não a dieta alimentar".[15]

Os discípulos comunicam a Jesus, a seguir, a reação dos fariseus em face do seu ensino. Eles estavam escandalizados. Em vez de se curvar à verdade, os fariseus colocaram tropeços para seus próprios pés. Em vez de Jesus retroceder em seu ensino para agradar aos fariseus, foi ainda mais contundente, dizendo: *Toda planta que meu Pai celestial não plantou será arrancada. Deixai-os; são cegos, guias de cegos. Ora, se um cego guiar outro cego, cairão ambos no barranco* (15.13,14). É importante ressaltar que, quando Jesus ouve de seus discípulos que esse pronunciamento ofendera os fariseus, longe de amenizá-lo, ele assinala a seus discípulos que os fariseus não somente eram desacreditados expositores da vontade divina, mas também estavam inteiramente fora do reino de Deus. Eram "plantas" que o Pai celestial não plantara e finalmente terá de desarraigar.[16]

Em segundo lugar, *uma explicação necessária* (15.15-18). Embora a parábola de Jesus tenha sido tão clara e objetiva, Pedro pediu a Jesus uma explicação particular do seu significado. O pedido de Pedro causou a estranheza de Jesus: *Jesus, porém, disse: Também vós não entendeis ainda?* (15.16). Jesus esclarece aos discípulos o óbvio: o que entra pela boca é eliminado para um lugar escuso, mas o que sai da boca procede do coração. E é exatamente isso que contamina o homem. Jesus está acabando com a paranoia da religião legalista e suas listas intermináveis de isso pode e isso não pode. Jesus está declarando puros todos os alimentos. Não podemos considerar impuro o que Deus tornou puro (At 10.15). O alimento desce ao estômago, mas o pecado sobe ao coração. O alimento que comemos é digerido e evacuado, mas o pecado permanece no coração, produzindo contaminação e morte.

Em terceiro lugar, *um alerta oportuno* (15.19,20). O coração do homem é o laboratório onde o pecado é processado. Do coração emana aquilo que, de fato, contamina o homem. O coração é um solo crivado de ervas daninhas. De acordo com Tasker, as palavras de um homem, que sobem do coração, são muitas vezes expressões de pensamentos assassinos, adúlteros, falsos e difamadores que constituem a mola mestra das suas más ações.[17] Nessa mesma linha de pensamento, Spurgeon diz que assassinatos não começam com o punhal, mas com a maldade do coração. Adultérios e prostituições são primeiramente entretidos no coração antes de serem efetuados pelo corpo. O coração é a gaiola de onde essas aves impuras voam. Todos esses males terríveis fluem de uma fonte, o coração do homem.[18]

Quando a tradição religiosa não discerne a fonte contaminadora do homem (15.19,20)

Jesus arremata o assunto, deixando meridianamente claro que a contaminação não vem de comer sem lavar as mãos. A contaminação não vem de fora, mas procede de dentro; emana do coração. O coração é o laboratório onde o pecado é processado. O coração é a fonte poluidora da vida.

Jesus aponta o coração como a fonte dos sentimentos, aspirações, pensamentos e ações dos homens. Essa fonte é, também, a fonte de toda contaminação moral e espiritual. Jesus não tinha ilusões sobre a natureza humana como alguns teólogos liberais e mestres humanistas da atualidade. Mateus cita sete pecados que brotam do coração contra doze pecados mencionados por Marcos (Mc 7.21,22). O remédio é um novo coração. É mais difícil ter um coração limpo do que mãos limpas.

NOTAS

[1] HOVESTOL, Tom. *A neurose da religião*, p. 122.
[2] SPROUL, R. C. *Mateus*, p. 416.
[3] LEITH, John H. *A tradição reformada.* São Paulo, SP: Pendão Real, 1997, p. 29.
[4] HENDRIKSEN, William. *Mateus.* Vol. 2, p. 135.
[5] HOVESTOL, Tom. *A neurose da religião*, p. 121.
[6] SPROUL, R. C. *Mateus*, p. 419.
[7] WIERSBE, Warren W. *Comentário bíblico expositivo*, p. 68.
[8] ROBERTSON, A. T. *Comentário de Mateus*, p. 176.
[9] SPURGEON, Charles H. *O evangelho segundo Mateus*, p. 303.
[10] WIERSBE, Warren W. *Be Diligent*, p. 70.
[11] MOUNCE, Robert H. *Mateus*, p. 160.
[12] WIERSBE, Warren W. *Comentário bíblico expositivo*, p. 68.
[13] SPURGEON, Charles H. *O evangelho segundo Mateus*, p. 304.
[14] IBIDEM, p. 305.
[15] MOUNCE, Robert H. *Mateus*, p. 161.
[16] TASKER, R. V. G. *Mateus: introdução e comentário*, p. 119.
[17] IBIDEM, p. 119-120.
[18] SPURGEON, Charles H. *O evangelho segundo Mateus*, p. 309.

Capítulo 45

O clamor de uma mãe aflita aos pés do Salvador

(Mt 15.21-28)

Enquanto os líderes de Israel buscavam Jesus para, dissimuladamente, acusá-lo de transgressor, os gentios, que nada conheciam da lei, procuravam Jesus para nele encontrar resposta para os seus grandes dramas. Jesus deixa esse ambiente carregado de religiosidade legalista e vai para as bandas de Tiro e Sidom. Warren Wiersbe diz que Jesus não apenas ensinou que toda comida era pura, mas praticou esse ensinamento ao visitar regiões gentias. Deixou Israel e se retirou para a região de Tiro e Sidom. Para os judeus, os gentios eram considerados tão "imundos" que, por vezes, eram chamados de "cães".[1] Mas vemos aqui o contraste entre a incredulidade dos judeus e a fé dessa mulher, gentia de nascimento.

É nesse território gentio que vem a Jesus uma mulher cananeia cuja filha está endemoninhada. Essa mulher apresenta com humildade e perseverança a sua causa. Mesmo enfrentando obstáculos, não desiste de esperar de Jesus um milagre. Jesus não apenas libertou a distância sua filha, mas enalteceu sua fé.

Esse texto nos mostra uma mãe aflita aos pés do salvador. Mães aflitas estão por todos os lados. Por que sofrem as mães? Pelos seus filhos. Essa mãe, embora gentia, possuía grande fé. Embora tivesse chegado abatida, saiu vitoriosa. Isso porque a fé vem da graça divina, e não da família que se tem ou da igreja que se frequenta. Uma pequena fé levará a sua alma ao céu, mas uma grande fé trará o céu à sua alma.

Vejamos algumas preciosas lições da passagem em tela.

Uma mãe aos pés do Salvador tem discernimento sobre o que está acontecendo com os filhos (15.21,22a)

Duas verdades nos chamam a atenção, como vemos a seguir.

Em primeiro lugar, *ela discerne o problema que atinge sua filha* (15.22). Essa mãe sabia quem era o inimigo da sua filha. Ela sabia que o problema de sua filha era espiritual. Ela tem consciência de que existe um inimigo real que estava conspirando contra a sua família para destruí-la.

Peter Marshal, capelão do senado americano, pregou um célebre sermão no dia das mães e afirmou que elas são as guardas das fontes. As mães são os instrumentos que Deus usa para purificar as fontes que contaminam os filhos.

Em segundo lugar, *ela discerne a solução do problema que atinge sua filha* (15.22). Essa mãe percebeu que o problema da sua filha não era apenas uma questão conjuntural. Não se tratava simplesmente de estudar numa escola melhor, morar num bairro mais seguro e ter mais conforto. Ela já tinha buscado ajuda em todas as outras fontes e sabia que só Jesus podia libertar a sua filha.

Ela vai a Jesus. Busca-o. Chama-o de filho de Davi, seu título popular, aquele que fazia milagres. Depois chama-o de Senhor. Finalmente, ela se ajoelha (15.23). Ela começa clamando e termina adorando. Ela começa atrás de Jesus e termina aos seus pés.

Uma mãe aos pés do Salvador transforma a necessidade em adoração (15.22b)

Três verdades devem ser aqui destacadas, como vemos a seguir.

Em primeiro lugar, *seu clamor foi por misericórdia* (15.22). Ela está aflita e precisa de ajuda. Ela pede ajuda a quem pode ajudar. Ela não se conforma de ver sua filha sendo destruída. A sua dor levou-a a Jesus. Ela viu os problemas como oportunidades para se derramar aos pés do salvador. O sofrimento pavimentou o caminho do seu encontro com o filho de Deus. Aquela mãe transformou sua necessidade em estrada para encontrar-se com Cristo. Transformou sua necessidade em oportunidade de prostrar-se aos pés do Senhor. Transformou o problema no altar da adoração. Deus, às vezes, adia a solução dos nossos problemas, para que nos prostremos aos seus pés.

Em segundo lugar, *seu clamor foi com senso de urgência* (15.22). Aquela mãe não perdeu a oportunidade. Aquela foi a única vez em que Jesus se dirigiu às terras de Tiro e Sidom. As oportunidades passam. É tempo de as mães clamarem a Deus pelos filhos. É tempo de as mães se unirem em oração pelos filhos. Precisamos ter um senso de urgência no nosso clamor. Como você se comportaria se visse seu filho numa casa em chamas? Certamente teria urgência em intervir para a sua salvação. Tem você a mesma urgência para ver seus filhos salvos?

Em terceiro lugar, *seu clamor é cheio de empatia* (15.22). O problema da filha é o seu problema. Seu clamor era: *Tem compaixão de mim!*; *Senhor, socorre-me!* Era sua filha quem estava possessa. Ela sofria como se fosse a própria filha. A dor da sua filha era a sua dor. O sofrimento da filha era o seu sofrimento. A libertação da filha era a sua causa mais urgente.

Uma mãe aos pés do Salvador está disposta a enfrentar qualquer obstáculo para ver a filha liberta (15.23-27)

Essa mãe é determinada. Como Jacó, ela se agarra ao Senhor, sem abrir mão da bênção. Ela não descansa nem dá descanso a Jesus. Ela enfrentou três obstáculos antes de ver o milagre de Jesus acontecendo na vida de sua filha.

Em primeiro lugar, *o obstáculo do desprezo dos discípulos de Jesus* (15.23). Os discípulos não pedem a Jesus para atender essa mãe, mas para despedi-la. Não se importam com a sua dor, mas querem se ver livre dela. Eles não intercedem em favor dela, mas contra ela. Eles a desprezam, em vez de ajudá-la. Tentam afastá-la de Jesus, em vez de ajudá-la a se lançar aos pés do salvador.

Em segundo lugar, *a barreira do silêncio de Jesus* (15.23). O silêncio de Jesus é pedagógico. Há momentos em que os céus ficam em total silêncio diante do nosso clamor. É mais fácil crer quando estamos cercados de milagres. O difícil é continuar crendo e orando pelos filhos quando os céus estão em silêncio, quando as coisas parecem estar indo de mal a pior.

Em terceiro lugar, *a barreira da resposta de Jesus* (15.24-26). Jesus usa expressões que poderiam ser desanimadoras para aquela mulher. Primeira, *não fui enviado senão às ovelhas perdidas da casa de Israel* (15.24). Foram palavras desanimadoras. A mulher, porém, em vez de sair desiludida e revoltada, veio e o adorou, dizendo: *Senhor, socorre-me!* Em vez de desistir de sua causa, ela adora e ora. Segunda, *não é bom tomar o pão dos filhos e lançá-lo aos cachorrinhos* (15.26). Essa mãe, longe de ficar magoada com a comparação, converte a palavra desalentadora em otimismo. Transforma a derrota em vitória. Busca o milagre da libertação da filha, ainda que isso represente apenas migalhas da graça.

Por que, porém, Jesus agiu assim com essa mãe? Para despertar em seu coração uma fé robusta. Deus agiu assim noutras épocas, com Abraão. Foram 25 anos para dar-lhe Isaque. Então, depois que o menino estava grande, pede-o em sacrifício.

Uma mãe aos pés do Salvador triunfa pela fé e toma posse da vitória dos filhos (15.28)

Duas verdades merecem destaque, como vemos a seguir.

Em primeiro lugar, *Jesus elogia a fé daquela mãe* (15.28). Mãe, não desista de seus filhos. Eles são filhos da promessa. Eles não foram criados para o cativeiro. A fé é morta para a dúvida, surda para o desencorajamento, cega para as impossibilidades e nada vê a não ser o seu sucesso em Deus. A fé honra a Deus, e Deus honra a fé. *Ó mulher, grande é a tua fé!* É conhecida a expressão de George Müller: "A fé não é saber que Deus pode; é saber que Deus quer. A fé é o elo que liga a nossa insignificância à onipotência divina".

Em segundo lugar, *aquela mãe recebeu pela vitória de sua fé a libertação de sua filha* (15.28). Jesus disse: *Faça-se contigo como queres. E, desde aquele momento, sua filha ficou sã.* A fé reverteu a situação. O pedido foi atendido. A bênção chegou. A fé venceu. A fé em Jesus ri das impossibilidades. Fé é crer no que não vemos, e a recompensa dessa fé é ver o que cremos. Aquela mãe voltou para a sua casa aliviada e encontrou a sua filha liberta. Ela perseverou. Ela se humilhou. Ela adorou. Ela orou. Ela prevaleceu pela fé.

NOTA

[1] WIERSBE, Warren W. *Comentário bíblico expositivo*, p. 69.

Capítulo 46

O poder extraordinário de Jesus

(Mt 15.29-39; 16.1-12)

Jesus deixa a região de Tiro e Sidom e está de volta a um dos montes nas cercanias do mar da Galileia, na região de Decápolis – dez cidades predominantemente gentias que constituíam uma confederação com autorização dos romanos para cunhar suas próprias moedas, presidir os próprios tribunais e até mesmo comandar o próprio exército.[1] Destacamos a seguir alguns pontos importantes.

As curas operadas por Jesus (15.29-31)

Mateus faz a transição entre a libertação da filha da mulher cananeia e a cura de coxos, aleijados, cegos e muitos outros trazidos por muitas multidões. O palco é um monte, junto ao mar da Galileia.

Esses enfermos foram deixados aos pés de Jesus, e a todos ele curou. O povo, ao ver esses esplêndidos milagres, ficou maravilhado: os mudos falavam, os aleijados andavam, os cegos viam. Por causa desses prodígios, o povo glorificava o Deus de Israel.

Warren Wiersbe destaca o contraste entre os gentios e os líderes judeus que conheciam as Escrituras do Antigo Testamento nestes termos:

> Os gentios glorificavam ao Deus de Israel, mas os líderes judeus disseram que Jesus estava operando em conjunto com Satanás (12.22-24). Os milagres de Jesus não levaram as cidades de Israel ao arrependimento (11.20-24), mas os gentios creram nele. Os milagres de Jesus deveriam ter convencido os judeus de que ele era o Messias (Is 29.18,19; 35.4-6; Mt 11.1-6). Ele se admirou com a fé do soldado gentio e da mulher cananeia e também se espantou com a incredulidade do seu próprio povo (Mc 6.6).[2]

A compaixão de Jesus (15.32)

Essa grande multidão está num lugar deserto há três dias, muitos deles vindo de lugares distantes. A pessoa, o ensino e as obras de Jesus atraíam de forma irresistível essas pessoas. A presença de Jesus era tão magnética, e as suas palavras e ações eram tão maravilhosas, que aqueles que o circundavam julgavam que era impossível deixá-lo. O tempo, o cansaço, a fome ou mesmo seus afazeres não os impediram de permanecer três dias num lugar deserto ouvindo atentamente as palavras de Jesus.

A insensibilidade dos discípulos (15.33)

A compaixão de Deus é contraposta à insensibilidade dos discípulos. Na primeira multiplicação dos pães, os discípulos tomaram a iniciativa de pedir para Jesus despedir a multidão (14.15). A questão enfrentada nessa circunstância, porém, era mais grave do que na primeira multiplicação dos pães. Lá o problema básico era arranjar dinheiro para comprar pão (Jo 6.7). Naquele caso, a comida poderia ser comprada nas cidades e vilas da vizinhança (14.15; Mc 6.36). Aqui, porém, nem lugar havia para comprar pão. O lugar era deserto, a multidão era grande, e o tempo já assinalava sinais de perigo para essa gente. Os discípulos, com o coração endurecido, não veem saída para o problema. Eles nem sequer se lembraram do primeiro milagre. Eles têm memória curta e coração endurecido. Destacam as dificuldades das circunstâncias, e não o poder de Jesus para realizar o milagre. Veem o problema, e não a solução.

O poder de Jesus (15.34-39)

Três verdades merecem destaque, conforme comentamos a seguir.

Em primeiro lugar, *o pouco nas mãos de Jesus é muito* (15.34). Apenas sete pães e alguns peixinhos podem transformar-se no começo de um grande milagre. Quando colocamos o pouco nas mãos de Jesus, ele pode realizar grandes milagres. Com Cristo, tudo é possível. O conhecimento exato do suprimento completamente inadequado (humanamente falando) fará que reconheçam a grandiosidade do milagre.

O pão é a vida. A palavra hebraica para "deserto", porém, significa "separado da vida". Assim, "pão no deserto" é uma contradição de termos, uma impossibilidade – ou uma possibilidade só para Deus. Quando os nossos recursos acabam ou são insuficientes, Jesus pode ainda fazer o milagre da multiplicação. Precisamos aprender a depender mais do provedor do que da provisão. Ele ainda continua multiplicando os nossos pequenos recursos para alimentarmos as multidões famintas.

Jamais devemos duvidar do poder de Cristo para suprir a necessidade espiritual de todas as pessoas. Ele tem pão com fartura para toda alma faminta. Os celeiros do céu estão sempre cheios. Devemos estar seguros de que Cristo tem suprimento suficiente para todas as necessidades temporais e eternas do seu povo. Ele conhece suas necessidades e suas circunstâncias. Ele é poderoso para suprir cada uma das nossas necessidades. Aquele que alimentou a multidão jamais mudou. Ele é o mesmo e tem o mesmo poder e compaixão.

Em segundo lugar, *a ação divina não exclui a cooperação humana* (15.35,36). A soberania de Deus não anula a responsabilidade humana. Cristo realizou o milagre, mas contou com a participação daquelas pessoas.

Primeiro, ele fez o milagre com sete pães e alguns peixinhos (15.34,35). Ele poderia ter criado do nada aqueles pães e peixes, como fez na Criação, mas resolveu começar com o que eles já possuíam. A ajuda passa pela cessão obediente dos meios próprios (15.34-36). Até os doentes se tornam cooperadores de Deus quando da sua cura: "Tenha o desejo de ser curado"; "Venha até aqui"; "Levante-se"; "Estenda a mão"! Aqui a pequena provisão própria é considerada. As atividades de Deus não tornam o homem passivo. Quando Jesus perguntou aos discípulos: *Quantos pães tendes?*, estava mostrando que eles não tinham o suficiente. Isso os ajudou a analisar a situação, abriu-lhes os olhos para a inadequação de seus recursos, relembrou-os do milagre anterior e encorajou-os a descansarem em Deus.

Segundo, ele requer ordem. Jesus pediu para a multidão assentar-se no chão. Aqui não há relva, pois é uma região deserta.

Terceiro, ele deu graças. Precisamos agradecer o que temos antes de ver o milagre acontecendo. O milagre é precedido por gratidão, e nunca por murmuração.

Quarto, ele partiu o pão. O milagre aconteceu quando o pão foi partido. O milagre da vida deu-se quando Jesus também se entregou e seu corpo foi partido.

Quinto, ele usou os discípulos para alimentar a multidão. Jesus fez o milagre da multiplicação, mas coube aos discípulos o trabalho da distribuição.

Em terceiro lugar, *a provisão divina é sempre maior do que a necessidade humana* (15.37,38). Não há escassez na mesa de Deus. Ele põe diante do seu povo uma mesa no deserto. Na mesa do Pai, há pão com fartura. Todos comeram e se fartaram, e ainda sobejou. Eram quatro mil homens e eles ainda recolheram sete cestos. Esses cestos são maiores do que os cestos da primeira multiplicação. Esses são grandes balaios, a mesma palavra usada para o cesto no qual Paulo desceu pela muralha de Damasco para salvar sua vida (At 9.25). As duas palavras gregas são bem distintas: *kophinos,* usada em Mateus 14.20, refere-se a um cesto de vime; e *spyris,* usada aqui em Mateus 15.37, refere-se a uma cesta maior de vime, ou um grande balaio. Warren Wiersbe esclarece melhor esse ponto:

> A palavra grega *spyris,* traduzida por "cestos" em Mateus 15.37 refere-se a cestos grandes, como aquele usado para descer Paulo pela muralha de Damasco (At 9.25). A palavra grega *kophinos,* traduzida por "cesto", em Mateus 14.20, representa o cesto comum, de tamanho pequeno, que as pessoas usavam para transportar comida ou outras coisas menores. O uso de duas palavras diferentes no original também comprova que se trata de dois milagres distintos.[3]

R. C. Sproul destaca que, assim como Jesus havia alimentado cinco mil judeus, além de mulheres e crianças, ele alimentou também quatro mil gentios, além de mulheres e crianças. Esse era um indício da futura expansão do reino de Deus além das fronteiras de Israel – para os gentios.[4]

O sinal da ressurreição de Jesus (15.39–16.1-4)

Dessa feita, Jesus não despede os discípulos sozinhos. Ele despede as multidões, entra no barco e vai para o território de Magadã (15.39). Ao chegarem, os fariseus e os saduceus, como espiões da vida alheia, como detetives religiosos e opositores contumazes, estão de bote armado contra Jesus para tentá-lo, pedindo-lhe um sinal vindo do céu (16.1). Temos aqui a combinação dos dois partidos, fariseus e saduceus, que se detestavam um ao outro excessivamente. O ódio une estranhos aliados. Eles odiavam Jesus mais do que uns aos outros.[5]

Jesus desmascara a hipocrisia desses religiosos que sabiam interpretar o tempo, mas não o sinal dos tempos. Jesus chama-os de geração má e adúltera e recusa-se a atender-lhes o pedido. Diz-lhes que o único sinal que lhes será dado é o sinal de Jonas, ou seja, de sua vitória sobre a morte. William Hendriksen observa que, por meio daquele sinal, a morte expiatória de Cristo e a gloriosa ressurreição do túmulo, ele triunfaria completamente sobre eles e provaria ser o Messias (Rm 1.4). Esse seria o sinal de sua plena vitória sobre seus inimigos (26.64).[6] Em vez de Jesus desperdiçar tempo com esses opositores, retirou-se do meio deles.

A advertência de Jesus (16.5-12)

Destacamos dois fatos a seguir.

Em primeiro lugar, *a necessidade de guardar-se das más influências* (16.5,6). Jesus alerta seus discípulos de se acautelarem sobre o fermento dos fariseus e dos saduceus. Jesus não está se referindo ao fermento do pão, mas ao fermento da doutrina. A justiça própria, o formalismo e a religião vazia dos fariseus, bem como o liberalismo teológico dos saduceus, eram o cerne da advertência de Jesus. Contra essas duas heresias é que Jesus alerta os seus discípulos. Tasker, nessa mesma linha de pensamento, diz que as doutrinas deles eram o legalismo rígido e os sofismas casuísticos dos fariseus, assim como o oportunismo político e o materialismo mundano dos saduceus.[7] Os falsos profetas e os falsos ensinos têm prejudicado mais os cristãos ao longo da história do que as próprias perseguições sangrentas.

Na Bíblia, o fermento é um símbolo do mal. A cada Páscoa celebrada, os judeus precisavam tirar todo o fermento de casa (Êx 12.18-20). O fermento não era permitido nas ofertas (Êx 23.18; 34.25; Lv 2.11; 6.17). O mal, como o fermento, também fica escondido, mas se espalha e contamina o todo (Gl 5.9). A Bíblia usa o fermento como figura de falsa doutrina (Gl 5.1-9), infiltração do pecado na igreja (1Co 5.7) e hipocrisia (Lc 12.1). É nesse contexto que Jesus exorta os discípulos sobre a hipocrisia dos fariseus e o mundanismo dos saduceus.

Fariseus e saduceus faziam parte dessa comitiva inquisitória. Os saduceus faziam parte do partido sacerdotal, ao qual os sumos sacerdotes geralmente pertenciam. A oligarquia sacerdotal, por sua própria natureza e necessidade de sobrevivência, era dependente dos favores de Herodes. Os saduceus eram meio helenísticos. Eles se opunham à doutrina da ressurreição do corpo e da imortalidade da alma. Eram mundanos. O fermento dos fariseus era o tradicionalismo; o fermento dos saduceus era o ceticismo. O legalismo dos fariseus os separava de Deus da mesma forma que o ceticismo dos saduceus. Apesar de suas aparentes diferenças, os fariseus e os saduceus demonstravam a mesma dureza de coração.

O fermento tem a capacidade de penetrar em toda a massa. O fermento e o ensino se assemelham em vários aspectos: ambos operam de modo invisível, são muito poderosos e têm a tendência natural de aumentar sua esfera de influência (1Co 5.16; Gl 5.9). Tanto no Antigo como no Novo Testamentos, "fermento" frequentemente simboliza o mal. Assim, o ministério de Jesus é caracterizado por "conceder o pão", enquanto os fariseus e os saduceus disseminam "fermento".

Em segundo lugar, *a necessidade de ter discernimento espiritual* (16.7-12). Os discípulos tinham uma boa memória para guardar os fatos, mas um pobre entendimento para discerni-los. Os discípulos pareciam obtusos, lerdos para crer e cegos para ver. Eles foram lentos para discernir o milagre dos pães e a lição principal que o milagre encerrava, ou seja, revelar Jesus, aquele por meio de quem o reino de Deus chegou para judeus e gentios. Os discípulos, por essa razão, não conseguiram alcançar o teor da advertência de Cristo. Eles estavam pensando em provisão alimentar, enquanto Jesus os alertava sobre o fermento das falsas doutrinas. Sproul alerta sobre o fato de que hoje, com muita frequência, qualquer doutrina é considerada ruim. As pessoas dizem que não querem aprender doutrina, pois só precisam de Jesus. Mas a Bíblia é doutrina em quase sua totalidade.[8] O que foi a Reforma do século 16 senão uma volta à sã doutrina? Precisamos não apenas erguer o estandarte da sã doutrina, mas também rejeitar a falsa doutrina.

Mateus 16.5-12, em combinação com Marcos 8.14-21, nos alerta contra quatro erros: o tradicionalismo dos fariseus, o secularismo dos herodianos, a incredulidade dos saduceus e o pessimismo dos discípulos.

Warren Wiersbe, fazendo uma aplicação dessa passagem, diz que devemos atentar para o fato de que os inimigos da verdade normalmente são pessoas religiosas vivendo de acordo com as tradições humanas. Portanto, devemos ter cuidado com qualquer sistema religioso que apresente justificativas para o pecado. Devemos nos acautelar da adoração proveniente apenas dos lábios, e não do coração.[9]

Notas

[1] Wiersbe, Warren W. *Comentário bíblico expositivo*, p. 70.
[2] Ibidem.
[3] Ibidem, p. 71.
[4] Sproul, R. C. *Mateus*, p. 426.
[5] Robertson, A. T. *Comentário de Mateus*, p. 183.
[6] Hendriksen, William. *Mateus*. Vol. 2, p. 165.
[7] Tasker, R. V. G. *Mateus: introdução e comentário*, p. 124.
[8] Sproul, R. C. *Mateus*, p. 431.
[9] Wiersbe, Warren W. *Comentário bíblico expositivo*, p. 71.

Capítulo 47

O primado de Pedro ou a supremacia de Cristo?

(Mt 16.13-20)

Em virtude da importância do tema, fazemos neste capítulo uma análise mais detalhada do suposto primado de Pedro, uma vez que esse é o texto usado para fundamentar essa ideia.

Segundo os historiadores católicos, já tivemos 266 papas. A morte de João Paulo II, o terceiro mais longo pontificado da história, reacendeu na mente do povo o dogma da legitimidade e infalibilidade do papa. Duzentos chefes de Estado estiveram no funeral, que foi acompanhado por mais de dois milhões de pessoas. A imprensa deu larga cobertura à questão do pontificado romano.

Sucedeu-o Bento XVI, o teólogo conservador do Vaticano. Em virtude de sua renúncia, o papa Francisco assumiu a liderança da Igreja Católica Romana em 2013. Daremos, portanto, aqui um breve esclarecimento à luz das Escrituras sobre o chamado primado de Pedro.

A primeira coisa que precisamos deixar meridianamente claro é que o nome *Igreja Católica Apostólica Romana* contém uma contradição de termos. Se ela é católica (universal), não pode ser romana. Se é romana, não pode ser católica. Calvino diz: "Roma não é uma igreja, e o papa não é um bispo. Não pode ser mãe das igrejas aquela que não é igreja, nem pode ser príncipe dos bispos aquele que não é bispo" (*Institutas,* p. 903).

O catolicismo romano não é a primeira igreja cristã. A igreja cristã, da qual procedem todos os segmentos do cristianismo, não pode ser chamada de nenhuma denominação, seja romana, presbiteriana ou batista. Até o século 4, não havia denominações. O catolicismo romano é um desvio da religião cristã, e a Reforma, uma volta ao cristianismo bíblico. O papa Bento XVI, Joseph Ratzinger, não aceitava que o catolicismo romano chamasse as igrejas dissidentes de coirmãs, mas de igrejas deficientes, visto que, no seu entendimento, a única igreja verdadeira é a católica romana. O ensino católico romano diz que o papa é coroado com uma tríplice coroa, como rei do céu, da terra e do inferno. Ele esgrima "as duas espadas, a espiritual e a temporal".[1]

Destacamos a seguir alguns pontos.

Pedro nunca foi papa

Pedro nunca foi papa nem o papa é sucessor de Pedro. E isso por várias razões que passaremos a elencar a seguir.

Em primeiro lugar, *o texto básico, ou seja, Mateus 16.18, usado para provar o primado de Pedro, é mal interpretado pelo catolicismo romano.* Para os romanistas, Mateus 16.18 é a carta magna do papado. Três são as interpretações sobre quem é a pedra: 1) Pedro; 2) a declaração de Pedro; 3) Cristo. Vamos examinar esse texto dedicadamente para tirarmos nossas conclusões. A palavra Pedro, *Pétros,* é fragmento de pedra, enquanto a palavra pedra é *Pétra*, rocha. *Pétros* é um substantivo masculino, enquanto *Pétra* é um substantivo feminino. O demonstrativo *te toute* (essa) encontra-se no feminino, ligando-se, portanto, gramatical e logicamente, à palavra feminina *Pétra*, à qual imediatamente precede. O demonstrativo feminino não pode concordar em número e gênero com um substantivo masculino.

Se Cristo tencionasse estabelecer Pedro como fundamento da igreja, teria dito: "Tu és Pedro e sobre ti [*epi soi*] edificarei a minha igreja".[2] Todo o contexto próximo está focado na pessoa de Cristo: 1) a opinião do povo a seu respeito como filho do homem (termo messiânico); 2) a opinião dos discípulos a seu respeito; 3) a correta declaração de Pedro de sua messianidade e divindade; 4) a declaração de Jesus de que ele é o fundamento, o dono, o edificador e protetor da igreja; 5) a declaração de que ele veio para morrer; 6) a demonstração da sua glória na transfiguração. Não se tratava de uma conversa particular de Pedro com Cristo, mas de uma dinâmica de grupo na qual Jesus discutiu o propósito da sua vinda ao mundo (Mt 16.13-23).

O contexto mostra que Jesus está se referindo a si mesmo na terceira pessoa desde o começo, e isso concorda com o uso que faz de *Pétra* na terceira pessoa. Veja outros exemplos quando Cristo usou a terceira pessoa (21.42-44; Jo 2.19,21).

Jesus elogiou a Pedro pela inspirada declaração de que Cristo é o filho do Deus vivo, e é sobre essa *Pétra*, Cristo, que a igreja é fundada. Os teólogos romanos dizem que, no aramaico, *Cephas* sifnica *pedra*. Mas, no aramaico, *Cephas* não é traduzido por *Pétra*, pedra, mas por *Pétros*, fragmento de pedra (Jo 1.42). Ainda, pedra, *pétra*, é radical, e Pedro, *Pétros*, deriva de *Pétra*, e não *Pétra*, de *Pétros*; assim como Cristo não vem de cristão, mas cristão, de Cristo.

O catolicismo romano diz que, se Cristo é o fundamento, não pode ser o edificador. Mas aqui há uma superposição de imagens como em João 10, em que Jesus diz que é o pastor e também a porta. No Antigo Testamento, *Pétra* nunca é usado em referência a nenhum ser humano, mas só em referência a Deus (Is 28.16; Sl 118.22). Pedro mesmo declara que Cristo, e não ele, é a Pedra (At 4.11,12; 1Pe 2.4-9). O apóstolo Paulo claramente define que Cristo é a Pedra (1Co 3.11; 10.4; Ef 2.20).

Em segundo lugar, *a afirmação de que Cristo entregou as chaves do reino apenas para Pedro está equivocada*. As chaves não foram dadas só a Pedro (18.18; 28.18-20). As chaves representam a pregação do evangelho. A chave é o evangelho (At 2.14-41; 15.7-11). Pedro usou essas chaves para abrir a porta do reino aos judeus (At 2), aos samaritanos (At 8) e aos gentios (At 10). Cristo é a porta do céu (Jo 10.9). Só Cristo tem o poder de abrir e fechar a porta (Ap 3.7).

Em terceiro lugar, *a vulneralidade de Pedro para ser a pedra fundamental da igreja*. Pedro era um homem vulnerável, de altos e baixos, avanços e recuos. Vejamos.

Primeiro, Pedro, o contraditório. Imediatamente depois de afirmar a messianidade e a divindade de Cristo, Pedro tenta impedi-lo de ir para a cruz, motivo por que é chamado de Satanás (16.22,23).

Segundo, Pedro, o desprovido de entendimento. Logo em seguida, na transfiguração, sem saber o que falava, tentou colocar Jesus no mesmo nível de Moisés e Elias (Mc 9.5,6).

Terceiro, Pedro, o autoconfiante. Pedro disse para Jesus que, ainda que todos o abandonassem, ele jamais o faria, e que estaria pronto a ir com Cristo tanto para a prisão como para a morte (26.33-35; Lc 22.33,34), mas Jesus o alertou de que ele o negaria naquela mesma noite, três vezes, antes que o galo cantasse.

Quarto, Pedro, o dorminhoco. No Getsêmani, o auge da grande batalha travada por Cristo, Pedro não vigia com Cristo, mas dorme (26.40).

Quinto, Pedro, o violento. Pedro sacou a espada no Getsêmani e cortou a orelha de Malco (Jo 18.10,11), no que foi repreendido por Cristo.

Sexto, Pedro, o medroso. Quando Cristo foi preso, Pedro passou a segui-lo de longe e não foi ao monte do Calvário (Lc 22.54).

Sétimo, Pedro, o discípulo que nega a Jesus. Pedro negou, jurou e praguejou, dizendo que não conhecia Jesus (26.70,72,74). A igreja de Cristo não pode estar edificada sobre nenhum homem.

Em quarto lugar, *o primado de Pedro não é reconhecido pelos demais apóstolos.* Destacamos a seguir alguns pontos importantes.

Primeiro, Pedro não nomeia apóstolo para o lugar de Judas. O único caso de substituição de apóstolo, Matias para ocupar o lugar de Judas, não foi uma escolha de Pedro (At 1.15-26).

Segundo, Pedro obedece às ordens dos apóstolos. Pedro é enviado com João pelos apóstolos a Samaria, em vez de Pedro enviar alguém. Ele obedece a ordens, em vez de dar ordens (At 8.14,15).

Terceiro, Pedro não dirige o primeiro concílio da igreja. As decisões doutrinárias da igreja não são decididas por Pedro. Ainda, o primeiro concílio da igreja cristã em

Jerusalém foi dirigido por Tiago, e não por Pedro (At 15.13-21).

Quarto, todas as vezes em que os discípulos discutiram quem era o mais importante entre eles, receberam de Cristo severa exortação. Em três circunstâncias, os discípulos discutiram a questão da primazia entre eles, e Cristo os repreendeu (20.25-28; Mc 9.35; Lc 22.24).

Quinto, o ministério de Pedro foi designado por Deus como dirigido principalmente aos judeus, e não aos gentios. O apóstolo dos gentios foi Paulo, enquanto Pedro foi o apóstolo dos judeus (Gl 2.7,8).

Sexto, Pedro não é primaz de Jerusalém. Paulo o chama de coluna da igreja, junto com outros apóstolos, mas não o menciona em primeiro lugar (Gl 2.9).

Sétimo, o pastor das igrejas gentílicas não é Pedro, e sim Paulo. Paulo não se considera inferior a nenhum apóstolo (2Co 12.11) e diz que sobre ele pesa a preocupação com todas as igrejas (2Co 11.28).

Oitavo, Pedro é repreendido pelo apóstolo Paulo. Pedro tornou-se repreensível em Antioquia, no que é duramente exortado por Paulo (Gl 2.11-14).

Nono, no Novo Testamento, os apóstolos se associam como iguais em autoridade. Nenhuma distinção foi feita em favor de Pedro (1Co 12.28; Ef 2.20). Paulo não deu prioridade a Pedro ao combater a primazia dada por um grupo a esse discípulo, equiparando-o de si mesmo e a Apolo e dando suprema importância apenas a Cristo (1Co 1.12).

Em quinto lugar, *Pedro não reivindicou autoridade papal.* Destacamos quatro pontos a seguir.

Primeiro, Pedro não aceitou veneração de homens. Quando Cornélio se ajoelhou diante de Pedro e o adorou, Pedro imediatamente o levantou e disse: *Ergue-te, que eu também sou homem* (At 10.26). Nem mesmo Pedro tentou perdoar pecados (At 8.22).

Segundo, Pedro autodenominou-se apenas servo e apóstolo de Cristo. Quando Pedro escreveu suas cartas, se fosse papa, precisaria defender seu primado, mas não o fez (1Pe 1.1; 2Pe 1.1).

Terceiro, Pedro considerou-se presbítero entre os demais, e não acima deles. Pedro reprovou a atitude de dominar sobre o rebanho e chamou a si mesmo de presbítero entre os demais, e não acima deles (1Pe 5.1-4).

Quarto, Pedro condenou o que o romanismo aprova. Quando examinamos o ministério do apóstolo Pedro e lemos suas duas cartas, constatamos que ele combateu severamente as *detestáveis idolatrias* (1Pe 4.3) e *dominadores* dos líderes sobre o rebanho de Deus (1Pe 5.3), que o romanismo aprova e pratica.

Em sexto lugar, *Pedro não foi bispo da igreja de Roma.* De acordo com a tradição do catolicismo romano, Pedro foi bispo da igreja de Roma por 25 anos, de 42 d.C. a 67 d.C., quando foi crucificado de cabeça para baixo por ordem de Nero. Destacamos sete pontos a seguir.

Primeiro, a Bíblia não tem nenhuma palavra sobre o bispado de Pedro em Roma. A palavra "Roma" aparece apenas nove vezes na Bíblia, e Pedro nunca é mencionado em conexão com ela. Não há nenhuma alusão a Roma em nenhuma de suas epístolas. O livro de Atos nada mais fala sobre Pedro depois de Atos 15, a não ser que ele fez muitas viagens com sua mulher (1Co 9.5). A versão católica *Confraternity Version* traduz "esposa" por "irmã", mas a palavra grega é *gune,* e não *adelphe.*

Segundo, não há nenhuma menção de que Pedro tenha sido o fundador da igreja de Roma. Possivelmente os romanos presentes no Pentecostes (At 2.10,11) foram os fundadores da igreja.

Terceiro, no ano 60 d.C., quando Pedro escreveu sua primeira carta, não estava em Roma. Pedro escreveu essa carta do Oriente, e não do Ocidente. Ele estava na Babilônia, Assíria, e não em Roma (1Pe 5.13). Flávio Josefo diz que na província da Babilônia havia muitos judeus.

Quarto, Paulo escreve sua carta à igreja de Roma em 58 d.C. e não menciona Pedro. Nesse período, Pedro estaria no auge do seu pontificado em Roma, mas Paulo não remete sua carta a Pedro e dirige a carta à igreja como seu instrutor espiritual (Rm 1.13). No capítulo 16 da carta aos Romanos, Paulo faz 26 saudações aos mais destacados membros da igreja de Roma e não menciona Pedro. Se Pedro já era bispo da igreja de Roma havia dezesseis anos (42-58 d.C.), por que razão Paulo diz: *Porque muito desejo ver-vos, a fim de repartir convosco algum dom espiritual, para que sejais confirmados* (Rm 1.11)? Não seria um insulto gratuito a Pedro? Não seria presunção de Paulo com o papa da igreja? Se Pedro fosse papa da igreja de Roma, por que Paulo diz que não costumava edificar sobre fundamento de outrem: *esforçando-me, deste modo, por pregar o evangelho, não onde Cristo já fora anunciado, para não edificar sobre fundamento alheio* (Rm 15.20)?

Quinto, Paulo escreve cartas de Roma e não menciona Pedro. Enquanto Paulo esteve preso em Roma (61 a 62 d.C.), os judeus crentes de Roma foram visitá-lo e nada se fala a respeito de Pedro, visto que os judeus nada sabem acerca dessa "seita" que estava sendo impugnada. Se Pedro estava lá, como esses líderes judeus nada sabiam sobre o cristianismo (At 28.16-30)? Ainda, Paulo escreve várias cartas da prisão em Roma (Efésios, Filipenses, Colossenses,

Filemom) e envia saudações dos crentes de Roma às igrejas, mas não menciona Pedro. Também, durante sua segunda prisão, Paulo escreveu sua última carta, 2Timóteo, em 67 d.C. Paulo diz que todos os seus amigos o abandonaram e que apenas Lucas estava com ele (2Tm 4.10,11). Pedro estava lá? Se Pedro estava, faltou-lhe cortesia por nunca ter visitado e assistido Paulo na prisão.

Sexto, não há nenhum fato bíblico ou histórico em que Pedro transfira seu suposto cargo de papa a outro sucessor. Não apenas está claro à luz da Bíblia e da história que Pedro não foi papa, como também não há nenhuma evidência bíblica ou histórica de que os papas são sucessores de Pedro. Ainda que Pedro tenha sido o bispo de Roma, o primeiro papa da igreja (o que já está fartamente provado com irrefragáveis provas que não foi), não temos prova de que haja legítima sucessão apostólica; e, se houvesse, os supostos sucessores deveriam subscrever as mesmas convicções teológicas de Pedro. O catolicismo romano crê, defende e prega doutrinas estranhas às Escrituras, que bandeiam para uma declarada apostasia religiosa. Assim, é absolutamente incongruente afirmar que o papa possa ser um legítimo sucessor de Pedro, quando sua teologia e sua prática estão em flagrante oposição ao que o apóstolo Pedro creu e pregou. Pedro condenou o que os papas aprovam.

Sétimo, os pais da igreja e os reformadores não acreditaram no bispado de Pedro em Roma. Nenhum dos pais da igreja primitiva dá apoio à crença de que Pedro era bispo em Roma, até Jerônimo no século 5. Assim, o catolicismo romano edifica o seu sistema papal não sobre a doutrina do Novo Testamento, nem sobre fatos da história, mas apenas sobre tradições sem fundamento. Calvino diz: "Posto que os escritores estão de acordo em que Pedro morreu em Roma, não o contraditarei. Mas que haja sido bispo de Roma, sobretudo, por muito tempo, não há quem me possa fazer crer" (*Institutas.* Vol. 2, p. 884).

O texto de Mateus 16.13-20, portanto, não afirma o primado de Pedro, e sim a supremacia de Cristo. É disso que trataremos no capítulo seguinte.

NOTAS

[1] HENDRIKSEN, William. *Mateus.* Vol. 2, p. 174.

[2] TASKER, R. V. G. *Mateus: introdução e comentário*, p. 130.

Capítulo 48

A supremacia de Cristo
(Mt 16.13-20)

Jesus está em Cesareia de Filipe. Essa cidade ficava nas encostas do monte Hermom, a cerca de quarenta quilômetros ao norte do mar da Galileia e a 190 quilômetros de Jerusalém. Essa era uma região sob forte influência de várias religiões: havia sido o centro do culto a Baal; possuía templos do deus grego Pan; e Herodes, o Grande, havia construído ali um templo em homenagem a César Augusto.[1] É em meio a essas superstições pagãs, onde eles também estavam livres da interferência de Herodes Antipas, que Jesus buscou adequada oportunidade para obter de seus discípulos resposta a duas perguntas: Que opiniões o povo em geral tinha dele? E quem os discípulos pensavam que ele realmente era?[2] O povo estava rendido à mais completa confusão. Seus discípulos, porém, reconheceram-no como o Cristo, o Messias, o filho do Deus vivo.

Essa passagem enseja-nos quatro verdades solenes: uma confusão (16.13,14), uma revelação (16.15-17), uma declaração (16.18,19) e uma advertência (16.20). Vejamos esses quatro pontos a seguir.

Uma confusão (16.13,14)

A Galileia estava rodeada de povos pagãos e recebia muita influência grega. É nessa região que Jesus pergunta a seus discípulos: *Quem diz o povo ser o filho do homem?* (16.13). Mounce explica que o objetivo dessa pergunta não é simplesmente saber o que os outros estão dizendo, mas corrigir na mente dos discípulos qualquer má interpretação da missão de Jesus.[3]

A resposta dos discípulos revela a confusão dominante entre o povo: *Uns dizem: João Batista; outros: Elias; e outros: Jeremias ou algum dos profetas* (16.14). Vale destacar que todas essas pessoas mencionadas já estavam mortas, exceto Elias, que fora trasladado. Achavam que Jesus era uma pessoa rediviva. Viam nele semelhanças com personalidades que já haviam passado pela terra e aqui deixado sua marca. Concordo com A. T. Robertson quando ele diz que as multidões só o estavam seguindo superficialmente, e nutriam expectativas vagas acerca dele como um messias político.[4] Embora as três personagens citadas tivessem pontos de convergência com a vida de Jesus, este era absolutamente distinto daqueles.

João Batista podia preparar os homens para entrar no reino, mas só Jesus é a porta do reino. Elias era um homem de oração e empreendeu triunfante guerra contra a falsa religião, derramando o sangue dos falsos profetas, mas Jesus venceu a maior batalha, derramando o próprio sangue em resgate do seu povo. Jeremias é tipo de Cristo pelo seu exemplo de paciente resistência e sofrimento imerecido. Mas Jeremias foi um profeta, nada mais. Ele profetizou a nova aliança, mas só Jesus inaugurou a nova aliança em seu sangue.[5]

Certamente, a opinião do povo sobre Jesus revelava suas crenças místicas. Eles pensavam na possibilidade de alguém voltar a viver no corpo de outra pessoa. Essa crença na metempsicose ou transmigração da alma já era defendida pelos gregos há mais de 500 anos. O povo estava rendido à confusão. Sua opinião sobre o filho do homem estava equivocada. Ainda hoje, o povo crê em outro Cristo, e não no Cristo revelado nas Escrituras.

Uma revelação (16.15-17)

A pergunta de Jesus, agora, é endereçada aos próprios discípulos: *Mas vós, continuou ele, quem dizeis que eu sou?* (16.15). Simão Pedro, o falante, não suportando que ninguém falasse em sua frente, respondeu pelo grupo: *Tu és o Cristo, o filho do Deus vivo*. Pedro dá uma resposta lúcida, objetiva e verdadeira. Jesus é o Messias. Ele não é apenas um grande profeta, mas o próprio filho do Deus vivo. Jesus aceita a confissão como verdadeira e confirma, assim, a sua divindade.

Talvez Simão Pedro esperasse até mesmo um elogio de Jesus por uma declaração tão precisa acerca de sua natureza, mas Jesus declara: *Bem-aventurado és, Simão Barjonas, porque não foi carne e sangue que to revelaram, mas meu Pai, que está nos céus*. Jesus deixa claro que Pedro só sabe quem ele é porque o Pai lhe revelara isso. Do contrário, como o povo, Pedro também estaria rendido à mais completa confusão. Só podemos conhecer Cristo por revelação divina, e não por investigação humana.

Uma declaração (16.18,19)

Jesus declara a Pedro sua vulnerabilidade, ou seja, ele é um fragmento de pedra, e ao mesmo tempo revela sua autossuficiência, apresentando a si mesmo como a rocha sobre a qual a igreja é estabelecida. Essa é a primeira ocorrência da palavra *ekklesia*, "igreja", no Novo Testamento. Significa, literalmente, "uma assembleia convocada". A palavra ocorre mais de cem vezes no Novo Testamento, pelo menos noventa vezes referindo-se à congregação local. No entanto, esse primeiro uso de *ekklesia* indica que Jesus tinha em mente a igreja como um todo, ou seja, a igreja universal, composta por todos aqueles que confessam a mesma fé declarada por Pedro.[6]

O nome próprio *Pétros*, "Pedro", significa, literalmente, um desmembramento menor de um rochedo maçiço.[7] Portanto, o que Jesus disse a Pedro é o seguinte: "Eu também te digo que tu és um fragmento de pedra, mas sobre esta rocha que sou eu, da qual tu és um pedaço, edificarei minha igreja". Ainda, o pronome demonstrativo "esta", em vez de "essa", pedra, revela que Jesus está falando sobre si mesmo, e não sobre Pedro. A. T. Robertson diz que a ênfase não está em "Tu és Pedro", em constraste com "Tu és o Cristo", mas em "o Pai te revelou uma verdade e eu também te conto outra".[8] Resta claro, portanto, que a pedra sobre a qual a igreja está eficada é Cristo, e não Pedro. Pedro e os demais crentes de todos os tempos são pedras vivas (1Pe 2.5), edificados sobre o fundamento que é Cristo (1Co 3.11).

Destacamos a seguir dois pontos importantes.

Em primeiro lugar, *a singularidade indisputável de Jesus* (16.18). Jesus faz quatro declarações acerca de si mesmo, que comentamos a seguir.

Primeiro, Jesus é o fundamento da igreja. Jesus é a pedra fundamental sobre a qual a igreja está edificada. Ele é o verdadeiro fundamento, e não há outro. Isso confere com o que o próprio Pedro afirmou (At 4.11,12), bem como com o que Paulo ensinou (1Co 3.11). A metáfora da rocha é usada apenas para Deus no Antigo Testamento (Dt 32.4; Sl 18.2). Por isso, o salmista pergunta: *Pois quem é Deus, senão o Senhor? E quem é rochedo, senão o nosso Deus?* (Sl 18.31).

Segundo, Jesus é o dono da igreja. A igreja tem um dono, e este é Jesus. Ele comprou a igreja com o próprio sangue (At 20.28). A igreja é sua propriedade exclusiva (1Pe 2.9).

Terceiro, Jesus é o edificador da igreja. Quem edifica a igreja não somos nós; é Jesus. Ele é quem atrai para si mesmo os que são salvos por sua graça.

Quarto, Jesus é o protetor da igreja. Aquele que morreu pela igreja, intercede pela igreja e voltará para a igreja é o seu protetor. As portas do inferno não prevalecerão contra ela.

Em segundo lugar, *o ministério singular de Pedro* (16.19). As chaves do reino dos céus são o evangelho, e Pedro foi o homem usado por Deus para usar essas chaves, pregando o evangelho aos judeus (At 2), aos samaritanos (At 8) e também aos gentios (At 10). Não é Pedro quem abre e fecha. Este é Jesus (Ap 3.7). Essas chaves foram dadas não somente a Pedro, mas também aos demais apóstolos (18.18-20). Pedro tem as mesmas chaves dadas a todo pregador do evangelho. Concordo, portanto, com Warren Wiersbe quando ele diz que em nenhum lugar dessa passagem, nem no restante do Novo Testamento, o texto bíblico afirma que

Pedro ou seus supostos sucessores possuíam qualquer posição especial ou privilégio na igreja. Pedro afirma claramente em suas duas epístolas que não passava de um apóstolo (1Pe 1.1), de um presbítero (1Pe 5.1) e de um servo (2Pe 1.1).[9]

Uma advertência (16.20)

Depois de afirmar a bem-aventurança de Simão Pedro por declarar sua messianidade e sua filiação divina, e após apresentar a si mesmo como o fundamento, o dono, o edificador e o protetor da igreja, Jesus adverte os discípulos de não divulgar essa informação para ninguém: *Então, advertiu os discípulos de que a ninguém dissessem ser ele o Cristo* (16.20). Jesus não queria antecipar um conflito com as forças políticas nem mesmo criar antecipadamente uma expectativa distorcida na mente do povo acerca de sua missão.

NOTAS

[1] WIERSBE, Warren W. *Comentário bíblico expositivo*, p. 73.
[2] TASKER, R. V. G. *Mateus: introdução e comentário*, p. 125.
[3] MOUNCE, Robert H. *Mateus*, p. 169.
[4] ROBERTSON, A. T. *Comentário de Mateus*, p. 185.
[5] TASKER, R. V. G. *Mateus: introdução e comentário*, p. 126.
[6] WIERSBE, Warren W. *Comentário bíblico expositivo*, p. 74-75.
[7] ROBERTSON, A. T. *Comentário de Mateus*, p. 187.
[8] IBIDEM, p. 186.
[9] WIERSBE, Warren W. *Comentário bíblico expositivo*, p. 75.

Capítulo 49

O preço e a glória de ser discípulo de Cristo

(Mt 16.21-28)

Depois que Jesus deixa claro a seus discípulos quem ele é e o que ele faz, passa a uma nova etapa de seu ensino. Revela a seus discípulos sua paixão e o preço a ser considerado para aqueles que o seguem. Nas palavras de Carlos Osvaldo Pinto, "a revelação sobre a pessoa do Rei leva à revelação sobre o seu programa, que serve ao propósito de explicar a necessidade da cruz".[1]

A passagem em apreço trata de seis verdades, que vamos expor a seguir.

Uma necessidade imperativa (16.21)

Longe de o messiado de Jesus cumprir as expectativas populares da quebra de um jugo político, o próprio Messias seguirá para Jerusalém e sofrerá muitas coisas nas mãos dos líderes de seu próprio povo, como também dos anciãos, dos principais sacerdotes e dos escribas. Os anciãos são os respeitáveis líderes da comunidade. Os principais sacerdotes eram a elite do grupo dos saduceus, e os escribas eram os eruditos em Bíblia, membros do grupo dos fariseus. Esses três grupos formavam o Sinédrio (o concílio oficial que governava a vida religiosa e política dos judeus).[2]

Jesus declara aos discípulos tanto sua morte como sua ressurreição; tanto seu sofrimento como sua recompensa; tanto sua humilhação como sua exaltação. Jesus tem pleno discernimento do que vai lhe acontecer. Sua morte não foi um acidente nem sua ressurreição, uma surpresa. Como diz Tasker, Jesus sabe que, embora todas as estradas que levam para longe de Jerusalém estejam abertas diante dele, é a estrada para Jerusalém que ele tem de palmilhar, e é nessa cidade "santa" que ele terá de sofrer indignidades e injustiças nas mãos das autoridades religiosas, ser morto e ressuscitar no terceiro dia.[3]

Uma reprovação reprovada (16.22,23)

Essa pormenorizada e medonha previsão dos sofrimentos que aguardam seu mestre provoca horror no coração de Pedro. Que o Deus vivo deva submeter seu filho a tal humilhação e crueldade é mais do que ele pode ouvir. Tasker diz, corretamente, que a explosão de Pedro, reprovando Jesus, foi bem-intencionada, mas revelou tão completa incompreensão da vocação de Jesus que, se ele lhe desse ouvidos, estaria fazendo precisamente o que o diabo o tentara a fazer no deserto.[4] Mounce esclarece que essa repreensão de Pedro significa: "Deus te perdoe por dizer uma coisa tão errada e chocante".[5] Na perspectiva de Pedro, Messias e sofrimento eram duas realidades irreconciliáveis.[6] Porém, a religião humanista que subtrai a cruz é de inspiração satânica.

O mesmo Pedro que acabara de ser declarado bem-aventurado por Jesus por sua profissão de fé tão cristalina e robusta chama Jesus à parte e passa a reprová-lo, dizendo: *Tem compaixão de ti, Senhor; isso de modo algum te acontecerá* (16.22). A resposta de Jesus é contundente: *Arreda, Satanás! Tu és para mim pedra de tropeço, porque não cogitas das coisas de Deus e sim das dos homens* (16.23). Se a igreja estivesse fundamentada sobre Pedro, estaria edificada sobre areia movediça. O Pedro elogiado por Jesus é imediatamente o Pedro repreendido por ele. O Pedro que recebe a revelação do Pai é imediatamente o Pedro instrumentalizado por Satanás. A. T. Robertson diz, corretamente, que não há instrumentos de tentação mais temíveis do que amigos bem-intencionados, que se importam mais com o nosso bem-estar do que com o nosso caráter. Em Pedro, Satanás, que fora expulso, voltara mais uma vez.[7]

É claro que Jesus não está dizendo com isso que Pedro é Satanás, nem que esteja possesso. Nem mesmo Jesus está mandando Pedro arredar. Jesus está vendo nas palavras de Pedro a mesma tentação de Satanás no deserto e usando as mesmas palavras que usou para expulsar Satanás. Satanás, que deixara Jesus até momento oportuno (Lc 4.13), está de volta, usando Pedro para tentar Jesus a fugir da cruz. Satanás deve arredar; Pedro não. Pedro é apóstolo, e nele Jesus continuará investindo.

Um preço a ser considerado (16.24)

A penosa lição que Pedro e todos os apóstolos tinham de aprender agora era que seguir a Jesus significava seguir a um Jesus crucificado. Seguir a Cristo, portanto, é estar preparado para sofrer na companhia de Cristo as indignidades que um condenado deve sofrer.[8] As condições para o discipulado são o rompimento de todos os elos que prendem um homem a si mesmo. É obliterar o eu, como princípio dominante da vida, a fim de transformar Deus nesse princípio.[9]

Essa passagem é particularmente pesada e solene. Aquele que não se dispõe a carregar a cruz não usará a coroa. A grande tensão desse texto é entre encontrar prazer neste mundo à parte de Deus e encontrar Deus neste mundo e todo o nosso prazer nele. Jesus sabia que as multidões que o seguiam estavam apenas atrás de milagres e prazeres terrenos. Não estavam dispostas a trilhar o caminho da renúncia nem a pagar o preço do discipulado. Jesus não somente abraça o caminho da cruz, mas exige o mesmo de seus seguidores (16.24). Foram várias as tentativas para afastar Jesus da cruz: Satanás o tentou no deserto, a multidão quis fazê-lo rei e Pedro tentou reprová-lo, mas Jesus rechaçou todas as propostas com veemência.

Tendo afirmado os requisitos de Deus para o Messias (16.21), Jesus declara, agora, as exigências de Deus para o discípulo. A natureza e o caminho do discípulo são padronizados de acordo com quem Jesus é e para onde ele está indo.

O discipulado é uma proposta oferecida a todos indistintamente. Jesus se dirige não apenas aos discípulos, mas também à multidão (Mc 8.34). O discipulado não é apenas para uma elite espiritual, mas para todos quantos quiserem seguir Cristo. É para todos uma questão de vida ou morte, de vida eterna em oposição a morte eterna.

Jesus mostra aqui o preço do discipulado. Seguir a Jesus é seguir o crucificado. É abraçar um projeto que exige renúncia, sacrifício e perseverança. Ser discípulo não é apenas professar doutrinas certas; é seguir o Cristo crucificado. É negar a si mesmo e também tomar sua cruz.

A proposta de Jesus não é para uma vida de amenidades. A vida cristã não é um convite para um parque de diversões, mas uma jornada de renúncia e morte.

Jesus só tem uma espécie de seguidor: discípulos! Ele ordenou à sua igreja fazer discípulos, e não admiradores (28.19). O discipulado é o mais fascinante projeto de vida. Há alguns aspectos importantes a serem destacados, como vemos a seguir.

Em primeiro lugar, *o discipulado é um convite pessoal* (16.24). Jesus começa com um chamado condicional: *Se alguém quer*. A soberania de Deus não violenta a vontade humana. É preciso existir uma predisposição para seguir a Cristo. Jesus mencionou quatro tipos de ouvintes: os endurecidos, os superficiais, os ocupados e os receptivos. Muitos querem apenas o *glamour* do evangelho, mas não a cruz. Querem os milagres, mas não a renúncia. Querem prosperidade e saúde, mas não arrependimento. Querem o paraíso na terra, e não a bem-aventurança no céu. Precisamos calcular o preço do discipulado. Ele não é barato.

Em segundo lugar, *o discipulado é um convite para uma relação pessoal com Jesus* (16.24). Ser discípulo não é ser um admirador de Cristo, mas um seguidor. Um discípulo segue as pegadas de Cristo. Assim como Cristo escolheu o caminho da cruz, o discípulo precisa seguir a Cristo não para o sucesso, mas para o Calvário. Não há coroa sem cruz, nem céu sem renúncia. Ser discípulo não é abraçar simplesmente uma doutrina; é seguir uma pessoa. É seguir a Cristo para o caminho da morte. *Vir após mim* é o ligar-se a Cristo, como seu discípulo.[10]

Em terceiro lugar, *o discipulado é um convite para uma renúncia radical* (16.24). Cristo nos chama não para a afirmação do eu, mas para sua renúncia. Precisamos depor as armas antes de seguir a Cristo. Precisamos abdicar do nosso orgulho, soberba, presunção e autoconfiança antes de seguirmos as pegadas de Jesus. Entrementes, negar a si mesmo não significa aniquilação pessoal, mas rendição total à vontade de Deus.

Em quarto lugar, *o discipulado é um convite para morrer* (16.24). Tomar a cruz é abraçar a morte; é escolher a vereda do sacrifício. A cruz era um instrumento de morte vergonhosa. *Era necessário* [que] [...] [sofresse] *muitas coisas* (16.21). A carta aos Hebreus fala sobre a crucificação de Jesus com termos fortes: *expondo-o à ignomínia* (Hb 6.6), *o opróbrio de Cristo* (Hb 11.26), *não fazendo caso da ignomínia* (Hb 12.2), *sofreu fora da porta* (Hb 13.12) e *levando o seu vitupério* (Hb 13.13). O que o condenado faz sob coação, o discípulo de Cristo faz de boa vontade. A cruz não é apenas um emblema ou um símbolo cristão, mas um instrumento de morte. Lucas fala sobre tomar a cruz dia a dia (Lc 9.23). O discípulo é alguém carimbado para morrer. Essa cruz, obviamente, não é uma doença, um inimigo, uma fraqueza, uma dor, um filho rebelde, um casamento infeliz. Os monges viram nessa cruz a exigência da autoflagelação e da renúncia ao casamento. Essa cruz, porém, remete à nossa disposição de morrer para nós mesmos, para os prazeres e deleites. É considerar-se morto para o pecado e andar com um atestado de óbito no bolso.

Em quinto lugar, *o discipulado é um convite para uma caminhada dinâmica com Cristo* (16.24). Seguir a Cristo é algo sublime e dinâmico. Esse desafio nos é exigido todos os dias, em nossas escolhas, decisões, propósitos, sonhos e realizações. Seguir a Cristo é imitá-lo. É fazer o que ele faria em nosso lugar. É amar o que ele ama e aborrecer o que ele aborrece. É viver a vida na perspectiva dele. Seguir a Cristo é confiar nele (Jo 3.16), caminhar em seus passos (1Pe 2.21) e obedecer ao seu comando (Jo 15.14).

Um paradoxo a ser compreendido (16.25)

Certamente, o discipulado implica o maior paradoxo da existência humana. Os valores de um discípulo estão invertidos: ganhar é perder, e perder é ganhar. O discípulo vive num mundo de ponta-cabeça. Para ele, ser grande é ser servo de todos. Ser rico é ter a mão aberta para dar. Ser feliz é renunciar aos prazeres do mundo. Satanás promete glória, mas no fim dá sofrimento. Cristo oferece uma cruz, mas no fim oferece uma coroa que conduz à glória.

Como uma pessoa pode ganhar a vida e ao mesmo tempo perdê-la?

Em primeiro lugar, *quando busca a felicidade sem Deus.* Vivemos numa sociedade embriagada pelo hedonismo. As pessoas estão ávidas pelo prazer. Elas fumam, bebem, dançam, compram, vendem, viajam, experimentam drogas e fazem sexo na ânsia de encontrar felicidade. Mas, depois que experimentam todas as taças dos prazeres, percebem que não havia aí o ingrediente da felicidade. Salomão buscou a felicidade no vinho, nas riquezas, nos prazeres e na fama e viu que tudo era vaidade (Ec 2.1-11).

Em segundo lugar, *quando busca salvação fora de Cristo.* Há muitos caminhos que conduzem os homens para a religião, mas um só caminho que conduz o homem a Deus. O homem pode ter fortes experiências e arrebatadoras emoções na busca do sagrado, no afã de encontrar-se com o eterno, mas, quanto mais mergulha nas águas profundas

das filosofias e religiões, mais distante fica de Deus e mais perdida fica sua vida. Uma pessoa pode perder sua vida quando ama o pecado, crê em superstições humanas, negligencia os meios de graça e recusa-se a receber o evangelho em seu coração.

Em terceiro lugar, *quando busca realização em coisas materiais.* O mundo gira em torno do dinheiro. Este é a mola que move o mundo. É o maior senhor de escravos. O dinheiro é mais do que uma moeda; é um ídolo, um espírito, um deus. O dinheiro é Mamom. Muitos se esquecem de Deus na busca do dinheiro e perdem a vida nessa corrida desenfreada. A possessão de todos os tesouros que o mundo contém não compensa a ruína eterna. Esses tesouros nem mesmo podem nos fazer felizes enquanto os temos. Fernão Dias Paes Leme, o bandeirante das esmeraldas, empreendeu sua vida e gastou sua saúde em busca de pedras preciosas. Mas, quando estava com a sacola cheia de pedras verdes, a febre mortal atacou seu corpo e ele, delirando, tentava empurrar as pedras para dentro do seu coração. Morreu só, sem alcançar a pretensa felicidade que buscava na riqueza.

Como pode uma pessoa perder a vida e ganhá-la?

Em primeiro lugar, *quando renuncia aos prazeres desta vida para receber a bem-aventurança eterna.* Ganhar o mundo e perder a alma é loucura. Beber as taças dos prazeres aqui e depois sorver a taça cheia da ira de Deus é consumada insensatez. Os prazeres deste mundo são falsos e ainda passageiros; as alegrias de Deus são reais e eternas.

Em segundo lugar, *quando renuncia às riquezas deste mundo para obter uma herança eterna.* As riquezas deste mundo fascinam, mas não podem dar felicidade nem segurança. O amor ao dinheiro leva o homem à ruína e destruição, mas a herança eterna é uma riqueza imarcescível.

Em terceiro lugar, *quando renuncia à ilusão que se vê, para receber o real que ainda não se pode ver.* O que se vê é efêmero; o que se não vê é eterno. O que se vê perece, mas o que se não vê dura para sempre. Nossa herança está segura nos céus. Nosso tesouro não pode ser roubado nem carcomido pela traça.

Uma avaliação a ser observada (16.26)

Jesus conclama seus discípulos a fazerem uma avaliação. Mesmo que alguém chegasse ao cume, a ponto de ganhar o mundo inteiro, mas perdesse sua alma para conquistar essa posição, isso não lhe traria real proveito. Nenhuma vantagem terrena e temporal compensa a perda da alma.

Três fatos devem ser destacados, como vemos a seguir.

Em primeiro lugar, *o dinheiro não pode comprar a bem-aventurança eterna* (16.26). Transigir com os absolutos de Deus, vender a consciência e a própria alma para amealhar riquezas é uma grande tolice. A vida é curta, e o dinheiro perde o valor para quem é conduzido ao túmulo. A morte nivela os ricos e os pobres. Nada trouxemos para este mundo e nada levaremos dele. Passar a vida correndo atrás de um tesouro falaz é loucura. Pôr sua confiança na instabilidade e efemeridade da riqueza é estultícia.

A apostasia de Jesus em nenhum lugar é recompensada com a posse do mundo inteiro. O salário muitas vezes será bem mirrado: talvez trinta moedas de prata e uma corda (26.15; 27.5). O que importa é como parecerá aos olhos de Deus o balanço da nossa vida. Até porque, depois de tudo, Deus é o auditor que, ao final, deveremos enfrentar.

Em segundo lugar, *a salvação da alma vale mais do que riquezas* (16.26). É melhor ser salvo do que ser rico. A riqueza só pode nos acompanhar até o túmulo, mas a salvação será desfrutada por toda a eternidade. Jesus chamou de louco o homem que negligenciou a salvação da sua alma e pôs sua confiança nos bens materiais. A morte chegou e, com ela, o juízo e, com o juízo, a condenação.

Em terceiro lugar, *a perda da alma é uma perda irreparável* (16.26). Dinheiro se ganha e se perde. Mesmo depois de perdê-lo, é possível readquiri-lo. Mas, quando se perde a alma, não há como reavê-la. É impossível mudar o destino eterno de uma pessoa. O rico que estava no inferno não teve suas orações ouvidas, nem seu tormento aliviado (Lc 16.23-26). Algumas pessoas vendem a honra, os princípios, a consciência e até mesmo sua alma eterna para alcançar bens, popularidade e prazeres terrenos. Porém, nenhuma quantidade de dinheiro, poder ou *status* pode comprar de volta uma alma perdida. Vender a alma por dinheiro é um péssimo negócio. Essa troca é um engodo. A um morto, nada mais pertence; ele é que pertence à morte. No julgamento final, essa conta não fechará.

Uma recompensa a ser considerada (16.27,28)

A verdadeira recompensa não é aquela que acumulamos na terra, mas a que Jesus trará consigo quando vier em sua glória. Renunciar aos prazeres desta vida para obter a bem-aventurança eterna terá retribuição segura. Aproveitar os prazeres do agora em detrimento das recompensas do porvir é pura perda. Alguns de seus discípulos veriam, num antegozo, essa glória de Cristo no monte da Transfiguração, e essa glória seria robustamente revelada em breve no fulgor triunfante de seu túmulo vazio.

Notas

[1] Pinto, Carlos Osvaldo Cardoso, *Foco & desenvolvimento no Novo Testamento*, p. 54.
[2] Mounce, Robert H. *Mateus*, p. 173.
[3] Tasker, R. V. G. *Mateus: introdução e comentário*, p. 128.
[4] Ibidem.
[5] Mounce, Robert H. *Mateus*, p. 173.
[6] Hendriksen, William. *Mateus*. Vol. 2, p. 187.
[7] Robertson, A. T. *Comentário de Mateus*, p. 191.
[8] Tasker, R. V. G. *Mateus: introdução e comentário*, p. 129.
[9] Mounce, Robert H. *Mateus*, p. 174.
[10] Hendriksen, William. *Marcos*, p. 419.

Capítulo 50

Diferentes tipos de espiritualidade

(Mt 17.1-27)

O homem é um ser religioso. Desde os tempos mais remotos, o homem tem levantado altares. Há povos sem leis, sem governo, sem economia, sem escolas, mas nunca sem religião. O homem tem sede do eterno. Deus mesmo colocou a eternidade no coração do homem. Cada religião busca oferecer ao homem o caminho de volta para Deus. As religiões são repetições do malogrado projeto da torre de Babel.

Só há duas religiões no mundo: a revelada e aquela criada pelo próprio homem. Uma tenta abrir caminhos da terra para o céu; a outra abre o caminho do céu para a terra. Uma é humanista; a outra é teocêntrica. Uma prega a salvação pelas obras; a outra, pela graça. O cristianismo é a revelação que o próprio Deus faz de si mesmo e do seu plano redentor. As demais religiões representam um esforço inútil de o homem chegar até Deus mediante os próprios méritos.

O homem é um ser que idolatra a si mesmo, declarando-se o centro de todas as coisas. Na pregação contemporânea, Deus é quem está a serviço do homem, e não o homem a serviço de Deus. A vontade do homem é que deve ser feita no céu, e não a vontade de Deus na terra. O homem contemporâneo não busca conhecer a Deus, mas procura sentir-se bem. A luz interior tornou-se mais importante do que a revelação escrita. O culto não é racional, mas sensorial. O homem não quer conhecer; quer sentir. O sentimento prevaleceu sobre a razão. As emoções assentaram-se no trono, e a religião está se transformando num ópio, num narcótico que anestesia a alma e coloca em sono profundo as grandes inquietações da alma.

Vamos examinar esse momentoso assunto na exposição de Mateus 17.1-27. O texto em tela oferece-nos uma resposta sobre os modelos de espiritualidade, como vemos a seguir.

A espiritualidade do monte – êxtase sem entendimento (17.1-8)

Pedro, Tiago e João, que formavam o círculo mais íntimo dos apóstolos, sobem o monte da Transfiguração com Jesus, mas não alcançam as alturas espirituais da intimidade com Deus. Há uma bela transição entre o capítulo 16 de Mateus e o capítulo 17; no capítulo 16, Cristo falou sobre a cruz, e agora ele revela a glória. O caminho da glória passa pela cruz.

Que monte era esse? A tradição diz que é o monte Tabor; outros pensam que se trata do monte Hermom. Mas a geografia não interessa, pois não fazemos peregrinações sagradas. A fé no Senhor vivo que está presente em todos os lugares faz que montes sagrados entrem em esquecimento. Concordo com A. T. Robertson quando ele diz que o monte da Transfiguração não diz respeito a geografia.[1]

A mente dos três discípulos estava confusa e o coração, fechado. Eles estavam cercados por uma aura de glória e luz, mas um véu lhes embaçava os olhos e lhes tirava o entendimento. Para melhor compreendermos essa passagem, lançaremos mão do registro dos outros evangelistas sinóticos. Vejamos alguns pontos importantes a seguir.

Em primeiro lugar, *os discípulos andam com Jesus, mas não conhecem a intimidade do Pai* (Lc 9.28,29). Jesus subiu o monte da Transfiguração para orar. A motivação de Jesus era estar com o Pai. A oração era o oxigênio da sua alma. Todo o seu ministério foi regado de intensa e perseverante oração.[2] Jesus está orando, mas em momento nenhum os discípulos estão orando com ele. Eles não sentem necessidade da oração nem prazer nela. Eles não têm sede de Deus. Estão no monte a reboque, por isso não estão alimentados pela mesma motivação de Jesus.

Em segundo lugar, *os discípulos estão diante da manifestação da glória de Deus, mas, em vez de orar, eles dormem* (Lc 9.28,29). Jesus foi transfigurado porque orou. Os discípulos não oraram, por isso foram apenas espectadores. Porque não oraram, ficaram agarrados ao sono. A falta de oração pesou-lhes as pálpebras e cerrou-lhes o entendimento. As coisas mais santas, as visões mais gloriosas e as palavras mais sublimes não encontraram guarida no coração dos discípulos. As coisas de Deus cansavam seus olhos, entediavam seus ouvidos e causavam-lhes sono.

Em terceiro lugar, *os discípulos experimentam um êxtase, mas não têm discernimento espiritual* (17.1-8). Os discípulos contemplaram quatro fatos milagrosos: a transfiguração do rosto de Jesus, a aparição em glória de Moisés e Elias, a nuvem luminosa que os envolveu e a voz do céu que trovejava em seus ouvidos. Nenhuma assembleia na terra jamais foi tão esplendidamente representada: lá estava o Deus trino com Moisés e Elias, o maior legislador e o maior profeta. Lá estavam Pedro, Tiago e João, os apóstolos mais íntimos de Jesus. Apesar de estarem envoltos num ambiente de milagres, faltou-lhes discernimento em quatro questões básicas, que comentamos a seguir.

Primeiro, eles não discerniram a centralidade da Pessoa de Cristo (17.4,8). Pedro está cheio de emoção, mas vazio de entendimento. Quer construir três tendas, dando a Moisés e a Elias a mesma importância de Jesus. Quer igualar Jesus aos representantes da lei e dos profetas. Como o restante do povo, ele também está confuso quanto à verdadeira identidade de Jesus (16.13,14). Não discerne a divindade de Cristo. Anda com Cristo, mas não lhe dá a glória devida ao seu nome (17.4). Onde Cristo não recebe a preeminência, a espiritualidade está fora de foco. Jesus é maior do que Moisés e Elias. A lei e os profetas apontaram para ele.

Tanto Moisés como Elias, tanto a lei como os profetas, tiveram seu cumprimento em Cristo (Hb 1.1,2; Lc 24.25-27). Moisés morreu, e seu corpo foi sepultado, mas Elias foi arrebatado aos céus. Quando Jesus retornar, ele ressuscitará o corpo dos santos que morreram e arrebatará os santos que estiverem vivos (1Ts 4.13-18). Concordo com Tasker quando ele diz que o propósito primário do aparecimento de Moisés e Elias foi saudar o seu divino Sucessor e depois deixá-lo só em sua incontestável supremacia, o único objeto de adoração dos seus discípulos.[3]

O Pai corrigiu a teologia de Pedro, dizendo-lhe: *Este é o meu filho amado, em quem me comprazo; a ele ouvi* (17.5). Jesus não pode ser confundido com os homens, ainda que com os mais ilustres. Ele é Deus. Para ele deve ser toda devoção. Nossa espiritualidade deve ser cristocêntrica. A presença de Moisés e Elias naquele monte, longe de empalidecer a divindade de Cristo, confirmava que de fato ele era o Messias apontado pela lei e os profetas. John Charles Ryle faz um solene alerta:

> Bispos, padres, diáconos, cardeais, o papa, os concílios, pregadores e ministros de grupos evangélicos são continuamente exaltados a uma posição que Deus jamais tencionou que preenchessem, usurpando assim a honra devida somente a Cristo. Os melhores homens não passam de homens, mesmo em seus melhores momentos. Os patriarcas, os profetas e os apóstolos – os mártires, os pais da igreja, os reformadores, os puritanos – todos são meros pecadores, que precisam do salvador –, santos, úteis, dignos de honra em seus respectivos lugares, mas apenas pecadores, e nada mais. Nunca podemos permitir que eles sejam interpostos entre nós e Cristo. Somente Jesus Cristo é "o filho em quem o Pai se compraz".[4]

Segundo, eles não discerniram a centralidade da missão de Cristo. Moisés e Elias apareceram para falar sobre a iminente partida de Jesus para Jerusalém (Lc 9.30,31). A agenda daquela conversa era a cruz. A cruz é o centro do ministério de Cristo. Ele veio para morrer. Sua morte não foi um acidente, mas um decreto do Pai desde a eternidade (Ap 13.8). Cristo não morreu porque Judas o traiu por dinheiro, porque os sacerdotes o entregaram por inveja ou porque Pilatos o condenou por covardia. Ele voluntariamente se entregou por suas ovelhas (Jo 10.11), pela sua igreja (Ef 5.25).

Toda espiritualidade que desvia o foco da cruz é cega de discernimento. Satanás tentou desviar Jesus da cruz, incitando Herodes a matá-lo. Depois, ofereceu-lhe um reino. Mais tarde, levantou uma multidão para fazê-lo rei. Em seguida, incitou Pedro para reprová-lo. Ainda quando estava suspenso na cruz, a voz do inferno vociferou na boca dos insolentes judeus: *Desça da cruz, e creremos nele* (27.42). Se Cristo descesse da cruz, nós desceríamos ao inferno. A morte de Cristo nos trouxe vida e libertação.

O vocábulo grego usado para *partida* (Lc 9.31) é a palavra *éxodos*. A morte de Cristo abriu as portas da nossa prisão e nos deu liberdade. Moisés e Elias entendiam isso, mas os discípulos estavam sem discernimento a respeito dessa questão central do cristianismo (Lc 9.44,45). Hoje, há igrejas que aboliram do púlpito a mensagem da cruz. Pregam sobre prosperidade, curas e milagres, mas esse não é o evangelho da cruz; é outro evangelho e deve ser anátema!

Terceiro, eles não discerniram a centralidade de seus próprios ministérios (17.4). Eles disseram: *Bom é estarmos aqui*. Eles queriam a espiritualidade da fuga, do êxtase, e não do enfrentamento. Queriam as visões arrebatadoras do monte, não os gemidos pungentes do vale. Mas é no vale que o ministério se desenvolve.

É mais cômodo cultivar a espiritualidade do êxtase, do conforto. É mais fácil estar no templo, perto de pessoas coiguais, do que descer ao vale cheio de dor e opressão. Não queremos sair pelas ruas e becos. Não queremos entrar nos hospitais e cruzar os corredores entupidos de gente com a esperança morta. Não queremos ver as pessoas encarquilhadas nas salas de quimioterapia. Evitamos olhar para as pessoas marcadas pelo câncer nas antecâmaras da radioterapia. Desviamo-nos das pessoas caídas na sarjeta.

Não queremos subir os morros semeados de barracos, onde a pobreza extrema fere a nossa sensibilidade. Não queremos visitar as prisões insalubres nem pôr os pés nos guetos encharcados de violência. Não queremos nos envolver com aqueles que vivem oprimidos pelo diabo nos bolsões da miséria ou encastelados nos luxuosos condomínios fechados. É fácil e cômodo fazer uma tenda no monte e viver uma espiritualidade escapista, fechada entre quatro paredes. Permanecer no monte é fuga, é omissão, é irresponsabilidade. A multidão aflita nos espera no vale!

Quarto, eles estão envolvidos por uma nuvem celestial, mas têm medo de Deus (17.6,7). Eles se encheram de medo a ponto de caírem de bruços. A espiritualidade deles é marcada pela fobia do sagrado. Eles não encontram prazer na comunhão com Deus por meio da oração; por isso, revelam medo de Deus. Veem Deus como uma ameaça. Eles se prostram não para adorar, mas para temer. Eles estavam aterrorizados (Mc 9.6). Pedro, o representante do grupo, não sabia o que dizia (Lc 9.33). Deus não é um fantasma cósmico. Ele é o Pai de amor. Jesus não alimentou a patologia espiritual dos discípulos; pelo contrário, mostrou sua improcedência: *Aproximando-se deles, tocou-lhes Jesus, dizendo: Erguei-vos, e não temais* (17.7). O medo de Deus revela uma espiritualidade rasa e sem discernimento.

A espiritualidade do vale – discussão sem poder (17.14-21)

Os nove discípulos de Jesus estavam no vale cara a cara com o diabo, sem poder espiritual, colhendo um grande fracasso. A razão era a mesma dos três que estavam no monte: em vez de orar, estavam discutindo. Aqui aprendemos várias lições, como vemos a seguir.

Em primeiro lugar, *no vale há gente sofrendo o cativeiro do diabo sem encontrar na igreja solução para o seu problema* (17.14,15). Aqui está um pai desesperado. O diabo invadiu a sua casa e está arrebentando a sua família. Está destruindo seu único filho (Mc 9.18)

Aquele jovem estava possuído por uma casta de demônios que tornavam sua vida um verdadeiro inferno. No auge do seu desespero, o pai do jovem correu para os discípulos de Jesus em busca de ajuda, mas eles estavam sem poder (17.16).

A igreja tem oferecido resposta para uma sociedade desesperançada e aflita? Temos confrontado o poder do mal? Conhecimento apenas não basta; é preciso revestimento de poder. O reino de Deus não consiste em palavras, mas em poder.

Em segundo lugar, *no vale há gente desesperada precisando de ajuda, mas os discípulos estão perdendo tempo, envolvidos numa discussão infrutífera* (Mc 9.14-18). Os discípulos estavam envolvidos numa interminável discussão com os escribas, enquanto o diabo agia livremente sem ser confrontado. Eles estavam perdendo tempo com os inimigos da obra, em vez de fazer a obra (Mc 9.16).

A discussão, muitas vezes, é saudável e necessária. Mas passar o tempo todo discutindo é uma estratégia do diabo para nos manter fora da linha de combate. Há crentes que passam a vida inteira discutindo empolgantes temas na escola bíblica dominical, participando de retiros e congressos, mas nunca entram em campo para agir. Sabem muito e fazem pouco. Discutem muito e trabalham pouco.

Os discípulos estavam discutindo com os opositores da obra (Mc 9.14). Discussão sem ação é paralisia espiritual. O inferno vibra quando a igreja se fecha dentro de quatro paredes, em torno dos seus empolgantes assuntos. O mundo perece enquanto a igreja está discutindo. Há muita discussão, mas pouco poder. Muita verborragia, mas pouca unção. Há multidões sedentas, mas pouca ação da igreja.

Em terceiro lugar, *no vale, enquanto os discípulos discutem, há um poder demoníaco sem ser confrontado* (17.15; Mc 9.17,18). Há dois extremos perigosos que precisamos evitar no trato dessa matéria, conforme comentamos a seguir.

Primeiro, subestimar o inimigo. Os liberais, os céticos e os incrédulos negam a existência e a ação dos demônios. Para eles, o diabo é uma figura lendária e mitológica. Negar a existência e a ação do diabo é cair nas malhas do mais ardiloso satanismo.

Segundo, superestimar o inimigo. Há segmentos chamados evangélicos que falam mais no diabo do que em Jesus. Pregam mais sobre exorcismo do que sobre arrependimento. Vivem caçando demônios, neurotizados pelo chamado movimento de batalha espiritual.

Como era esse poder maligno que estava agindo no vale?

Primeiro, o poder maligno que estava em ação na vida daquele menino era assombrosamente destruidor (17.15; Mc 9.18,22; Lc 9.39). A casta de demônios fazia esse jovem rilhar os dentes, convulsionava-o e lançava-o no fogo e na água, para matá-lo. Os sintomas desse jovem apontam para uma epilepsia. Mas não era um caso comum de epilepsia, pois, além de estar sofrendo dessa desordem convulsiva, ele era também um surdo-mudo. O espírito imundo que estava nele o havia privado de falar e ouvir. A possessão demoníaca é uma realidade dramática que tem afligido muitas pessoas ainda hoje. Os ataques àquele jovem eram tão frequentes e fortes que o menino não queria mais crescer, mas ia definhando.

Segundo, o poder maligno em ação no vale atingia as crianças (17.18; Mc 9.21,22). A palavra grega usada para meninice é *bréfos,* termo que descreve a infância desde o período intrauterino. O diabo não poupa nem mesmo as crianças. Aquele menino vivia dominado por uma casta de demônios desde sua primeira infância. Se Satanás investe desde cedo na vida das crianças, não deveríamos nós, com muito mais fervor, investir na salvação delas? Se as crianças podem ser cheias de demônios, não poderiam ser também cheias do Espírito de Deus?

Terceiro, o poder maligno em curso age com requintes de crueldade (Lc 9.38). Esse jovem era filho único. O coração do filho único de Deus enchia-se de compaixão por esses filhos únicos, por seus pais e por muitos, muitos outros! Ao atacar esse rapaz, o diabo estava destruindo os sonhos de uma família. Onde os demônios agem, há sinais de desespero. Onde eles atacam, a morte mostra sua carranca. Onde eles não são confrontados, a invasão do mal desconhece limites.

Em quarto lugar, *no vale os discípulos estão sem poder para confrontar os poderes das trevas* (17.16; Mc 9.18; Lc 9.40). Por que os discípulos estão sem poder?

Primeiro, porque há demônios e demônios (17.21). Há demônios mais resistentes que outros (17.19,21). Há hierarquia no reino das trevas (Ef 6.12).

Segundo, porque os discípulos não oraram (17.19-21). Não há poder espiritual sem oração. O poder não vem de dentro, mas do alto. "Remover montanhas" significava, como expressão idiomática dos judeus, "remover dificuldades". O sentido do versículo é que a fé vigorosa pode realizar o aparentemente impossível, pois o homem de fé saca dos recursos divinos.[5] Concordo com as palavras de

Spurgeon: "Aquele que quiser vencer o demônio em certos casos deve primeiro vencer o céu por meio da oração e a si mesmo pela autonegação".[6]

Terceiro, porque os discípulos não jejuaram (17.21). O jejum nos esvazia de nós mesmos e nos reveste com o poder do alto. Quando jejuamos, estamos dizendo que dependemos totalmente dos recursos de Deus.

Quarto, porque os discípulos tinham uma fé tímida (17.19,20). A fé não olha para a adversidade, mas para as infinitas possibilidades de Deus. Jesus disse ao pai do jovem: *Se podes! Tudo é possível ao que crê* (Mc 9.23). O poder de Jesus opera, muitas vezes, mediante a nossa fé. Spurgeon está correto ao dizer: "Nossa fé pode ser pequena como um grão de mostarda, mas, se for viva e verdadeira, ela nos une ao Onipotente".[7]

A espiritualidade de Jesus (17.9-13,22-27;)

A transfiguração foi uma antecipação da glória, um vislumbre e um ensaio de como será o céu (Mt 16.27,28). A palavra grega para "transfigurar" é *metamorphothe,* de onde vem a palavra metamorfose. O verbo refere-se a uma mudança externa que procede de dentro.[8] Nas palavras de A. T. Robertson, "apresenta a essência real de uma coisa em distinção ao seu aspecto meramente externo".[9] Essa não é uma mudança meramente de aparência, mas uma mudança completa para outra forma. Muitas vezes, os discípulos viram Jesus empoeirado, faminto e exausto, além de perseguido, sem pátria e proteção. De repente, passa uma labareda por essa casca de humilhação, indubitável, inesquecível (2Pe 1.16-18). Por alguns momentos, todo ele estava permeado de luz. Sproul diz que a glória que Pedro, Tiago e João contemplaram no monte da Transfiguração não era um reflexo; ela vinha de dentro do próprio Senhor. A fonte era o ser de Cristo, descrito como *o resplendor da glória* (Hb 1.3).[10] Aprendemos a seguir algumas verdades fundamentais sobre a espiritualidade de Jesus.

Em primeiro lugar, *a espiritualidade de Jesus é fortemente marcada pela oração* (Lc 9.28). Jesus subiu o monte da Transfiguração com o propósito de orar e, porque ele orou, seu rosto transfigurou e suas vestes resplandeceram de brancura (Lc 9.29). Mateus diz que *o seu rosto resplandecia como o sol, e as suas vestes tornaram-se brancas como a luz* (17.2). A oração é uma via de mão dupla, onde nos deleitamos em Deus, e ele tem prazer em nós (17.5). O maior anseio de quem ora não são as bênçãos de Deus, mas o Deus das bênçãos.

Dois fatos são dignos de destaque na transfiguração de Jesus, como vemos a seguir.

Primeiro, o seu rosto transfigurou (17.2). Mateus diz que o seu rosto resplandecia como o sol. O nosso corpo precisa ser vazado pela luz do céu. Devemos glorificar a Deus no nosso corpo. A glória de Deus precisa brilhar em nós e resplandecer através de nós.

Segundo, suas vestes também resplandeceram de brancura (17.2; Lc 9.29). Mateus diz que suas vestes resplandeceram como a luz (17.2). Marcos nos informa que as suas vestes se tornaram resplandecentes e sobremodo brancas, como nenhum lavandeiro na terra as poderia alvejar (Mc 9.3). Para o oriental, roupa e pessoa são uma coisa só. Assim, ele pode descrever vestimentas para caracterizar quem as usa (Ap 1.13; 4.4; 7.9; 10.1; 12.1; 17.4; 19.13). As nossas vestes revelam o nosso íntimo mais do que cobrem o nosso corpo. Elas retratam nosso estado interior e demonstram o nosso senso de valores. As nossas roupas precisam ser também santificadas e vazadas pela glória de Deus.

A oração de Jesus no monte ainda evidencia outras duas verdades, como vemos a seguir.

Primeiro, na transfiguração, Jesus foi consolado antecipadamente para enfrentar a cruz (Lc 9.30,31). Quando oramos, Deus nos consola antecipadamente para enfrentarmos as situações difíceis. Jesus passaria por momentos amargos: seria preso, açoitado, cuspido, ultrajado, condenado e pregado numa cruz. Mas, pela oração, o Pai o capacitou a beber aquele cálice amargo sem retroceder. Quem não ora, desespera-se na hora da aflição. É pela oração que triunfamos.

Segundo, em resposta à oração de Jesus, o Pai confirmou o seu ministério (17.4,5). Os discípulos sem discernimento igualaram Jesus a Moisés e Elias, mas o Pai defendeu Jesus, dizendo-lhes: *Este é o meu filho amado, em quem me comprazo; a ele ouvi*. Mateus registra: *Então, eles, levantando os olhos, a ninguém viram, senão Jesus* (17.8). Marcos é mais enfático: *E, de relance, olhando ao redor, a ninguém mais viram com eles, senão Jesus* (Mc 9.8). O Pai reafirma seu amor ao filho e autentica sua autoridade, falando de dentro da nuvem luminosa aos discípulos. Aquela era a mesma nuvem que havia guiado Israel quando saía do Egito (Êx 13.21), que apareceu ao povo no deserto (Êx 16.10; 24.15-18), que apareceu a Moisés (Êx 19.9) e que encheu o templo com a glória do Senhor (1Rs 8.10). No Antigo Testamento, a nuvem é o veículo da presença de Deus, a habitação de sua glória, da qual ele fala.

Você não precisa se defender; precisa orar. Quando você ora, Deus sai em sua defesa. Quando você cuida da sua piedade, Deus cuida da sua reputação.

Em segundo lugar, *a espiritualidade de Jesus não é autoglorificante* (17.9-13). Além de não defender o seu ministério, Jesus não tocou trombetas para propagar suas gloriosas experiências. Sua espiritualidade não era autoglorificante (17.9). Quem elogia a si mesmo, demonstra uma espiritualidade trôpega. João Batista, que veio no poder e no espírito de Elias, já tinha dado testemunho a seu respeito (Jo 1.29) e, agora, o Pai também dá testemunho (17.5), mas Jesus não toca trombeta; antes, ordena que seus discípulos não contem a ninguém a visão beatífica que viram no cume do monte (17.9).

Em terceiro lugar, *a espiritualidade de Jesus é marcada pela obediência ao Pai* (17.22,23; Mc 9.30,31; Lc 9.44,51,53). A obediência absoluta e espontânea à vontade do Pai foi a marca distintiva da vida de Jesus. A cruz não era uma surpresa, mas uma agenda. Ele não morreu como mártir; ele se entregou. Ele foi para a cruz porque o Pai o entregou por amor (Jo 3.16; Rm 5.8; 8.32). A conversa de Moisés e Elias com Jesus foi sobre sua partida para Jerusalém (Lc 9.31). A expressão usada foi *êxodos*. O êxodo foi a libertação do povo de Israel do cativeiro egípcio. Sua morte nos trouxe libertação e vida. Logo que desceu do monte, Jesus demonstrou com resoluta firmeza que estava indo para a cruz (Lc 9.31,44,51,53). Ele chorou (Hb 7.5) e suou gotas de sangue (Lc 22.39-46) para fazer a vontade do Pai. Ele veio para esse propósito (Jo 17.4) e, ao morrer na cruz, declarou isso triunfantemente (Jo 19.30). A verdadeira espiritualidade implica obediência (7.22,23).

Em quarto lugar, *a espiritualidade de Jesus é marcada por profunda humildade* (17.24-27). Jesus e seus discípulos regressam agora aos domínios de Herodes Antipas. Marcos diz que esse retorno é secreto (Mc 9.30), e eles visitam

Cafarnaum pela última vez. Logo que chegam, Pedro é inquirido por aqueles que cobravam o imposto sobre se Jesus também pagava impostos.[11]

Aqui está um grande paradoxo: o Rei dos reis, o criador do universo, era tão pobre que não tinha duas dracmas para pagar o imposto anual do templo. O milagre registrado aqui, segundo Warren Wiersbe, tem seis características[12]: 1) É registrado apenas por Mateus, um cobrador de impostos. Jesus deixa claro que os reis humanos não cobram impostos de seus filhos e ele, sendo o filho de Deus, estaria isento desse imposto, pois o templo era a casa de seu Pai; contudo, para não produzir escândalo, ele paga o imposto. 2) É o único milagre que Jesus realizou para suprir suas próprias necessidades. Jesus fez de um peixe o seu tesoureiro. O milagre foi realizado para evitar o escândalo. Jesus não queria que as pessoas se ofendessem vendo um judeu deixando de contribuir para o templo. John Charles Ryle diz que se oculta uma profunda sabedoria nas palavras ... *para que não os escandalizemos* (17.27). Elas nos ensinam, com toda a clareza, que existem questões acerca das quais o povo de Cristo deveria abafar as suas próprias opiniões. Dos direitos de Deus, jamais deveríamos desistir; mas dos nossos próprios direitos, ocasionalmente, podemos desistir, com real proveito.[13] 3) É o único milagre envolvendo dinheiro. O imposto em questão havia sido instituído no tempo de Moisés (Êx 30.11ss). 4) É o único milagre em que Jesus usou apenas um peixe. Pedro já havia feito uma pesca milagrosa (Lc 5.1-11) e faria outra (Jo 21.6). Nesse caso, porém, apenas um peixe foi usado. Jesus conhece e controla os detalhes. 5) É um milagre realizado em favor de Pedro. Jesus já havia curado a sogra de Pedro, ajudou-o numa pescaria milagrosa, permitiu que ele andasse sobre as águas, curou a orelha de Malco e livrou Pedro da prisão. Não é de admirar que Pedro tenha escrito: *Lançando sobre ele toda a vossa ansiedade, porque ele tem cuidado de vós* (1Pe 5.7). 6) É o único milagre cujo resultado não se encontra registrado. O que depreendemos é que Pedro foi, pescou o peixe, encontrou a moeda e pagou o imposto.

William Hendriksen está correto quando diz que esse relato indica o penetrante conhecimento de Cristo (17.25a), a consciência de sua filiação divina (17.25b), sua consideração pelos demais (17.27a), sua autoridade mesmo sobre o mar e seus habitantes (17.27b) e sua generosidade (17.27c).[14]

Em quinto lugar, *a espiritualidade de Jesus é marcada por poder para desbaratar as obras do diabo* (17.17,18; Mc 9.25-27). O ministério de Jesus foi comprometido com a libertação dos cativos (Lc 4.18; At 10.38). Ao mesmo tempo que ele é o libertador dos homens, é o flagelador dos demônios. Jesus expulsou a casta de demônios do menino endemoninhado, dizendo: *Sai* [...] *e nunca mais tornes a ele* (Mc 9.25). O poder de Jesus é absoluto e irresistível. Os demônios bateram em retirada, o menino foi liberto, devolvido ao seu pai, e todos ficaram maravilhados ante a majestade de Deus (Lc 9.43). Charles Spurgeon diz, com razão, que basta uma palavra de Cristo, e Satanás foge. Marcos, o evangelista, chama esse espírito maligno de "mudo e surdo", mas ele ouviu a Jesus e respondeu à sua voz com um grande grito; agitando-o com violência, saiu para nunca mais voltar.[15]

Para Jesus, não há causa perdida nem vida irrecuperável. Ele veio libertar os cativos!

NOTAS

[1] ROBERTSON, A. T. *Comentário de Mateus*, p. 195.
[2] Lucas 3.21,22; 4.1-13; 5.15-17; 6.12-16; 9.18-22,28-31; 22.39-46; 23.34-43.
[3] TASKER, R. V. G. *Mateus: introdução e comentário*, p. 131.
[4] RYLE, John Charles. *Meditações no evangelho de Mateus*, p. 138.
[5] TASKER, R. V. G. *Mateus: introdução e comentário*, p. 134.
[6] SPURGEON, Charles H. *O evangelho segundo Mateus*, p. 359-360.
[7] IBIDEM, p. 359.
[8] WIERSBE, Warren W. *Comentário bíblico expositivo*, p. 78.
[9] ROBERTSON, A. T. *Comentário de Mateus*, p. 196.
[10] SPROUL, R. C. *Mateus*, p. 447.
[11] TASKER, R. V. G. *Mateus: introdução e comentário*, p. 134.
[12] WIERSBE, Warren W. *Comentário bíblico expositivo*, p. 81-82.
[13] RYLE, John Charles. *Meditações no evangelho de Mateus*, p. 143.
[14] HENDRIKSEN, William. *Mateus*. Vol. 2, p. 217.
[15] SPURGEON, Charles H. *O evangelho segundo Mateus*, p. 358.

Capítulo 51

Os valores absolutos do reino de Deus

(Mt 18.1-14)

Chegamos agora ao quarto grande discurso de Jesus registrado por Mateus. Mounce diz que o capítulo 18 desse evangelho tem a aparência de um primitivo manual eclesiástico, tratando de assuntos como humildade (18.1-4), responsabilidade (18.5-7), autorrenúncia (18.8-10), cuidado individual (18.11-14), disciplina (18.15-20), comunhão fraternal (18.21,22) e perdão (18.23-35).[1] Jesus acabara de falar sobre autossacrifício, e os discípulos perguntam sobre autopromoção. Enquanto Jesus fala que está pronto a dar sua vida, os discípulos discutem quem entre eles é o maior (18.1). Eles estão na contramão do ensino e do espírito de Jesus.

Mateus faz uma transição da espiritualidade de Jesus para os valores que devem marcar a vida de um súdito do reino dos céus. Tasker diz que o reino dos céus tem valores essencialmente diferentes dos que caracterizam as instituições terrenas e as organizações seculares. Nesse reino, os humildes não são os que procuram autoafirmação; esses são os verdadeiramente grandes (18.1-5). Nesse reino, o inferior e mais apagado súdito fiel e leal a seu Rei tem valor infinito. Em consequência, a suprema ofensa feita pelos mais fortes e mais dominadores é a de tornar mais difícil o discipulado dos irmãos mais fracos e mais sensíveis (18.6,7). Mostrar desprezo por quaisquer irmãos de Cristo, por menos importantes, por mais jovens e por mais imaturos espiritualmente que sejam, é de fato desprezar os que têm acesso direto ao Rei e são objetos permanentes de seu amor (18.11). Ele deseja que eles nunca pereçam, e o seu interesse por eles deve refletir-se nos outros membros da comunidade messiânica. Se um deles se desviar do rebanho, não se devem poupar esforços para conseguir o seu regresso a salvo (18.12-14).[2]

Algumas verdades devem ser destacadas a seguir.

A humildade, o portal de entrada no reino dos céus (18.1-5)

Assim como Jesus abriu o portal das bem-aventuranças com a humildade (5.3), responde agora a uma pergunta dos discípulos sobre a preeminência no reino dos céus, mostrando que os valores do reino estão invertidos. O maior é o menor. Ser grande é ser como uma criança. A porta de entrada no reino é o reconhecimento de sua dependência plena de Deus.

Destacamos alguns pontos a seguir.

Em primeiro lugar, *o equivocado entendimento dos discípulos sobre a natureza do reino* (18.1). Os discípulos ainda alimentavam pensamentos errados sobre a natureza do reino. Imaginavam um reino terreno e político, em que a grandeza de uma pessoa consistia na alta posição que ocupava.

No reino de Deus, não há espaço para o amor à preeminência. Os discípulos não só perguntam sobre a questão da preeminência no reino, mas discutem entre si quem é o maior entre eles (Mc 9.33,34). Eles pensam em projeção, grandeza e especial distinção. A ambição deles é a projeção do eu, e não do outro. Jesus repreende seus discípulos tratando da necessidade da humildade (18.1), do exemplo da humildade (18.2-6) e do custo da humildade (18.7-9).[3] Mas o que é humildade? É a graça que, quando você sabe que a possui, acabou de perdê-la. A verdadeira humildade não é pensar em si mesmo de modo depreciativo; antes, é simplesmente nem pensar em si mesmo.[4] Nessa mesma linha de pensamento, Mounce, citando McNeile, diz: "O maior é aquele que não tem a mínima ideia de sua grandeza".[5]

A ambição e o desejo de preeminência dos discípulos soavam mal, sobretudo em face do que Jesus acabara de lhes falar sobre seu sofrimento e morte. O Rei da glória, o Senhor dos senhores, o criador do universo, dava claro sinal de seu esvaziamento e humilhação, a ponto de entregar voluntariamente sua vida em favor dos pecadores, enquanto os discípulos, cheios de vaidade e soberba, discutem sobre qual deles era o maior.

Os discípulos estavam pensando no reino de Jesus em termos de um reino terreno e acerca de si mesmos como os principais ministros de Estado. Essa distorção teológica dos discípulos perdurou até mesmo depois da ressurreição de Jesus (At 1.6).

O orgulho ainda é um dos pecados mais comuns encrustados na natureza humana. Esse pecado é tão antigo quanto a queda de Lúcifer. Foi a causa da queda dos nossos pais no Éden. Não foi essa a experiência de Senaqueribe (2Cr 32.14,21), Nabucodonosor (Dn 4.30-33) e Herodes Agripa (At 12.21-23)? A Bíblia diz que aquele que se exalta será humilhado, mas o que se humilha será exaltado.

Em segundo lugar, *a porta de entrada do reino é a conversão* (18.2,3). O reino não é dado aos que se consideram grandes, mas aos que se reconhecem pequenos. Não é aos arrogantes que pertence o reino, mas aos humildes de espírito. São aqueles que se voltam de sua soberba para confiarem plenamente na graça que entram no reino.

Em terceiro lugar, *o reino pertence aos humildes* (18.3). Jesus não estava aqui ensinando a inocência das crianças, mas mostrando que a marca de uma criança é sua plena dependência e segura confiança. Os discípulos deviam não expulsar as crianças, mas ser como elas. Spurgeon diz: "Os apóstolos eram convertidos em um sentido, mas mesmo eles precisavam de uma nova conversão. Eles precisavam ser convertidos do egoísmo à humildade".[6] Fritz Rienecker tem razão ao dizer que a mola mestra do reino de Deus é esta: todos descem para a pobreza, fraqueza e modéstia, para se tornarem ricos em Cristo. É por isso que os discípulos precisam dar meia-volta e se igualar às crianças na modéstia e na fraqueza.[7]

Em quarto lugar, *os valores do reino divergem dos valores do mundo* (18.4,5). No reino dos céus, o menor é o maior, e o mais humilde é o mais exaltado. O mundo valoriza a força, o poder, a riqueza, a soberba; mas, no reino de Deus, aquele que se faz pequeno é o maior. A pirâmide está invertida. O reino dos céus é um reino de ponta-cabeça. No reino dos homens, uma criança era desprezada, mas, no reino dos céus, quem recebe uma criança por amor a Cristo, e em nome de Cristo, recebe ao próprio Cristo.

No reino de Deus, os menores são absolutamente importantes (18.2-5). Naquele tempo, as crianças não recebiam atenção dos adultos. Não havia o estatuto da criança, e elas eram despercebidas pelos adultos. Jesus, entretanto, valoriza as crianças e diz que quem receber uma criança, a menor pessoa, a menos importante no conceito da sociedade, o recebe, e quem o recebe, recebe o Pai que o enviou. A criança pequena representa os esquecidos, não notados ou excluídos que, por qualquer motivo, parecem não ser levados em consideração por nós. Quem, porém, vai ao encontro do seu menor irmão na comunidade, misteriosamente é presenteado com o próprio Jesus.

Ser grande no reino de Deus é cuidar daqueles que são menos valorizados, daqueles que são mais carentes e mais necessitados. Jesus nos encoraja a demonstrar amor, atenção e cuidado aos mais fracos que creem nele. Jesus ensina essa lição de forma comovente, pois toma uma criança como exemplo e diz aos seus discípulos: *E quem receber uma criança, tal como esta, em meu nome, a mim me recebe* (18.5).

A ambição humana não vê outro sinal de grandeza a não ser coroas, *status*, riquezas e elevada posição na sociedade. Porém, o filho de Deus declara que o caminho para a grandeza e o reconhecimento divino é devotar-se ao cuidado dos mais tenros e fracos da família de Deus. Há uma grande recompensa em dedicar-se ao cuidado daqueles que são desprezados e esquecidos pela sociedade. Há um reconhecimento divino àqueles que investem na restauração dos que são marginalizados e abandonados pela sociedade. Esse trabalho pode passar despercebido pelos homens e até mesmo ser ridicularizado por alguns, mas será visto e recompensado por Deus.

O pecado, a maior de todas as ameaças à vida (18.6-9)

Jesus passa a alertar seus discípulos sobre o risco não apenas de pecar, mas de induzir outros a pecarem. Destacamos alguns pontos a seguir.

Em primeiro lugar, *ser pedra de tropeço para alguém é pior do que a morte* (18.6). Induzir alguém a pecar, armando uma cilada para seus pés, é um pecado tão grave que o suicídio por afogamento seria mais recomendável. É uma possibilidade monstruosa servir, em vez de à fé, ao abandono da fé, e privar irmãos da salvação eterna. Assim como Deus responde ao menor gesto de amor pelo irmão (Mc 9.41), ele também reage a tal injustiça (18.6; Mc 9.42). Spurgeon escreve: "Abençoar um pequenino é agradar ao próprio salvador. Perverter o simples ou ofender os humildes será o caminho certo para a terrível condenação".[8]

Em segundo lugar, *provocar escândalos é uma tragédia* (18.7). Charles Spurgeon diz que esse é um mundo triste em razão das pedras de tropeço. Enquanto o homem for homem, o seu entorno será tentador.[9] O escândalo é a língua do alçapão, o gatilho que desarma a arapuca, a isca que atrai e aciona a armadilha para prender o animal incauto. Os escândalos fazem as pessoas tropeçar e cair. Levam as pessoas para longe de Deus e as mantém sob os grilhões do pecado. O mundo é uma fábrica de escândalos. Os escândalos são inevitáveis, mas o homem por meio do qual os escândalos vêm, esse está debaixo de severo juízo.

Em terceiro lugar, *a atitude contra o pecado deve ser radical* (18.8,9). Usar as mãos, os pés e os olhos para pecar é consumada loucura. As mãos que agem, os pés que andam e os olhos que veem devem estar a serviço do bem, e não do mal; da santidade, não da iniquidade. O que vemos, o que fazemos e aonde vamos pode constituir-se em tropeço para a nossa alma. A mão simboliza nossa maneira de fazer as coisas; o pé representa nosso caminhar pelo mundo; e o olho é a figura de todos os desejos que surgem do coração.

Jesus não ensina a amputação física, mas o radical enfrentamento do pecado. Não está recomendando aqui a mutilação ou uma cirurgia física literal, visto que já havia ensinado que o mal procede não dos membros do corpo, mas do coração (15.19). Ele está ensinando que devemos ser radicais na remoção de qualquer obstáculo que se interponha em nosso caminho de entrada no reino. Essa erradicação pode ser uma intervenção cirúrgica tão dolorosa quanto a amputação de um membro do corpo.

O reino de Deus, portanto, exige renúncia de tudo aquilo que nos afasta da santidade. Tudo o que constitui tropeço no caminho da santidade deve ser radicalmente removido. Qualquer sacrifício é insignificante em comparação com o supremo valor de pertencer a Cristo.

Precisamos extirpar hábitos, abandonar prazeres, renunciar a alguma amizade e separar-nos de algo que havia se tornado uma parte da nossa própria vida. Nessa mesma linha de pensamento, o apóstolo Paulo ordena: *Fazei, pois, morrer a vossa natureza terrena* (Cl 3.5). Está incluída aí a separação determinada do pecado.

A tentação deve ser abrupta e decisivamente cortada. Brincar com ela é mortal. Meias medidas são destrutivas. A cirurgia precisa ser radical. Neste exato momento, e sem nenhuma vacilação, o livro obsceno deveria ser queimado; a foto escandalosa, destruída; o filme destruidor da alma, condenado; os laços sociais sinistros, mesmo que íntimos, quebrados; e o hábito venenoso, descartado. Na luta contra o pecado, o crente tem de lutar duramente. Acobertar o erro nunca leva ninguém à vitória (1Co 9.27).

Os pequeninos são muito importantes aos olhos de Deus (18.10-14)

As crianças, desprezadas na época, são apresentadas como modelo (18.1-5). Fazê-las tropeçar é pior do que a própria morte (18.6). Os pequeninos não podem ser desprezados (18.10), uma vez que são ovelhas de Cristo, e o Pai não deseja que nenhuma delas pereça (18.14). Destacamos a seguir alguns pontos.

Em primeiro lugar, *os pequeninos não podem ser desprezados* (18.10). Os homens classificam as pessoas entre grandes e pequenos, fortes e fracos, homens e mulheres, ricos e pobres, mas Deus não faz acepção de pessoas. Para Deus, todos têm o mesmo valor. Portanto, desprezar aqueles que os homens consideram pequeninos é uma ofensa ao próprio Deus. William Hendriksen, citando Abraham Kuyper, diz que Mateus 18.10 não enfatiza que os anjos falam a Deus em nosso favor; antes, que Deus por meio de seus anjos, cuida de seus escolhidos.[10] Os anjos são fiéis amigos dos redimidos (13.41; 25.31,32; Lc 15.10; 16.22; 1Co 4.9; Gl 3.19; 2Ts 1.7; 1Pe 1.12; Hb 1.14).

Em segundo lugar, *os pequeninos devem ser resgatados* (18.11). Quando Cristo morreu, ele deu sua vida em resgate daqueles que o Pai lhe deu. Ele veio buscar e salvar o perdido — grande ou pequeno, rico ou pobre, homem ou mulher.

Em terceiro lugar, *os pequeninos devem ser procurados* (18.12,13). Jesus ilustra seu ensinamento com uma parábola, a parábola da ovelha perdida. A ovelha é um animal frágil, míope, que tem mania de afastar-se do rebanho. A ovelha que se extravia não consegue voltar por si mesma. Precisa ser procurada, resgatada e trazida de volta para a segurança do aprisco. Esse resgate deve ser motivo de júbilo e celebração.

Em quarto lugar, *os pequeninos não devem perecer* (18.14). Jesus veio para resgatar todos aqueles que o Pai lhe deu (Jo 6.37-44). Nenhum deles se perdeu, exceto o filho da perdição (Jo 17.12).

Notas

[1] Mounce, Robert H. *Mateus*, p. 183.
[2] Tasker, R. V. G. *Mateus: introdução e comentário*, p. 138.
[3] Wiersbe, Warren W. *Comentário bíblico expositivo*, p. 83.
[4] Ibidem.
[5] Mounce, Robert H. *Mateus*, p. 183.
[6] Spurgeon, Charles H. *O evangelho segundo Mateus*, p. 368-369.
[7] Rienecker, Fritz. *Evangelho de Mateus*, p. 312.
[8] Spurgeon, Charles H. *O evangelho segundo Mateus*, p. 372.
[9] Ibidem.
[10] Hendriksen, William. *Mateus*. Vol. 2, p. 234.

Capítulo 52

Os passos da disciplina cristã

(Mt 18.15-20)

Jesus trata, no texto em apreço, de um dos temas mais sensíveis das Escrituras. O que devemos fazer quando um irmão da igreja peca contra nós? Quais são os passos da disciplina cristã? Temos aqui um caso de ofensa pessoal. O ofendido deve procurar o ofensor. Seguindo a orientação de Warren Wiersbe, trataremos de quatro pontos a seguir.[1]

Manter a questão no âmbito particular (18.15)

Temos aqui um caso de ofensa pessoal. Se uma pessoa pecou contra você, o assunto não deve ser guardado no escrínio do seu coração, para deixar florescer ali a mágoa, nem deve ser levado para sua família ou seus amigos, expondo publicamente a situação. Essa forma de agir amplia e agrava o problema. Devemos abordar a pessoa que pecou contra nós de forma particular, numa conversa a sós com ela. O objetivo dessa conversa não é humilhar a pessoa nem mesmo nos defender, ganhando a discussão, mas ganhar nosso irmão.[2] O apóstolo Paulo lança luz sobre esse delicado tema quando ensina: *Irmãos, se alguém for surpreendido nalguma falta, vós, que sois espirituais, corrigi-o com espírito de brandura; e guarda-te para que não sejas também tentado* (Gl 6.1).

Pedir ajuda a outros (18.16)

Caso esse confronto pessoal não logre êxito, não devemos desistir. Devemos dar mais um passo rumo à paz e à reconciliação. Então, estamos liberados para dividir esse assunto com uma ou duas pessoas maduras na fé, que devem ir conosco ao irmão ofensor, servindo de testemunhas e conselheiras (2Co 13.1). Spurgeon diz que, possivelmente, o ofensor pode perceber o que é dito por outros irmãos, embora ele seja parcial em relação a você; ou ele pode acrescentar seriedade à reclamação de várias pessoas, o que não sentiria se a queixa fosse de um só.[3]

O propósito aqui é evitar que o pecado se espalhe como um fermento e assim levede a massa toda. Está claro que problemas de relacionamentos estremecidos ou rompidos na igreja não podem ser deixados de lado, mas precisam ser tratados com honestidade, prudência e urgência.

Pedir a ajuda da igreja (18.17)

Mesmo que as duas ações anteriores tenham fracasso, o ofendido não deve desistir de procurar a paz. Mais um passo deve ser dado. Agora ele deve contar o ocorrido à igreja. Aqui a assembleia dos santos deve pleitear com o ofensor para que ele se arrependa e a ofensa seja tratada, perdoada, e a comunhão seja restabelecida.

É notório que a disciplina na igreja tem sido negligenciada em nossos dias. Os reformadores entendiam que uma das marcas da igreja verdadeira é o correto uso da disciplina. A disciplina é fartamente ensinada nas Escrituras (1Co 5.1-13; 2Ts 3.6-16; 2Tm 2.23-26; Tt 3.10). Obviamente, a disciplina tem dois propósitos, o preventivo e o interventivo. O preventivo é evitar que a igreja caia no pecado. O interventivo é buscar a recuperação do faltoso. Quando o indivíduo que pecou demonstra impenitência e contumácia, o caso deve ser levado ao conhecimento da igreja.

No caso de esse irmão recusar a ouvir a igreja, o caminho é a exclusão, ou seja, considerá-lo como gentio e publicano, uma pessoa incorrigível e não convertida. Em outras palavras, é não o reconhecer mais como um irmão e não ter com ele comunhão (1Co 5.11). Charles Spurgeon tem razão ao observar que mesmo a exclusão não põe termo às afeições da igreja por essa pessoa, uma vez que a igreja deve amar os gentios de fora e buscar ardentemente sua salvação. Isso significa dizer que, desde o primeiro passo até o último na busca da paz, nada deve ser feito por vingança, mas tudo deve ser realizado com afeição, objetivando auxiliar o irmão. Daí, o ofensor que não quiser a reconciliação incorre em grande culpa por resistir às tentativas amorosas feitas em obediência ao comando do grande cabeça da igreja.[4]

Manter o caráter espiritual da igreja (18.18-20)

Destacamos a seguir alguns pontos importantes.

Em primeiro lugar, *a autoridade da Palavra de Deus* (18.18). Pela disciplina, Deus exerce sua autoridade dentro da igreja local e, por meio desta, restaura seus filhos que estavam em pecado. Aqui o Senhor da igreja reconhece que essas chaves dadas a Pedro (16.19) estão nas mãos de toda a igreja. Aqueles que ligam são todos os discípulos, ou a totalidade da igreja, que foi convocada para reconciliar os dois irmãos.[5]

Em segundo lugar, *o poder da oração* (18.19). A palavra "concordar", usada aqui em referência a dois irmãos que oram a Deus, corresponde ao termo "sinfonia". Warren Wiersbe tem razão ao dizer que a igreja deve concordar em oração ao buscar disciplinar um membro ofensor. É por meio da Palavra e da oração que descobrimos a vontade do Pai sobre a questão.[6] Concordo com Spurgeon quando ele escreve: "Dois crentes unidos em desejo santo e oração solene terão grande poder diante de Deus. Em vez de desprezar, portanto, o propósito de tão pequena reunião, devemos apreciá-la, uma vez que o Pai a aprecia".[7]

Em terceiro lugar, *a indispensabilidade da comunhão em adoração* (18.20). A igreja local deve ser uma comunidade de adoração que reconhece a presença do Senhor em seu meio. E, quando os crentes vivem em união, é ali que o Senhor ordena a sua vida e a sua bênção para sempre (Sl 133.1). Spurgeon está correto ao dizer: "A presença de Jesus é o centro constante da assembleia, a autorização para a sua reunião e o poder com que a igreja age".[8]

Notas

[1] Wiersbe, Warren W. *Comentário bíblico expositivo*, p. 84-85
[2] Ibidem p. 84.
[3] Spurgeon, Charles H. *O evangelho segundo Mateus*, p. 378.
[4] Ibidem, p. 379.
[5] Ibidem, p. 379-380.
[6] Wiersbe, Warren W. *Comentário bíblico expositivo*, p. 85.
[7] Spurgeon, Charles H. *O evangelho segundo Mateus*, p. 380.
[8] Ibidem, p. 381.

Capítulo 53

Perdoados e perdoadores

(Mt 18.21-35)

A parábola do credor incompassivo, registrada em Mateus 18.23-35, ilustra o ensino de Jesus sobre o perdão (18.21,22). Devemos perdoar nosso irmão na mesma medida em que fomos perdoados por Deus. Porque fomos perdoados de uma dívida impagável, devemos, semelhantemente, perdoar aos nossos irmãos. Pedro pergunta a Jesus: *Senhor, até quantas vezes meu irmão pecará contra mim, que eu lhe perdoe? Até sete vezes?* Jesus respondeu-lhe: *Não te digo que até sete vezes, mas até setenta vezes sete* (18.21,22). Os rabinos haviam chegado à conclusão de que uma pessoa devia ser perdoada três vezes por um pecado reincidente, mas não uma quarta vez. Assim, a oferta de Pedro de perdoar até sete vezes era verdadeiramente generosa. William Hendriksen tem razão ao dizer que a pergunta de Pedro cheirava a rabinismo. Soava como se o espírito de perdão fosse uma mercadoria que se podia pesar, medir e contar; como se pudesse ser parcelada pouco a pouco até um limite bem definido, quando a distribuição tinha de parar.[1]

O uso que Cristo faz de setenta vezes sete mostra que o perdão deve ser oferecido sem limites ou restrições.[2] Portanto, setenta vezes sete não é um cálculo matemático. Setenta vezes sete é um emblema. Devemos perdoar ilimitadamente, como Deus em Cristo nos perdoou (Cl 3.13). Concordo com William Hendriksen quando ele diz que o espírito do genuíno perdão não conhece fronteiras. É um estado de coração, não uma matéria de cálculo.[3]

O texto em apreço nos apresenta duas verdades magnas: o perdão que recebemos de Deus e o perdão que devemos dar ao nosso irmão. Vejamos.

O perdão que recebemos de Deus (18.23-27)

Jesus nos fala em primeiro lugar sobre o perdão que recebemos de Deus. Ele ilustra essa verdade sublime narrando a parábola do credor incompassivo. Há nessa parábola algumas lições dignas de destaque, como vemos a seguir.

Em primeiro lugar, *Deus ajusta contas conosco* (18.23). Nós somos confrontados por Deus. Precisamos prestar contas da nossa vida a ele. Deus é o supremo juiz. Ele é justo e santo. Sua lei é perfeita e santa. Precisamos passar pelo crivo do seu reto juízo. Somos pesados na balança de Deus. Ele coloca o seu prumo na nossa vida e sonda o nosso coração. Ele vasculha as nossas emoções e examina os nossos pensamentos. Ele pesa as nossas motivações e avalia as nossas obras. Ele conhece as nossas palavras e vê os nossos passos. Ele traz à tona os sentimentos e desejos secretos do nosso coração. Estamos aquém de suas exigências. Somos todos devedores.

Em segundo lugar, *nós temos uma dívida impagável* (18.24,25). Jesus usou uma hipérbole ao falar sobre a dívida desse homem. Tasker diz que a quantia do primeiro débito é deliberadamente dada com exagero para tornar mais vívido o contraste com o segundo débito.[4] O servo devia dez mil talentos. Era impossível que uma pessoa devesse naquela época uma soma tão astronômica. Um talento equivale a 35 quilos de ouro. Dez mil talentos equivalem a 350 mil quilos de ouro. Todos os impostos da Judeia, Pereia, Samaria e Galileia durante um ano somavam oitocentos talentos. Dez mil talentos representavam todos os impostos da nação por treze anos. O que Jesus queria enfatizar é que aquele homem possuía uma dívida impagável. Ganhando um denário por dia, ele precisaria trabalhar 150 mil anos para pagar a sua dívida. A promessa do devedor de quitar a dívida era absolutamente impossível de ser cumprida. Isso significa que nenhum ser humano pode saldar a sua dívida com Deus. Nenhum ser humano pode satisfazer as demandas da justiça de Deus. Nenhum homem pode cumprir a lei de Deus. A lei é santa, mas nós somos pecadores. A lei é espiritual, mas nós somos carnais. A lei é perfeita, mas nós somos cheios de ambiguidades e contradições. Assim, todos nós carecemos da misericórdia de Deus para sermos perdoados. O perdão não é algo que merecemos, mas a dádiva de Deus da qual precisamos.

Em terceiro lugar, *o perdão de Deus é imerecido* (18.26,27). O perdão não é merecimento; é graça. O servo devedor não exige nada; apenas suplica misericórdia. Não reivindica seus direitos; roga seu favor. Mesmo tendo uma dívida impagável, foi perdoado pelo rei. De igual modo, Deus nos perdoa não por quem somos, mas por quem ele é. A base do perdão não é o mérito humano, mas a graça divina. O servo disse: *Sê paciente comigo, e tudo te pagarei* (18.26). Esta é uma promessa impossível de cumprir. Nós jamais pagaremos a nossa dívida com Deus. Ela é impagável. Assim como o etíope não pode mudar a cor da sua pele nem o leopardo pode remover as suas manchas, também não podemos apagar os nossos próprios pecados. Consequentemente, o perdão de Deus é fruto da sua graça. Nós não merecemos o perdão de Deus. Ele nos amou quando éramos pecadores. Ele nos escolheu quando éramos um tição tirado do fogo. Ele nos atraiu para si quando éramos inimigos e nos deu vida quando estávamos mortos. Jesus perdoou os algozes que o pregaram na cruz. O filho de Deus foi zombado, escarnecido, cuspido, açoitado e fustigado. Ele carregou a cruz publicamente sob os apupos de uma multidão tresloucada e sanguissedenta. Foi cravado na cruz como um criminoso. Seus inimigos o insultavam mesmo depois de suspendê-lo no leito vertical da morte. Apesar da crueldade inumana, Jesus não apenas pediu que o Pai perdoasse os seus malfeitores, mas também lhes atenuou a culpa, dizendo que eles não sabiam o que faziam. O perdão de Deus é imerecido. Ele perdoou um mentiroso como Abraão, um adúltero como Davi, um feiticeiro assassino como Manassés, um covarde como Pedro, uma prostituta como Maria Madalena. Ele perdoa pecadores miseráveis como você e eu.

Em quarto lugar, *o perdão de Deus é completo* (18.27). O homem que devia dez mil talentos foi completamente perdoado. Ele recebeu o perdão de uma dívida imensa, impagável. A dívida foi quitada completamente. Assim também é o perdão de Deus. É completo. É total. É cabal. Nada mais resta para ser pago. Assim como o oriente se afasta do ocidente, da mesma forma Deus afasta de nós as nossas transgressões. Deus desfaz os nossos pecados como a névoa, lança-os para trás de suas costas e deles não mais se lembra. Ele lança os nossos pecados nas profundezas do mar e nos proíbe de dragar essas profundezas. Dívida perdoada é dívida cancelada. Deus nunca mais lança em nosso rosto os pecados dos quais ele nos perdoa. Ele não cobra mais uma dívida que já perdoou. Seu perdão é completo.

Em quinto lugar, *o perdão de Deus é baseado em sua compaixão* (18.27). O perdão de Deus é pura graça. Ele nos perdoa por causa da sua infinita compaixão. Um professor de escola bíblica dominical ministrava todos os domingos para um grupo de crianças carentes de uma favela. As crianças viviam expostas à miséria extrema. Eram desprovidas das coisas mais elementares. Certo dia, aquele professor, condoído da situação de um aluno, resolveu comprar algumas roupas e calçados e levar à sua casa. Quando o professor estava se aproximando, o menino que ainda guardava os resquícios de sua vida rebelde jogou uma pedra no homem que trazia os pacotes de presentes. A pedra alvejou o professor, que ficou ferido. Após ser tratado no hospital, o professor voltou com os mesmos presentes à casa do menino. O pai, com receio, o recebeu. O professor, então, disse: "Eu vim trazer esses presentes para o seu filho". No mesmo dia, aquele pai envergonhado levou o filho pelo braço até a casa do professor e lhe disse: "Eu vim devolver os presentes que o senhor deu ao meu filho. Foi meu filho quem atirou a pedra no senhor. Meu filho não merece esses presentes". O professor, porém, de pronto respondeu: "O seu filho não merece, mas ele precisa". Assim também é o perdão que

Deus nos dá. Nós não o merecemos, mas precisamos desesperadamente dele.

O perdão que devemos dar (18.21,22,28-35)

Pedro está interessado em saber até onde vai o perdão. Qual é o limite? Quando estamos autorizados a não perdoar mais? Por isso sua pergunta: *Senhor, até quantas vezes meu irmão pecará contra mim, que eu lhe perdoe? Até sete vezes?* (18.21). Já existe em sua pergunta uma disposição robusta de compaixão. Perdoar sete vezes a mesma pessoa não é natural. A resposta de Jesus, porém, é desconcertante. Extrapola todos os limites da razoabilidade. Vai além de qualquer capacidade humana. Jesus responde: *Não te digo que até sete vezes, mas até setenta vezes sete* (18.22). Como já afirmamos, essa cifra estonteante não é um cálculo matemático, mas um emblema do perdão ilimitado. Esse é o perdão que recebemos de Deus e é o perdão que devemos oferecer ao nosso irmão. Somos perdoados para perdoar. Os perdoados devem perdoar. Os que receberam graça devem ser canais da misericórdia. Os que receberam perdão não podem sonegar perdão. Nunca teremos justificativas para não perdoar, pois devemos perdoar assim como Deus em Cristo nos perdoou (Cl 3.13). Spurgeon está correto quando escreve: "Não devemos nos ocupar em contabilizar as ofensas ou em conferir quantas vezes nós as perdoamos".[5]

Já consideramos o perdão que recebemos de Deus (18.23-27). Agora, vamos considerar o perdão que devemos dar aos nossos irmãos (18.28-35). Destacamos a seguir alguns pontos importantes.

Em primeiro lugar, *a falta de perdão é uma evidência de dureza de coração* (18.28-30). O mesmo homem que fora perdoado de uma dívida impagável de dez mil talentos, encontra agora um conservo que lhe devia cem denários. Este suplica sua misericórdia, mas o homem perdoado não age com compaixão e lança o devedor na prisão. Tasker diz que esse miserável cruel se aquecia ainda ao calor do sol da misericórdia real quando tratou de seu conservo com tanta falta de misericórdia.[6] A. T. Robertson explica que um talento era o valor equivalente a seis mil denários, o que equivalia a seis mil dias úteis de trabalho ou trinta anos de trabalho. Um único talento era quase a renda de uma vida inteira. Os impostos imperiais da Judeia, Idumeia e Samaria elevavam-se a somente seis talentos, enquanto a Galileia e Pereia pagavam duzentos talentos.[7] Dez mil talentos representavam 150 mil anos de trabalho a um denário por dia. Cem denários representavam apenas três meses de trabalho. A desproporção das duas dívidas era imensa. Dez mil talentos são seiscentos mil vezes maior do que cem denários. Aquele que fora perdoado de uma soma colossal não consegue perdoar um valor irrisório. Aquele que fora alvo de imensa compaixão não consegue ser compassivo com o seu conservo. A lição que Jesus nos ensina nessa parábola é que recebemos de Deus um perdão infinitamente maior do que aquele que devemos conceder a quem nos deve. Também Jesus deixa claro que um coração que não perdoa não pode ser perdoado. À luz do texto, a falta de perdão traz sérias consequências.

Em segundo lugar, *a falta de perdão é sinal de ingratidão a Deus* (18.32). Jamais conseguiremos entender o perdão, a menos que tenhamos consciência do perdão que recebemos de Deus. Cem denários são seiscentos mil vezes menos do que dez mil talentos. O credor incompassivo não perdoou seu conservo, porque não compreendeu a grandeza do perdão que havia recebido. Assim somos nós. Não conseguiremos ministrar perdão às pessoas que nos devem e nos ofendem se não atentarmos para a grandeza imensa do perdão que recebemos de Deus. Quando sonegamos perdão às pessoas que nos ofendem, estamos sendo ingratos a Deus. Quando nos recusamos a perdoar alguém, estamos fazendo pouco caso do imenso perdão que recebemos de Deus.

Em terceiro lugar, *a falta de perdão desperta a ira de Deus* (18.34). Quando recusamos perdoar alguém, ofendemos Deus e provocamos a sua ira, pois ele nos perdoou sem nenhum merecimento nosso. Seu perdão foi um ato de compaixão e graça. O perdão não é uma questão de justiça, nem o pagamento de uma dívida, mas o seu cancelamento. Sempre que fechamos o coração para sonegar perdão, provocamos a ira de Deus. Uma pessoa que não perdoa é imperdoável e está debaixo da ira de Deus. Uma pessoa que não perdoa está excluída da bem-aventurança eterna. O céu é o lugar dos perdoados, e quem não perdoa não pode entrar no céu.

Em quarto lugar, *a falta de perdão gera profunda tristeza às pessoas* (18.31). Onde o coração se fecha para o perdão, não floresce a alegria da comunhão. Onde prevalece a mágoa, morre o amor. A falta de perdão destrói relacionamentos, intoxica o ambiente, abre feridas no coração das pessoas que vivem à nossa volta e gera grande tristeza. Uma pessoa entupida de mágoa contamina o ambiente em que vive. A Bíblia diz que a raiz de amargura perturba e contamina. Uma pessoa empapuçada de mágoa é alguém que não tem paz. Uma pessoa que não perdoa vive perturbada pelos seus próprios sentimentos. Mas, também, uma pessoa que não perdoa contamina os outros à sua volta. A mágoa é um gás venenoso que vaza e destrói as pessoas ao redor; a falta de perdão gera tristeza e sofrimento não apenas para a pessoa que a agasalha, mas também para aqueles que convivem com ela. O ódio é como um vulcão em erupção cujas lavas se espalha como ácido destruidor.

Em quinto lugar, *a falta de perdão aprisiona tanto o ofensor quanto o ofendido* (18.30,34). Quem não perdoa, adoece física, emocional e espiritualmente. O servo perdoado que não perdoou foi entregue aos flageladores. Reter perdão é viver numa masmorra. É ser atormentado pelo azorrague da culpa. É alimentar-se de absinto. É envenenar o coração. Quem não perdoa, não tem paz. Quem não perdoa, não pode orar nem ofertar. Quem não perdoa, não pode ser perdoado. Quando nutrimos mágoa no coração, tornamo-nos prisioneiros dos nossos próprios sentimentos. A falta de perdão é uma masmorra, uma prisão e um calabouço da nossa própria alma. Quando deixamos de perdoar, nós aprisionamos as pessoas e ficamos também cativos. Tornamo-nos escravos da pessoa a quem odiamos. Não nos libertamos da pessoa por quem sentimos mágoa. Uma pessoa magoada vive acorrentada pelos sentimentos de desafeto. Sua mente não sossega, seu coração não descansa, sua alma não tem paz. Uma pessoa que não perdoa vive no cabresto de suas paixões. Vive acorrentada e dominada pela própria pessoa a quem quer descartar. Quando nos fechamos para o perdão, somos lançados numa terrível prisão emocional, numa escura e infecta cadeia espiritual. A falta de perdão nos faz ferver por dentro. A falta de perdão é como uma tempestade na alma. Essa atitude desestabiliza a vida, adoece os relacionamentos, fere o coração, enfraquece o corpo, abala as emoções e destrói o relacionamento com Deus.

Em sexto lugar, *a falta de perdão produz flagelo* (18.34). O credor incompassivo foi entregue aos verdugos até saldar sua dívida. Como sua dívida era impagável, ele foi flagelado durante toda a sua vida. Quem são os verdugos? Os verdugos são os flageladores da consciência. Quem não perdoa, não tem paz. Quem não perdoa, vive atormentado pela culpa, pelo ódio, pela mágoa. Quem não perdoa, não é livre. Quem não perdoa, vive debaixo do chicote do tormento emocional. A falta de perdão traz desespero e flagelo para a alma. Torna a vida azeda e insuportável. Quem não perdoa, não é feliz. Quem se alimenta de ódio, morre asfixiado pelo seu próprio veneno. Os verdugos podem ser também os demônios. O ódio congelado no coração é uma porta aberta para o inimigo. O diabo e seus demônios são carrascos que flagelam e torturam os seus súditos. Existem muitas pessoas que vivem no cabresto do diabo, sendo flageladas pelos demônios, porque carregam no peito um coração cheio de mágoa e vazio de perdão. A falta de perdão pavimenta a vitória do diabo na vida da pessoa (2Co 2.10,11). Concordo com Warren Wiersbe quando ele escreve: "A pior prisão do mundo é a prisão de um coração rancoroso e amargurado".[8]

Em sétimo lugar, *a falta de perdão fecha a porta da misericórdia de Deus* (18.35). Sonegar perdão ao irmão é privar-se do próprio perdão de Deus. O servo que se recusou a ter compaixão de seu conservo, como ele próprio fora alvo da misericórdia, provocou não apenas a ira de seu senhor, mas também atraiu tormentos para sua própria vida. Quem entrega o servo sem compaixão aos verdugos é o próprio rei. Até quando esse servo impenitente será atormentado? Esse flagelo não tem fim, pois o texto diz: *... até que lhe pagasse toda a dívida* (18.34).

Quem não perdoa aos seus devedores, não recebe o perdão de Deus (6.14,15). Deus nos trata como tratamos os nossos devedores. Se fecharmos o nosso coração para o próximo, sonegando-lhe o nosso amor e retendo-lhe o perdão, fechamos as comportas da misericórdia de Deus sobre a nossa própria vida. Quem não perdoa, não pode adorar a Deus (5.23-26). Não podemos amar a Deus e odiar o nosso irmão. Não podemos ter comunhão com Deus e viver brigados com o nosso irmão. Não podemos ter o caminho aberto da intimidade com Deus se construímos barricadas no relacionamento com o nosso próximo. Antes de Deus aceitar o nosso culto, ele precisa aceitar a nossa vida. Deus rejeitou Caim e a sua oferta. Antes de olhar para a oferta de Caim, Deus viu o seu coração cheio de inveja, mágoa e ódio por seu irmão Abel. Deus rejeitou o culto de Caim porque primeiro rejeitou a sua própria vida. Quem não perdoa, não consegue orar com eficácia (Mc 11.25). A falta de perdão destrói a nossa relação com Deus e consequentemente impede que as nossas orações sejam ouvidas. Um coração cheio de ódio está completamente vazio do espírito de súplica. Um coração azedo e magoado não consegue orar com eficácia. Ainda que ore, suas orações serão interrompidas. Quem não perdoa, não tem saúde (Tg 5.16). O ódio recalcado eleva a pressão arterial, perturba o trabalho digestivo, ulcera o estômago, conduz a um esgotamento nervoso, tira o apetite, rouba o sono, provoca infarto. Quem vive fervendo por dentro, morre aos poucos. Quem não espreme o pus infeccioso da mágoa, adoece emocional, espiritual e fisicamente.

Jesus conclui a parábola com uma advertência severa: o Pai celeste tratará de forma semelhante a qualquer um que de coração não perdoar a seu companheiro e irmão na fé em Cristo. O ensino amplia o tema central de Mateus 6.15: os que não perdoam não serão perdoados.[9] Sem o exercício do perdão, não existe o recebimento de perdão. Quem nega perdão ao irmão, não recebe perdão do Pai. O perdão não pode ser apenas um discurso de palavras vazias, mas uma expressão sincera que emana do íntimo. Só entram no céu os perdoados; só têm comunhão com Deus e com os irmãos os perdoadores.

Fica claro, à luz dessa parábola, que somos devedores a Deus (18.23); nenhum de nós pode pagar sua própria dívida (18.25); nossa dívida foi paga (18.27); só podemos ter convicção do perdão que recebemos pelo sensor do perdão que damos (18.35); a pessoa não perdoada está destinada ao castigo eterno (18.34,35). Ficam, então, o alerta e a lição central da parábola: motivado pela gratidão, o pecador perdoado deve sempre perdoar aos seus devedores.[10]

NOTAS

[1] HENDRIKSEN, William. *Mateus.* Vol. 2, p. 245-246.
[2] RICHARDS, Lawrence O. *Comentário histórico-cultural do Novo Testamento*, p. 63.
[3] HENDRIKSEN, William. *Mateus.* Vol. 2, p. 246.
[4] TASKER, R. V. G. *Mateus: introdução e comentário*, p. 141-142.
[5] SPURGEON, Charles H. *O evangelho segundo Mateus*, p. 382.
[6] TASKER, R. V. G. *Mateus: introdução e comentário*, p. 142.
[7] ROBERTSON, A. T. *Comentário de Mateus*, p. 209.
[8] WIERSBE, Warren W. *Comentário bíblico expositivo*, p. 87.
[9] MOUNCE, Robert H. *Mateus*, p. 188.
[10] HENDRIKSEN, William. *Mateus.* Vol. 2, p. 252.

Capítulo 54

Casamento e divórcio
(Mt 19.1-12)

Depois que Jesus concluiu suas palavras sobre o perdão, deixou a Galileia e foi para a Judeia, a leste do Jordão. Multidões o seguiram e ali, além do Jordão, ele curou seus enfermos (19.1,2). É nessa geografia que Jesus é abordado pelos fariseus sobre a questão do divórcio. Mais uma vez, os fariseus se esforçam para encontrar meios de desacreditar Jesus e seu ensino.[1]

Os fundamentos do casamento (19.1-12)

Os fariseus estavam constantemente testando Jesus ou mesmo se opondo a ele (12.2,14; 15.1; 16.1). Eles já tinham tentado pegar Jesus em contradição a respeito do sábado e dos sinais, mas haviam fracassado. Agora, eles tentam Jesus novamente acerca de um dos mais controversos assuntos, o divórcio.[2]

Os fariseus buscaram arrastar Jesus para o debate de Deuteronômio 24.1, com o objetivo de colocá-lo contra Moisés[3] e, consequentemente, contra Deus (19.3,7). Pelo fato de Jesus ter entrado no domínio de Herodes, a região da Pereia (19.1; 14.1), os fariseus esperavam que sua resposta tivesse a mesma linha da pregação de João Batista sobre o divórcio (14.4), provocando a fúria de Herodes e, assim, colocando Jesus sob o risco de um perigoso inimigo.[4] Os fariseus esperavam que Jesus dissesse alguma coisa que o envolvesse no caso do adultério entre Herodes e Herodias, de tal forma que ele tivesse o mesmo destino de João Batista, decapitado por ter acusado Herodes de unir-se ilicitamente a Herodias.[5]

Na verdade, os fariseus não estavam sendo sinceros quando perguntaram a Jesus: *... É lícito ao marido repudiar a sua mulher por qualquer motivo?* (19.3). O propósito deles era colocar Jesus em uma situação embaraçosa: contra Moisés ou contra Herodes, que tinha casado com a mulher de seu irmão. Se Cristo tivesse respondido à pergunta negativamente, eles poderiam afirmar que Jesus estaria impropriamente abolindo a lei de Moisés; e, se sua resposta fosse afirmativa, eles poderiam dizer que ele não era profeta de Deus, mas um promotor da lascívia humana.[6] A perversa intenção dos fariseus, contudo, não confundiu Jesus; ao contrário, ele usou a oportunidade para ensinar sobre o casamento e o divórcio, interpretando corretamente os princípios da criação sobre o casamento e a lei de Moisés sobre o divórcio.[7]

A resposta de Jesus aos fariseus revela que, antes de tratar do divórcio, devemos entender o que as Escrituras ensinam sobre o casamento:

> *Então, respondeu ele: Não tendes lido que o criador, desde o princípio, os fez homem e mulher e que disse: Por esta causa deixará o homem pai e mãe e se unirá a sua mulher, tornando-se os dois uma só carne? De modo que já não são mais dois, porém uma só carne. Portanto, o que Deus ajuntou não o separe o homem* (Mt 19.4-6).

O casamento é a mais básica e influente unidade social no mundo. Precisamos entender o que significa casamento antes de começar a discutir sobre divórcio. Muitos divórcios acontecem porque os casais não entendem ou não creem no que Deus ensina sobre o casamento. Jay Adams diz que o estudo sobre o casamento é a estrada que abre os horizontes para o estudo sobre o divórcio.[8]

Quando Jesus foi questionado sobre a questão do divórcio, em vez de iniciar com Deuteronômio, ele voltou ao livro de Gênesis. O que Deus fez quando realizou o primeiro casamento nos ensina positivamente o que ele tem em mente para o homem e a mulher acerca do casamento. Richard France comenta:

> Em vez de entrar no debate proposto pelos fariseus, Jesus novamente (como em Mateus 5.32) declarou que divórcio por qualquer razão é incompatível com o propósito de Deus para o casamento. Assim sendo, Jesus estabeleceu a intenção original do criador, expressa em Gênesis 1.27 e 2.24, acima da provisão de Deuteronômio 24.1-4, que foi dada somente por causa da dureza dos corações. A regulamentação do divórcio foi uma concessão para lidar com o resultado do pecado, e não uma expressão do propósito de Deus para a humanidade.

> O divórcio pode ser necessário, mas nunca é uma coisa boa em si mesma. O princípio divino de que os dois se tornam uma só carne somente pode ser cumprido por um casamento indissolúvel.[9]

Qual é o ponto central do ensino de Jesus sobre o casamento? Qual é a sua interpretação? Em Mateus 19.4, Jesus diz que Deus criou o homem e a mulher. Gênesis 1.27 registra que Deus os criou à sua própria imagem e semelhança. Homem e mulher, portanto, têm a capacidade de conhecer Deus e amá-lo. Eles também têm a capacidade de conhecer e amar um ao outro. O ser humano é um ser moral e espiritual. Mas Jesus disse, também, que Deus criou o casamento. Jay Adams afirma que, contrariamente a muitos pensamentos e ensinos contemporâneos, o casamento não é um expediente humano. Deus diz que ele mesmo estabeleceu, instituiu e ordenou o casamento desde o início da história humana.[10]

O texto de Gênesis 2.18-24 revela que o casamento nasceu no coração de Deus quando não havia ainda legisladores, leis, Estado nem igreja. Walter Kaiser Jr. afirma que o casamento é um dom de Deus aos homens e às mulheres.[11] Deus não somente criou o casamento, mas também o abençoou (Gn 1.28). O casamento, portanto, nasceu no céu, e não terra; nasceu no coração de Deus, e não no coração do homem. É expressão do amor de Deus, e não fruto da lucubração humana. O casamento é a pedra fundamental da sociedade humana. É a célula-mãe da sociedade. Dele dependem todas as outras instituições. Até mesmo a igreja está estribada no casamento. A igreja é aquilo que são as famílias que a compõem.

O casamento é um relacionamento profundo que demanda o abandono de outros relacionamentos. É uma separação, antes de ser uma união. O casamento exige abnegação e devoção. O casamento precisa de constante renúncia e contínuo investimento. O casamento só pode dar certo para pessoas altruístas, que oferecem mais do que cobram, que fazem mais depósitos do que retiradas. O segredo de um casamento feliz não é apenas encontrar a pessoa certa, mas ser a pessoa certa. O casamento pode ser a antessala do céu ou o porão do inferno, um largo horizonte de liberdade ou uma sufocante prisão, um abrigo seguro ou uma arena de brigas, contendas e intérminas discussões.

É da mais alta importância entender a natureza do casamento no plano de Deus, conforme registrado no livro de Gênesis. Quando questionado sobre divórcio e casamento, Jesus retornou ao livro de Gênesis, e nós devemos fazer o mesmo. De acordo com a interpretação de Jesus, a natureza do casamento deve ser considerada como segue.

Em primeiro lugar, *o casamento é heterossexual* (19.5). Deus criou o homem e a mulher, macho e fêmea (Gn 1.27); assim, o relacionamento conjugal só é possível entre um homem e uma mulher, entre um macho e uma fêmea biológicos. Consequentemente, o chamado casamento homossexual não é casamento à luz da Palavra de Deus nem à luz das ciências biológicas. Pelo contrário, segundo Norman Geisler, essa união é uma relação sexual ilícita.[12] A união homossexual é uma abominação para Deus (Rm 1.24-28).

A homossexualidade é claramente condenada nas Escrituras. Deus criou o homem e a mulher e instituiu o casamento heterossexual (Gn 1.27; 2.24). Os cananeus foram eliminados da terra pela prática da homossexualidade (Lv 18.22-29). De igual forma, a cidade de Sodoma foi destruída por Deus pela prática vil da homossexualidade

(Gn 29.5; Jd 7). O ensino bíblico é claro: *Com homem não te deitarás, como se fosse mulher; é abominação* (Lv 18.22). Deus demonstrou o seu repúdio aos adúlteros e homossexuais que levavam as ofertas do seu pecado para oferecer ao Senhor (Dt 23.17,18). A homossexualidade é vista nas Escrituras como um mal (Jz 19.22,23). O apóstolo Paulo afirma que a homossexualidade é uma imundícia e uma desonra (Rm 1.24), é uma paixão infame e uma relação contrária à natureza (Rm 1.26), é uma torpeza e um erro (Rm 1.27). Paulo ainda afirma que a homossexualidade é uma disposição mental reprovável e uma coisa inconveniente (Rm 1.28). A homossexualidade traz consequências graves no tempo e na eternidade. Quem a pratica, receberá em si mesmo a merecida punição do seu erro (Rm 1.27) e jamais poderá entrar no reino de Deus, exceto quando houver conversão e abandono da prática do pecado (1Co 6.9,10). O apóstolo Paulo define a sodomia ou a homossexualidade como uma transgressão da lei de Deus (1Tm 1.9,10).

A homossexualidade traz corrupção de valores e o juízo de Deus. Onde a homossexualidade grassou, os povos se corromperam, a família se desintegrou e o juízo de Deus foi derramado. Os cananeus foram eliminados da terra por causa do juízo de Deus. Sodoma e Gomorra foram consumidas pelo fogo do céu por causa de suas perversidades morais. O império romano caiu nas mãos dos bárbaros porque já estava podre por dentro. A homossexualidade era uma prática degradante que corroeu o império desde os imperadores até os escravos. Hoje, faz-se apologia desse pecado. Os homens perderam o temor de Deus e se insurgiram contra a sua Palavra. Por mais popular que essa prática reprovável possa ser, ela sempre será vista como coisa abominável aos olhos de Deus. O homem muda, mas Deus não muda. Os homens podem sancionar a prática homoafetiva e até mesmo validar pelas leis a união homossexual, mas a eterna Palavra de Deus sempre condenará essa prática como um dos terríveis males que provoca a santa ira de Deus.

É preciso ficar claro, entretanto, que a homossexualidade é um pecado que tem perdão. Uma pessoa não nasce homossexual nem precisa viver como tal. Há esperança para aqueles que estão presos pelos laços desse vício degradante. Assim como o adultério é uma prática aprendida, assim também é a homossexualidade. Paulo diz que alguns crentes da igreja de Corinto eram homossexuais, mas, uma vez convertidos a Jesus Cristo, foram lavados, justificados e libertos dessa prática abominável (1Co 6.9,10). Aqueles que vivem com esse conflito não devem cauterizar a consciência, justificando sua prática, mas se arrepender e voltar para o Senhor, o único que pode libertar e salvar.

Em segundo lugar, *o casamento é monogâmico* (19.5). A monogamia é o padrão de Deus para o casamento. Deus não criou duas mulheres para um homem nem dois homens para uma mulher (Gn 2.24). Tanto a poligenia (um homem com várias mulheres) quanto a poliandria (uma mulher com vários homens) estão fora do padrão de Deus. Warren Wiersbe diz que casamentos homossexuais ou outras variantes são frontalmente contrários à vontade de Deus, não importa quanto os psicólogos, ativistas sociais ou juristas e legisladores digam o contrário.[13] O absoluto propósito de Deus para a raça humana em relação ao casamento sempre foi e há de ser a monogamia.

A monogamia é o padrão de Deus para a humanidade em todas as gerações. O apóstolo Paulo diz: *cada um* [singular] *tenha a sua própria esposa, e cada uma* [singular], *o seu próprio marido* (1Co 7.2). Falando sobre a qualificação do presbítero, Paulo adverte: *É necessário, portanto, que o bispo seja* [...] *esposo de uma só mulher...* (1Tm 3.2). Todos os textos do Novo Testamento que tratam da família construíram sua base sobre o decreto original da monogamia estabelecida no Antigo Testamento (5.31,32; 19.3-9; Mc 10.2-12; Lc 16.18).

Norman Geisler diz que há muitos argumentos contra a poligamia no Antigo Testamento. Elencamos alguns deles a seguir. Primeiro, *a monogamia foi ensinada por precedência*. Deus deu a Adão apenas uma mulher e a Eva apenas um homem. Esse princípio deve reger toda a humanidade em todos os tempos. Segundo, *a monogamia foi ensinada por preceito*. Deus falou a Moisés: *Tampouco para si multiplicará mulheres...* (Dt 17.17). Terceiro, *a monogamia foi ensinada como um preceito moral contra o adultério*. Assim diz a lei de Deus: *Não cobiçarás* [...] *a mulher do teu próximo* [singular] (Êx 20.17). Isso implica que havia somente uma esposa legítima que o próximo podia ter. Quarto, *a monogamia foi ensinada pela proporção populacional*. Em geral, o nascimento de homens e mulheres é semelhante. Se Deus tivesse designado a poligamia, deveria existir um número muito maior de mulheres do que de homens. Finalmente, *a monogamia é ensinada por meio das severas consequências decorrentes da poligamia*. Todas as pessoas que praticaram a poligamia no Antigo Testamento sofreram amargamente por isso. Salomão é um exemplo clássico (1Rs 11.4).[14]

Em terceiro lugar, *o casamento é monossomático* (19.5). A Bíblia diz: *Por isso, deixa o homem pai e mãe e se une à sua mulher, tornando-se os dois uma só carne* (Gn 2.24). Marido e mulher eram dois antes do casamento, mas, agora, são um. Não obstante continuem sendo duas pessoas distintas, são, entretanto, uma só carne. Por isso, a esposa deve ser amada pelo marido como ele ama o seu próprio corpo. O marido deve amar a esposa como ama a si mesmo, ou seja, como ama a sua própria carne. A união conjugal é a mais próxima e íntima relação de todo o relacionamento humano. A união entre marido e mulher é mais estreita do que a relação entre pais e filhos. Os filhos de um homem são partes de si mesmo, mas sua esposa é ele mesmo (Ef 5.28,29).

João Calvino diz que o vínculo do casamento é mais sagrado do que o vínculo que prende os filhos aos seus pais. A esposa é mais preferida do que o pai e a mãe. O marido deve ser mais intimamente unido à esposa do que aos seus próprios pais. Nada, a não ser a morte, deve separá-los.[15] A expressão "uma só carne" condena a poligamia, o divórcio, bem como a devassidão. Se a mútua união de duas pessoas é consagrada por Deus, a infidelidade conjugal está abertamente desautorizada.

Em quarto lugar, *o casamento é indissolúvel* (19.6). O casamento deve ser para toda a vida. É uma união permanente. No projeto de Deus, o casamento é indissolúvel. Ninguém tem autoridade para separar o que Deus uniu. Marido e mulher devem estar juntos na alegria e na tristeza, na saúde e na doença, na prosperidade e na adversidade. Só a morte pode separá-los (Rm 7.2; 1Co 7.39).

O divórcio é uma coisa horrenda aos olhos de Deus. Não há divórcio sem dor, sem trauma, sem feridas, sem vítimas. É impossível rasgar o que marido e mulher se tornaram (uma só carne), sem muito sofrimento. Embora a sociedade pós-moderna esteja fazendo apologia do divórcio, os princípios de Deus não mudaram, não mudam e jamais mudarão. Somente a morte (1Co 7.2), a infidelidade conjugal (19.9) e o completo abandono (1Co 7.15) podem legitimar o divórcio e cancelar o pacto conjugal. O divórcio, portanto, não é apenas antinatural, mas, também, uma rebelião contra Deus e uma conspiração contra a sua lei.

Em quinto lugar, *o casamento não é compulsório* (19.10-12). O casamento foi criado por Deus para resolver o problema da solidão do homem. Mas Deus chamou algumas pessoas para serem uma exceção à regra (Gn 2.18,24), providenciando as condições necessárias para viverem uma vida como solteiros (19.10-12; 1Co 7.7).

A resposta dos discípulos ao ensino de Cristo mostrou que eles discordaram do mestre. Jesus, entretanto, deixou claro que cada homem e cada mulher devem considerar a vontade de Deus a respeito do casamento. Concordo com A. T. Roberson quando ele escreve: "A doutrina de Cristo sobre o casamento não só o separava diametralmente das opiniões farisaicas de todas as nuanças de significado, mas era demasiadamente elevada até para os doze".[16]

Alguns abdicam do casamento por causa de problemas físicos ou emocionais desde o nascimento. Outros não se casam por causa de suas responsabilidades na sociedade, ou seja, são feitos eunucos pelo homem. Alguns, como o apóstolo Paulo, permanecem solteiros para que possam servir melhor ao Senhor. Outros ainda se fizeram eunucos, como Orígenes, um dos pensadores mais influentes da igreja primitiva, que se castrou, vindo mais tarde a entender seu erro.[17]

O Senhor Jesus explicou que há três tipos de eunucos: alguns homens são eunucos porque nasceram sem a capacidade de relacionamento sexual e reprodução. Outros são eunucos porque foram castrados pelos homens. Os reis orientais sujeitavam os atendentes de seus haréns a uma cirurgia para fazê-los eunucos.[18] Mas Jesus tinha em mente aqueles que haviam feito a si mesmos eunucos por amor ao reino de Deus. Esses homens poderiam se casar, visto que não possuíam nenhum impedimento físico. Contudo, por dedicação a Jesus e ao seu reino, eles abdicaram do casamento para se consagrarem integralmente à causa de Cristo. O apóstolo Paulo refere-se a esse tipo de compromisso: *Quem que não é casado cuida das coisas do Senhor, de como agradar ao Senhor* (1Co 7.32). O celibato não é imposto, mas uma abstinênica voluntária. Jesus disse que nem todos os homens são aptos para esse mister. Somente aqueles que são capacitados por Deus podem tomar esse caminho. Assim diz o apóstolo Paulo: *Quero que todos os homens sejam tais como também eu sou; no entanto, cada um tem de Deus o seu próprio dom; um, na verdade, de um modo; outro, de outro* (1Co 7.7). É importante ressaltar que nem Jesus nem os apóstolos veem o celibato como um estado intrinsecamente mais santo que o casamento (1Tm 4.1-3; Hb 13.4).

Divórcio, a dissolução do casamento (19.3-9)

Os fariseus formularam a pergunta sobre divórcio para Jesus a fim de experimentá-lo (19.3). Talvez esperassem que ele falasse sobre o divórcio de um modo ofensivo a Herodes e a Herodias (14.3). O lugar não era distante de Maquerós, onde João Batista fora preso e decapitado por denunciar o casamento ilícito do rei Herodes com Herodias. A oposição dos fariseus a Jesus era intermitente.[19] Os fariseus desejavam enredar Jesus no surrado debate Shammai-Hillel. A. T. Robertson diz que a escola de Shammai assumia o ponto de vista rígido e não popular do divórcio só por falta de castidade, ao passo que a escola de Hillel defendia a visão liberal e popular do divórcio fácil por qualquer capricho momentâneo. O marido poderia se divorciar caso visse uma mulher mais bonita ou se a esposa deixasse queimar o almoço.[20]

Jesus, obviamente, dissociou-se da frouxidão do rabino Hillel. No entanto, ele não entrou no jogo estéril de uma discussão inútil. Aproveitou o momento para reafirmar verdades fundamentais sobre o casamento. Primeiro, Jesus endossou a estabilidade do casamento. Os laços matrimoniais são mais do que um contrato humano: são um jugo divino. Segundo, Jesus declarou que a provisão mosaica do divórcio era uma concessão temporária ao pecado humano. O que os fariseus denominavam "mandamento", Jesus chamava de "permissão" e permissão relutante, em razão da obstinação humana, antes que da intenção divina. O erro dos fariseus estava em ignorar a diferença entre a vontade absoluta de Deus (o casamento) e a provisão legal à pecaminosidade humana (o divórcio). Terceiro, Jesus chamou de adultério o segundo casamento depois do divórcio caso este não tivesse base sancionada por Deus. Se acontecem um divórcio e um segundo casamento sem a sanção de Deus, então qualquer outra união que se segue, sendo ilegal, é adúltera. Quarto, Jesus permitiu o divórcio e o segundo casamento sobre a base única da imoralidade. A imoralidade é a única cláusula de exceção estabelecida por Jesus.[21]

O ensino de Jesus sobre esse magno assunto é absolutamente claro e necessário para nortear a nossa geração. Quando a artimanha dos fariseus, revelada por uma pergunta capciosa sobre o divórcio, foi desmantelada pela resposta de Jesus, elucidando que o casamento fora criado por Deus, mas o divórcio, pela dureza do coração humano, eles contra-atacaram com outra pergunta sutil: *Replicaram-lhe: Por que mandou, então, Moisés dar carta de divórcio e repudiar?* (19.7). Longe de embaraçar Jesus, essa segunda pergunta dos fariseus deu a ele a oportunidade de explicar sobre o divórcio. Respondeu-lhes Jesus: *Por causa da dureza do vosso coração é que Moisés vos permitiu repudiar vossa mulher; entretanto, não foi assim desde o princípio. Eu, porém, vos digo: quem repudiar sua mulher, não sendo por causa de relações sexuais ilícitas, e casar com outra comete* adultério [e o que casar com a repudiada comete adultério] (19.8,9). A. T. Robertson tem razão ao dizer que a ordenança original nunca foi ab-rogada nem substituída, mas continua em vigor.[22]

Com base nesse texto, é possível tirar algumas conclusões sobre o ensino de Jesus a respeito do divórcio.

Em primeiro lugar, *o divórcio não é compulsório* (19.7,8). O casamento foi instituído por Deus, mas o divórcio não. O casamento é ordenado por Deus, mas o divórcio não. O casamento agrada a Deus, mas o divórcio não. Ao contrário, Deus odeia o divórcio (Ml 2.16). Deus permite o divórcio, mas jamais o ordena. O divórcio jamais foi o ideal de Deus para a família.

A pergunta dos fariseus ... *Por que mandou, então, Moisés dar carta de divórcio e repudiar?* (19.7) revela o uso equivocado que os judeus faziam de Deuteronômio 24 nos dias de Jesus. William Hendriksen destaca que os fariseus estão muito mais interessados na *concessão* de Deuteronômio 24 do que na *instituição* de Gênesis 1.27 e 2.24.[23]

O que Moisés disse sobre o divórcio?

> *Se um homem tomar uma mulher e se casar com ela, e se ela não for agradável aos seus olhos, por ter ele achado coisa indecente nela, e se ele lhe lavrar um termo de divórcio, e lho der na mão, e a despedir de casa; e se ela, saindo de sua casa, for e se casar com outro homem; e se este a*

aborrecer, e lhe lavrar termo de divórcio, e lho der na mão, e a despedir da sua casa ou se este último homem, que a tomou para si por mulher, vier a morrer, então, seu primeiro marido, que a despediu, não poderá tornar a desposá-la para que seja sua mulher, depois que foi contaminada, pois é abominação perante o SENHOR; assim, não farás pecar a terra que o SENHOR, teu Deus, te dá por herança (Dt 24.1-4).

É importante dizer que não foi Moisés quem instituiu o divórcio. Esse instituto já existia antes de Moisés. Os códigos mais antigos da humanidade já configuravam o divórcio como uma instituição social inquestionável. O código de Hamurábi (1792-1750 a.C.) legislou claramente sobre o divórcio: a) Artigo 128 – O casamento, sem contrato escrito, é nulo de pleno direito; b) Artigo 134 – Admite o divórcio para a mulher de um prisioneiro que não lhe tenha deixado o suficiente para sobreviver; c) Artigo 136 – Admite o divórcio para a mulher de um foragido; d) Artigos 137 e 140 – Admitem o divórcio por qualquer motivo, desde que sejam respeitados os direitos de dote e herança; e) Artigo 141 – Dá ao marido o direito de se divorciar de uma mulher de má índole e casar com outra; f) Artigo 142 – Dá à mulher o direito de se divorciar de um marido relaxado, impotente, irresponsável ou desonesto; g) Artigos 144 e 147 – Tratam do concubinato; h) Artigo 148 – Diz que o marido pode casar-se com outra mulher se a primeira for acometida de doença incurável, mas deverá cuidar dela.

Abraão foi herdeiro da cultura semítica. Essa cultura influenciou Abraão, seus filhos e alcançou os hebreus que foram para o Egito, chegando até Moisés. Ele, que fora educado em toda a sabedoria do Egito (At 7.22), tinha clara noção da cultura assírio-babilônica. Então, Moisés não foi o primeiro legislador a tratar do divórcio. Moisés não ordenou o divórcio; ele apenas o permitiu, mas não por qualquer motivo.

O ensino de Moisés sobre o divórcio em Deuteronômio 24.1-4 revela três pontos básicos. Primeiro, o divórcio foi permitido com o objetivo de proibir o homem de tornar a casar-se com a primeira esposa caso tivesse se divorciado dela. O propósito da lei era proteger a mulher do primeiro esposo imprevisível e talvez cruel. Dessa forma, a lei não foi estabelecida para estimular o divórcio. Warren Wiersbe diz que Moisés deu apenas um mandamento: a esposa divorciada não poderia voltar para o primeiro marido caso fosse rejeitada pelo segundo marido.[24] Segundo, a permissão do divórcio era apenas no caso de o marido encontrar na esposa alguma coisa indecente. Finalmente, se o divórcio era permitido, também o era o segundo casamento. Todas as culturas do mundo antigo entendiam que o divórcio trazia consigo a permissão de um novo casamento.[25]

Os fariseus interpretaram equivocadamente a lei de Moisés sobre o divórcio; eles a entenderam como um mandamento; Cristo a chamou de uma permissão, uma tolerância. Moisés não ordenou o divórcio; ele o permitiu. É de suma importância entender pelo menos três ensinos fundamentais de Jesus sobre esse magno assunto, em sua resposta aos fariseus.

O primeiro ensino é que há uma absoluta diferença entre ordenança (*eneteilato*) e permissão (*epetrepsen*). John Murray, em seu precioso livro *Divorce,* é enfático em reafirmar essa incontroversa interpretação de Jesus: divórcio não é uma ordenança, mas, sim, uma permissão.[26] Jesus, como supremo e infalível intérprete das Escrituras, deu o verdadeiro significado de Deuteronômio 24.1-4. Deus instituiu o casamento, e não o divórcio. Deus não é o autor do divórcio; o homem é o seu originador. Walter Kaiser diz que, diferentemente do casamento, o divórcio é uma instituição humana. Não obstante o divórcio ser reconhecido, permitido e regulamentado na Bíblia,[27] ele não foi instituído por Deus.[28] Jay Adams salienta que o divórcio é uma inovação humana.[29]

Edward Dobson explica que a provisão mosaica sobre o divórcio visava a proteção da esposa de um marido mau e não representava uma autorização para ele se divorciar dela a seu bel-prazer.[30] De acordo com Adam Clarke, conceituado intérprete das Escrituras, Moisés percebeu que, se o divórcio não fosse permitido, em muitos casos, as mulheres poderiam ser expostas a grandes dificuldades e sofrimentos pela crueldade do marido.[31]

O divórcio jamais deve ser encarado como sendo ordenado por Deus, ou como uma opção moralmente neutra. Ele é uma evidência clara de pecado, o pecado da dureza de coração. Portanto, Jesus desarmou a falsidade dos fariseus, revelando que Moisés permitiu o divórcio em razão da obstinação do coração humano, e não em virtude de sua aprovação como algo bom e recomendável pela lei.

O segundo ensino de Jesus é sobre relações sexuais ilícitas (19.9). É importante observar que a lei de Moisés prescrevia a penalidade de morte para todos aqueles que cometiam adultério.[32] Os próprios inimigos de Cristo, os escribas e fariseus, apelaram para essa lei quando tentaram Jesus, lançando a seus pés uma mulher apanhada em flagrante adultério e exigindo dele uma posição (Jo 8.1-11). A experiência de José, desposado com Maria (1.18-25), indica que os judeus usaram o divórcio em vez do apedrejamento para lidar com uma esposa adúltera. Quando

José descobriu que Maria, sua mulher ainda não desposada, estava grávida, mas não sabendo ele ainda que ela estava grávida por obra do Espírito Santo, resolveu deixá-la secretamente. Sua deserção era o mesmo que se divorciar dela. Em vez de exigir o apedrejamento de Maria, José usou o expediente do divórcio. A penalidade de morte estabelecida no Antigo Testamento foi substituída pelo divórcio no Novo Testamento. Isso é o que ensina Jesus: *Também foi dito: Aquele que repudiar sua mulher, dê-lhe carta de divórcio. Eu, porém, vos digo: qualquer que repudiar sua mulher, exceto em caso de relações sexuais ilícitas, a expõe a tornar-se adúltera; e aquele que casar com a repudiada comete adultério* (5.31,32). Por implicação, diz John Murray, Jesus revogou a penalidade de morte para o adultério e legitimou o divórcio nesse caso.[33]

O terceiro ensino de Jesus sobre o divórcio diz respeito à dureza do coração (19.8). O divórcio acontece porque o coração não é sensível. O divórcio é um produto do coração duro. O divórcio só floresce no deserto árido da insensibilidade e da falta de perdão. O divórcio representa a desobediência aos imutáveis princípios de Deus. É uma conspiração contra a lei de Deus. O divórcio é uma consequência do pecado, e não uma expressão da vontade de Deus. Deus odeia o divórcio, diz o profeta Malaquias: *Porque o Senhor, Deus de Israel, diz que odeia o repúdio...* (Ml 2.16). Ele é uma profanação da aliança feita entre o homem e a mulher da sua mocidade, uma deslealdade, uma falta de bom senso, um ato de infidelidde (Ml 2.10-16). O divórcio é a negação dos votos de amor, compromisso e fidelidade. É a apostasia do amor.

A dureza de coração é a indisposição de obedecer a Deus e perdoar um ao outro. Onde não há perdão, não há casamento. Onde a porta se fecha para o perdão, abre-se uma avenida para a amargura, e o destino final dessa viagem é o divórcio. O divórcio acontece não por determinação divina, mas porque o coração é duro. O divórcio não é uma ordenança divina. Não é compulsório nem mesmo em caso de adultério. O perdão e a restauração são melhores do que o divórcio.

Em segundo lugar, *o divórcio é permitido* (19.9). O divórcio não é o ideal de Deus para o homem e a mulher. Deus não o instituiu. Na verdade, ele odeia o divórcio, diz o profeta Malaquias (Ml 2.16). Jesus disse que Deus permitiu o divórcio, mas nunca o estabeleceu como fruto da sua vontade: *Respondeu-lhes Jesus: Por causa da dureza do vosso coração é que Moisés vos permitiu repudiar vossa mulher; entretanto, não foi assim desde o princípio* (19.8). Deus criou o homem e a mulher, instituiu o casamento, abençoou-o e estabeleceu o propósito de que ambos guardem seus votos de fidelidade até que a morte os separe. Jesus é enfático: ... *Portanto, o que Deus ajuntou não o sapare o homem* (19.6). Matthew Henry, ilustre intérprete das Escrituras, diz que homem nenhum recebeu a autoridade de separar o que Deus uniu: nem o marido, nem a esposa, nem o magistrado civil, nem o sacerdote religioso.[34] Portanto, onde quer que o divórcio aconteça, ele não é o perfeito propósito de Deus para o casamento. Jamais representa uma norma ou um padrão de Deus para o homem. Por causa da dureza do coração, Jesus permitiu o divórcio em caso de adultério, mas não o permitiu em outros casos (19.9).

O divórcio só é permitido quando o cônjuge infiel se torna obstinado em sua recusa de interromper a prática da infidelidade conjugal. A consequência desse ensino é que o cônjuge traído pode, legitimamente, divorciar-se do cônjuge infiel, sem estar, por isso, sob o juízo de Deus. A infidelidade marital é um ataque à própria essência do vínculo matrimonial. Nesse caso, o cônjuge que trai está "separando" o que Deus uniu. Obviamente, o perdão deve ser oferecido antes desse passo final. Contudo, o perdão implica o arrependimento da pessoa faltosa. Um cônjuge não arrependido de sua infidelidade e contumaz no seu pecado pode ser deixado por meio do divórcio, embora essa decisão não seja compulsória.

Jesus expressamente declarou: ... *Por causa da dureza do vosso coração é que Moisés vos permitiu repudiar vossa mulher; entretanto, não foi assim desde o princípio.*[35] Com isso, Jesus está dizendo que o cônjuge traído não precisa se divorciar compulsoriamente por causa da infidelidade de seu consorte. Existe outro caminho que pode e deve ser percorrido: o caminho do perdão, da cura paciente e da restauração do relacionamento quebrado. Essa deve ser a abordagem cristã para esse problema. Mas, infelizmente, por causa da dureza de coração, é impossível, algumas vezes, curar as feridas e salvar o casamento. O divórcio é a opção final, e não a primeira opção.

Em terceiro lugar, *o divórcio por qualquer motivo não é válido* (19.9). Jesus deu a cláusula exceptiva para o divórcio: *Eu, porém, vos digo: quem repudiar sua mulher, não sendo por causa de relações sexuais ilícitas, e casar com outra comete adultério* [e o que casar com a repudiada comete adultério] (19.9). Jesus declara que o casamento é uma união física permanente que só pode ser quebrada por uma causa física: a morte ou a infidelidade sexual. John A. Broadus observa que Jesus foi enfático em afirmar que o divórcio não só não era permitido *por qualquer motivo*

(19.3), mas não era permitido por motivo algum, exceto por *relações sexuais ilícitas* (19.9).[36] A única exceção e a única razão legal para pôr fim a um casamento é *porneia*, o termo grego que abrange adultério, homossexualidade e bestialidade. Tasker corrobora essa ideia quando diz que a palavra grega *porneia* é abrangente, incluindo adultério, fornicação e perversão sexual.[37] O julgamento de Jesus sobre a questão do adultério é mais leve que a lei judaica. A lei judaica sentenciava com pena de morte os adúlteros. Mas o julgamento de Jesus sobre o divórcio é mais pesado do que a lei judaica. Para Jesus, só havia uma cláusula exceptiva para o divórcio, e não várias, e esta eram as relações sexuais ilícitas. O que, portanto, Jesus quis dizer que *quem repudiar sua mulher, não sendo por causa de relações sexuais ilícitas, e casar com outra comete adultério* [e o que casar com a repudiada comete adultério]? Sproul responde: "Jesus estava dizendo que, se um casal se divorcia em oposição à lei divina, os cônjuges permanecem casados aos olhos de Deus mesmo se o Estado tiver dissolvido o casamento. Logo, alguém que se divorcia de forma não bíblica e se casa novamente entra em um relacionamento adúltero".[38]

NOTAS

[1] TASKER, R. V. G. *Mateus: introdução e comentário*, p. 142.
[2] WIERSBE, Warren W. *The Bible exposition commentary*. Vol. 1. Colorado Springs, CO: Chariot Victor Publishing, 1989, p. 68.
[3] WESLEY, John. "Matthew", p. 911-949.

[4] Knox, Chamblin J. "Matthew". In: Elwell, Walter A., ed. *Baker commentary on the Bible*. Grand Rapids, MI: Baker Book House, 1989, p. 719-760.
[5] Carson, D. A. "Matthew", p. 87.
[6] Ibidem.
[7] Ibidem.
[8] Adams, Jay. *Marriage, divorce and remarriage*. Grand Rapids, MI: Zondervan Publishing House, 1980, p. 3.
[9] France, Richard. "Matthew". In: Wenham, G. J. et al. *New Bible commentary*, Downers Grove, IL: Intervarsity Press, 1994, p. 904-945.
[10] Adams, Jay. *Marriage, divorce and remarriage*. p. 3-4.
[11] Kaiser Jr., Walter. *Toward old testament ethics*. Grand Rapids, MI: Zondervan Publishing House, 1983, p. 181.
[12] Geisler, Norman L. *Christian ethics: options and issues*. Grand Rapids, MI: Baker Book House, 2000, p. 278.
[13] Wiersbe, Warren W. *The Bible exposition commentary*, p. 69.
[14] Geisler, Norman. *Christian ethics: options and issues*, p. 281.
[15] Calvin, John. *Harmony of Matthew, Mark, and Luke – Calvin's commentaries*. Vol. XVI, p. 379.
[16] Robertson, A. T. *Comentário de Mateus* , p. 218.
[17] Mounce, Robert H. *Mateus*, p. 193.
[18] Ibidem.
[19] Veja Mateus 12.2,14,24,38; 15.1; 16.1; 22.17,35.
[20] Robertson, A. T. *Comentário de Mateus*, p. 216.
[21] Stott, John. *Grandes questões sobre sexo*. Niterói, RJ: Vinde Comunicações, 1993, p. 77-81.
[22] Robertson, A. T. *Comentário de Mateus*, p. 217.
[23] Hendriksen, William. *Mateus*. Vol. 2, p. 260.
[24] Wiersbe, Warren W. *Comentário bíblico expositivo*, p. 90-91.
[25] Stott, John. *Grandes questões sobre sexo*, p. 73-75.
[26] Murray, John. *Divorce*. Phillipsburg, NJ: Presbyterian and Reformed Publishing Company, 1961, p. 32.
[27] Levítico 21.7,14; 22.13; Números 30.9; Deuteronômio 22.19,29; 24.1-4; Isaías 50.1; Jeremias 3.1; Ezequiel 44.22.
[28] Kaiser Jr, Walter. *Toward old testament ethics*, p. 200-201.
[29] Adams, Jay. *Marriage, divorce and remarriage*, p. 27.
[30] Dobson, Edward G. *The complete Bible commentary*. Nashville, TN: Thomas Nelson Publishers, 1999, p. 1212.
[31] Clarke, Adam Clarke. *Clarke's commentary – Matthew-Revelation*. Vol. V. Nashville, TN: Abingdon, n. d., p. 190.

[32] Levítico 20.10; Deuteronômio 22.22.
[33] Murray, John. *Divorce*, p. 119.
[34] Henry, Matthew. *Matthew to John*. Vol. V. New York, NY: Fleming H. Revell Company, n. d., p. 269.
[35] Mateus 19.8.
[36] Broadus, John A. *Comentário de Mateus*. Vol. II. Rio de Janeiro, RJ: Casa Publicadora Batista, 1967, p. 134.
[37] Tasker, R. V. G. *Mateus: introdução e comentário*, p. 146.
[38] Sproul, R. C. *Mateus*, p. 501.

Capítulo 55

Jesus e as crianças

(Mt 19.13-15)

Jesus estava a caminho da Judeia (19.1). Ele marchava para a cruz. Foi nessa caminhada dramática, dolorosa, que ele encontrou tempo em sua agenda e espaço em seu coração para acolher as crianças, orar por elas e abençoá-las.

Mateus 19.3-30 apresenta uma sequência lógica: casamento (19.3-12), crianças (19.13-15) e propriedades (19.16-30). Tasker é oportuno quando diz que pode ou não ser significativo que, em Mateus e em Marcos, embora não em Lucas, essa bela história seja colocada imediatamente após a passagem sobre o divórcio. De qualquer forma, o bem-estar das crianças sempre deve ser preocupação primacial dos cristãos nas decisões que venham a tomar sobre o divórcio.[1]

Jesus, apesar de caluniado e perseguido pelos escribas e fariseus, era considerado pelo povo como profeta (Lc 24.19). Daí a confiança do povo em levar a ele suas crianças para que por elas orasse e impusesse as mãos.

Há três grupos que merecem destaque aqui, como vemos a seguir.

Em primeiro lugar, *os que levam as crianças a Jesus* (19.13). As crianças não foram; elas foram levadas. Algumas delas eram crianças de colo, outras foram andando, mas todas foram levadas. Devemos ser facilitadores, e não obstáculo para as crianças se aproximarem de Cristo.

Os pais ou mesmo parentes reconheceram a necessidade de levar as crianças a Cristo. Eles não as consideraram insignificantes nem acharam que elas pudessem ficar longe de Cristo. Aqueles que levam as crianças a Cristo reconhecem que elas precisam dele. Era costume naquela época os pais levarem seus filhos aos rabinos para que eles orassem por eles. As crianças podem e devem ser levadas a Cristo. Na cultura grega e judaica, as crianças não recebiam o valor devido, mas no reino de Deus elas não apenas são acolhidas, mas também tratadas como modelo para os demais.

Adolf Pohl, comentando o texto paralelo de Marcos, interpreta corretamente o ensino de Jesus, quando afirma:

> Não deixe as crianças esperar; não hesite em trazê-las para as mãos de Jesus; não conte com "mais tarde": mais tarde, quando você for maior, quando entender mais a Bíblia, quando for batizado etc. As crianças podem ser trazidas com muita confiança no poder salvador de Jesus. O reinado de Deus rompe a barreira da idade, assim como a barreira sexual (o evangelho para mulheres), da profissão (para

cobradores de impostos), do corpo (para doentes), da vontade pessoal (para endemoninhados) e da nacionalidade (para gentios). Portanto, também as crianças podem ser trazidas dos seus cantos para que Jesus as abençoe.[2]

Em segundo lugar, *os que impedem as crianças de irem a Cristo* (19.13b). Os discípulos de Cristo mais uma vez demonstram dureza de coração e falta de visão. Em vez de serem facilitadores, tornaram-se obstáculos para as crianças irem a Cristo. Eles não achavam que as crianças fossem importantes, mesmo depois de Jesus ter ensinado claramente sobre isso (18.1-5). A. T. Robertson é enfático quando escreve: "É uma tragédia fazer as crianças sentirem que estão incomodando em casa e na igreja".[3]

Os discípulos repreendiam aqueles que levavam as crianças por acharem que Jesus não devia ser incomodado por questões irrelevantes. O verbo grego usado pelos discípulos indica que eles continuaram repreendendo enquanto as pessoas levavam seus filhos. Eles agiam com preconceito. Podemos impedir as pessoas de levarem as crianças a Cristo por comodismo, por negligência ou por uma falsa compreensão espiritual.

Em terceiro lugar, *os que abençoam as crianças* (19.15). Jesus demonstra amor, cuidado e atenção especial com todos aqueles que eram marginalizados na sociedade. Ele dava valor aos leprosos, aos enfermos, aos publicanos, às prostitutas, aos gentios e, agora, às crianças. Jesus impõe as mãos sobre as crianças e ora por elas (19.13,15). Concordo com Tasker quando ele diz que é evidência da bondade essencial de Jesus que, numa época em que as crianças eram consideradas insignificantes e destituídas de importância, elas se sentissem irresistivelmente atraídas por ele, quando estendeu os braços para acolhê-las com o seu abraço.[4]

O texto em tela tem quatro grandes lições, como vemos a seguir.

Um encorajamento (19.14)

O encorajamento era para os pais das crianças e para as próprias crianças, embora a palavra tenha sido dirigida aos discípulos: *Deixai os pequeninos, não os embaraceis de vir a mim, porque dos tais é o reino dos céus* (19.14). Jesus manda abrir o caminho de acesso a ele para que as crianças possam se aproximar. Algumas verdades são enfatizadas a seguir.

Em primeiro lugar, *a afeição de Jesus às crianças* (19.14). Não é a primeira vez que Jesus demonstra amor às crianças. Ele diz que quem recebe uma criança em seu nome é como se estivesse recebendo ele próprio (18.5). Jesus afirma, por outro lado, que fazer uma criança tropeçar é uma atitude gravíssima (18.6). Agora, Jesus acolhe as crianças, ora por elas e impõe as mãos sobre elas (19.14,15).

Em segundo lugar, *o convite de Jesus para os pais levarem os filhos* (19.13,14). Jesus encoraja os pais ou qualquer outra pessoa a levarem as crianças a ele. As crianças podem crer em Cristo e são exemplo para aqueles que creem. Levar as crianças a Cristo é a coisa mais importante que podemos fazer por elas.

Devemos aprender com essa passagem sobre a grande atenção que as crianças devem receber da igreja de Cristo. Nenhuma igreja pode ser considerada saudável se não acolher bem as crianças. Jesus, o Senhor da igreja, encontrou tempo para dedicar-se às crianças. Ele demonstrou que o cuidado com as crianças é um ministério de grande valor.

Em terceiro lugar, *o convite de Jesus para as crianças irem até ele* (10.14). As crianças de colo precisam ser levadas a Cristo, mas outras podem ir por si mesmas. Elas não deveriam ser vistas como impossibilitadas nem impedidas de ir a Cristo. Na religião judaica, somente depois dos 13 anos uma criança podia iniciar-se no estudo da lei. Mas Jesus revela que as crianças devem ir a ele para receberem seu amor e sua graça.

Uma reprovação (19.13,14)

O evangelista Marcos é mais contundente do que Mateus e Lucas no registro desse episódio. Ele mostra como Jesus ficou indignado com seus discípulos pelo fato de eles terem repreendido as pessoas que levavam as crianças para serem tocadas por ele (Mc 10.13,14). Jesus se indignou quando viu que os discípulos afastaram as pessoas em vez de aproximá-las dele. A palavra grega *aganakteo* sugere uma forte emoção. Esse é o único lugar nos evangelhos em que Jesus dirige sua indignação aos discípulos, exatamente quando eles demonstram preconceito com as crianças. Jesus fica indignado quando a igreja fecha a porta, em vez de abri-la. Jesus fica indignado quando identifica o pecado do preconceito na igreja.

Jesus já ficara indignado com seus inimigos, mas agora fica indignado com os discípulos. É a única vez que o desgosto de Jesus se direcionou aos próprios discípulos, quando eles se tornaram estorvo, em vez de bênção; quando eles levantaram muros, em vez de construir pontes.

A indignação de Jesus aconteceu concomitantemente com o seu amor. A razão pela qual ele se indignou com os seus discípulos foi o seu amor profundo e compassivo para com os pequeninos, e todos os que os levaram a ele. Uma ordem dupla reverte as medidas deles: *Deixai os pequeninos, não os embaraceis de vir a mim.*

Por que Jesus reprovou os discípulos?

Primeiro, porque a conduta deles foi errada com aqueles que levavam as crianças. Os pais daquelas crianças as levaram a Jesus porque criam que ele era profeta, que ele poderia orar por elas e abençoá-las. Elas estavam indo à pessoa certa com a motivação certa e mesmo assim foram barradas pelos discípulos.

Segundo, porque a conduta deles foi errada com as próprias crianças. Jesus já havia falado que as crianças tinham a capacidade de crer nele e que é um grave pecado servir de tropeço às crianças (18.6). Os discípulos estavam imitando os fariseus que se colocavam no meio do caminho impedindo as pessoas de entrarem no reino.

Terceiro, porque a conduta deles foi errada com o próprio Jesus. A atitude deles fazia as pessoas concluírem que Jesus era uma pessoa preconceituosa e sofisticada como as autoridades religiosas de Israel. Jesus, entretanto, já havia dado fartas provas de sua compaixão com os necessitados e excluídos.

Quarto, porque a conduta deles foi contrária ao ensino de Cristo. O ensino de Jesus é claro: *Em verdade vos digo que, se vos converterdes e não vos tornardes como crianças, de modo algum entrareis no reino dos céus* (18.3). Jesus está demonstrando que não há nenhuma virtude em nós que nos recomende ao reino. Se quisermos entrar no reino, precisamos despojar-nos de toda pretensão como uma criança.

Quinto, porque a conduta deles foi contrária à prática de Cristo. Jesus nunca escorraçou as pessoas. Ele jamais mandou embora aqueles que o buscaram (Jo 6.37). Ele convida a todos (11.28). O evangelista Marcos diz que Jesus tomou as crianças em seus braços, impôs sobre elas as mãos e as abençoou (Mc 10.16).

Os discípulos demonstraram zelo sem entendimento. Eles queriam blindar Jesus, protegendo-o de desgastes desnecessários, especialmente naquela hora de grande tensão, quando Jesus estava indo para Jerusalém para ser preso. Porém, Jesus revela seu grande apreço às crianças e interrompe sua jornada para abençoar as crianças e repreender os discípulos.

Os discípulos demonstraram a dúvida deles acerca da capacidade das crianças de entenderem Jesus. Os discípulos devem ter julgado as crianças incapazes de discernir as coisas espirituais e assim procuraram mantê-las longe de Jesus. Nem os filósofos gregos nem os rabinos judaicos concediam grande importância às crianças. Na época de Jesus, dar atenção a uma criança era uma perniciosa perda de tempo, tal qual beber muito vinho ou associar-se com os ignorantes. Somente com 13 anos um menino podia tomar sobre si a responsabilidade de cumprir a lei. Falamos para as crianças se comportarem como os adultos, mas Jesus ensinou que os adultos devem imitar as crianças.

Os discípulos devem ter pensado que as crianças estavam aquém da possibilidade de serem salvas. Mas as crianças fazem parte da família de Deus. Elas estão incluídas no pacto que Deus fez conosco. Os nossos filhos são santos (1Co 7.14). Eles não devem ser impedidos de ir a Cristo. Receber uma criança em nome de Jesus é receber Jesus. A criança não apenas deve ir a Cristo, mas se constitui em modelo para os que creem. Quando uma criança é salva, ela pode dedicar toda a sua vida a Cristo.

Como uma criança pode ser impedida de ir a Jesus?

Primeiro, quando deixamos de ensinar-lhe a Palavra de Deus. Timóteo aprendeu as Sagradas Letras que o tornaram sábio para a salvação desde sua infância (2Tm 3.15). A Bíblia diz: *Ensina a criança no caminho em que deve andar, e, ainda quando for velho, não se desviará dele* (Pv 22.6). Os pais devem ensinar os filhos de forma dinâmica e variada (Dt 6.1-9).

Segundo, quando deixamos de dar exemplo a elas. Escandalizar uma criança e servir de tropeço para ela é um pecado de consequências graves (18.6). Ensinamos as crianças não só com palavras, mas, sobretudo, com exemplo. Influenciamos as crianças sempre, seja para o bem, seja para o mal.

Terceiro, quando julgamos que as crianças não merecem a nossa maior atenção. Os discípulos julgaram que aquela não era uma causa tão importante a ponto de ocupar lugar na agenda de Jesus. Eles, na intenção de poupar Jesus e administrar sua agenda, revelaram seu preconceito para com as crianças e sua escala de valores desprovida de discernimento espiritual.

Uma revelação (19.14)

Jesus é enfático quando afirma: *... porque dos tais é o reino dos céus* (19.14). Isso tem a ver com a natureza do reino dos céus. O que Jesus *não* quis dizer com essa expressão? É óbvio que ele não quis dizer que as crianças são criaturas inocentes. O pecado original atingiu toda a raça. Somos concebidos em pecado e nos desviamos desde a concepção. A inclinação do nosso coração é para o mal, e as crianças não são salvas por serem crianças inocentes. Elas também precisam nascer de novo e crer no Senhor Jesus. No Novo Testamento, as crianças não são anjinhos. Elas são briguentas (1Co 3.1-3), imaturas (1Co 3.11; Hb 5.13), fáceis de seduzir (6.4), imprudentes (1Co 14.20), volúveis (Ef 4.14) e dependentes (Gl 4.1,2).

O que Jesus quis dizer quando declarou que às crianças pertence o reino dos céus? É que as crianças vão a Cristo com total confiança. Elas creem e confiam. Elas se entregam e descansam. Devemos despojar-nos da nossa pretensa capacidade e sofisticação e retornar à simplicidade dos infantes, confiando em Jesus com uma fé simples e sincera. Jesus está dizendo que o reino de Deus não pertence aos que dele se acham "dignos"; ao contrário, é um presente aos que são "tais" como crianças, isto é, insignificantes e dependentes. Os que reivindicam seus méritos não entrarão nele, pois Deus dá o seu reino àqueles que dele nada podem reivindicar.

Uma atitude (19.15)

Jesus não apenas acolhe as crianças e repreende os discípulos, mas também ora por elas e impõe as mãos sobre elas. Os pais levaram as crianças para que Jesus as tocasse (Lc 18.15) e orasse por elas (19.13). Jesus, em vez de concordar com os discípulos, mandando-as embora, chamou-as para junto de si (Lc 18.16) e impôs sobre elas as mãos (19.15).

Notas

[1] Tasker, R. V. G. *Mateus: introdução e comentário*, p. 147.

[2] Pohl, Adolf. *Evangelho de Marcos*. Curitiba, PR: Esperança, 1998, p. 297.

[3] Robertson, A. T. *Comentário de Mateus*, p. 218.

[4] Tasker, R. V. G. *Mateus: introdução e comentário*, p. 148.

Capítulo 56

Jesus e as riquezas

(Mt 19.16-30)

Depois de falar sobre casamento e divórcio e ainda depois de orar e impor as mãos sobre as crianças, Jesus passa a falar sobre o perigo das riquezas. Essa sequência tem muita lógica, diz William Hendriksen. O dinheiro é o ídolo que tem o maior número de adoradores neste mundo. Pessoas casam, divorciam, matam e morrem pelo dinheiro. No sermão do monte, Jesus disse que não podemos servir a Deus e às riquezas ao mesmo tempo (6.24).

De todas as pessoas que buscaram Cristo, esse homem é o único que saiu pior do que chegou. Ele foi amado por Jesus (Mc 10.21), mas, mesmo assim, desperdiçou a maior oportunidade da sua vida. A despeito de ter procurado a pessoa certa, de ter abordado o tema certo, de ter recebido a resposta certa, ele tomou a decisão errada. Ele amou mais o dinheiro do que a Deus, mais a terra do que o céu, mais os prazeres transitórios desta vida do que a salvação da sua alma.

John MacArthur Jr. é oportuno quando diz que o evangelismo moderno está preocupado com decisões, estatísticas, "ir à frente", macetes, apresentações pré-fabricadas, "conversas de vendedor", manipulação emocional e até intimidação. Jesus, porém, não tornou a mensagem mais palatável para fisgar esse jovem rico. Revelou a ele que a salvação é para aqueles que estão dispostos a abandonar tudo.

Esse acontecimento é relatado nos três evangelhos sinóticos. Quando combinamos os fatos, vemos que esse homem era rico, jovem e ocupava posição de liderança; porém, nada disso preencheu o vazio do seu coração. Para uma melhor compreensão, vamos examinar também o registro de Marcos e Lucas.

As riquezas não satisfazem (19.16-22)

Destacamos vários predicados excelentes desse jovem: ele era rico, proeminente, ético, preocupado com seu coração e reverente. Entretanto, todos os atributos que listaremos a seguir não puderam preencher o vazio da sua alma.

Em primeiro lugar, *ele era jovem* (19.20). Esse jovem estava no alvorecer da vida. Tinha toda a sua vida pela frente e toda a oportunidade de investir o seu futuro no reino dos céus. Ele tinha saúde, vigor, força, sonhos.

Em segundo lugar, *ele era riquíssimo* (Lc 18.23). Esse jovem possuía tudo que este mundo podia oferecer: casa, bens, conforto, luxo, banquetes, festas, joias, propriedades, dinheiro. Ele era dono de muitas propriedades. Embora jovem, já era muito rico. Certamente ele era um jovem brilhante, inteligente e capaz.

Em terceiro lugar, *ele era proeminente* (Lc 18.18). Lucas diz que ele era um homem de posição. Ele possuía um elevado *status* na sociedade. Ele tinha fama e glória. Apesar de ser jovem, já era rico; apesar de ser rico, era também líder famoso e influente na sociedade. Talvez ele fosse um oficial na sinagoga. Tinha reputação e grande prestígio.

Em quarto lugar, *ele era virtuoso* (19.20). *Tudo isso tenho observado; que me falta ainda?* Aquele jovem julgava ser portador de excelentes predicados morais. Ele se olhava no espelho da lei e dava nota máxima para si mesmo. Considerava-se um jovem íntegro. Não vivia em orgias nem saqueava os bens alheios. Vivia de forma honrada, dentro dos mais rígidos padrões morais. Possuía uma excelente conduta exterior. Era um modelo para o seu tempo. Um jovem que a maioria das mães gostaria de ter como genro. Era um jovem que emoldurava o sonho da maioria dos pais contemporâneos.

Em quinto lugar, *ele era insatisfeito com sua vida espiritual* (19.20). *Que me falta ainda?* Ele tinha tudo para ser feliz, mas seu coração ainda estava vazio. Na verdade, Deus pôs a eternidade no coração do homem e nada deste mundo pode preencher esse vazio. Seu dinheiro, reputação e liderança não preencheram o vazio da sua alma. Ele estava cansado da vida que levava. Nada satisfazia seus anseios. Ser rico não basta; ser honesto não basta; ser religioso não basta. Nossa alma tem sede de Deus. A. T. Robertson diz que esse jovem sofria de um paradoxo psicológico. Ele não se achava em falta em relação ao cumprimento de todos esses mandamentos. Mesmo assim, sua consciência estava intranquila. Jesus citou o que ele não tinha. O jovem pensava na bondade em termos quantitativos (uma série de atos), e não em termos qualitativos (a natureza de Deus). A pergunta revelava convencimento orgulhoso ou desespero patético? Talvez houvesse um pouco de ambos.

Em sexto lugar, *ele era uma pessoa sedenta de salvação* (19.16). Sua pergunta foi enfática: *mestre, que farei eu de bom, para alcançar a vida eterna?* Ele estava ansioso por algo mais que não havia encontrado no dinheiro. Ele sabia que não possuía a vida eterna, a despeito de viver uma vida correta aos olhos dos homens. Ele não queria enganar a si mesmo. Queria ser salvo. Como diz Tasker, esse jovem tinha muita riqueza na casa, mas muita pobreza na alma.

Em sétimo lugar, *ele foi a Jesus, a pessoa certa* (19.16; Mc 10.17). Ele foi a Jesus; buscou o único que pode salvar. Ele já tinha ouvido falar de Jesus. Sabia que ele já salvara muitas pessoas. Sabia que Jesus era a solução para a sua vida, a resposta para o seu vazio. Ele não buscou atalhos, mas entrou pelo único caminho que leva ao céu.

Em oitavo lugar, *ele foi a Jesus com pressa* (Mc 10.17). *E, pondo-se Jesus a caminho, correu um homem ao seu encontro.* Naquela época, pessoas tidas como importantes não corriam em lugares públicos, mas esse jovem correu. Ele tinha pressa. Esse jovem não podia mais esperar, não podia mais protelar sua decisão. Ele não se importava com a opinião das pessoas. Ele tinha urgência para salvar a sua alma.

Em nono lugar, *ele foi a Jesus de forma reverente* (Mc 10.17). *... e, ajoelhando-se, perguntou-lhe: Bom mestre, que farei para herdar a vida eterna?* Esse jovem se humilhou, caindo de joelhos aos pés de Jesus. Ele demonstrou ter um coração quebrantado e uma alma sedenta. Não havia dureza de coração nem resistência. Ele se rendeu aos pés do Senhor.

Em décimo lugar, *ele foi amado por Jesus* (Mc 10.21). *E Jesus, fitando-o, o amou.* Jesus viu o seu conflito, o seu vazio, a sua necessidade; viu o seu desespero existencial e se importou com ele e o amou.

As riquezas enganam (19.16-22)

As virtudes do jovem rico eram apenas aparentes. Ele superestimava suas qualidades. Ele deu a si mesmo nota máxima, mas Jesus tirou sua máscara e revelou-lhe que a avaliação que fazia de si, da salvação, do pecado, da lei e do próprio Jesus era muito superficial.

Em primeiro lugar, *ele estava enganado a respeito da salvação* (19.16). Ele viu a salvação como uma questão de mérito, e não como um presente da graça de Deus. Ele perguntou: ... *Mestre, que farei eu de bom, para herdar a vida eterna?* Seu desejo de ter a vida eterna era sincero, mas estava enganado quando à maneira de alcançá-la. Ele queria obter a salvação por obras, e não pela graça. Ele acreditava na salvação pelas obras.

Todas as religiões do mundo ensinam que o homem é salvo pelas suas obras. Na Índia, multidões que desejam a salvação deitam sobre camas de prego ao sol escaldante; balançam-se sobre um fogo baixo; sustentam uma mão erguida até se tornar imóvel; fazem longas caminhas de joelhos. No Brasil, vemos as romarias, onde pessoas sobem escadarias de igrejas de joelhos e fazem penitência pensando alcançar com isso o favor de Deus.

Muitas pessoas pensam que no dia do juízo Deus vai colocar na balança as obras más e as boas obras, e a salvação será o resultado da prevalência das boas obras sobre as obras más. Mas a salvação não consiste naquilo que fazemos para Deus, mas no que Deus fez por nós em Cristo Jesus.

Em segundo lugar, *ele estava enganado a respeito de si mesmo* (10.17-20). O jovem rico não tinha consciência de quão pecador ele era. Ele pensou que suas virtudes externas podiam agradar a Deus. Porém, as Escrituras dizem que *todos somos como o imundo, e todas as nossas justiças, como trapo da imundícia* aos olhos do Deus santo (Is 64.6).

O jovem rico pensou que guardava a lei, mas havia quebrado os dois principais mandamentos da lei de Deus: amar a Deus e ao próximo. Ele era idólatra. Seu deus era o dinheiro. Seu dinheiro era apenas para o seu deleite. Sua teologia era baseada em não fazer coisas erradas, em vez de fazer coisas certas. Jesus cita para esse jovem apenas os mandamentos da segunda tábua da lei e o fez para mostrar-lhe que aquele que não ama a seu irmão a quem vê não pode amar a Deus a quem não vê (1Jo 4.20).

Jesus disse ao jovem rico: *... Só uma coisa te falta: Vai, vende tudo o que tens, dá-o aos pobres e terás um tesouro no céu; então, vem e segue-me* (Mc 10.21). O que faltava a ele? O novo nascimento, a conversão, o buscar a Deus em primeiro lugar. Ele queria a vida eterna, mas não renunciou aos seus ídolos. O jovem rico não foi chamado à pobreza como um fim, mas ao discipulado de Jesus. John MacArthur Jr. tem razão em dizer que não se pode ir a Jesus Cristo pedindo salvação tão somente com base em carências psicológicas, ansiedade, falta de paz, sensação de desespero, falta de alegria, ou desejo de ser feliz. A salvação é para aqueles que odeiam o seu pecado e desejam dar as costas às coisas desta vida. É para pessoas que compreendem que têm vivido em rebeldia contra o Deus santo. É para aqueles que querem dar meia-volta e viver para a glória de Deus.

Em terceiro lugar, *ele estava enganado a respeito da lei de Deus* (19.18-20). Ele mediu sua obediência apenas por ações externas, e não por atitudes internas. Concordo com Warren Wiersbe quando ele diz que Jesus não introduziu o assunto da lei para mostrar ao jovem como ser salvo, mas para mostrar-lhe que precisava ser salvo. Aos olhos de um observador desatento, ele passaria no teste, mas Jesus identificou a cobiça em seu coração. Esse é o mandamento subjetivo da lei. Ele não pode ser apanhado por nenhum tribunal humano. Só Deus consegue diagnosticá-lo. Jesus viu no coração desse homem o amor ao dinheiro como a raiz de todos os seus males (1Tm 6.10). O dinheiro era o seu deus; ele confiava nele e o adorava. O jovem era *dono de muitas propriedades*. Ele as possuía; elas o possuíam, pois tinham se apoderado firmemente dele.

Em quarto lugar, *ele estava enganado a respeito de Jesus* (19.16; Mc 10.17). Ele chama Jesus de bom mestre, mas não está pronto a lhe obedecer. Ele pensa que Jesus é apenas um rabino, e não o Deus verdadeiro feito carne. Jesus queria que o jovem visse a si mesmo como um pecador antes de ajoelhar-se diante do Deus santo. Não podemos ser salvos pela observância da lei, pois somos rendidos ao pecado. A lei é como um espelho: ela mostra a nossa sujeira, mas não remove as manchas. O propósito da lei é trazer o pecador a Cristo (Gl 3.24). A lei pode levar o pecador a Cristo, mas não pode tornar o pecador semelhante a Cristo. Somente a graça pode fazer isso.

Em quinto lugar, *ele estava enganado acerca da verdadeira riqueza* (19.21,22). Depois de perturbar a complacência do homem com a constatação de que uma coisa lhe faltava, Jesus o desafia com uma série de cinco imperativos: *VAI, VENDE os teus bens, DÁ aos pobres e terás um tesouro no céu; depois, VEM, e SEGUE-ME* (19.21). Esses cinco imperativos são apenas uma ordem que exige uma só reação. Ele deve renunciar àquilo que constitui o objeto de sua afeição antes de poder viver debaixo do senhorio de Deus. O jovem rico perdeu a riqueza eterna, por causa da riqueza temporal. Ele rejeita a Cristo e a vida eterna. Agarrou-se ao seu dinheiro e com ele pereceu. Saiu triste e pior, por ter rejeitado a verdadeira riqueza, aquela que não perece. O homem rico se torna o mais pobre entre os pobres. Warren Wiersbe é oportuno quando diz que em parte alguma da Bíblia somos ensinados que um pecador é salvo ao vender seus bens e doá-los aos pobres. Jesus nunca disse para Nicodemos fazer isso, nem o ordenou a nenhum outro pecador cuja história se encontre registrada nos evangelhos. Jesus sabia que o rapaz era cobiçoso e amava as riquezas. Mesmo com todas as suas qualidades tão louváveis, o jovem continuava não amando a Deus de todo o coração. Os bens eram seu deus, por isso foi incapaz de obedecer à ordem: *Vai, vende* [...] *vem e segue-me*.

O amor às riquezas leva à perdição (19.22-26)

Concordo com Sproul quando ele diz que a Bíblia é desprovida de qualquer cosmovisão que exalte a virtude da pobreza ou despreze o vício das riquezas. A pobreza não é virtude, nem a riqueza é pecado. O problema não é a riqueza, mas a autossuficiência. O problema não é ter dinheiro, mas o dinheiro nos possuir. O problema não é a riqueza, mas a riqueza como um substituto de Deus.

Há duas verdades que enfatizamos a seguir.

Em primeiro lugar, *os que confiam na riqueza não podem confiar em Deus* (19.23-26). Como já temos afirmado, o dinheiro é mais do que uma moeda; é um deus. O dinheiro é o maior dono de escravos do mundo. Ele é um espírito; ele é Mamom. Ninguém pode servir a dois senhores ao mesmo tempo. Ninguém pode servir a Deus e às riquezas. A confiança em Deus implica o abandono de todos os ídolos. Quem põe a confiança no dinheiro, não pode confiar em Deus para a sua própria salvação. Nosso coração somente tem espaço para uma única devoção, e nós só podemos nos entregar ao único Senhor. John Charles Ryle é enfático ao escrever: "Um ídolo afagado no coração pode arruinar uma alma para sempre".

Jesus não está condenando a riqueza, mas a confiança nela. A raiz de todos os males não é o dinheiro, mas o amor a ele (1Tm 6.10). Há pessoas ricas e piedosas. O dinheiro é um bom servo, mas um péssimo patrão. A questão não é possuir dinheiro, mas ser possuído por ele.

Jesus ilustrou a impossibilidade da salvação daquele que confia no dinheiro: *É mais fácil passar um camelo pelo fundo de uma agulha do que entrar um rico no reino de Deus* (19.24). O camelo era o maior animal da Palestina, e o fundo de uma agulha o menor orifício conhecido na época. Alguns intérpretes tentam explicar que esse fundo da agulha era uma porta da muralha de Jerusalém pela qual um camelo só podia passar ajoelhado e sem carga. Mas isso altera o centro do ensino de Jesus: a impossibilidade definitiva de salvação para aquele que confia no dinheiro. Outros pensam que essa figura se refere à amarra de um navio ou a um desfiladeiro estreito. Concordo, entretanto, com A. T. Robertson, quando ele diz que, por meio dessa comparação, quer seja ela um provérbio oriental quer não, Jesus deseja expressar o impossível. Os esforços para explicá-lo como algo possível estão fadados ao erro, quer se refira à amarra de um navio quer a um desfiladeiro estreito, quer a uma porta de entrada pela qual os camelos têm de ajoelhar-se para passar. Jesus diz incisivamente que se tratava de algo impossível (19.26).

Em segundo lugar, *a salvação é uma obra milagrosa de Deus* (19.25,26). Os discípulos ficam aturdidos com a posição radical de Jesus e perguntaram: *Sendo assim, quem pode ser salvo?* (19.25). Jesus, porém, fitando neles o olhar, disse: *Isto é impossível aos homens, mas para Deus tudo é possível* (19.26). A conversão de um pecador é uma obra sobrenatural do Espírito Santo. Ninguém pode salvar a si mesmo. Ninguém pode regenerar a si mesmo. Somente Deus pode fazer de um amante do dinheiro um adorador do Deus vivo.

A pobreza rica (19.27-30)

Três fatos nos chamam a atenção acerca dos discípulos, como comentamos a seguir.

Em primeiro lugar, *a abnegação* (19.27,29). *Então, lhe falou Pedro: Eis que nós tudo deixamos e te seguimos; que será, pois, de nós?* Seguir a Cristo é o maior projeto da vida. Vale a pena abrir mão de tudo para ganhar a Cristo. Ele é a pérola de grande valor. Alguns intérpretes acusam Pedro de demonstrar aqui um espírito mercantilista (19.27). A afirmação de Pedro revela uma visão comercial da vida cristã. A teologia da prosperidade está ensinando que ser cristão é uma fonte de lucro.

Em segundo lugar, *a motivação* (19.29). Não basta deixar tudo por amor a Cristo; é preciso fazê-lo pela motivação certa. Jesus é claro em sua exigência: *... por causa do meu nome...* (19.29). Precisamos fazer a coisa certa com a motivação certa. O objetivo da abnegação não é receber recompensa. Não servimos a Deus por aquilo que ele dá, mas por quem ele é (Dn 3.16-18). Mas Jesus diz que precisamos deixar casas, irmãos, irmãs, pai, mãe, mulher, filhos, campos, por causa do seu nome (19.29).

Em terceiro lugar, *a recompensa* (10.29b,30). Jesus garante aos seus discípulos que todo aquele que o segue não perderá o que realmente é importante, quer nesta vida quer na vida por vir. Jesus menciona duas recompensas e duas realidades.

Primeiro, há uma recompensa imediata. Seguir a Cristo é um caminho venturoso. Deus não tira; ele dá. Ele dá generosamente. Quem abre mão de alguma coisa ou de alguém por amor de Cristo e pelo evangelho, recebe muitas vezes mais (19.29).

Segundo, há uma recompensa futura (19.29). No mundo por vir, receberemos a vida eterna. Essa vida é superlativa, gloriosa e feliz. Então, receberemos um novo corpo, semelhante ao corpo da glória de Cristo. Reinaremos com ele para sempre.

Em quarto lugar, *a surpreendente realidade* (19.30). Jesus foi categórico: *Porém muitos primeiros serão últimos; e os últimos, primeiros* (19.30). Para o público em geral, o rico ocupa um lugar de proeminência, e os pobres discípulos, o último lugar. Mas Deus vê as coisas na perspectiva da eternidade – e o primeiro se torna o último, enquanto o último se torna o primeiro. Tasker diz que esse versículo final da seção indica que os que chegarem por último no reino de Deus serão tratados em igualdade de condições com os que chegaram primeiro, verdade que Jesus passa a ilustrar na parábola que se segue.

Capítulo 57

Os trabalhadores na vinha

(Mt 20.1-16)

Essa parábola é uma sequência lógica do ensinamento de Jesus no texto anterior. É uma ilustração do que Jesus acabara de ensinar (19.30). No reino dos céus, aqueles que deixam tudo para seguir Cristo ganham nesta vida e na vindoura. Porém, muitos primeiros serão últimos, e os últimos, primeiros.

Essa é essencialmente uma parábola acerca do reino dos céus, onde a graça de Deus é o fator predominante e onde são totalmente irrelevantes as concepções comerciais da moralidade. Jesus não está aqui lançando luz sobre a questão de como os trabalhadores devem ser pagos, ou sobre os outros problemas econômicos com os quais o homem moderno se preocupa tanto. Qualquer tentativa de interpretar a parábola segundo essas linhas está condenada ao fracasso. Spurgeon corrobora essa ideia: "O chamado para o trabalho, a capacidade e a recompensa são todos com base em um princípio de graça, e não de mérito".

Fica claro, portanto, que essa parábola não tem a ver com leis trabalhistas. Nem mesmo trata de direitos humanos. Não é uma retribuição das obras. O ensino básico é que Deus nos convoca para fazermos parte de seu reino em tempos diferentes, e a todos aqueles a quem ele chama, oferece a mesma coisa. Isso é graça. Concordo com Tasker quando ele diz que os benefícios do reino dos céus são os mesmos para todos quantos se sujeitarem ao governo do seu rei, sempre que se coloquem sob o seu domínio. Nessa questão, os judeus não têm precedência sobre os gentios; e o homem que é convertido cedo em sua vida não está por isso credenciado a obter de Deus melhor tratamento do que o homem que é muito mais velho quando passa pela experiência do novo nascimento, pois todos recebem igualmente o melhor tratamento.

O eixo central da parábola está no versículo 15: *Porventura, não me é lícito fazer o que quero do que é meu? Ou são maus os teus olhos porque eu sou bom?* Lawrence Richards diz que Deus se relaciona com os seres humanos com base na sua generosidade e não com base no que um homem ou uma mulher merece.

Destacamos a seguir algumas lições da parábola.

O chamado de Deus (20.1-7)

A praça era o lugar onde se encontravam os trabalhadores que trabalhavam por dia e era ali que os empregadores os contratavam. Todas as manhãs, antes do nascer do sol, ajuntava-se na praça um numeroso grupo de camponeses, com pás nas mãos, esperando serem contratados a fim de trabalhar durante o dia nos campos.[1] Há pessoas que são chamadas no alvorecer da vida; outras são chamadas na juventude; outras também são chamadas na fase adulta; outras, ainda, na velhice. Há até mesmo aqueles que são chamados no leito de morte. Mesmo aqueles que são chamados na última hora recebem a recompensa da graça, a vida eterna.

A bondade de Deus (20.8,9)

O mesmo paraíso está à espera tanto do homem que experimentou a graça divina na última hora da vida, como daquele que foi chamado primeiro para ser discípulo de Cristo. Dado que a salvação é inteiramente uma questão da graça de Deus, ele é livre para fazer o que quiser com o que é seu.[2] O pai de família, na parábola, cuida de tudo pessoalmente. Ele contrata e ordena o pagamento. Cada um de nós será chamado para receber a nossa recompensa quando nosso dia findar. O Senhor cuidará para que, nas operações da sua graça, tanto a sua soberania quanto a sua bondade sejam abundantes.[3]

A justiça de Deus (20.10-14)

Foi só com os que foram enviados de manhã cedo à vinha que o empregador estabeleceu acordo. Aos enviados à terceira, à sexta e à nona horas, foi dito que eles receberiam salário justo, não sendo especificada a quantia. E, aos que foram chamados à hora undécima, não se lhes disse nem mesmo que seriam pagos (20.7).[4]

A. T. Robertson diz que os que chegaram para trabalhar primeiro alimentavam falsas esperanças até que receberam o que tinham aceitado receber.[5] Se o primeiro tivesse sido pago primeiro e liberado, não teria havido murmurador, mas o murmurador foi necessário para pôr em relevo a lição. Era necessário à história que os chamados primeiro testemunhassem o pagamento feito aos chamados por último, para que se ressaltasse tanto a justiça como a bondade de Deus.

Charles Spurgeon destaca o fato de que, diante da graça, os corações invejosos aumentam em amargura. Os murmuradores não disseram que o generoso Senhor lhes tinha rebaixado, mas que ele tinha exaltado outros que trabalharam só uma hora. Sua queixa foi: [Tu] *os igualaste a nós*. Eles não estavam apenas insatisfeitos com o que haviam recebido, mas também invejosos do que os outros receberam.[6] Nisso, ele usou seu próprio dinheiro como quis, da mesma forma que Deus também dispensa a graça como ele quer. Ele nunca é injusto com ninguém; mas, quanto aos dons da graça, ele não se comprometerá com as nossas ideias de equidade.[7] John Charles Ryle diz que vemos um homem que é chamado ao arrependimento e fé ainda na infância, como Timóteo, e vemos outro homem, que é chamado na undécima hora, como o ladrão na cruz, salvo como um tição tirado do fogo – um dia, um pecador endurecido e impenitente e, no dia seguinte, no paraíso. Mesmo assim, o evangelho nos informa que esses dois homens estão perdoados diante de Deus. Ambos foram igualmente lavados no sangue de Cristo e revestidos da justiça de Cristo. Ambos estão igualmente justificados, ambos foram aceitos e ambos estarão à direita de Cristo, no último dia.[8]

A soberania de Deus (20.15,16)

O queixoso tem um olho invejoso, ao passo que o proprietário de terras tem um olho generoso. Os trabalhadores não protestaram por não receberem maior pagamento, mas simplesmente porque os contratados mais tarde receberam igual paga. Em outras palavras, ficaram enciumados com a generosidade do patrão (20.15).[9] Mas, se a misericórdia é do Senhor, ele pode concedê-la a quem quiser; e, se a recompensa do serviço é completamente graciosa, o Senhor pode recompensar como lhe apraz.[10]

Os adjetivos mudam de lugar em comparação a Mateus 19.30. O ponto principal é o mesmo, embora essa ordem se ajuste melhor à parábola. Afinal de contas, o trabalho não se acha inteiramente na quantidade de tempo gasto nesse esforço. William Hendriksen diz que a lição principal da parábola é esta: não esteja entre os primeiros que se tornarão os últimos.[11]

Warren Wiersbe faz quatro aplicações oportunas dessa parábola: 1) Não devemos superestimar nossos méritos (19.27; 20.10). Servir a Cristo apenas em função de benefícios temporais e eternos é perder as melhores bênçãos que ele tem para nós. 2) Não devemos nutrir orgulho (19.27,30; 20.16). Aqueles que a seus olhos ou aos olhos dos outros parecem estar em primeiro lugar podem ser os últimos. 3) Não devemos focar nossa atenção nos outros para compararmos resultados (20.10-15). A Palavra de Deus nos ensina a não julgar nada antes do tempo (1Co 4.5). Vemos apenas o trabalho e o trabalhador, mas Deus vê o coração e a motivação. 4) Não devemos nutrir nenhum sentimento de ressentimento ou injustiça (20.11,12). A bondade do dono não os levou ao arrependimento (Rm 2.4), mas revelou o verdadeiro caráter do coração deles: egoísmo.[12]

NOTAS

[1] ROBERTSON, A. T. *Comentário de Mateus*, p. 224.
[2] TASKER, R. V. G. *Mateus: introdução e comentário*, p. 152.
[3] SPURGEON, Charles H. *O evangelho segundo Mateus*, p. 412-413.
[4] TASKER, R. V. G. *Mateus: introdução e comentário*, p. 152.
[5] ROBERTSON, A. T. *Comentário de Mateus*, p. 224.
[6] SPURGEON, Charles H. *Mateus.* Vol. 2, p. 288.
[7] SPURGEON, Charles H. *O evangelho segundo Mateus*, p. 414.
[8] RYLE, John Charles. *Meditações no evangelho de Mateus*, p. 164.
[9] TASKER, R. V. G. *Mateus: introdução e comentário*, p. 152.
[10] SPURGEON, Charles H. *O evangelho segundo Mateus*, p. 415.
[11] HENDRIKSEN, William. *Mateus.* Vol. 2, p. 289.
[12] WIERSBE, Warren W. *Comentário bíblico expositivo*, p. 97.

Capítulo 58

A marcha rumo a Jerusalém

(Mt 20.17-28)

Jesus começa sua marcha rumo a Jerusalém. Houve muitas marchas importantes na história: de exércitos, de estudantes e de trabalhadores. Essa, porém, ocorrida no caminho para Jerusalém, via Jericó, foi a maior e mais importante marcha da história. Foi uma marcha de consequências eternas.

Essa é a marcha dos contrastes. Jesus sobe a Jerusalém corajosamente, enquanto seus discípulos estão cheios de temor (Mc 10.32). Ele sobe para dar sua vida; eles sobem com intenções egoístas. Jesus sobe para servir; eles, para aspirar à grandeza. Jesus se humilha; os discípulos se exaltam.

Quanto mais perto da cruz Jesus chega, mais o coração dos discípulos está endurecido e mais seus olhos estão turvos. Quanto mais Jesus se esvazia, mais eles se enchem de si mesmos; quanto mais baixo ele desce, mais eles querem subir.

Essa é a terceira vez que Jesus fala sobre sua morte (16.21-23; 17.22,23; 20.17-19) e, à medida que torna o assunto mais claro, vê os discípulos mais confusos. Quando Jesus pela primeira vez falou sobre sua morte, Pedro o reprovou (16.22). Quando Jesus pela segunda vez falou sobre seu sofrimento e morte, os discípulos ficaram tristes (17.23). Marcos, entretanto, acrescenta que eles discutiam entre si sobre quem era o maior entre eles (Mc 10.33,34). Agora, quando Jesus fala pela terceira vez e com mais detalhes, Tiago e João buscam glórias pessoais e os outros dez se irritam com eles, porque se sentem traídos (20.21,24). Nas duas primeiras predições, Jesus havia falado sobre o que haveria de lhe acontecer; agora, ele fala onde as coisas vão acontecer, na santa cidade de Jerusalém, e também fala explicitamente a respeito da cruz (20.19).[1] Esses homens, porém, pareciam cegos para o significado da cruz. Mateus é o único autor sinótico que indica a natureza da morte de Jesus. Ele emprega o termo *stauroo* (crucificar), enquanto os demais falam em *apokteino* (matar). A crucificação não era o método judaico de punição. Sua origem remonta aos fenícios, passando depois para outras nações. Era empregada comumente contra escravos, estrangeiros e criminosos da pior espécie.[2]

Esse incidente lança luz sobre a pessoa de Cristo e a identidade dos discípulos. Jesus é amoroso, paciente e perseverante em seu amor (Jo 13.1), enquanto os discípulos demonstram ser lerdos para compreender as coisas de Deus.

Olhemos a seguir para esse texto sob três perspectivas.

A marcha da salvação (20.17-19,28)

Destacamos a seguir cinco verdades sobre a marcha da salvação.

Em primeiro lugar, *a determinação de Jesus* (20.17). A cruz não foi um acidente na vida de Jesus, mas uma agenda. Ele veio ao mundo para morrer. Não há nada de involuntário e desconhecido na morte de Cristo. Ele jamais foi demovido desse plano nem pela tentação de Satanás, nem pelo apelo das multidões, nem pela agrura desse caminho. Resolutamente, ele marchou para Jerusalém e para a cruz como um rei caminha para a sua coroação. A cruz foi o trono de onde ele despojou os principados e potestades e glorificou o Pai, dando sua vida em resgate de muitos.

O sofrimento de Cristo foi amplamente preanunciado pelos profetas (Lc 18.31). Jesus, por três vezes, alertou seus discípulos acerca dessa hora, mas os discípulos nada compreendiam acerca dessas coisas (Lc 18.34). Para eles, a ideia de um Messias morto não fazia sentido, mesmo com a predição adicional: *Mas, ao terceiro dia, ressurgirá* (20.19).

Em segundo lugar, *a liderança de Jesus* (Mc 10.32). Jesus ia adiante dos seus discípulos nessa marcha para Jerusalém. Não havia nele nenhum sinal de dúvida ou temor. Quando subimos a estrada da perseguição, do sofrimento e da morte, temos a convicção de que Jesus vai à nossa frente. Ele nos lidera nessa jornada. Não precisamos temer os perigos, nem mesmo o pavor da morte, pois Jesus foi e vai à nossa frente, abrindo o caminho e tirando o aguilhão da morte.

Em terceiro lugar, *o sofrimento de Jesus* (20.18,19). Mateus enumera vários degraus do sofrimento de Jesus nessa marcha para Jerusalém.

Primeiro, Jesus foi entregue aos líderes religiosos. Jesus foi entregue aos principais sacerdotes e aos escribas. Eles tramaram contra Jesus ao longo do seu ministério. Subornaram testemunhas e insuflaram o povo contra ele. Mancomunaram-se com os romanos para prendê-lo. Compraram Judas para entregá-lo em suas mãos.

Segundo, Jesus foi condenado à morte pelo Sinédrio. O Sinédrio era o supremo tribunal dos judeus. Ele tinha autoridade para condenar uma pessoa à morte, mas não o poder de executar o sentenciado.

Terceiro, Jesus foi entregue aos gentios. O Sinédrio entregou Jesus a Pilatos, o governador romano. Este, depois de tentar esquivar-se da decisão, pressionado pela multidão, acovardou-se e, mesmo agindo contra sua consciência, condenou Jesus à morte de cruz.

Quarto, Jesus foi escarnecido. Tiraram sua túnica e despojaram-no de suas roupas. Zombaram dele, colocando uma coroa de espinhos em sua cabeça. Blasfemavam contra ele, pedindo que profetizasse enquanto cobriam seu corpo de bofetadas.

Quinto, Jesus foi cuspido (Mc 10.34). Essa era a forma mais humilhante de desprezar uma pessoa. Jesus, o eterno filho de Deus, o criador do universo, sendo servido e adorado pelos anjos, esvaziou-se de sua glória e humilhou-se a ponto de ser cuspido pelos homens.

Sexto, Jesus foi açoitado. Ele foi surrado, espancado, ferido e traspassado. Esbordoaram sua cabeça. Arrancaram sua carne e esborrifaram seu sangue com açoites crudelíssimos. Ele foi ferido e moído.

Sétimo, Jesus foi crucificado. Judeus e romanos se uniram para matar Jesus, condenando-o à morte de cruz. Suas mãos foram rasgadas, seus pés foram feridos, e seu lado foi traspassado com uma lança.

Em quarto lugar, *a morte expiatória de Jesus* (20.28). Jesus deixa claro não apenas o fato da sua morte, mas também o seu propósito. Jesus não morreu como um mártir, mas como um redentor. Sua vida não lhe foi tirada; ele voluntariamente a deu.

Jesus deu a sua vida em resgate de muitos. A palavra grega para "resgatar" traz a ideia de libertar um escravo ou um cativo mediante o pagamento de um resgate. Com sua morte, Jesus nos comprou para Deus; pela sua morte, fomos libertos do cativeiro do pecado e recebemos vida. Ele morreu não apenas para possibilitar a nossa redenção, mas para nos salvar. Sua morte é expiatória. Ele levou sobre si o castigo que nos traz a paz. Ele levou sobre o seu corpo, no madeiro, os nossos pecados. Ele foi ferido pelas nossas transgressões e moído pelas nossas iniquidades.

Jesus deu a sua vida não para resgatar todos, mas muitos. Ele deu sua vida por suas ovelhas, por sua igreja. Passagens como Isaías 53.8, Mateus 1.21, João 10.11,15 e 17.9, Efésios 5.25, Atos 20.28 e Romanos 8.32-35 claramente mostram quem são esses "muitos". Sua morte não apenas possibilitou a nossa salvação, mas a efetivou.

O preço do resgate foi pago não a Satanás (como Orígenes sustentava), mas ao Pai (Rm 3.23-25), que, junto com o filho e o Espírito Santo, tomou as providências para a salvação do seu povo (Jo 3.16; 2Co 5.20,21).

Em quinto lugar, *a vitória de Jesus sobre a morte* (20.19). Jesus preanunciou não apenas sua morte, mas também sua ressurreição. Seu plano eterno passava pelo vale da morte, mas a morte não o poderia reter. Ele quebrou o poder da morte. Abriu o sepulcro de dentro para fora. Matou a morte e conquistou para nós imortalidade. Agora, a morte não tem mais a última palavra. A morte foi vencida.

A marcha da ambição (20.20-25)

Esse episódio nos alerta sobre alguns perigos, que comentamos a seguir.

Em primeiro lugar, *um pedido egoísta* (20.20,21). Jesus enfatizou que em seu reino o maior é medido pela fita métrica da humildade (18.1-4); que a salvação pertence aos pequeninos e aos que se tornam semelhantes a eles (19.14); e que confiar plenamente no Senhor, negar a si mesmo e dar, em vez de receber, é a marca registrada de seus verdadeiros seguidores (19.21).[3]

É nesse contexto que surge o pedido da ambição. Thiago e João tinham ouvido tudo isso, mas não haviam levado o ensino a sério. O evangelista Marcos coloca esse pedido egoísta nos lábios de Tiago e João. Mateus, por sua vez, afirma que a portadora do pedido foi Salomé, a mãe deles, a mulher de Zebedeu. Não obstante a aproximação dessa mulher a Jesus tenha sido de adoração e súplica de um favor, o que está evidente é que o pedido demonstra um desejo de proeminência na glória. Ela busca tronos e holofotes para os filhos. Enquanto Jesus percorre o caminho da renúncia e da cruz, Salomé e seus filhos seguem pela estrada da ambição. Jesus falou sobre uma cruz, porém eles estavam mais interessados numa coroa.[4]

O pedido de proeminência é feito sem discernimento e pelo motivo errado. A oração não é um cheque em branco para pedirmos o que queremos. A Palavra de Deus diz que muitos pedem e não recebem, porque pedem mal (Tg 4.3).

Vários são os motivos que devem ter estimulado a mulher de Zebedeu e seus filhos Tiago e João a buscarem a glória pessoal, como vemos a seguir.

Primeiro, a mãe deles tinha esse desejo. Ela estava por trás de tudo, como Mateus 20.20,21 mostra claramente.

Segundo, um entendimento errado acerca do reino de Deus. Eles nutriam pensamentos triunfalistas acerca do reino. Pensavam em Cristo como um rei terreno e neles como seus ministros de Estado. Esse pensamento perdurou até depois da ressurreição de Jesus (At 1.6). Warren Wiersbe escreve: "É triste ver na igreja hoje muitas celebridades, mas poucos servos. Há muitos querendo 'exercer autoridade' (20.25), mas poucos dispostos a pegar a bacia e a toalha para lavar os pés dos outros".[5] Tiago e João não queriam apenas tronos, mas os lugares de primazia no trono. Jesus corrige a noção errada deles, ensinando que o reino de Deus não era de caráter político, mas espiritual. Eles nem imaginavam que, dentro em breve, dois bandidos iriam ocupar uma cruz à direita e outra à esquerda do Messias (27.38).

Terceiro, um uso errado da intimidade com Cristo. Eles faziam parte daquele grupo mais íntimo de Jesus, que fora com ele à casa de Jairo, subira com ele ao monte da Transfiguração e estariam com ele mais de perto no jardim de Getsêmani. Eles queriam privilégios especiais. Numa linguagem contemporânea, seria uma espécie de carteirada.

Quarto, um nepotismo acentuado. A mãe de Tiago e João, Salomé, era irmã de Maria (27.56; Mc 15.40; Jo 19.25). Assim, esses dois discípulos eram primos de Jesus. Eles aproveitaram desse estreito laço familiar para buscarem vantagens pessoais.[6]

Warren Wiersbe acrescenta que esse pedido era fruto de: 1) ignorância (20.22); 2) visão mundana (20.21); 3) orgulho (20.21). O resultado foi a "indignação" dos outros discípulos (20.24). O egoísmo sempre promove dissenção e divisão.[7] John Charles Ryle diz que o orgulho é o causador dos maiores danos sofridos pelos santos de Deus depois da conversão. É um vício que se apega tão teimosamente ao coração humano que, se tivéssemos de nos desfazer de todas as nossas falhas, uma a uma, sem dúvida descobriríamos que essa seria a última e mais difícil de todas as faltas a eliminar. O orgulho é a vestimenta mais íntima, a qual vestimos primeiro e da qual nos despimos por último.[8]

Em segundo lugar, *uma resposta sem entendimento* (20.22,23). Tanto o pedido quanto a justificativa dos discípulos foram desprovidos de discernimento espiritual. Jesus lhes perguntou: *Podeis vós beber o cálice que eu estou para beber? Responderam-lhe: Podemos* (20.22). Jesus estava indo para a cruz, e não para um trono. Jesus cruzaria o caminho do sofrimento, e não o dos aplausos humanos. A cruz precede a coroa como a morte precede a ressurreição. O caminho da glória não é revestido de tapetes vermelhos, mas tingido do sangue dos mártires. Spurgeon diz que a nossa tarefa não é anelar por superioridade no reino, mas submissamente beber o cálice do sofrimento e mergulhar nas profundezas da humilhação que nosso Deus nos designa. Se o nosso cálice for amargo, esse é o cálice de Cristo; se o nosso batismo for esmagador, esse é o batismo com o qual ele foi batizado; e isso adoça o primeiro e impede que o outro seja um mergulho mortal.[9]

Beber o cálice significa experimentar, em profundidade, o sofrimento (26.39; Mc 14.36; Lc 22.42). Eles estão pedindo uma coisa e pensando receber outra. Eles querem glória enquanto pedem sofrimento. Jesus foi esmagado pela agonia e mergulhado num fluxo de tremendo sofrimento.

Pelo emprego dessa figura (cálice), Jesus esclarece que ele vai receber sobre si, voluntariamente, o juízo de Deus em lugar dos culpados (Is 53.5). A glória não é, ainda, o próximo passo no plano de Deus, como Tiago e João sugerem em seu pedido. Ao contrário, Jesus morrerá uma morte humilhante como o substituto dos pecadores. Essa é a sua vocação messiânica; esse será o seu cálice, do qual ninguém mais pode compartilhar.

Quando Tiago e João disseram que podiam beber o cálice de Cristo, eles não discerniram o que falavam, pois o sofrimento de Cristo é único e exclusivo. O sofrimento de Cristo é vicário (20.28); o de seus seguidores nunca poderá sê-lo (Sl 49.7). Em certa medida, eles beberam do seu cálice, pois Tiago foi o primeiro apóstolo a ser martirizado (At 12.2), e João foi o último a morrer, depois de ser deportado para a ilha de Patmos pelo imperador Domiciano (Ap 1.9).

Em terceiro lugar, *uma consequência inevitável* (20.24). O egoísmo de Tiago e João gera indignação nos outros dez discípulos. Eles se indignaram não pelo pecado dos dois, mas por acharem que haviam tramado contra eles, uma vez que aspiravam às mesmas coisas que os dois buscavam. Eles eram do mesmo estofo e tinham os mesmos desejos de ambição. A atitude espiritual dos dez não era melhor do que a dos outros dois. Como é fácil condenar nos outros o que justificamos em nós mesmos.[10]

A marcha da grandeza (20.25-28)

A grandeza pode ser avaliada de diferentes modos, como vemos a seguir.

Em primeiro lugar, *a grandeza segundo o mundo* (20.25). Semelhantemente a muitas pessoas hoje, os discípulos estavam cometendo o equívoco de seguir exemplos errados. Em vez de imitarem a Jesus, eles estavam admirando a glória e a autoridade dos governadores romanos, homens que amavam as posições e a autoridade.

Jesus, percebendo a ambição no coração dos seus discípulos, chama-os à parte e ministra-lhes mais uma lição sobre o espírito de grandeza que predomina no mundo. Ser grande no conceito do mundo é ser servido e ter poder sobre os outros. Ser grande no conceito do mundo é usar o domínio sobre as pessoas para desvantagem destas e para a vantagem de quem assim domina. Dominar sobre as pessoas é o fundamento sobre o qual a estrutura de dominação está alicerçada. Comumente o domínio é exercido no interesse daqueles que dominam.

Em segundo lugar, *a grandeza segundo Jesus* (20.26,27). No reino de Deus, a pirâmide está invertida. A grandeza é medida pelo serviço, e não pela dominação. Ser grande é ser servo. Ser grande é estar a serviço dos outros, em vez de ser servido pelos outros. De acordo com William Hendriksen, o que Jesus está dizendo é que, no reino sobre o qual ele governa, a grandeza é obtida seguindo o curso de ação que é exatamente o oposto ao que segue o mundo incrédulo. A grandeza consiste em doar-se, em entregar-se em serviço a favor de outros, para a glória de Deus. Ser grande significa amar.[11] Entre os discípulos, um novo tipo de relacionamento deve prevalecer, ou seja, os discípulos devem ser servos (*diakonos)* uns dos outros e escravos (*doulos*) de todos.

O padrão de Deus é que uma pessoa deve ser um servo antes de Deus promovê-la a uma posição de liderança. Foi dessa maneira que Deus trabalhou com José, Moisés, Josué, Davi e mesmo com Jesus (Fp 2.5-11). A não ser que saibamos o que seja obedecer a ordens, não saberemos dar ordens. Antes de uma pessoa exercer autoridade, deve saber o que é estar debaixo de autoridade.

Em terceiro lugar, *a grandeza exemplificada por Jesus* (20.28). Jesus é o criador, o dono e o Senhor do universo. Mas, sendo Senhor, cingiu-se com a toalha e lavou os pés dos discípulos. Sendo Senhor, andou por toda parte fazendo o bem e libertando os oprimidos do diabo. Sendo Senhor, usou seu poder não em benefício próprio, mas para socorrer os aflitos. Ele veio para servir, e não para ser servido.

O apóstolo Paulo fala sobre a necessidade de buscarmos o interesse uns dos outros e de servimos uns aos outros; e, para sustentar seu argumento, ele ordena: *Tende em vós o mesmo sentimento que houve também em Cristo Jesus* (Fp 2.5). Em seguida, relata o exemplo de Jesus, que, sendo Deus, esvaziou-se e tornou-se servo, humilhando-se até a morte e morte de cruz (Fp 2.6-8). A exaltação daquele que se humilha é uma coroação feita pelo próprio Pai (Fp 2.9-11).

No reino de Deus, ser grande é ser servo e ser poderoso não é ter autoridade sobre muitos, mas servir a muitos. Tasker diz que, no reino de Deus, dado que o próprio Rei é servo, o título "grande" se reserva para os que, inspirados por seu exemplo, gastam-se livre e alegremente a serviço de outros.[12]

NOTAS

[1] WIERSBE, Warren W. *Comentário bíblico expositivo*, p. 97.
[2] MOUNCE, Robert H. *Mateus*, p. 199.
[3] HENDRIKSEN, William. *Mateus*. Vol. 2, p. 293.
[4] WIERSBE, Warren W. *Comentário bíblico expositivo*, p. 97.
[5] IBIDEM, p. 98.
[6] MOUNCE, Robert H. *Mateus*, p. 199.
[7] WIERSBE, Warren W. *Comentário bíblico expositivo*, p. 97.
[8] RYLE, John Charles. *Meditações no evangelho de Mateus*, p. 169.
[9] SPURGEON, Charles H. *O evangelho segundo Mateus*, p. 421.
[10] HENDRIKSEN, William. *Mateus*. Vol. 2, p. 298.
[11] IBIDEM.
[12] TASKER, R. V. G. *Mateus: introdução e comentário*, p. 154.

Capítulo 59

Das trevas irrompe a luz

(Mt 20.29-34)

Antes de entrarmos na exposição dessa passagem, é necessário esclarecer dois pontos de aparente contradição no registro dos evangelistas. A cura do cego Bartimeu está registrada nos três evangelhos sinóticos. Porém, existem nuances diferentes nos registros. Mateus cita dois cegos, e não apenas um (20.30), e Lucas registra que Jesus estava entrando em Jericó (Lc 18.35-43), e não saindo de Jericó, como nos informa Mateus e Marcos (20.29; Mc 10.46). Como entender essas aparentes contradições? É óbvio que nem Marcos nem Lucas afirmam que havia apenas um cego. Eles destacam Bartimeu, talvez por ser o cego mais conhecido e aquele que chamava a atenção com seu clamor. Portanto, não há nenhuma contradição nos relatos. Não sabemos, contudo, por que Marcos escreveu a respeito de Bartimeu e não disse nada em relação ao outro cego.

O segundo ponto de aparente contradição é o fato de Lucas dizer que Jesus se aproximava de Jericó (Lc 18.35), enquanto Mateus e Marcos afirmam que Jesus saía de Jericó (20.29; Mc 10.46). A questão é que no século 1 havia duas Jericós: a velha Jericó, quase toda em ruínas, e a nova Jericó, cidade bonita, construída por Herodes, o Grande, logo ao sul da cidade velha. A cidade antiga estava em ruínas, mas Herodes, o Grande, havia edificado essa nova Jericó, onde ficava seu palácio de inverno, uma bela cidade ornada de palmeiras, jardins floridos, anfiteatro, residências e piscinas para banhos. Aparentemente, o milagre aconteceu na divisa entre a cidade nova e a velha, enquanto Jesus saía de uma e entrava na outra.[1]

Essa passagem de Jesus por Jericó assinalava sua última oportunidade. A cidade de Jericó, além de ser um posto de fronteira e alfândega (Lc 19.2), também era a última oportunidade de abastecimento de provisões e local de reuniões, em que grupos pequenos se organizavam para a viagem em conjunto à cidade de Jerusalém. Dessa forma, protegidos contra os salteadores de estrada (Lc 10.30), os peregrinos partiam desse último oásis no vale do Jordão para o último trecho de uns 25 quilômetros, uma subida íngreme de mais de mil metros através do deserto acidentado da Judeia até a cidade do templo.

Jesus estava indo para Jerusalém. Ele marchava resolutamente para o Calvário. Era a festa da Páscoa. Naquela mesma semana, Jesus seria preso, julgado, condenado e pregado na cruz. Era a última vez que Jesus passaria por

Jericó. Aquela era a última oportunidade para esses dois cegos. Se eles não buscassem Jesus, ficariam para sempre cativos de sua cegueira. A oportunidade tem asas; se não a agarrarmos quando ela passa por nós, poderemos perdê-la para sempre. Nunca saberemos se a oportunidade que estamos tendo agora será a última da nossa vida.

Outra questão intrigante que deve ser levantada na introdução do texto em apreço é por que uma grande multidão estava acompanhando Jesus em sua subida para Jerusalém (20.29)? Aquele era o tempo da Páscoa, a mais importante festa judaica. A lei estabelecia que todo varão maior de 12 anos, que vivesse dentro de um raio de 25 quilômetros, era obrigado a comparecer à festa da Páscoa. Obviamente, nem todos podiam fazer essa viagem. Esses, então, ficavam à beira do caminho desejando boa viagem aos peregrinos. Por essa razão, Jericó que, ficava a 25 quilômetros de Jerusalém, tinha as ruas apinhadas de gente. Além do mais, o templo tinha cerca de vinte mil sacerdotes e levitas, distribuídos em 26 turnos. Muitos deles moravam em Jericó, mas na festa da Páscoa todos deviam ir a Jerusalém. Certamente, muitas pessoas deviam estar acompanhando atentamente Jesus, impressionadas por seus ensinos; outras estavam curiosas acerca desse rabino que desafiava os grandes líderes religiosos da nação. Era no meio dessa multidão mista que os dois cegos se encontravam.

A condição dos dois cegos antes do encontro com Jesus

Há vários aspectos dramáticos na vida desses dois cegos antes do encontro deles com Cristo, como vemos a seguir.

Em primeiro lugar, *eles viviam numa cidade condenada* (20.29,30). Jericó foi a maior fortaleza derrubada por Josué e seu exército na conquista da Terra Prometida (Js 6.20,21). Josué fez o povo jurar e dizer: *Maldito diante do SENHOR seja o homem que se levantar e reedificar esta cidade de Jericó; com a perda do seu primogênito lhe porá os fundamentos e, à custa do mais novo, as portas* (Js 6.26). Jericó tinha seis características que faziam dela uma cidade peculiar, como vemos a seguir.

Primeiro, Jericó era uma cidade sob maldição. Herodes, o Grande, reconstruiu e adornou a cidade, mas isso não fez dela uma cidade bem-aventurada. Concordo com as palavras de Spurgeon: "Havia uma maldição sobre Jericó, mas a presença de Jesus trouxe uma bênção".[2] Ali um homem rico e dois cegos pobres foram salvos.

Segundo, Jericó era uma cidade encantadora. Era chamada a cidade das palmeiras e dos sicômoros. Quando o vento batia na copa das árvores, as palmeiras esvoaçavam suas cabeleiras, espalhando sua fragrância e encanto.

Terceiro, Jericó era uma cidade dos prazeres. Ali estava o palácio de inverno do rei Herodes. Ali ficavam as fontes termais. Ali moravam milhares de sacerdotes que trabalhavam no templo de Jerusalém. Jericó era a cidade da diversão e do lazer.

Quarto, Jericó era uma cidade que ficava no lugar mais baixo do planeta. A região onde está situada a cidade de Jericó fica a quatrocentos metros abaixo do nível do mar Mediterrâneo. É a maior depressão da terra.

Quinto, Jericó era uma cidade próxima ao mar Morto. O mar Morto é um lago de sal. Nele não existe vida. Trinta e três por cento da água desse mar é sal.

Sexto, Jericó era a cidade mais antiga do mundo. A cidade de Jericó foi palco de muitas histórias e por ali passaram muitas gerações.

Em segundo lugar, *eles eram cegos* (20.30). Faltava-lhes luz nos olhos. Um deles, Bartimeu, era também mendigo (Mc 10.46). Esses cegos estavam entregues às trevas e à miséria. Viviam a esmolar à beira da estrada, dependendo totalmente da benevolência dos outros. Um cego não sabe para onde vai; um mendigo não tem para onde ir.

Não há nenhuma cura de cego no Antigo Testamento; os judeus acreditavam que tal milagre era um sinal de que a era messiânica havia chegado (Is 29.18; 35.5).

Em terceiro lugar, *eles estavam à beira do caminho* (20.30). A multidão ia para a festa da Páscoa, mas eles não podiam ir. A multidão celebrava e cantava; eles só podiam clamar por misericórdia. Eles viviam à margem da vida, da paz, da felicidade.

O encontro dos dois cegos com Jesus (20.30-33)

Consideremos a seguir alguns aspectos desse encontro.

Em primeiro lugar, *eles buscaram Jesus na hora certa* (20.29,30). Aquela seria a última vez que Jesus passaria por Jericó. Seria a última vez que Jesus subiria a Jerusalém. Seria a última oportunidade daqueles homens. Não há nada mais perigoso do que desperdiçar uma oportunidade. As oportunidades vêm e vão. Se não as agarrarmos, elas se perderão para sempre.

Em segundo lugar, *eles buscaram a pessoa certa* (20.30). Apesar de sua cegueira, esses dois cegos enxergaram mais do que os sacerdotes, escribas e fariseus. Estes tinham olhos, mas não discernimento. Aqueles dois homens eram cegos, mas enxergavam com os olhos da alma.

Eles chamaram Jesus de *Senhor, filho de Davi*, seu título messiânico. O fato de esses cegos chamarem Jesus de *filho de Davi* revela que eles reconheciam Jesus como o Messias, enquanto muitos que haviam testemunhado os milagres de Jesus estavam cegos a respeito da sua identidade, recusando-se a abrir os olhos para a verdade. Esses dois cegos chamaram Jesus também de Senhor (20.30). Eles compreendiam que Jesus tinha poder e autoridade para dar-lhes visão.

Em terceiro lugar, *eles buscaram a Jesus com perseverança* (20.31). Esses dois cegos revelaram uma insubornável persistência. Ninguém pôde deter o seu clamor. Eles estavam determinados a dialogar com a única pessoa que podia ajudá-los. Seu desejo de estar com Cristo não era vago, geral ou nebuloso. Era uma vontade determinada e desesperada. A multidão tentou abafar a voz dos cegos, mas eles clamavam ainda mais alto: *Senhor, filho de Davi, tem misericórdia de nós!* (20.31). A multidão foi obstáculo para Zaqueu ver a Jesus e estava sendo obstáculo para esses dois cegos falarem com Jesus. Nem sempre a voz do povo é a voz de Deus e, geralmente, não é. Aqueles que tentam silenciar a voz dos cegos faziam isso pensando que Jesus estava ocupado demais para dar atenção a um indigente.

Os cegos não se intimidaram nem desistiram de clamar pelo nome de Jesus diante da repreensão da multidão. Eles tinham pressa e determinação. Estavam cientes da sua necessidade e sabiam que Jesus era o único que poderia libertá-los de sua cegueira e dos seus pecados.

Em quarto lugar, *eles buscaram Jesus com humildade* (20.30,31). Aqueles dois cegos sabiam que não mereciam favor algum e apelaram apenas para a compaixão e a misericórdia de Jesus. Eles não pediram justiça, mas misericórdia. Eles não reivindicaram direitos, mas pediram socorro.

Em quinto lugar, *eles buscaram Jesus com objetividade* (20.32,33). Spurgeon escreve: "Ao som da oração, o sol da Justiça fez uma pausa em seu percurso. O clamor dos crentes pode segurar o filho de Deus pelos pés".[3] Eles sabiam exatamente do que necessitavam. Jesus perguntou à mãe de Tiago e João: *Que queres?* (20.21). Perguntou ao paralítico no tanque de Betesda: *Queres ser curado?* (Jo 5.6). Quando esses dois cegos chegaram à presença de Jesus, ele lhes fez uma pergunta pessoal: *Que quereis que eu vos faça?* (20.32). Eles podiam pedir uma esmola, uma ajuda, mas foram direto ao ponto: *Senhor, que se nos abram os olhos* (20.33).

Antonio Vieira diz que há cegos piores do que esses cegos de Jericó. São aqueles que não querem ver. Aos cegos de Jericó que não tinham olhos, Cristo fez que eles vissem. Mas, aos cegos que tem olhos e não querem ver, estes permanecerão em sua cegueira espiritual.[4] Uma coisa é ver com os olhos, e outra muito diferente é ver com o coração. Ludwig Beethoven, depois de cego, escreveu várias sinfonias. Fanny Crosby, completamente cega desde os 40 dias de vida, escreveu mais de quatro mil hinos que trazem consolo ainda hoje para milhões de pessoas ao redor do mundo.

A segunda cegueira, pior do que a desses dois cegos de Jericó, é ver uma coisa e enxergar outra bem diferente. Eva viu exatamente o que não devia ver e como devia ver. Viu o que não devia ver, porque o fruto era venenoso. Viu como não devia ver, porque viu apenas aquilo que lhe agradava à vista e ao paladar.

O terceiro tipo de cegueira pior do que a cegueira desses dois cegos de Jericó é a daqueles que enxergam a cegueira dos outros, e não a própria. Os cegos desse tipo são capazes de descobrir um pequeno cisco no olho do vizinho e não se aperceberem de uma trave atravessada nos próprios olhos. São aqueles que investigam pequeninas falhas nos outros para alardeá-las como grandes crimes e pecados, esquecidos dos seus grandes e perniciosos defeitos.

Finalmente, existe ainda outro tipo de cegueira pior que a desses pobres mendigos de Jericó. É a daqueles que não permitem que os outros vejam. Os acompanhantes de Cristo naquela caminhada eram mais cegos do que aqueles cegos porque impediam que chegassem até Jesus o clamor e os gritos de angústia daqueles infelizes, burocratizando a misericórdia divina. É a cegueira daqueles que, por serem felizes, não permitem a felicidade dos outros.[5]

O resultado do encontro dos dois cegos com Jesus (20.34)

Quatro fatos merecem destaque aqui, como vemos a seguir.

Em primeiro lugar, *Jesus sentiu compaixão por eles* (20.34). Jesus ficou condoído ao ver as trevas em que esses homens estavam mergulhados e, em reposta ao clamor deles rogando compaixão e misericórdia, Jesus sente nas entranhas o drama desses homens.

Em segundo lugar, *Jesus tocou em seus olhos* (20.34). Esses homens que viviam à beira da estrada, mendigando, certamente não sabiam o que era um toque, um abraço, uma aproximação. Jesus tocou nos olhos deles, para demonstrar que eles não eram um objeto descartável. Jesus toca não apenas nos olhos deles, mas também nas profundezas de seus sentimentos, trazendo cura para suas emoções amarrotadas pelos dramas da vida. Somente Mateus registra que Jesus fez um gesto de compaixão, tocando nos olhos dos cegos.

Em terceiro lugar, *Jesus curou-os da cegueira* (20.34). Os dois cegos tiveram os olhos abertos. Eles saíram de uma cegueira completa para uma visão completa. Num momento, cegueira total; no seguinte, visão intacta. A cura foi total, imediata e definitiva.

Em quarto lugar, *Jesus liderou-os rumo a Jerusalém* (20.34). Mateus encerra seu relato dizendo que *o foram seguindo*, e Marcos diz que Bartimeu *seguia a Jesus estrada a fora* (Mc 10.52). Esses dois homens curados demonstram gratidão e provas de conversão. Eles não queriam apenas a bênção, mas, sobretudo, o abençoador. Eles seguiram Jesus para onde? Para Atenas, a capital da filosofia? Para Roma, a capital do poder político? Não, eles seguiram Jesus para Jerusalém, a cidade onde o filho de Davi chorou, suou gotas como de sangue, foi preso, sentenciado, condenado e pregado na cruz. Eles seguiram não uma estrada atapetada, mas um caminho juncado de espinhos. Não o caminho da glória, mas o caminho da cruz. Eles trilharam o caminho do discipulado.

Jesus passou por Jericó. Ele está passando hoje também pela nossa vida, cruzando as avenidas da nossa existência. Temos duas opções: clamar pelo seu nome ou perder a oportunidade.

Notas

[1] Robertson, A. T. *Comentário de Mateus*, p. 227-228.

[2] Spurgeon, Charles H. *O evangelho segundo Mateus*, p. 426.

[3] Ibidem, p. 427.

[4] Vieira, Antonio. *Mensagem de fé para quem não tem fé*. São Paulo, SP: Edições Loyola, 1981, p. 74-77.

[5] Ibidem, p. 74-77.

Capítulo 60

A aclamação do Rei

(Mt 21.1-27)

A semana da Paixão, que foi seguida pela ressurreição, começa aqui. Jesus entrará em Jerusalém para ser aclamado publicamente. Essa era a hora mais esperada do seu ministério. Estava se cumprindo o seu desejo e propósito eterno. Sua hora havia chegado. Ele veio para dar sua vida e, agora, estava entrando triunfalmente em Jerusalém para cumprir esse plano eterno do Pai.

A festa da Páscoa era o prazer dos judeus e o desespero dos romanos. Era festa para aqueles e o medo de uma insurreição para estes. Foi nessa maior festa pública dos judeus que Jesus se dirigiu a Jerusalém para morrer, e ele desejou que toda a cidade soubesse disso. Algumas coisas Jesus fez e falou fora dos olhares expectantes da multidão, mas, quando chegou o tempo de sua morte, ele fez sua entrada pública em Jerusalém. Ele chamou a atenção das autoridades, dos sacerdotes, dos anciãos, dos mestres da lei, dos gregos e dos romanos para si. Na festa da Páscoa, o grande cordeiro da Páscoa estava para ser sacrificado.

O texto em tela tem várias lições importantes, que comentamos a seguir.

A entrada triunfal do Rei em Jerusalém (21.1-11)

A entrada de Jesus em Jerusalém nos enseja três verdades importantes, como vemos a seguir.

Em primeiro lugar, *a consumação de um plano eterno.* A vinda de Jesus ao mundo foi um plano traçado na eternidade. Ele preanunciou sua entrada em Jerusalém três vezes. Agora havia chegado o grande momento. Não há nada de improvisação. Nada de surpresa. Ele veio para essa hora.

Em segundo lugar, *a demonstração de uma humildade constrangedora* (21.1-7). A entrada de Jesus em Jerusalém foi externamente despretensiosa. Ele não entrou montado num cavalo fogoso, acompanhado de carruagens reais. Não entrou brandindo uma espada nem acompanhado de um exército. Não veio como um conquistador político, mas como o redentor da humanidade.

A entrada triunfal de Jesus em Jerusalém foi totalmente diferente daquelas celebradas pelos conquistadores romanos. Quando um general romano retornava a Roma depois de sua vitória sobre os inimigos, era recebido por grande multidão. O general vitorioso desfilava em carruagem de ouro. Os sacerdotes queimavam incenso em sua honra, e o povo gritava seu nome, enquanto seus cativos eram levados às arenas para lutarem com animais selvagens. Essa era a entrada triunfal de um romano.

Ao montar um jumentinho, porém, Jesus estava dizendo que sua missão era de paz e que seu reino era espiritual. Ele estava cumprindo a profecia de Zacarias: *Alegra-te muito, ó filha de Sião; exulta, ó filha de Jerusalém: eis aí te vem o teu Rei, justo e salvador, humilde, montado em jumento, num jumentinho, cria de jumenta* (Zc 9.9). O fato de Jesus montar um jumentinho definia a natureza do seu reino, que não viria com força militar nem com ostentação carnal, mas por meios espirituais que o homem era incapaz de compreender à parte da iluminação do Espírito Santo.

Jesus demonstrou onisciência, sabendo onde estava o jumentinho. Demonstrou autoridade, dando ordens para trazer o jumentinho. Demonstrou domínio sobre o reino animal, pois montou um jumentinho que ainda não havia sido amansado.

Em terceiro lugar, *a proclamação pública do Messias* (21.8-11). Tanto a multidão que estava em Jerusalém como aquela que o acompanhava à cidade santa proclamavam o Messias com vozes de júbilo. Essa proclamação focou três verdades importantes, como vemos a seguir.

Apontou Jesus como o salvador. A multidão gritou: *Hosana ao filho de Davi! Bendito o que vem em nome do Senhor! Hosana nas maiores alturas!* (21.9). A palavra *Hosana* é um clamor pelo salvador. Significa "salvar agora", ou "salve, nós suplicamos". Mounce diz que *Hosana nas alturas* significa algo como "que os anjos nos céus cantem louvores".[1]

Apontou Jesus como o Rei. Jesus é o Rei e com ele chegou seu reino. Os reinos do mundo levantam-se e caem, mas o reino de Cristo jamais passará. Jesus é maior do que Davi.

Davi inaugurou um reino terreno e temporal, mas o reino de Cristo é celestial e eterno. Com essa saudação, a multidão estava reconhecendo, em Jesus, o Messias que salva o seu povo dos seus pecados (1.21).

Apontou Jesus como o profeta. A entrada de Jesus em Jerusalém alvoroçou a cidade, que estava quintuplicadamente povoada. Uma pergunta ecoou por toda a cidade: *Quem é este?* E as multidões clamavam: *Este é o profeta Jesus, de Nazaré da Galileia.* Seu ensino era revestido de autoridade. Seu poder era irresistível. Sua graça era incomensurável.

O zelo do Rei (21.12,13)

O primeiro ato de Jesus ao entrar na cidade foi purificar o templo. No Novo Testamento, há duas palavras relacionadas ao templo. A primeira é *hieron,* que significa "o lugar sagrado". Isso incluía toda a área do templo, que cobria o cume do monte Sião e tinha uns quinze hectares de extensão. O local era rodeado por grandes muralhas. Havia um amplo espaço exterior chamado Pátio dos Gentios. Nele podia entrar qualquer judeu ou gentio. O pátio seguinte chamado de Pátio das Mulheres. As mulheres não podiam ir além dele. Logo vinha o Pátio dos Israelitas. Ali se reunia a congregação nas grandes ocasiões e dali entregavam as oferendas aos sacerdotes. A outra palavra importante é *naos,* significando "o templo propriamente dito", que se levantava no Pátio dos sacerdotes. Toda a área, incluindo os diferentes pátios, era recinto sagrado (*hieron*). O edifício especial levantado no Pátio dos sacerdotes era o templo (*naos*).

Três verdades são aqui destacadas, como vemos a seguir.

Em primeiro lugar, *o propósito da casa de Deus* (21.13). O evangelista Marcos diz que Jesus entrou em Jerusalém, no templo, e a tudo observou (Mc 11.11). Nada escapou à sua checagem. Ele captou as impressões que conduziriam às ações do dia seguinte. Foi no dia seguinte que ele voltou e fez uma faxina na casa de Deus. A casa de Deus havia perdido a razão de ser. Os sacerdotes a tinham transformado num mercado. O lucro tinha substituído o relacionamento com Deus. William Hendriksen diz que os mercadores do templo haviam pago generosamente por sua concessão, a qual obtiveram dos sacerdotes. Parte desse dinheiro chegava aos cofres do astuto e rico Anás e do habilidoso Caifás.[2]

Jesus, então, declara que sua casa não devia ser um lugar para excluir as pessoas pela barreira do comércio, mas um lugar de oração para todos os povos (21.12,13). Jesus chama a casa de Deus de sua casa. Ele é o próprio Deus. E ele tem zelo pela sua casa. No começo do seu ministério, ele pegou o chicote e expulsou os vendilhões do templo. Agora, no final do seu ministério, ele vira as mesas e declara que a sua casa precisa cumprir o propósito de aproximar as pessoas de Deus, em vez de afastá-las.

A casa de oração tinha sido transformada em covil de salteadores. O covil de salteadores é o lugar para onde os ladrões correm quando desejam se esconder. Em vez de as pessoas buscarem o templo para romper com o pecado, elas estavam tentando se esconder das consequências do pecado no templo. O templo estava se transformando num esconderijo de ladrões. Spurgeon comenta: "Nosso salvador comparou a casa de seu Pai, quando ocupada por esses compradores e vendedores, com as cavernas nas montanhas, onde ladrões estavam acostumados a se esconder naquele tempo".[3]

Em segundo lugar, *a secularização da casa de Deus* (21.12). O templo estava se transformando num mercado, numa praça de comércio. Os negociantes se instalaram dentro da casa de Deus a fim de vender produtos para os rituais do culto. Mancomunados com eles, os sacerdotes rejeitavam os sacrifícios que as pessoas traziam, forçando os adoradores a comprar dos feiristas do templo os animais para o sacrifício.

Moedas estrangeiras não eram aceitas para pagar o tributo do templo nem para fazer outras transações. A maior parte das moedas trazia estampas de símbolos pagãos, o que não era aceitável.[4] Consequentemente, aqueles que iam a Jerusalém adorar precisavam trocar o dinheiro, e ali estavam os cambistas instalados, sempre cobrando uma taxa exorbitante e repassando parte desse lucro aos sacerdotes, ministros do templo.

O templo havia perdido o propósito. Em vez de ser lugar de oração, era lugar da busca desenfreada do lucro. Mamom tinha tomado o lugar de Deus. Eles mudaram o chamado de Deus para celebrar sua glória em rentável comércio. E, assim fazendo, colocaram Deus a serviço do pecado. Jesus, então, faz uma faxina no templo. Três erros foram corrigidos, como vemos a seguir.

Primeiro, Jesus acaba com o comércio no templo. Ele expulsou os que ali vendiam e compravam. O culto havia se desviado do seu propósito. A religião havia se corrompido. A fé estava mercantilizada. Deus havia sido substituído pelo dinheiro. A oração tinha sido substituída pelo lucro. Hoje, vemos ainda igrejas se transformando em empresas particulares, o púlpito num balcão, o templo numa praça de barganha, o evangelho num produto, e os crentes em consumidores.

Segundo, Jesus acaba com a exploração no templo. Ele vira a mesa dos cambistas. Esses mercenários, conluiados com os sacerdotes, cobravam altas taxas dos estrangeiros que vinham adorar, na hora de trocar a moeda. Outros vendiam animais para o sacrifício com valores exorbitantes. Os sacerdotes tinham participação nesses lucros.

Terceiro, Jesus acaba com a passarela no templo (Mc 11.16). Algumas pessoas estavam usando o lugar do templo para transportar os seus produtos. A casa de Deus estava se transformando numa feira livre, num corredor de comércio, numa via pública para transportar mercadorias. Jesus acaba com essa prática vil.

Em terceiro lugar, *a purificação da casa de Deus* (21.12). O rei Josias purificou o templo. Neemias jogou os móveis de Tobias na rua. Jesus usou o chicote para expulsar os vendilhões no templo (Jo 2.13-17). Agora, ele vira as mesas dos cambistas e as cadeiras dos que vendiam pombas e expulsa os que ali vendiam e compravam. Contrariamente às expectativas de muitos de que o Messias purificaria Jerusalém *dos* gentios, Jesus queria purificá-la *para* os gentios. Hoje, precisamos também fazer uma limpeza na casa de Deus de tudo aquilo que não faz parte do culto ao Senhor. William Hendriksen, citando o historiador Philip Schaff, diz que este autor traça um interessante paralelo entre a purificação do templo do século 1 e a Reforma do século 16. Ele diz: "Jesus começou seu ministério público com a expulsão dos traficantes profanos do átrio do templo. A Reforma começou com um protesto contra o tráfico das indulgências que profanava e degradava a religião cristã".[5]

A graça do Rei (21.14-17)

Há aqui um profundo contraste. Enquanto algumas pessoas são expulsas do templo, outras recebem as boas-vindas.[6] Três fatos merecem destaque a seguir.

Em primeiro lugar, *uma cura cheia de misericórdia* (21.14). Uma vez que a casa de Deus estava purificada, agora ela se transforma no palco da ação misericordiosa. Vieram a Jesus, no templo, cegos e coxos, e ele os curou. luz e movimento tomaram o lugar das trevas e da paralisia. Aqueles que viviam cercados de escuridão contemplaram a luz, e os que viviam prisioneiros de um corpo entrevado passaram a andar. Agora, na casa de Deus, prevalecia não o comércio explorador, mas a misericórdia em ação.

Em segundo lugar, *um louvor cheio de entusiasmo* (21.15,16). Enquanto os principais sacerdotes e os escribas estavam enraivecidos pela manifestação do poder misericordioso de Jesus, as crianças clamavam: *Hosana ao filho de Davi!*. Os líderes religiosos estavam enfurecidos com Jesus, enquanto os meninos o exaltavam com efusivo entusiasmo. Os líderes religiosos estavam indignados, querendo que Jesus calasse a voz dos pequeninos, mas Jesus citou para eles as Escrituras, dizendo que é da boca de pequeninos e crianças de peito que Deus tira o perfeito louvor.

Em terceiro lugar, *uma retirada cheia de significado* (21.17). Jesus não perdeu o foco, discutindo com esses críticos de plantão. Deixou-os e foi pernoitar em Betânia. A palavra "Betânia" em hebraico significa "casa da depressão" ou "casa da miséria". Mas a casa de Marta, Maria e Lázaro foi uma casa de consolo para Jesus, mormente nessa última semana antes de sua morte.[7]

O juízo do Rei (21.18-22)

Tanto a condenação da figueira sem frutos como a purificação do templo foram atos simbólicos que ilustraram a triste condição espiritual da nação de Israel. A despeito de seus muitos privilégios e oportunidades, Israel estava externamente sem frutos (a árvore) e internamente corrupto (o templo). Tasker, nessa mesma linha de pensamento, diz que a purificação do templo foi uma denúncia simbólica feita pelo Messias ao culto do velho Israel, assim como a morte da figueira foi sua denúncia simbólica da nação judaica vista como privilegiado povo de Deus.[8] Mounce acrescenta que o íntimo relacionamento entre a purificação do templo e o ressecamento da figueira nos sugere que este último elemento incidental deve ser tomado como profecia: a nação judaica haveria de vir a ser julgada por não ter produzido o fruto que seria de esperar de um povo privilegiado por Deus. Um pouco antes, João Batista havia dito aos fariseus e saduceus que *toda árvore, pois, que não produz bom fruto é cortada e lançada ao fogo*" (3.10).[9]

Que lições podemos aprender com esse milagre de Jesus, onde ele expressou seu juízo?

Em primeiro lugar, *uma propaganda enganosa* (21.18,19). A figueira sem frutos é um símbolo da nação de Israel e do culto judaico. Eles tinham pompa, mas não vida; tinham rituais, mas não comunhão com Deus; tinham inúmeros sacerdotes, mas não homens de Deus. O eixo central dessa passagem é a condenação da promessa sem cumprimento e a condenação da profissão de fé sem prática. John Charles Ryle alerta: "Não está cada ramo infrutífero da igreja visível de Jesus Cristo em um tremendo perigo de se tornar uma figueira seca? Altos privilégios e posições eclesiásticas, desacompanhados de santidade, não são garantia da aprovação de Jesus".[10]

Havia muita folhagem, mas nenhum fruto. Jesus veio para os seus, mas estes não o receberam (Jo 1.11). Ao contrário, estavam endurecidos. Urdiam planos secretos para matá-lo. Estavam vestidos com o manto do fingimento e da falsidade.

Essa passagem nos enseja algumas lições solenes. Charles Spurgeon, em seu célebre sermão sobre a figueira murcha, lança luz sobre esse assunto, como vemos a seguir.

Primeiro, a figueira sem frutos aparenta superar as demais figueiras. A figueira sem frutos destacava-se entre as demais. Assim são aqueles que aparentam ser verdadeiros cristãos, mas só têm aparência. São loquazes na conversa e profundos na especulação teológica, mas igualmente estéreis.

Segundo, a figueira sem frutos parecia desafiar as estações do ano. A presença de folhas implicava a presença de frutos. A figueira produz os frutos antes das folhas. Folhas pressupõem frutos. A figueira fazia propaganda do que não tinha. Assim também algumas pessoas parecem muito adiantadas em comparação com as pessoas ao seu redor, mas é só fachada, só aparência. Tasker diz que, do mesmo modo, a nação judaica apresentava perante o mundo a promessa de que era rica de frutos espirituais. Ainda que pudesse mostrar muitos sinais externos de que era religiosa, estava infrutífera por causa de seu legalismo estéril e do seu cerimonialismo superficial. Uma árvore assim sem fruto, apesar de parecer viva, está de fato morta.[11]

Terceiro, a figueira sem frutos atraiu a atenção de Jesus. Ele viu de longe essa árvore. As demais ainda não tinham folhas. Essa árvore era a única que estava em posição de destaque. Essa figueira representa aqueles que, sem nenhuma modéstia, tocam trombetas e anunciam frutos que não possuem.

Em segundo lugar, *uma investigação meticulosa* (21.18,19). O Rei Jesus vai investigar a figueira, assim como investigou a nação de Israel, o templo, os rituais e os corações. Ele ainda sonda os corações. Algumas lições devem ser destacadas, como vemos a seguir.

Primeiro, Jesus tem o direito de procurar frutos em nossa vida. Ele nos perscruta profundamente para ver se há fruto, alguma fé genuína, algum amor verdadeiro, algum fervor na oração. Se ele não encontrar frutos, não ficará satisfeito. Ele tinha o direito de encontrar fruto porque o fruto aparece primeiro, depois as folhas. Aquela árvore estava fazendo propaganda de algo que não possuía. Jesus tem encontrado fruto na sua vida? O Pai é glorificado quando produzimos muito fruto (Jo 15.8)!

Segundo, Jesus não se contenta com folhas; ele quer frutos. Jesus teve fome. Ele procurava frutos, e não folhas. Ele não se satisfaz com folhas. Ele não se satisfaz com aparência. Ele quer vida.

Terceiro, Jesus não se deixa enganar (Mc 11.13). Quando se aproxima de uma alma, ele o faz com discernimento profundo. Dele não se zomba. A ele não podemos enganar. Já pensei ser figo aquilo que não passava de folha. Mas Jesus não comete esse engano. Ele não julga segundo a aparência. Se eu professo a fé sem a possuir, não é isso uma mentira? Se eu professo arrependimento sem o ter, não é isso uma mentira? Se eu participo da ceia do Senhor, mas estou em pecado e não amo os meus irmãos, não é isso uma mentira? Charles Spurgeon diz que a profissão de fé sem a graça divina é a pompa funerária de uma alma morta.[12]

Em terceiro lugar, *uma condenação dolorosa* (21.19,20). Se Jesus tinha poder para matar a árvore, por que não usou seu poder para restaurar a árvore? Porque tinha lições importantes a transmitir. Jesus usou esse fato para ensinar sobre o fracasso da nação de Israel. A nação de Israel poderia ter muitas folhas que o povo admirava, mas nenhum fruto que o povo pudesse comer.

Jesus decretou uma dupla condenação à figueira sem fruto. Primeiro, a figueira secou desde a raiz (Mc 11.20). João Batista já havia alertado sobre o machado que estava posto na raiz das árvores (3.10). A falência dessa árvore foi total, completa e irremediável.

Segundo, a figueira nunca mais produziu fruto (21.19). Jesus sentenciou a figueira a ficar como estava. Este é o maior juízo de Deus ao homem: ficar como está. Jesus condenou a árvore infrutífera. Spurgeon diz que Jesus não apenas a amaldiçoou; ela já era uma maldição.[13] Ela não servia para o revigoramento de ninguém. A sentença foi: fica como está; estéril, sem fruto. Continue sem graça. Jesus dirá no dia final *Apartai-vos* para aqueles que viveram a vida toda apartada. As Escrituras dizem: *Continue o imundo ainda sendo imundo* (Ap 22.11).

Em quarto lugar, *uma lição primorosa* (21.21,22). Depois de condenar a religião formal, mas sem vida, Jesus mostra aos discípulos como ter um relacionamento certo com Deus por meio da fé (21.21). Ninguém pode aproximar-se de Deus sem crer que ele existe. Na imaginação de um judeu, uma montanha significa alguma coisa forte e inamovível, um problema que se colocará em nosso caminho (Zc 4.7). Nós podemos mover essa montanha apenas pela nossa fé em Deus. A fé, contudo, não deve ser entendida à parte de outras verdades. Muitas pessoas usam os versículos 21 e

22 para defender que não devemos orar segundo a vontade de Deus; antes, se temos fé, Deus é obrigado a atender aos nossos pedidos. Essa visão está em desacordo com o ensino geral das Escrituras. Isso não é fé em Deus, mas fé na fé ou fé nos sentimentos. Fé não é presunção. Não podemos confundir fé com tentar a Deus. O diabo queria que Jesus se jogasse do pináculo do templo, para que o Pai o segurasse no ar. Mas isso é tentar a Deus, e não exercer a fé. O que Jesus ensina é que não devemos duvidar, ou seja, ter uma mente dividida, movendo-se para cá e para lá.[14]

A autoridade do Rei (21.23-27)

Destacamos a seguir alguns pontos nesse texto.

Em primeiro lugar, *uma pergunta maliciosa* (21.23). Os líderes do templo e do culto buscam um meio para acusarem Jesus. Querem encontrar uma causa legítima para o condenarem à morte. Vieram a ele com uma pergunta de algibeira: *Com que autoridade fazes estas coisas? E quem te deu essa autoridade?* É claro que estavam se referindo à purificação do templo e à cura dos cegos e coxos no templo.

Em segundo lugar, *uma contrapergunta corajosa* (21.24,25a). Jesus não caiu na armadilha deles. Ao contrário, respondeu àquela pergunta capciosa com outra pergunta: *Donde era o batismo de João, do céu ou dos homens?* A pergunta de Jesus não foge do foco. O batismo de João tinha tudo a ver com sua autoridade. João era um profeta de Deus, reconhecido pelo povo, e eles rejeitaram a mensagem de João. Se eles respondessem não, o povo os condenaria. Se eles respondessem sim, estariam afirmando a autoridade divina de Jesus.

Em terceiro lugar, *uma farsa dolorosa* (21.25b-27a). Os principais sacerdotes, escribas e anciãos, encurralados pela pergunta de Jesus, preferiram mentir para não enfrentar a verdade. Abafaram a voz da consciência, taparam os ouvidos à verdade e mergulharam nas sombras espessas da hipocrisia.

Em quarto lugar, *uma firmeza gloriosa* (21.27b). Jesus não entrou numa discussão infrutífera com os inimigos nem perdeu tempo com suas perguntas de algibeira. Jesus confronta agora aquela curiosidade cheia de engano com um eloquente silêncio.

NOTAS

[1] MOUNCE, Robert H. *Mateus*, p. 206.
[2] HENDRIKSEN, William. *Mateus*. Vol. 2, p. 322.
[3] SPURGEON, Charles H. *O evangelho segundo Mateus*, p. 439.
[4] MOUNCE, Robert H. *Mateus*, p. 206.
[5] HENDRIKSEN, William. *Mateus*. Vol. 2, p. 325.
[6] IBIDEM.
[7] ROBERTSON, A. T. *Comentário de Mateus*, p. 234.
[8] TASKER, R. V. G. *Mateus: introdução e comentário*, p. 160.
[9] MOUNCE, Robert H. *Mateus*, p. 209.
[10] RYLE, John Charles. *Meditações no evangelho de Mateus*, p. 178.
[11] TASKER, R. V. G. *Mateus: introdução e comentário*, p. 160.
[12] SPURGEON, C. H. *A figueira murcha*, São Paulo, SP: PES, n. d., p. 160.
[13] Ibidem, p. 24
[14] ROBERTSON, A. T. *Comentário de Mateus*, p. 235.

Capítulo 61

Parábolas do reino

(Mt 21.28–22.1-14)

Jesus deixa seus interrogadores sem resposta, mas passa a contar parábolas. A primeira parábola (21.28-32) mostra que publicanos e meretrizes os precederiam no reino. A segunda parábola (21.33-46), ainda mais contundente, leva os principais sacerdotes e fariseus compreenderem que Jesus apontava para eles como os lavradores maus que mataram o filho do dono da vinha. A terceira parábola (22.1-14) mostra que os convidados de honra não aceitaram o convite para a festa das bodas do filho do rei; por isso, aqueles que eram considerados indignos foram levados à sala do banquete, banquete este que não admite que ninguém entre sem vestes nupciais.

Essas três parábolas ensejam-nos muitos preciosos e solenes ensinamentos.

A parábola dos dois filhos (21.28-32)

A parábola dos dois filhos só é registrada por Mateus. É a primeira de três parábolas dirigidas contra os líderes religiosos daqueles dias.[1] Spurgeon diz que, nessa parábola, Jesus expõe as relações externas, porém falsas, daqueles homens para com Deus.[2]

O primeiro filho representa os judeus, que professam a religião mosaica, mas rejeitam Jesus, enquanto o segundo filho representa os publicanos, cobradores de impostos e pecadores que se voltam para o Senhor, pela fé.[3] O primeiro filho promete obediência com palavras, mas desobedece com as atitudes e com a vida. O segundo filho, que se nega a ir e depois muda de ideia e vai, corresponde aos publicanos e pecadores, que, embora de início estivessem longe de ser justos, depois se arrependeram.[4]

No reino dos céus, os publicanos e as meretrizes marcham à frente dos eclesiásticos.[5]

A parábola dos lavradores maus (21.33-46)

Essa é uma parábola cujo significado é claro como cristal. A vinha representa a nação de Israel, a igreja judaica, criada, treinada, guardada e totalmente provida pelo Senhor.[6] Os lavradores são os líderes religiosos de Israel. Os mensageiros são os profetas que foram desprezados, perseguidos e mortos. O filho é Jesus. E o castigo é que a posição que Israel havia ocupado seria transferida para a igreja.[7] O modo pelo qual os judeus trataram os profetas de Deus e tratariam Jesus ilustra explicitamente essa parábola.[8]

Havia três formas de arrendamento: uma quantia em dinheiro, uma proporção da colheita ou uma quantidade definida do produto, quer o ano fosse bom quer ruim.[9]

O ensino é meridianamente claro. Alerta sobre o fato de que as oportunidades podem ser perdidas para sempre. Israel foi escolhido por Deus para desempenhar um papel importante na história: ser luz para as nações. Mas esse povo desobedeceu a Deus, perseguiu seus profetas, rejeitou a mensagem e perdeu a oportunidade. Jesus conta essa parábola para revelar aos líderes aonde seus pecados iriam conduzi-los. Eles já tinham permitido que João Batista fosse morto, mas, em breve, eles mesmos iriam clamar pela morte do filho de Deus.

Essa é a parábola do amor rejeitado. Jesus ensina aqui algumas preciosas lições, como vemos a seguir.

Em primeiro lugar, *o privilégio de Israel, o povo amado de Deus* (21.33). Depois de entrar no templo e purificá-lo (21.12,13), e após discutir a questão da autoridade no templo (21.23-27), a parábola da vinha também gira em torno dele, pois, de acordo com os escritores antigos, como Josefo e Tácito, havia sobre o pórtico do santuário herodiano uma grande videira dourada. O Talmude também aplicava o ramo da videira ao templo de Jerusalém. Portanto, os endereçados são os representantes do templo.

Israel é a vinha de Deus. Ele chamou esse povo não porque era o mais numeroso, mas por causa do seu amor incondicional. Deus cercou Israel com seu cuidado: libertou, sustentou, guiou e abençoou esse povo. Deus plantou essa vinha. Cercou-a com uma sebe. Construiu nela um lagar. Colocou uma torre. Toda a estrutura estava pronta. Nada ficou por fazer. Tudo Deus fez por seu povo.

Deus deu a Israel suas boas leis e ordenanças. Enviou-o a uma boa terra. Expulsou dela as sete nações. Deus passou por alto os grandes impérios e demonstrou seu profundo amor a esse pequeno povo. Nenhuma família debaixo do céu recebeu tantos privilégios como a família de Abraão (Am 3.2). De igual forma, Deus também nos tem revelado o seu amor, sendo nós pecadores. Nada merecemos de Deus e, ainda assim, ele demonstra sua imensa bondade e misericórdia para conosco.[10]

Em segundo lugar, *Deus tem direito de buscar frutos na vida do seu povo* (21.34). A graça nos responsabiliza. Deus esperava frutos de Israel. Mas Israel se tornou uma videira brava (Is 5.1-7). Servo após servo foram a Israel procurando frutos e acabaram despedidos vazios. Profeta após profeta foram enviados a eles, mas em vão. Milagre após milagre foram operados entre eles sem nenhum resultado. Israel só tinha folhas, e não frutos (21.18-22). Deus nos escolheu em Cristo para darmos frutos (Jo 15.8).

Em terceiro lugar, *a rejeição contínua e deliberada ao amor de Deus* (21.35-39). Ao longo dos séculos, Deus mandou seus profetas para falarem à nação de Israel, mas eles rejeitaram a mensagem, perseguiram e mataram os mensageiros (2Cr 36.16). Quanto mais Deus demonstrava a eles seu amor, mais o povo se afastava de Deus e endurecia a sua cerviz. Finalmente, Deus enviou o seu filho, mas eles não o receberam (Jo 1.11). Estavam prestes a matar o filho enviado pelo Pai. Os ouvintes de Jesus, ao mesmo tempo que ouviam essa parábola, estavam urdindo um plano para matarem o filho de Deus (21.46). Assim como na parábola *agarrando-o* [o filho], *lançaram-no fora da vinha e o mataram* (21.39), também lançaram mão de Jesus no jardim de

Getsêmani, o arrastaram no conselho de Caifás, o levaram para fora de Jerusalém e ali o mataram, no Calvário.[11]

Em quarto lugar, *o juízo de Deus aos que rejeitam seu amor* (21.40-45). Deus pune os rebeldes e passa a vinha a outros. A oportunidade de Israel cessa, e aos gentios é aberta a porta da graça. Israel rejeitou o tempo da sua visitação. Rejeitou aquele que poderia resgatá-lo. A pedra era um conhecido símbolo do Messias (Êx 17.6; Dn 2.34; Zc 4.7; Rm 9.32,33; 1Co 10.4; 1Pe 2.6-8). Jesus anunciou um duplo veredicto: eles não apenas tinham rejeitado o filho, mas também tinham rejeitado a Pedra. Só lhes restava então o julgamento.[12] O filho, rejeitado pelas autoridades do templo, virá a ser a "pedra angular" do novo templo de Deus. Com essa guinada de ênfase na metáfora, Jesus olha além de sua morte, para a sua vindicação na ressurreição e a edificação de uma nova "casa para todas as nações".

Em quinto lugar, *endurecimento, em vez de quebrantamento* (21.46). A parábola foi uma centelha na pólvora da oposição a Jesus. Os líderes religiosos interpretaram corretamente a parábola de Jesus, mas não se dispuseram a obedecer a Jesus. Ao contrário, endureceram ainda mais o coração e buscaram uma forma de eliminar Jesus. A retirada deles é apenas para buscarem novas estratégias que levem à morte do Messias (Mc 12.12). Esse episódio nos ensina que conhecimento e convicção apenas não podem nos salvar. É perfeitamente possível saber que estamos errados e ainda assim permanecer obstinadamente agarrados ao nosso pecado e perecer miseravelmente no inferno.

Essa parábola fala sobre três coisas: os preceitos, a paciência e a punição de Deus. Deus nos plantou para darmos fruto. Ele tem sido paciente na busca desses frutos em nossa vida. Se rejeitarmos sua Palavra e seus mensageiros, seremos, então, julgados inexoravelmente.

A parábola das bodas (22.1-14)

Somente Mateus registra essa parábola. Ela se ocupa da extensão do oferecimento do reino de Deus, aqui representado como uma festa de casamento real, a outros, além dos originariamente convidados, porque estes, quando chegou a hora, não quiseram vir. É tema dominante do evangelho de Mateus que os gentios seriam incluídos no povo de Deus porque o Israel original tinha, em sua maior parte, rejeitado Jesus, o Messias. A parábola é de fato uma adicional elucidação do pronunciamento de Jesus: *Portanto, vos digo que o reino de Deus vos será tirado e será entregue a um povo que lhe produza os respectivos frutos* (21.43).[13]

William Hendriksen diz que podemos dividir essa parábola em três partes: 1) o convite rejeitado (22.1-7); 2) o salão das bodas cheio (22.8-10); 3) a ausência de manto nupcial (22.11-14).[14] John Charles Ryle oferece-nos uma lúcida análise do texto e subscreveremos sua posição, destacando quatro verdades a seguir.[15]

Em primeiro lugar, *a salvação anunciada no evangelho é comparada a uma festa de casamento.* Somos chamados pelo evangelho ao banquete do filho do Rei. A vida eterna é uma festa nobre, um banquete real, uma celebração eterna.

Em segundo lugar, *os convites do evangelho são amplos, plenos, generosos e ilimitados.* O banquete da graça está pronto. Tudo foi preparado. Não precisamos pagar. A provisão é farta. É completa. A graça está pronta para assistir você. A Bíblia está pronta para instruí-lo. O evangelho coloca uma porta aberta diante de todos, ricos e pobres, homens e mulheres, grandes e pequenos. Ninguém é excluído.

Em terceiro lugar, *a salvação oferecida pelo evangelho é rejeitada por muitos daqueles a quem ela é oferecida.* Os convidados chamados pelos servos do rei não deram valor ao convite. Rejeitaram-no. Assim também, hoje, muitos escutam o evangelho, ouvem a pregação, mas rejeitam o convite da graça, desprezando a oferta do amor de Deus.

Em quarto lugar, *todos quantos professam falsamente a religião cristã serão desmascarados e condenados eternamente no último dia.* Qual é a vestimenta adequada segundo a parábola? Agostinho, bispo de Hipona, do século 5, no norte da África, estava convencido de que é a justiça de Cristo. Se não estivermos vestidos nessa justiça, não seremos bem-vindos às bodas do cordeiro no céu; toda a nossa justiça, segundo a Bíblia, é como um trapo de imundícia (Is 64.6). Somente poderemos entrar no reino dos céus se estivermos vestidos com a justiça de Jesus, a qual é imputada a todos os que creem (Zc 3.3,4).[16] Ninguém participa desse banquete sem ser revestido com a justiça de Cristo, sem ser salvo pela graça, sem ter sido transformado pelo Espírito Santo. O homem sem vestes nupciais foi identificado, desmascarado e lançado fora do banquete. Ele ficou amordaçado, mudo de confusão e embaraçado. E foi lançado nas trevas exteriores, banido da face do Rei, condenado às penalidades eternas.

Concluo a exposição dessa parábola com as palavras de William Hendriksen:

> O único pensamento da parábola, pois, é este: Aceite o gracioso convite de Deus, para que, enquanto outros entram na glória, não suceda de você se perder. Lembre-se, porém, de que a membresia na igreja visível não garante a salvação. O indispensável é que haja completa renovação, o revestir-se de Cristo.[17]

NOTAS

[1] MOUNCE, Robert H. *Mateus*, p. 210.
[2] SPURGEON, Charles H. *O evangelho segundo Mateus*, p. 454.
[3] MOUNCE, Robert H. *Mateus*, p. 210.
[4] TASKER, R. V. G. *Mateus: introdução e comentário*, p. 162.
[5] ROBERTSON, A. T. *Comentário de Mateus*, p. 237.
[6] SPURGEON, Charles H. *O evangelho segundo Mateus*, p. 458.
[7] TASKER, R. V. G. *Mateus: introdução e comentário*, p. 162.
[8] ROBERTSON, A. T. *Comentário de Mateus*, p. 237.
[9] IBIDEM.
[10] RYLE, John Charles. *Mark*, p. 181.
[11] SPURGEON, Charles H. *O evangelho segundo Mateus*, p. 461.
[12] WIERSBE, Warren W. *Be Diligent*, p. 115-116.
[13] TASKER, R. V. G. *Mateus: introdução e comentário*, p. 164.
[14] HENDRIKSEN, William. *Mateus.* Vol. 2, p. 350.
[15] RYLE, John Charles. *Meditações no evangelho de Mateus*, p. 184-186.
[16] SPROUL, R. C. *Mateus*, p. 563.
[17] HENDRIKSEN, William. *Mateus.* Vol. 2, p. 359.

Capítulo 62

Perguntas desonestas

(Mt 22.15-46)

Jesus já havia alertado os seus discípulos de que esperassem conflitos e sofrimentos em sua chegada a Jerusalém (16.21). As tensões daquele dia foram imensas. Os líderes religiosos emparedam-no em busca de uma prova contra ele. Fazem perguntas capciosas e desonestas. Subornam emissários para tentá-lo com lisonjas.

Vamos, agora, examinar o que aconteceu com Jesus nesse dia, conhecido como "o dia das perguntas". Já vimos a primeira pergunta (21.23) e como Jesus respondeu com outra pergunta, apanhando seus interrogadores no laço de sua própria armadilha (21.24-27). Depois das três parábolas, volta o rosário de novas perguntas. Jesus, porém, com sabedoria, vira a mesa, colocando seus inquiridores, fariseus e herodianos na defensiva. Esses dois grupos antagônicos se unem contra Jesus, pois seus ensinamentos reprovavam tanto a justiça própria do primeiro como o mundanismo do segundo.[1]

A tentativa de apanhar Jesus em contradição quanto ao tributo a César (22.15-22)

Os líderes têm um propósito: matar Jesus! Eles precisam encontrar o modo certo de fazê-lo. Decidem, então, fazer-lhe perguntas embaraçosas, com o fim de apanhá-lo em alguma contradição. Dessa maneira, poderiam acusá-lo e levá-lo à morte. O verbo grego *pagideuo,* "enlaçar", "armar o laço" ou "apanhar numa armadilha", ocorre só aqui no Novo Testamento.[2]

Esses acontecimentos têm o tenebroso contorno de uma conspiração. Jesus já havia deparado com intenções letais e sinistras anteriormente (Lc 4.29; 13.31). Mas a primeira delas foi um ato de uma multidão; e a segunda, uma tentativa direta de assassinato. Em Jerusalém, porém, a tentativa de matá-lo é uma trama, envolvendo uma cilada, um informante e subterfúgios que tentam burlar o escrutínio público. O termo grego usado no texto paralelo de Lucas 20.20 para os emissários subornados é *enkatheos,* que significa "espiões". É uma referência a agentes secretos que estão vigiando Jesus de perto, fingindo ser honestos, para pegá-lo no contrapé.

Mateus nos informa que foram os fariseus que tentaram surpreender Jesus, para pegá-lo em alguma falta. Eles não fizeram isso pessoalmente, mas enviaram seus discípulos e os herodianos. Esses emissários chegaram rasgando desabridos elogios a Jesus: *mestre, sabemos que és verdadeiro e que ensinas o caminho de Deus, de acordo com a verdade, sem te importares com quem quer que seja, porque não olhas a aparência dos homens. Dize-nos, pois: que te parece? É lícito pagar tributo a César ou não?* (22.16,17).

Esse episódio propicia-nos algumas lições importantes, como vemos a seguir.

Em primeiro lugar, *as forças opostas se unem para atacar Jesus* (22.15-17). O evangelista Lucas diz que os escribas, que pertenciam ao partido dos fariseus, e os principais sacerdotes, que pertenciam ao partido dos saduceus, foram as pessoas que fizeram a pergunta a Jesus. Esses dois grupos de conservadores e progressistas, ortodoxos e liberais não eram unidos (At 23.6-9), mas se uniram contra Jesus. O evangelista Marcos acrescenta que os fariseus e os herodianos, que eram inimigos irreconciliáveis, uniram-se contra Jesus (Mc 3.6). Estavam em lados opostos, mas, quando se tratou de condenar Jesus, eles se juntaram (Mc 12.13; 22.15,16). Forças opostas se unem contra a verdade. Os herodianos apoiavam a família de Herodes, que recebera poder de Roma para governar e cobrar impostos. Os fariseus, contudo, consideravam Herodes um usurpador do trono de Davi. Eles se opunham à taxa de impostos que os romanos tinham colocado sobre a Judeia e assim se ressentiam da presença de Roma em sua terra, mas contra Jesus esses inimigos se uniram.

Em segundo lugar, *a bajulação é uma arma do inimigo* (22.16). A bajulação é uma armadilha camuflada com lisonja. Os inimigos de Jesus, no caso aqui, são espiões contratados (Lc 20.19,20), que lhe desfiam desabridos elogios, numa linguagem bajuladora, insincera e hipócrita. Eles ocultam seu propósito nefasto sob um manto de adulação lisonjeira. Jesus, porém, tira a máscara de seus inquiridores e expõe sua hipocrisia: *Jesus, porém, conhecendo-lhes a malícia, respondeu: Por que me experimentais, hipócritas?* (22.18).

Em terceiro lugar, *uma pergunta maliciosa* (22.17). Perguntaram a Jesus: *É lícito pagar tributo a César ou não?* Eles estavam seguros de que, qual fosse a resposta de Jesus, ele estaria em situação embaraçosa. Se Jesus respondesse sim, o povo estaria contra ele, pois seria visto como alguém que apoiava o sistema romano idólatra. Se respondesse não, Roma estaria contra ele e os herodianos se apressariam em denunciá-lo às autoridades romanas, acusando-o de rebelião (23.2). Se sua resposta fosse sim, ele perderia sua credibilidade com o povo; se sua resposta fosse não, seria acusado de insubordinado e rebelde contra Roma.[3] Se Jesus permanecesse em silêncio, eles o acusariam de ser um covarde que não ousaria dizer o que pensava. Spurgeon diz que o laço foi lançado muito habilmente, mas aqueles que tão astuciosamente agiram não imaginavam que estavam montando uma armadilha na qual eles mesmos seriam capturados.[4]

Em quarto lugar, *uma resposta desconcertante* (22.19-22). Jesus responde: *Mostrai-me a moeda do tributo* (22.19). Trouxeram-lhe um denário. E ele lhes perguntou: *De quem é esta efígie e inscrição?* (22.20). Ao responderem: *De César*, Jesus ordena: *Dai, pois, a César o que é de César e a Deus o que é de Deus* (22.21). De acordo com William Hendriksen, Jesus não se desviou do assunto, mas disse claramente: "Sim, paguem o imposto". Honrar a Deus não significa desonrar o imperador, recusando-se a pagar pelos privilégios (uma sociedade relativamente ordeira, proteção policial, boas estradas, tribunais etc.).[5] E concordo com as palavras de John Charles Ryle: "A igreja não deve abarcar o Estado, nem o Estado deve tentar engolfar a igreja".[6]

Jesus, assim, não absolutiza o poder de Roma nem isenta de responsabilidade o povo do seu compromisso com Deus. Somos cidadãos de dois reinos. Devemos lealdade tanto a um quanto ao outro. Devemos pagar nossos tributos, bem como devolver o que é de Deus. Nessa mesma linha de pensamento, Robertson diz que a própria inscrição na moeda era um reconhecimento de dívida a César. O imposto não era um presente, mas uma dívida em troca de lei, ordem e estradas. Há o dever para com o Estado e o dever para com Deus. As duas esferas são distintas, mas ambas existem. O cristão não deve esquivar-se de nenhuma das duas.[7] Vale destacar que, na resposta de Jesus, ele rejeitou a própria reivindicação de César, feita na moeda e sob outras formas, em que o imperador se apresentava não apenas como o governador de um reino físico, mas também de um reino espiritual, chamando a si mesmo de *Pontifix Maximus* ou sumo sacerdote. Jesus deixa claro que o imperador deve ser respeitado e obedecido enquanto sua vontade não colidir com a vontade de Deus. Por meio dessa resposta, Jesus desconcertou a seus inimigos.

O ensino das Escrituras é de que o governo humano é estabelecido por Deus para o nosso bem (Rm 13.1; 1Tm 2.1-6; 1Pe 2.13-17). Mesmo quando a pessoa que ocupa o ofício não é digna de respeito, o ofício que ela ocupa deve ser respeitado. Jesus rejeitou a tendência de ver o diabo no Estado tanto quanto a de divinizá-lo. Demonizar pessoas ou instituições humanas é atitude injusta. Não é necessário existir um conflito entre o espiritual e o temporal. Em síntese, Jesus diz para os orgulhosos fariseus não se omitirem em seu dever com César e para os mundanos herodianos não se omitirem em seu dever com Deus. Concordo com Spurgeon quando ele diz que, para nós, a lição desse incidente é que o Estado tem a sua função e que devemos cumprir os nossos deveres para com ele, mas não devemos esquecer que Deus tem o seu trono nem permitir que o reino da terra nos transforme em traidores do reino dos céus. César deve manter a sua posição e não intencionar ir além dela, pois somente Deus deve ter o domínio espiritual sobre os homens.[8]

A armadilha deles falhou, e não puderam acusar Jesus nem de sedição nem de se curvar a Roma (22.22).

A tentativa de apanhar Jesus em contradição quanto à ressurreição (22.23-33)

Uma delegação de saduceus espera que uma pergunta teológica possa ter sucesso onde uma armadilha política falhou. Depois que os fariseus, versados nas Escrituras, haviam sido devidamente despachados pelo Senhor (22.22), também os saduceus fizeram sua tentativa, propondo-lhe uma pergunta capciosa (22.23,24).

Essa passagem ensina-nos várias lições solenes, como vemos a seguir.

Em primeiro lugar, *o perigo de os hereges assumirem a liderança religiosa* (22.23). Os saduceus formavam a classe aristocrática da religião judaica. Essa aristocracia sacerdotal colaborou com as autoridades romanas e, no processo, ficou rica e orgulhosa da posição secular conquistada. Contrariamente aos fariseus, que aceitavam tanto a lei escrita quanto a lei oral, eles só aceitavam o Pentateuco e negavam as tradições orais, bem como os outros livros do Antigo Testamento. Os saduceus sentiram-se ameaçados pelas ações de Jesus no templo, pois o poder deles e a manutenção de sua riqueza dependiam do templo. Aqueles que ocupavam as funções mais importantes da religião judaica eram hereges doutrinariamente: negavam a vida depois da morte, a doutrina da ressurreição, a existência da alma, a existência dos anjos e demônios e o julgamento final (At 23.8). Mesmo assim, eles foram a Cristo para fazer uma pergunta relacionada à doutrina da ressurreição. O caso levantado por eles tinha o propósito de ridicularizar Jesus com essa doutrina magna do cristianismo. Os saduceus eram os liberais da época. Eram tidos como os intelectuais da época, mas negavam os fundamentos essenciais da fé.

Em segundo lugar, *uma pergunta maliciosa* (22.24-28). Os saduceus, hipocritamente, aproximam-se de Jesus com refinada educação, chamando-o de mestre. Suas palavras eram macias como manteiga, mas afiadas como espada (Is 55.21). Eles lançam uma pergunta, usando um caso hipotético e absolutamente improvável, ligado à prática do levirato (Dt 25.5-10). O termo "levirato" vem do latim *levir*, que significa "o irmão do marido". Sete irmãos casaram-se com a mesma mulher. Na ressurreição, os saduceus perguntam sobre quem seria o marido dessa mulher, visto que os sete a desposaram. A pergunta hipotética deles não era sincera. Eles nem acreditavam na doutrina da ressurreição. Estavam propondo um enigma para Jesus, a fim de colocá-lo num beco sem saída.

Em terceiro lugar, *uma resposta esclarecedora* (22.29-33). Jesus afirmou aquilo que os saduceus negavam: a existência dos anjos, a realidade da vida depois da morte e a esperança da ressurreição futura – e fez isso usando uma passagem de Moisés (a única parte do Antigo Testamento que eles aceitavam), já que eles não conheciam de fato as Escrituras. É evidente que Jesus poderia ter citado outras passagens para ensinar sobre a ressurreição futura, mas ele tratou com seus adversários dentro do território deles. A resposta de Jesus sinaliza vários fatos importantes, como vemos a seguir.

Primeiro, a heresia é consequência do desconhecimento das Escrituras, bem como do poder de Deus (Mt 22.29; Mc 12.24). Os saduceus pensaram que eram espertos, mas Jesus revelou a ignorância deles em duas coisas: o poder de Deus e a verdade das Escrituras. Se os saduceus conhecessem as Escrituras, saberiam que não existe nada em Deuteronômio 25.5,6 que se aplique à vida futura, e também saberiam que o Antigo Testamento, em várias passagens, ensina a ressurreição do corpo. E, se conhecessem o poder de Deus (Rm 4.17; Hb 11.19), teriam entendido que Deus é capaz de ressuscitar os mortos de tal modo que o casamento não seja mais necessário. Eles laboravam em erro porque não conheciam as Escrituras nem o poder de Deus. Os saduceus eram analfabetos da Bíblia e queriam embaraçar o mestre dos mestres com perguntas capciosas.

Segundo, a morte coloca um fim no relacionamento conjugal (22.30; Lc 20.34,35). O casamento é uma relação apenas para esta vida. Não existe casamento eterno. A morte é o fim do relacionamento conjugal. Marido e mulher são uma só carne, mas não são um só espírito. Se fossem, a morte não poderia dissolver a relação conjugal. O ensino mórmon sobre casamento eterno, portanto, está em total desacordo com a Palavra de Deus. É uma crassa heresia. Na vida futura, não haverá relacionamento conjugal nem necessidade de procriação para preservação da raça. Seremos como os anjos. Spurgeon diz que a resposta de nosso salvador combateu outro erro dos saduceus; seus interrogadores não criam em anjos, mas Jesus diz que na ressurreição seremos como os anjos.[9]

Terceiro, a morte não coloca um fim no nosso relacionamento com Deus (22.31-33; Lc 20.35-40). Jesus corrige a teologia distorcida dos saduceus, que entendiam ser a morte um sinônimo de extinção. Abraão, Isaque e Jacó já estavam mortos quando Deus se revelou a Moisés na sarça ardente, dizendo: *Eu sou o Deus de teu pai, Abraão, o Deus de Isaque e o Deus de Jacó* (Êx 3.6). Para Deus, os patriarcas não são seres inexistentes. Embora sem corpo, eles vivem. Embora mortos fisicamente, estão vivos para Deus, pois a morte não interrompeu a sua relação com eles, como interrompeu o relacionamento deles com seus respectivos cônjuges. Esse registro revela que Moisés acreditava piamente na vida depois da morte. Os mesmos saduceus que professavam crer em Moisés erravam por não conhecer o ensino de Moisés.

A tentativa de apanhar Jesus em contradição quanto ao grande mandamento (22.34-40)

Uma vez que Jesus fizera calar os saduceus, os fariseus, na pessoa de um dos intérpretes da lei, mais uma vez entram em cena. Agora, lançam mão de outra pergunta de algibeira, buscando ocasião para colocar Jesus em contradição. O assunto agora é acerca do grande mandamento. Destacamos alguns pontos a seguir.

Em primeiro lugar, *uma pergunta nevrálgica* (22.34-36). Tendo silenciado os saduceus, são os fariseus que se aproximam agora para interrogar Jesus. Marcos diz que a pergunta foi feita por um dos escribas (Mc 12.28). Os escribas tinham determinado que os judeus eram obrigados a obedecer a 613 preceitos da lei, 365 preceitos negativos e 248 positivos. Um de seus exercícios favoritos era discutir qual desses mandamentos era o mais importante. Esse doutor da lei quer saber qual é o principal mandamento da lei de

Deus. Nessa mesma linha de pensamento, Robertson, citando Vincent, escreve: "Os escribas declararam que havia 248 preceitos afirmativos, tantos quantos os membros do corpo humano; e 365 preceitos negativos, tantos quantos os dias do ano, totalizando 613, o número das letras do Decálogo. Mas Jesus corta caminho por tais minúcias e vai direto ao cerne do problema".[10]

Em segundo lugar, *uma resposta magnífica* (22.37-40). A resposta de Jesus não consiste em um pensamento novo, mas na recordação daquilo que todo homem judeu pronunciava a cada manhã e a cada noite, *o Shema* (Dt 6.4-6). Jesus sintetizou a lei no amor, e não em preceitos e rituais. Amor a Deus e ao próximo é o fim último da lei. Quem ama, cumpre a lei. Jesus foge do legalismo dos fariseus, que impunha fardos pesados sobre os homens e os atormentava com uma infinidade de regras e preceitos. O fato novo abordado por Jesus foi unir esses dois mandamentos. Isso nenhum rabino havia feito até então.

A pergunta de Jesus coloca seus inquiridores em situação embaraçosa (22.41-46)

Jesus, de interrogado, passa a interrogador (22.41-46). Ele agora parte para o contra-ataque e começa a interrogar os fariseus, chegando, assim, ao apogeu da discussão. O Rei conduz a guerra ao país do inimigo.[11] As perguntas deles versaram sobre tributo, ressurreição e grande mandamento. Mas agora a pergunta que Jesus faz aos fariseus toca na sua própria pessoa. Essa é a maior questão: Quem é Jesus, o Cristo? Essa é a maior questão porque, se estivermos errados sobre o Cristo, estaremos errados sobre a salvação, perdendo, assim, a nossa própria alma.

O Cristo é ao mesmo tempo filho de Davi e Senhor de Davi (22.42-44). Jesus veio da descendência de Davi segundo a carne (Rm 1.3), mas ele precede Davi, é o Senhor de Davi e seu reino jamais terá fim. Os fariseus não puderam ver a sublime verdade de que o Messias deveria ser Deus e homem, assim como não perceberam que, embora como homem o Messias fosse filho de Davi, como Deus o Messias era o Senhor de Davi. Spurgeon, nessa mesma toada, destaca que esse era o problema que os fariseus precisavam resolver: se o Messias era o filho de Davi, como Davi, pelo Espírito Santo, o chamou de seu Senhor? O Cristo deve ser mais do que mero homem; caso contrário, as palavras do salmista seriam inadequadas e até mesmo blasfemas.[12]

O mesmo Jesus que ocultou durante o seu ministério a sua verdadeira identidade, rogando para as pessoas não dizerem ao povo quem ele era, agora a revela com diáfana clareza. Chegara o tempo de cumprir cabalmente sua missão. Ele está indo para a cruz, mas sabe que é o filho de Davi, o Senhor de Davi, o Messias prometido, cujo reinado não tem fim.

Notas

[1] Hendriksen, William. *Mateus.* Vol. 2, p. 361.
[2] Robertson, A. T. *Comentário de Mateus*, p. 246.
[3] Hendriksen, William. *Mateus.* Vol. 2, p. 362.
[4] Spurgeon, Charles H. *O evangelho segundo Mateus*, p. 484.
[5] Hendriksen, William. *Mateus.* Vol. 2, p. 364.

[6] RYLE, John Charles. *Meditações no evangelho de Mateus*, p. 189.
[7] ROBERTSON, A. T. *Comentário de Mateus*, p. 247.
[8] SPURGEON, Charles H. *O evangelho segundo Mateus*, p. 487.
[9] IBIDEM, p. 492.
[10] ROBERTSON, A. T. *Comentário de Mateus*, p. 248.
[11] SPURGEON, Charles H. *O evangelho segundo Mateus*, p. 502.
[12] IBIDEM, p. 503.

Capítulo 63

Solenes advertências de Jesus sobre os falsos líderes religiosos

(Mt 23.1-39)

Esse discurso de Jesus dirigido às multidões, bem como a seus discípulos, é o último pronunciamento público registrado por esse evangelista. O discurso de Jesus trata de três pontos vitais: o perfil do falso líder religioso, a condenação dos falsos líderes e o lamento de Jesus sobre a cidade de Jerusalém.

O perfil do falso líder religioso (23.1-12)

Mateus é o evangelho dos discursos e, em seu capítulo 23, encontramos o discurso de Jesus contra os escribas e fariseus, líderes religiosos da nação de Israel. É a última mensagem pública de Jesus. Ele falou às multidões e a seus discípulos. E o principal propósito desse discurso é confrontar o falso líder espiritual e a sua prática religiosa. Nesse duro discurso, Jesus chamou os fariseus de cegos, serpentes, filhos do inferno, assassinos, hipócritas e pessoas semelhantes a sepulcros caiados.

Como surgiram os fariseus? Quem são eles? No que acreditavam? Os fariseus surgiram em Israel, em resposta aos acontecimentos religiosos, culturais e políticos que afetaram a nação desde o império grego e, talvez, antes desse período. Eles se tornaram proeminentes durante o período dos macabeus (160-60 a.C.), e seus dois principais rabinos, Hillel e Shammai, apareceram durante as décadas finais antes do nascimento de Cristo. Suas respectivas escolas dominaram a cena religiosa em Israel pelos dois séculos seguintes. Shammai era conservador, e Hillel, moderado. Na época de Jesus, os fariseus haviam se tornado os líderes religiosos de Israel. Eles controlavam a sinagoga e tinham representantes no Sinédrio.[1]

Nesse solene discurso, Jesus, olhando para os escribas e fariseus, traça o perfil dos falsos líderes religiosos. Esses líderes falharam em três sentidos: são destituídos de sinceridade, de compaixão e de humildade.[2] Os escribas fechavam a porta do reino diante dos homens (23.13), seduziam os prosélitos (23.15), confundiam a verdade relativa ao juramento (23.16-22), revertiam os valores (23.23,24), incitavam o ritualismo (23.25,26), buscavam evidenciar seu caráter religioso, como se a aparência externa fosse um esconderijo adequado para a fraude e o crime (23.27,28), e alardeavam acerca de sua bondade superior como se fossem melhores que seus ancestrais que mataram os profetas (23.29-32). Por todos esses pecados, pronuncia-se juízo contra eles (23.33-36).[3]

Assim começa a passagem em apreço: *Então, falou Jesus às multidões e aos seus discípulos* (23.1). Trata-se de um discurso contundente proferido por Jesus. O seu propósito é denunciar publicamente os pecados praticados pelos escribas e fariseus. Como já demonstramos nesta obra, no início, o farisaísmo queria o bem. No tempo do exílio babilônico, pessoas sinceras se haviam reunido com a vontade e a decisão de levar a sério a lei de Deus. Após o retorno para Jerusalém, elas evitaram qualquer mistura com o mundo pagão e a forma de pensar dos pagãos. Por isso, eram chamadas de "os separados", "os fariseus". No entanto, a evolução posterior tornou-se um desenvolvimento falho. Os fariseus absolutizaram a letra da lei e caíram num legalismo de mera obediência formal da lei, negligenciando uma ética verdadeira de disposição interior e atitude do coração. Também se tornaram presunçosos por causa dessa fidelidade à lei, de modo que não buscavam mais a Deus, mas a si próprios.[4]

Quais são os pecados denunciados por Jesus a respeito dessa liderança religiosa de Israel?

Em primeiro lugar, *usurpação de autoridade espiritual* (23.2). *Na cadeira de Moisés, se assentaram os escribas e os fariseus.* Embora Jesus tenha reconhecido os escribas e fariseus como professores da lei, eles falharam, também, tanto na hermenêutica como na prática. Havia uma gritante discrepância entre ensinar e praticar.[5] A *cadeira de Moisés* significa o ofício de intérprete de Moisés.[6] Não há, porém, registro bíblico de que Deus tenha dado autoridade a esse grupo. Eles se assentaram; não foram sentados. Os fariseus se consideravam mais santos que os outros pecadores (Lc 15.1,2). Eram "os separados". Uma das principais características dos falsos profetas é arrogar para si uma posição que jamais lhes foi concedida. Por intermédio do profeta Jeremias, Deus alertou: *Não mandei esses profetas; todavia, eles foram correndo; não lhes falei a eles; contudo, profetizaram* (Jr 23.21).

São profetas por conta própria. Eles não foram vocacionados nem enviados por Deus. Eles não ouviram Deus, contudo falam em nome de Deus.

Em segundo lugar, *não praticam o que ensinam* (23.3). *Fazei e guardai, pois, tudo quanto eles vos disserem, porém não os imiteis nas suas obras; porque dizem e não fazem.* Aqui Jesus não desaprova o ensino dos fariseus como ele faz em outras ocasiões. Como mestres, eles têm o seu lugar. O problema é que eles não praticam o que ensinam. A vida deles não é avalista de sua doutrina. Assim, Jesus está apontando outra falha grave dos fariseus; ou seja, eles diziam uma coisa e faziam outra. Eram inconsistentes.

Os fariseus eram extremamente zelosos em guardar os rituais externos, mas não eram cuidadosos em obedecer à lei interiormente. Eram legalistas, ritualistas e hipócritas. Eles ensinavam, mas não praticavam o que ensinavam. Havia, no caso dos fariseus, um abismo entre a doutrina e a vida, a teologia e a ética, o credo e a conduta. A vida do líder religioso é a sua principal carta de apresentação. John Charles Ryle alerta-nos acerca da necessidade de fazer uma distinção entre o ofício de um mestre e o exemplo pessoal desse mestre.[7]

Como identificar os falsos profetas? Pelos seus frutos os conhecereis. *Colhem-se, porventura, uvas dos espinheiros ou figos dos abrolhos? Assim, toda árvore boa produz bons frutos, porém a árvore má produz frutos maus. Não pode a árvore boa produzir frutos maus, nem a árvore má produzir frutos bons. Toda árvore que não produz bom fruto é cortada e lançada ao fogo* (7.16-19). Toda a natureza se reproduz segundo a sua espécie. Esse princípio se aplica no mundo espiritual. A qualidade da árvore, boa ou ruim, determinará a qualidade do fruto. O critério é que se conhece a árvore pelo fruto ou a pessoa, pela sua conduta. *Assim, pois, pelos seus frutos os conhecereis* (7.20).

Em terceiro lugar, *sonegam ao povo a verdade, mas oprimem o povo com preceitos humanos* (23.4). *Atam fardos pesados* [e difíceis de carregar] *e os põem sobre os ombros dos homens; entretanto, eles mesmos nem com o dedo querem movê-los.* Spurgeon diz que as regras dos fariseus e suas observâncias morais e cerimoniais eram como enormes feixes ou fardos esmagadores transformados em um peso intolerável para qualquer homem suportar.[8] Os escribas e fariseus são chefes de serviço, e não carregadores de fardos ou ajudantes solidários.[9] Eles sobrecarregavam as pessoas, em vez de aliviá-las. Os crentes já tinham o Antigo Testamento para obedecer, mas os fariseus criaram centenas de mandamentos e tradições humanas para oprimir o povo. Eles não possuíam nenhuma sensibilidade espiritual. Eram legalistas e sempre procuravam tornar a religião mais pesada. Tudo ao contrário da graça de Jesus (11.28-30).

Os falsos profetas enganam o povo substituindo a Palavra de Deus por suas próprias doutrinas. No seu tempo, o profeta Jeremias, em nome de Deus, já denunciava os falsos profetas: *Tenho ouvido o que dizem aqueles profetas, proclamando mentiras em meu nome, dizendo: Sonhei, sonhei. Até quando sucederá isso no coração dos profetas que proclamam mentiras, que proclamam só o engano do próprio coração?* (Jr 23.25,26). Hoje, há muitas pessoas confusas, feridas e doentes, vítimas dos falsos profetas. O falso líder religioso é um impostor inescrupuloso. Seduz as pessoas com palavras de bajulação, falsas promessas e vãs esperanças. Faz comércio das pessoas, tirando delas não somente os bens, mas deixando-as falidas e desiludidas espiritualmente. São lobos em pele de ovelha.

Em quarto lugar, *são obcecados pelos aplausos humanos* (23.5-7). *Praticam, porém, todas as suas obras com o fim de serem vistos dos homens; pois alargam os seus filactérios e alongam as suas franjas. Amam o primeiro lugar nos banquetes e as primeiras cadeiras nas sinagogas, as saudações nas praças e o serem chamados mestres pelos homens.* Esta era a falha fatal no caráter deles: fazer todas as coisas a fim de serem vistos pelos homens. Eles querem aparecer pelo que fazem, pela maneira de vestir, pela ocupação dos primeiros lugares nos eventos. Eles veneram as saudações públicas e são ávidos pelos títulos acadêmicos da religião. No uso rabínico, os filactérios significavam uma salvaguarda de proteção, como um talismã ou amuleto. Os rabinos usavam caixinhas de couro com quatro tiras de pergaminho, contendo quatro passagens da lei (Êx 3.3-10,11-16; Dt 6.4-9,11.13-21), usadas na testa e mão ou no braço como amuletos ou proteção. Os escribas e fariseus evidenciavam esses filactérios, mas ao mesmo tempo a Palavra de Deus não estava escondida em seu coração nem era obedecida em sua vida.[10] Tais coisas eram úteis como lembretes, mas fatais quando consideradas como talismãs. Jesus ridiculariza tamanha preocupação minuciosa por exterioridades e literalismo pretensioso.[11]

Os rabinos procuravam avidamente reconhecimento. Requeriam atenção especial para si mesmos. Queriam que todos apoiassem e aprovassem a sua dignidade ministerial, como alguns líderes religiosos ainda hoje fazem.[12]

Em quinto lugar, *são ávidos por títulos humanos* (23.8-12). Jesus deixa de falar às multidões e se volta para seus discípulos, alertando-os sobre o perigo de nutrir no coração a obsessão por títulos humanos. Jesus proibiu os seus discípulos de usar o título "mestre": *Vós, porém, não sereis chamados mestres, porque um só é vosso mestre, e vós todos sois irmãos* (23.8). Jesus também disse que não devemos usar o título de "Pai" com referência às coisas espirituais: *A ninguém sobre a terra chameis vosso pai; porque só um é vosso Pai, aquele que está nos céus* (23.9). E o terceiro título proibido é o de "Guia": *Nem sereis chamados guias, porque um só é vosso Guia, o Cristo* (23.10). Com isso, Jesus ensina que o verdadeiro líder espiritual coloca o crente cada vez mais sob a direção de Cristo. Ele faz discípulos para Jesus, e não para si mesmo.

Jesus encerra a primeira parte do seu sermão dizendo: *Mas o maior dentre vós será vosso servo. Quem a si mesmo se exaltar será humilhado; e quem a si mesmo se humilhar será exaltado* (23.11,12). Que exaltação mais gloriosa uma pessoa pode desejar? Ser exaltado por Deus por meio do serviço e da humildade (20.26,27)! William Hendriksen diz que esse provérbio ocorre nas Escrituras reiteradamente (Jó 22.29; Pv 29.13; Lc 14.11; Tg 4.6; 1Pe 5.5). Essa foi a dramática experiência de Senaquerib (2Cr 32.14,21), de Nabucodonosor (Dn 4.30-33) e de Herodes Agripa (At 12.21-23).[13]

A condenação dos falsos líderes (23.13-36)

Nessa segunda parte do discurso, Jesus condena os escribas e fariseus. Uma série de oito "ais" proféticos foram proferidos por Deus contra o seu povo, como maldições da aliança (Is 5.8-23; Hc 2.6-20). Entretanto, a maldição de Jesus, aqui, volta-se contra os falsos líderes espirituais. A palavra que Jesus mais usa em relação a eles é "hipócritas". Essa palavra significa "ator", alguém que desempenha um papel num palco. É a pessoa que pretende ser melhor do que realmente é. Tal pessoa não passa de impostora, farsante, lobo vestido com pele de ovelha, víbora oculta nos arbustos.[14] Hipócrita é aquela pessoa que alega ter um relacionamento com Deus, mas não tem e finge que tem. E pior: tira proveito disso. Por isso, Jesus é tão implacável com eles, chamando-os de lobos roubadores com peles de ovelhas (cf. 7.15). São hipócritas, serpentes e raça de víboras. Quais são os "ais" proferidos por Jesus contra os escribas e fariseus?

Em primeiro lugar, *os falsos líderes são amaldiçoados porque não entram e ainda impedem as pessoas de entrar no reino* (23.13). *Ai de vós, escribas e fariseus, hipócritas, porque fechais o reino dos céus diante dos homens; pois vós não entrais, nem deixais entrar os que estão entrando!* Os escribas e fariseus não entravam no reino de Deus e não deixavam ninguém entrar. Faziam tudo para impedir as pessoas de crerem em Cristo. Corroborando esse pensamento, A. T. Robertson escreve:

> Os doutores da lei são acusados de manter a porta da casa do conhecimento fechada e tirar a chave para que eles e o povo permaneçam na ignorância. Pelo seu ensino, esses guardas do reino obscureceram o caminho para a vida. É uma tragédia pensar que os pregadores e ensinadores do reino de Deus podem trancar a porta para os que desejam entrar. Esses porteiros do reino batem a porta na cara das pessoas, estando eles mesmos do lado de fora onde permanecerão. Escondem a chave para impedir que outros entrem.[15]

Os falsos líderes agem assim ainda hoje. Eles não se salvam nem pregam a salvação. Envolvem o povo com curas, benefícios materiais, unções e campanhas de vitória, mas as pessoas não se arrependem nem creem em Jesus Cristo. Eles estão excluídos do reino e não deixam ninguém entrar. São cegos guiando cegos (Rm 2.17-24).

Em segundo lugar, *os falsos líderes são amaldiçoados porque, movidos pela cobiça, exploram os mais fracos* (23.14). *Ai de vós, escribas e fariseus, hipócritas, porque devorais as casas das viúvas e, para o justificar, fazeis longas orações; por isso, sofrereis juízo muito mais severo!* A expressão *devorais as casas das viúvas* significa que eles conseguiam administrar as propriedades de muitas delas, explorando-as e tornando-as suas presas. Há uma maldição em Isaías 10.1,2, para quem comete isso; Deus é "juiz das viúvas" e dedica a elas um cuidado especial (Êx 22.22,23; Pv 15.25). Os fariseus disfarçavam suas más intenções com *longas orações*. Por isso, eles receberão um grau mais alto de juízo: *mais severo*.

Em terceiro lugar, *os falsos líderes são amaldiçoados porque faziam prosélitos para si mesmos* (23.15). *Ai de vós, escribas e fariseus, hipócritas, porque rodeais o mar e a terra para fazer um prosélito; e, uma vez feito, o tornais filho do inferno duas vezes mais do que vós!* Os escribas e fariseus de Jerusalém tinham um forte ímpeto "evangelístico". Eles estavam tentando propagar a sua influência nas sinagogas mais liberais dispersas por todo o mundo helenístico, e insistiam em que todos os conversos do paganismo deviam submeter-se ao pleno jugo da lei nos termos em que eles mesmos a impunham. O resultado foi que os conversos tendiam a tornar-se piores do que eles.[16]

Os fariseus faziam um esforço elogiável para fazer prosélitos para o farisaísmo, e não para Deus. O objetivo deles não era a glória de Deus nem o bem das pessoas, mas o crédito pessoal de fazer prosélitos e tê-los como presas. Os prosélitos dos fariseus eram duas vezes piores na lei cerimonial, no legalismo e na perseguição contra os cristãos (At 13.45; 17.5; 18.6; 26.11). Por isso, Jesus diz: *o tornais filho do inferno duas vezes mais do que vós!* Os hipócritas, embora se julguem filhos de Deus, são filhos do diabo ou filhos do inferno.

Em quarto lugar, *os falsos líderes são amaldiçoados porque conduzem o povo ao erro espiritual* (23.16-22). Os fariseus são "guias cegos" e, para provar a cegueira deles, Jesus mostra que eles faziam juramentos tolos. Eles faziam diferença de juramentos: jurar pelo santuário não era obrigatório, mas pelo ouro sim. Jesus mostra a tolice dessa diferença (23.17-19) e corrige o engano, dizendo: *Portanto, quem jurar pelo altar jura por ele e por tudo o que sobre ele está. Quem jurar pelo santuário jura por ele e por aquele que nele habita; e quem jurar pelo céu jura pelo trono de Deus e por aquele que no trono está sentado* (23.20-22). O objetivo do verdadeiro juramento é expressar algo em nome do Senhor. Juramentos são declarações solenes que invocam Deus como testemunha das declarações e promessas feitas, pedindo a ele que puna qualquer falsidade (Ed 10.5; Ne 5.12; 2Co 1.23; Hb 6.13-17). Todo cristão deve falar a verdade e honrar a palavra dada (5.37). Os fariseus levavam o povo a jurar por coisas que lhes dessem lucro e ganho pessoal.

Em quinto lugar, *os falsos líderes são amaldiçoados porque valorizam as coisas menores e desprezam as mais importantes da lei* (23.23,24). Os fariseus eram rígidos e exigentes nos detalhes da lei e relaxados nas questões mais importantes: *Ai de vós, escribas e fariseus, hipócritas, porque dais o dízimo da hortelã, do endro e do cominho e tendes negligenciado os preceitos mais importantes da lei: a justiça, a misericórdia e a fé; devíeis, porém, fazer estas coisas, sem omitir aquelas! Guias cegos, que coais o mosquito e engolis o camelo!* (23.23,24). Eles se preocupavam em consagrar o dízimo das mínimas sementes (Lv 27.30; Dt 14.22), mas desprezavam a prática da justiça, da misericórdia e da fé (Sl 15; Mq 6.8). Jesus diz que eles deveriam continuar dando o dízimo, mas que fizessem também o mais importante da lei, ou seja, praticar a justiça, a misericórdia e a fé. Eles não podiam coar mosquitos e engolir camelos. O mosquito era o menor, e o camelo era o maior dos animais impuros. Tom Hovestol nos ajuda a entender melhor o contexto dessa passagem, quando escreve:

> Os fariseus estavam preocupados com a ingestão de coisas que pudessem ser impuras, o que os tornaria ritualmente impuros. Um dos animais impuros a que eles mais dedicavam sua atenção era o mosquito, pois estes se juntavam regularmente em torno do vinho em fermentação. Para ter certeza de que não engoliriam um mosquito, os judeus chegavam a extremos, a ponto de passar o suco através de um tecido fino e chegavam até a beber com os dentes cerrados. Contudo, o maior animal impuro que os judeus conheciam era o camelo. Portanto, Jesus retratou um judeu coando meticulosamente o vinho e cerrando os dentes para evitar engolir um mosquito, enquanto tinha um camelo pendurado em sua mandíbula.[17]

Infelizmente, muitos se valem desse texto para ensinar que Jesus combateu o dízimo. É óbvio que não! O dízimo é uma prática do povo de Deus antes mesmo da outorga da lei, está presente na lei e também na dispensação da graça. O dízimo está presente no Pentateuco, nos livros históricos, nos poéticos, nos proféticos e no Novo Testamento. O que Jesus está combatendo aqui não é a prática do dízimo, mas o uso errado do dízimo. Os fariseus estavam usando a prática meticulosa do dízimo como um salvo-conduto para negligenciarem os principais preceitos da lei. Faziam do dízimo uma espécie de talismã.

Em sexto lugar, *os falsos líderes são amaldiçoados porque combatem o pecado exteriormente, e não no interior* (23.25,26). *Ai de vós, escribas e fariseus, hipócritas, porque limpais o exterior do copo e do prato, mas estes, por dentro, estão cheios de rapina e intemperança! Fariseu cego, limpa primeiro o interior do copo, para que também o seu exterior fique limpo!* O que contamina o homem não é o que entra ou o que está do lado de fora, mas o que procede do seu coração corrupto (15.17-20). Primeiro, é necessário limpar o coração (Sl 51.10). A. T. Robertson diz que esse é um quadro moderno da maldade em altos cargos – tanto civis como eclesiásticos – em que a moralidade e a decência são impiedosamente espezinhadas.[18]

Em sétimo lugar, *os falsos líderes são amaldiçoados porque são fingidos espiritualmente* (23.27,28). *Ai de vós, escribas e fariseus, hipócritas, porque sois semelhantes aos sepulcros caiados, que, por fora, se mostram belos, mas interiormente estão cheios de ossos de mortos e de toda imundícia! Assim também vós exteriormente pareceis justos aos homens, mas, por dentro, estais cheios de hipocrisia e de iniquidade.* Jesus compara os fariseus aos sepulcros caiados. Externamente são bonitos, caiados de branco bem claro, passando a imagem de pureza. O problema é que, quando você abre o sepulcro, tem contato com a sua impureza e podridão. Spurgeon está certo quando diz que o branqueamento das sepulturas não tinha apenas um propósito higiênico, mas era feito principalmente para manter as pessoas longe deles, para que não se contaminassem cerimonialmente.[19]

Em oitavo lugar, *os falsos líderes são amaldiçoados porque perseguem os servos de Deus* (23.29-36). Os escribas e fariseus fingiam honrar os profetas, adornando os seus sepulcros e dizendo: *Se tivéssemos vivido nos dias de nossos pais, não teríamos sido seus cúmplices no sangue dos profetas!* (23.30). Com isso, eles mesmos reconhecem o pecado dos seus antepassados. Estêvão, o primeiro mártir do cristianismo, é duro e direto: *Assim como fizeram os vossos pais, também vós o fazeis* (At 7.51). Jesus passa a condená-los de forma clara, mostrando que a medida do pecado deles estava cheia: *Serpentes, raça de víboras! Como escapareis da condenação do inferno? Por isso, eis que eu vos envio profetas, sábios e escribas. A uns matareis e crucificareis; a outros açoitareis nas vossas sinagogas e perseguireis de cidade em cidade; para que sobre vós recaia todo o sangue justo derramado sobre a terra, desde o sangue do justo Abel até ao sangue de Zacarias, filho de Baraquias, a quem matastes entre o santuário e o altar* (23.33-35). Jesus envia embaixadores e missionários aos judeus, mas os fariseus irão acoitá-los, persegui-los, matá-los e crucificá-los (At 13.46; 14.9; 17.13; Rm 15.31).

Jesus conclui dizendo algo muito sério: *Em verdade vos digo que todas estas coisas hão de vir sobre a presente geração* (23.36). Todo o castigo divino pelo sangue derramado dos justos no passado (de Abel a Zacarias) viria sobre aquela geração. A invasão dos romanos a Jerusalém, no ano 70 d.C., foi algo terrível. O fim dos falsos profetas é trágico e terrível.

O lamento de Jesus sobre Jerusalém (23.37-39)

Depois que Jesus descreve e condena os falsos líderes religiosos, passa a um pungente lamento sobre a cidade de Jerusalém. Tom Hovestol é oportuno quando diz que a forma com que Jesus encerra esse assunto é muito apropriada, pois o conclui com lágrimas, e não com escárnio; com choro, e não com açoitamento. As denúncias feitas por Jesus partiram seu coração. Ele queria ajuntar esses fariseus debaixo de suas asas e cobri-los com seu amor. Ele só queria que eles fossem honestos consigo mesmos e vissem a depravação de seu ser e a necessidade que tinham, para que buscassem a mensagem da graça e uma vida autêntica, em vez de uma religiosidade doentia.[20]

Destacamos dois pontos a seguir.

Em primeiro lugar, *um lamento profundo de Jesus* (23.37). Esse transbordamento de dor é endereçado a Jerusalém, o símbolo do espírito da nação inteira. A Jerusalém que eles chamavam de santa, Jesus chama de assassina de profetas. A Jerusalém que eles exaltavam, Jesus diz que apedrejava os que a ela eram enviados. A Jerusalém que Jesus quis tantas vezes acolher sob suas asas, como uma galinha ajunta os seus pintainhos, expulsou Jesus para fora de seus muros e o crucificou no topo do Calvário.

Há ternura na linguagem figurada da galinha e seus filhotes. Jesus suportaria o fragor da tempestade na cruz para oferecer a eles proteção eterna. Entretanto, eles não quiserem. A responsabilidade dos judeus pela sua sorte é atribuída diretamente a eles mesmos com a expressão final *e vós não o quisestes!*

Em segundo lugar, *uma profecia dramática de Jesus* (23.38,39). Toda a casa dos judeus foi desolada quando Jesus se retirou deles; e o templo, a santa e bela casa, tornou-se uma desolação espiritual quando Cristo finalmente o deixou. Jerusalém foi longe demais para ser resgatada da destruição que buscou para si mesma, diz Spurgeon.[21] A rejeição do reino da graça implica a exclusão do reino da glória. Os judeus, tão arrogantes e soberbos ao rejeitarem Cristo, o Messias, veriam sua casa ficar deserta. Eles, que rejeitaram o convite da graça encarnado na pessoa de Jesus em sua primeira vinda, só voltariam a vê-lo no julgamento final, em sua gloriosa segunda vinda, quando então seria tarde demais! Quando uma nação ou um homem persiste em rejeitar Cristo, o fim é inevitável. Sua casa ficará deserta. Deus já não habita mais ali: essa é a desgraça final.

Soa, então, terrível esta frase: *Tendo Jesus saído do templo ia-se retirando* (24.1).

Notas

[1] Hovestol, Tom. *A neurose da religião*, p. 27.
[2] Hendriksen, William. *Mateus.* Vol. 2, p. 381.
[3] Ibidem, p. 381-382.
[4] Rienecker, Fritz. *Evangelho de Mateus*, p. 386.
[5] Ibidem, p. 376.
[6] Robertson, A. T. *Comentário de Mateus*, p. 251.
[7] Ryle, John Charles. *Meditações no evangelho de Mateus*, p. 195.
[8] Spurgeon, Charles H. *O evangelho segundo Mateus*, p. 507.
[9] Robertson, A. T. *Comentário de Mateus*, p. 251.
[10] Spurgeon, Charles H. *O evangelho segundo Mateus*, p. 507.
[11] Robertson, A. T. *Comentário de Mateus*, p. 252-253.
[12] Ibidem, p. 253.
[13] Hendriksen, William. *Mateus.* Vol. 2, p. 389.
[14] Ibidem, p. 391-392.
[15] Robertson, A. T. *Comentário de Mateus*, p. 255.
[16] Tasker, R. V. G. *Mateus: introdução e comentário*, p. 172.
[17] Hovestol, Tim. *A neurose da religião*, p. 206.
[18] Robertson, A. T. *Comentário de Mateus*, p. 257.
[19] Spurgeon, Charles H. *O evangelho segundo Mateus*, p. 516.
[20] Hovestol, Tom. *A neurose da religião*, p. 216.
[21] Spurgeon, Charles H. *O evangelho segundo Mateus*, p. 521.

Capítulo 64

O sermão profético de Jesus

(Mt 24.1-51)

Esse é o mais completo sermão profético de Jesus registrado nos evangelhos. O assunto central é a segunda vinda de Cristo. A segunda vinda de Cristo é um dos temas mais enfatizados em toda a Bíblia.

De fato, a segunda vinda de Cristo é um dos assuntos mais debatidos e também mais distorcidos. Muitos negam que Jesus voltará. Outros tentam marcar datas para sua segunda vinda. Outros, ainda, dizem crer na segunda vinda de Cristo, mas vivem como se ele jamais fosse voltar.

É desse importante tema que vamos tratar a seguir, à luz do texto em tela.

A admiração dos discípulos e a declaração de Jesus (24.1,2)

Jesus, tendo concluído seu discurso final no templo, partiu para nunca mais voltar. Os discípulos, que eram galileus e só iam a Jerusalém no período das festas, estavam mais e mais encantados com a exuberância do templo, ampliado e embelezado por Herodes, o Grande, pois este era um dos mais belos monumentos do século 1. Essa obra arquitetônica monumental era de mármore branco polido, tão belo como uma montanha de neve.[1] Foi dito acerca desse templo: "Aquele que nunca viu o templo de Herodes, nunca viu um edifício majestoso".[2] Mas Jesus já havia dito que sua casa será deixada deserta (23.38). Agora Jesus diz para eles que não restará pedra sobre pedra daquele colossal edifício religioso. Aquele majestoso templo de mármore branco, bordejado de ouro, o terceiro templo de Jerusalém, um dos mais belos monumentos arquitetônicos do mundo, seria arrasado pelos romanos quarenta anos depois no terrível cerco de Jerusalém.

A profecia acerca da destruição de Jerusalém e da segunda vinda de Cristo (24.3)

Os discípulos perguntam quando isso se daria e que sinais haveria da sua vinda. Essa resposta tem a ver com a destruição de Jerusalém e também com a segunda vinda, a consumação dos séculos. A destruição do templo é um símbolo do que vai acontecer na segunda vinda. Jesus prediz a iminente destruição do templo de Jerusalém como um tipo da grande tribulação que virá no final dos tempos. R. C. Sproul destaca o impacto que essa profecia deve ter causado nos discípulos. A construção desse templo havia durado 46 anos. Era um edifício magnífico, o centro nevrálgico da religião judaica. E não só o templo, mas a cidade de Jerusalém também seria destruída (Lc 21.24b), e o seu povo, disperso pelo mundo (Lc 21.24a).[3]

Lawrence Richards diz que, quando Jesus mencionou uma futura destruição do templo, os discípulos levantaram três questões sobre o futuro (24.1-3). As questões foram respondidas na ordem inversa nesse capítulo. As questões eram: Que sinal haverá do fim do mundo? (respondida em 24.4-25), Que sinal haverá da tua vinda? (respondida em 24.26-35) e Quando serão essas coisas? (respondida em 24.36-41). As respostas de Jesus podem ser resumidas assim: o fim do mundo será marcado por um sofrimento intenso, que se iniciará com o cumprimento da profecia de Daniel 9.27 sobre *o abominável da desolação* (24.15). Sua própria vinda será visível para todos, porque ele retornará abertamente com um exército de anjos. Mas, quando isso vai acontecer, ninguém sabe. O restante do capítulo 24 e todo o capítulo 25 de Mateus desenvolvem um único tema. Até que Jesus volte realmente, o povo de Deus deve manter-se atento, sempre pronto, uma vez que Cristo poderá vir a qualquer momento (24.42-44). Como servos responsáveis pelo bem-estar dos outros, teremos de ser fiéis até que Jesus venha (24.45-51). Semelhantemente a damas de honra esperando para acompanhar o noivo até a casa da noiva, devemos estar vigilantes, preparados e prontos (25.1-13). Como aqueles a quem foram dados recursos por um senhor ausente, precisaremos usar o que temos e o que somos em seu benefício até ele voltar (25.14-30). Um dia, o Rei voltará. Então, os justos serão bem-vindos em sua presença, ao passo que os injustos serão rejeitados para sempre (25.31-46).[4]

Os sinais da segunda vinda de Cristo (24.4-31)

Por uma questão didática, vamos classificar os sinais por blocos de temas, e não pela sequência dos versículos. Vejamos a seguir.

Em primeiro lugar, *sinais que mostram a graça* (24.14). Jesus morreu para comprar aqueles que procedem de toda tribo, raça, povo, língua e nação (Ap 5.9). A evangelização das nações é um sinal que deve preceder a segunda vinda de Cristo. A igreja deve aguardar e apressar o dia da vinda de Cristo (2Pe 3.12). Jesus está declarando que cada uma dessas nações, em uma ou outra ocasião durante o curso da história, ouvirá o evangelho.[5] Esse evangelho será um testemunho. Aqui não há promessa de segunda oportunidade. Spurgeon diz que o mundo é para a igreja aquilo que um andaime é para um edifício. Quando a igreja for edificada, o andaime será retirado; o mundo deve permanecer até o último eleito ser salvo, e então virá o fim.[6]

William Hendriksen diz que a história das missões mostra que o evangelho tem se estendido do Oriente até o Ocidente.[7] Vejamos essa questão com mais detalhes a seguir.

No século 1, o apóstolo Paulo foi o grande bandeirante do cristianismo, plantando igrejas nas províncias da Galácia, Macedônia, Acaia e Ásia Menor.

Durante o período seguinte (100-303), desde a morte do apóstolo João até Constantino, mais de 164 mil mártires foram sepultados em um único grande sepulcro, ou seja, as catacumbas de São Sebastião em Roma.

De Constantino até Carlos Magno (313-800), as boas-novas da salvação são levadas aos países da Europa ocidental. Nesse tempo, os maometanos apagaram a luz do evangelho em muitos países da Ásia e da África.

De Carlos Magno até Lutero (800-1517), a Noruega, a Islândia e a Groelândia são evangelizadas, e os escravos da Europa oriental se convertem como um só corpo ao cristianismo.

De 1517 até 1792, originaram-se muitas sociedades missionárias, e o evangelho é levado ao ocidente.

Em 1792, William Carey começa as missões modernas. A evangelização dos povos, contudo, é ainda uma tarefa inacabada.

Hoje, as redes sociais, os meios de comunicação modernos, têm acelerado o cumprimento dessa profecia. Bíblias têm sido traduzidas. Missionários têm se levantado. Podemos apressar o dia da vinda de Cristo.

Em segundo lugar, *sinais que indicam oposição a Deus*. Jesus cita quatro sinais que indicam oposição a Deus e seu povo, como vemos a seguir.

A tribulação (24.9,10,21,22). A vinda de Cristo será precedida de um tempo de profunda angústia e dor. Haverá perseguidores de fora e traidores de dentro.[8] Esse tempo é ilustrado com o tempo do cerco de Jerusalém, quando o povo foi encurralado pelos exércitos romanos e muitos foram mortos à espada, crucificados ou vendidos como escravos no mercado por um preço qualquer. Esse tempo será abreviado por amor aos eleitos. A igreja passará pela grande tribulação. Será o tempo da angústia de Jacó. A perseguição religiosa (24.9,10) tem estado presente em toda a história: os judaizantes, os romanos, a inquisição, os governos totalitários, o nazismo, o comunismo, o islamismo e as religiões extremistas. No século 20, tivemos o maior número de mártires da história. Essa grande tribulação descreve o mesmo período: 1) a apostasia; 2) a depravação moral; 3) o anticristo. Esse é um tempo angustiante como nunca houve em toda a história.

A apostasia (24.4,5,23-26). É significativo que o primeiro sinal que Cristo apontou para a sua segunda vinda tenha sido o surgimento de falsos messias, falsos profetas, falsos cristãos, falsos ministros, falsos irmãos pregando e promovendo um falso evangelho nos últimos dias. Cristo declarou que um falso cristianismo marcará os últimos dias. Robertson, citando Flávio Josefo, diz que se atribui aos falsos cristos uma das razões para a manifestação violenta da população contra Roma que levou à destruição da cidade.[9]

Estamos vendo o ressurgimento do antigo gnosticismo, de um novo evangelho, de outro evangelho, de um falso evangelho nestes dias. A segunda vinda será precedida pelo abandono da fé verdadeira. O engano religioso estará em alta. Novas seitas, novas igrejas, novas doutrinas se multiplicarão. Haverá falsos profetas, falsos cristos, falsas doutrinas e falsos milagres. Vivemos hoje uma explosão da falsa religião. O islamismo em 2018 domina cerca de um bilhão e oitocentos milhões de pessoas. O espiritismo kardecista e os cultos afro-brasileiros proliferam. As grandes religiões orientais como o budismo e o hinduísmo mantêm milhões de pessoas num berço de cegueira espiritual.

As seitas orientais e ocidentais têm florescido com grande força. Os desvios teológicos são graves: liberalismo, misticismo, sincretismo.

Os grandes seminários que formaram teólogos e missionários hoje estão vendidos aos liberais. Muitas igrejas históricas já se renderam ao liberalismo. Há igrejas mortas na Europa, na América e no Brasil, muitas delas vitimadas pelo liberalismo. Os liberais negam a doutrina da ressurreição e dizem que os milagres operados por Jesus não passam de mitos.

O misticismo, de igual modo, está adentrando os umbrais de muitas igrejas hoje. A verdade é torcida. O comércio está sendo introduzido nas igrejas. As indulgências da Idade Média estão sendo desengavetadas com novas roupagens. A igreja está se transformando numa empresa, o púlpito num balcão, o templo numa praça de barganha, o evangelho num produto de consumo, e os crentes em consumidores.

A depravação moral (24.12,13). A iniquidade se multiplicará, e o amor vai esfriar. O amor esfria quando a energia espiritual fica ressecada ou é esfriada por um vento maligno ou venenoso. O amor da fraternidade dá lugar ao ódio e à desconfiança mútuos.[10] Vale ressaltar que o amor esfria, mas o ódio não. O mundo estará sem referência, perdido, confuso, sem balizas morais, sem norte ético. Testemunharemos a desintegração da família, a falência das instituições e o colapso dos valores morais e espirituais. O índice de infidelidade conjugal é alarmante. O índice de divórcio já passa de 50% em alguns países. A homossexualidade é aplaudida. A pornografia tornou-se uma indústria poderosa. O narcotráfico afunda a juventude no pântano das drogas. A corrupção moral está presente nas cortes, nos palácios e nos parlamentos. As instituições estão desacreditadas. A corrupção religiosa é alarmante. O sagrado foi vilipendiado.

A depravação moral pode ser vista em várias áreas:

- Revolução sexual – homossexualidade, infidelidade conjugal, falta de freios morais.
- Rendição às drogas – juventude chafurdada no atoleiro químico.
- Dissolução da família – divórcio do cônjuge e dos filhos.
- Violência urbana – as cidades tornaram-se campo de barbárie.

- A solidão – no século da comunicação e da rapidez dos transportes, as pessoas estão morrendo de solidão, na janela virtual do mundo, a Internet.

Nesse mar de apostasia, há uma ilha de perseverança (24.13). Jesus deixa claro que quem vai ganhar o prêmio não é o homem que começa a corrida, mas o que corre até a chegada. A salvação é para aqueles que perseveram até o fim.

O anticristo (24.15). O sacrílego desolador citado por Daniel aplicou-se a Antíoco Epifânio no século 2 a.C. e também às legiões romanas que invadiram Jerusalém em 70 d.C. para fincar uma imagem do imperador dentro do templo. Eles são um símbolo e um tipo do anticristo que virá no tempo do fim. O espírito do anticristo já está operando no mundo. Ele se opõe e se levanta contra tudo o que é Deus. Ele se levantará para perseguir a igreja. Ninguém resistirá ao seu poder e autoridade. Ele irá perseguir, matar, controlar. Muitos crentes serão mortos e selarão seu testemunho com a própria morte.

O anticristo não é um partido, não é uma instituição, nem mesmo uma religião. É um homem sem lei, uma espécie de encarnação de Satanás, que agirá na força e no poder de Satanás. Ele será levantado em tempo de apostasia. Ele governará com mão de ferro. Perseguirá cruelmente a igreja. Blasfemará contra Deus. Mas, no auge do seu poder, Cristo virá em glória e o matará com o sopro da sua boca. Ele será quebrado sem esforço humano. Nessa batalha final, o Armagedom, a única arma usada será a espada afiada que sairá da boca do Senhor Jesus.

Em terceiro lugar, *sinais que indicam o juízo divino.* Destacamos a seguir três sinais.

As guerras (24.6,7). A destruição de Jerusalém foi o começo do fim, o grande tipo e a antecipação de tudo o que acontecerá quando Cristo vier no último dia. A derrubada de Jerusalém foi *um* fim, mas não *o* fim: ... *ainda não é o fim.*[11] Rienecker registra as palavras de Tácito: "Começo a obra de escrever sobre uma época que é rica em tragédia, sangrenta por causa de batalhas, dilacerada por revoltas".[12] Ao longo da história, tem havido treze anos de guerra para cada ano de paz. Desde 1945, após a Segunda Guerra Mundial, o número de guerras tem aumentado vertiginosamente. Registram-se mais de trezentas guerras desde então, na formação de nações emergentes e na queda de antigos impérios. A despeito dos milhares de tratados de paz, os últimos cem anos foram denominados de o século da guerra. Nos últimos cem anos, já morreram mais de duzentos milhões de pessoas nas guerras.

Segundo pesquisa do Reshaping International Order Report, quase 50% de todos os cientistas do mundo (quinhentos mil) estão trabalhando em pesquisas de armas de destruição. Quase 40% dos recursos das nações são colocados na pesquisa e fabricação de armas. Falamos sobre paz, mas gastamos com a guerra. Gastamos mais de um trilhão de dólares por ano em armas e guerras. Poderíamos resolver o problema da fome, do saneamento básico, da saúde pública e da moradia do terceiro mundo com esse dinheiro.

O mundo está encharcado de sangue. Houve mais tempo de guerra do que de paz. A aparente paz do império romano foi subjugada por séculos de conflitos, tensões e guerras sangrentas. A Europa foi um palco tingido de sangue de guerras encarniçadas. O século 20 foi batizado como o século da guerra.

Na Primeira Guerra Mundial (1914-1918), cerca de trinta milhões de pessoas foram mortas. Ninguém podia imaginar que, no mesmo palco dessa barbárie, vinte anos depois explodisse outra guerra mundial. A Segunda Guerra Mundial (1939-1945) ceifou sessenta milhões de vidas. Os gastos ultrapassaram um trilhão de dólares. Hoje, falamos em armas atômicas, nucleares, químicas e biológicas. O mundo está em pé de guerra. Temos visto irmãos lutando contra irmãos e tribo contra tribo na Albânia, em Ruanda, na Bósnia, no Kosovo, na Chechênia, no Sudão e no Oriente Médio. São guerras tribais na África, guerras étnicas na Europa e na Ásia, guerras religiosas na Europa. A cada guerra, erguemos um monumento de paz para começar outra encarniçada batalha.

Os terremotos (24.7,29). No ano 46 d.C., as cidades de Laodiceia, Hierápolis e Colossos foram submergidas por um grande terremoto. Em 79 d.C., Pompeia foi destruída. Ao longo dos séculos, os terremotos sacudiram a terra. De acordo com a pesquisa geológica dos Estados Unidos, foram registrados:

- de 1890 a 1930, apenas 8 terremotos medindo 6.0 na escala Richter.
- de 1930 a 1960, 18 terremotos.
- de 1960 a 1979, 64 terremotos catastróficos.
- de 1980 a 1996, mais de 200 terremotos dramáticos.

O mundo está sendo sacudido por terremotos em vários lugares. Os tufões e maremotos têm sepultado cidades inteiras. Desde o ano 79 d.C., no século 1, quando a cidade de Pompeia, na Itália, foi sepultada pelas cinzas de Vesúvio, o mundo está sendo sacudido por terremotos, maremotos, tufões, furacões e tempestades. Em 1755, por volta de sessenta mil pessoas morreram por causa de um terrível terremoto em Lisboa. Em 1906, um terremoto avassalador destruiu a cidade de San Francisco, na Califórnia. Em 1920, a província de Kansu, na China, foi arrasada por um terremoto. Em 1923, Tóquio foi devastada por um terremoto. Em 1960, o Chile foi abalado por um terremoto que deixou milhares de vítimas. Em 1970, o Peru foi arrasado por um imenso terremoto.

Nos últimos anos, vimos o *tsunami* na Ásia invadir com ondas gigantes cidades inteiras. O furacão Katrina deixou a cidade de New Orleans debaixo de água. Dezenas de outros tufões, furacões, maremotos e terremotos têm sacudido os alicerces do planeta terra, destruído cidades e levado milhares de pessoas à morte.

Só no século 20, houve mais terremotos do que em todo o restante da história. A natureza está gemendo e entrando em convulsão. O aquecimento do planeta está levando os polos a um derretimento que pode provocar grandes inundações.

Apocalipse 6.12-17 anuncia que as colunas do universo são todas abaladas. O universo entra em colapso. Tudo o que é sólido é balançado. Não há refúgio nem esconderijo para o homem em nenhum lugar do universo. O homem desesperado busca fugir de Deus, esconder-se em cavernas e procurar a própria morte, mas nada nem ninguém pode oferecer refúgio para o homem. Ele terá de enfrentar a ira de Deus.

Quando Cristo vier, os céus se desfarão em estrepitoso estrondo. Deus vai redimir a própria natureza do seu cativeiro. Nesse tempo, a natureza será apaziguada. Então as tensões acabarão, e a natureza será totalmente transformada.

As fomes e epidemias (24.7). A fome é um subproduto das guerras. Gastamos hoje mais de um trilhão de dólares com armas de destruição. Esse dinheiro resolveria o problema da miséria no mundo. A fome hoje mata mais que a guerra. O presidente americano Eisenhower, em 1953, disse: "O mundo não está gastando apenas o dinheiro nas armas. Ele está despendendo o suor de seus trabalhadores, a inteligência dos seus cientistas e a esperança das suas crianças. Nós gastamos num único avião de guerra quinhentos mil sacos de trigo e num único míssil casas novas para oitocentas pessoas".

A fome é um retrato vergonhoso da perversa distribuição das riquezas. Enquanto uns acumulam muito, outros passam fome. A fome alcança quase 50% da população do mundo. Crianças e velhos, com o rosto cabisbaixo de vergonha, com o ventre fuzilado pela dor da fome estonteante, disputam com os cães lazarentos os restos apodrecidos das feiras.

Spurgeon faz uma pergunta perturbadora: Se fomes, pestes e terremotos são apenas o princípio das dores, o que podemos esperar ser o fim? Essa profecia deveria tanto alertar os discípulos de Cristo sobre o que eles poderiam esperar quanto os levar a se desapegarem do mundo no qual todas essas tristezas, e outras ainda maiores, serão experimentadas.[13]

A descrição da segunda vinda de Cristo

A segunda vinda de Cristo é descrita da seguinte forma no texto em tela.

Em primeiro lugar, *a segunda vinda será repentina* (24.27,28). Cristo virá como um relâmpago. É como o piscar do olho, o faiscar de uma estrela e o dardejar da cauda de um peixe. Ninguém poderá se preparar de última hora. Quando o noivo chegar, será tarde demais para buscar encher as lâmpadas de azeite. Viver a vida despercebidamente é uma loucura. Você está preparado para a vinda do Senhor Jesus? Esta pode ser a sua última oportunidade! Já é meia-noite! O noivo em breve chegará! Você está pronto para encontrar-se com ele?

Jesus ilustra a realidade repentina de sua vinda, ao dizer: *Onde estiver o cadáver, aí se ajuntarão os abutres* (24.28). De acordo com R. C. Sproul, alguns dos melhores estudiosos do Novo Testamento entendem esse versículo como uma referência aos judeus e aos romanos. Uma carcaça, naturalmente, é o corpo de um animal morto. No contexto da profecia de Jesus, quem estava morrendo era Israel. A nação estava sendo massacrada pela mão punitiva de Deus, e o instrumento de vingança era o exército romano. O principal símbolo das forças romanas era a águia, e havia um modelo dessa ave no estandarte de cada legião. Assim, os discípulos veriam os abutres ajuntando-se em torno da carcaça quando as legiões de Roma cercassem Jerusalém.[14]

Nessa mesma linha de pensamento, Charles Spurgeon afirma que o judaísmo havia se tornado um cadáver, morto e corrupto; comida adequada para os abutres ou águias de Roma. Aos poucos, chegará um dia em que haverá uma igreja morta em um mundo morto, e as águias do juízo divino se ajuntarão para despedaçar aqueles que ninguém poderá libertar. As aves de rapina se reúnem sempre que corpos mortos são encontrados; e os juízos de Cristo serão derramados quando o corpo político ou religioso se tornar insuportavelmente corrupto.[15]

Fritz Rienecker, comentando essa solene figura, diz: "Com a mesma certeza, o pecado e a miséria no mundo, quando a medida estiver completa, aproximarão a ação julgadora e salvadora do Cristo".[16] É nessa mesma linha de pensamento que William Hendriksen escreve: "Quando o mundo, moral e espiritualmente, se degenera a tal ponto que se assemelha a um cadáver em decomposição; noutros termos, quando o Senhor julga que a taça do mundo está transbordando de iniquidade, então, e não antes disso, Cristo virá para condenar este mundo. Assim, sua vinda se torna uma necessidade divina".[17]

Em segundo lugar, *a segunda vinda será gloriosa* (24.30). Será uma vinda pessoal, visível e pública. Todo olho o verá (Ap 1.7). Não haverá um arrebatamento secreto e só depois uma vinda visível. Sua vinda é única. Jesus aparecerá no céu. Ele estará montado em um cavalo branco (Ap 19.11-16). Ele virá acompanhado de um séquito celestial. Virá do céu ao soar da trombeta de Deus. Descerá nas nuvens, acompanhado de seus santos anjos e dos remidos. Ele virá com grande esplendor.

Todos os povos que o rejeitaram vão se lamentar. Aquele será um dia de trevas, e não de luz para eles. Será o dia do juízo, no qual eles sofrerão penalidade de eterna destruição. Os que fazem parte de todos os povos e tribos da terra, conscientes de sua condição de perdidos, se golpearão no peito atemorizados pela exibição da majestade de Cristo em toda a sua glória. O terror dos iníquos é descrito graficamente em Apocalipse 6.15-17, da seguinte maneira:

> *Os reis da terra, os grandes, os comandantes, os ricos, os poderosos e todo escravo e todo livre se esconderam nas cavernas e nos penhascos dos montes e disseram aos montes e aos rochedos: Caí sobre nós e escondei-nos da face daquele que se assenta no trono e da ira do cordeiro, porque chegou o Grande Dia da ira deles; e quem é que pode suster-se?*

John Charles Ryle destaca a majestade da segunda vinda de Cristo comparando-a com sua primeira vinda:

> A segunda vinda pessoal de Jesus Cristo será tão diferente da primeira quanto possível. Ele veio a primeira vez como homem de tristezas, cercado de aflições. Nasceu em uma estrebaria, em Belém, pequenino e humilde, e assumiu a forma de servo, tendo sido desprezado e rejeitado pelos homens desde o início. Ele foi traído e entregue às mãos

> de homens iníquos, condenado por um julgamento injusto, escarnecido, açoitado, coroado de espinhos e, por fim, crucificado entre dois ladrões. Na segunda vez, ele virá como Rei de toda a terra, com toda majestade real. Os príncipes e grandes homens deste mundo haverão de comparecer diante do seu trono, para receberem uma sentença eterna. Diante dele toda boca se calará, todo joelho se dobrará e toda língua confessará que Jesus Cristo é o Senhor.[18]

Em terceiro lugar, *será vitoriosa* (24.31). Que contraste entre o ajuntamento dos abutres para devorar a carcaça podre e o ajuntamento dos eleitos de Cristo na grande convocação ao som de trombeta, pelos seus santos anjos.[19] Jesus virá para arrebatar a igreja. Os anjos recolherão os escolhidos dos quatro ventos, de uma a outra extremidade dos céus. Os eleitos de Deus serão chamados. A Bíblia diz que, quando Cristo vier, os mortos em Cristo ressuscitarão primeiro, com um corpo incorruptível, poderoso e glorioso, semelhante ao corpo da glória de Cristo. Então, os que estiverem vivos serão transformados e arrebatados para encontrar o Senhor nos ares, e assim estaremos para sempre com o Senhor. Aquele dia será de vitória. Nossas lágrimas serão enxugadas. Então, entraremos nas bodas do cordeiro e ouviremos: *Vinde, benditos do meu Pai! Entrai na posse do reino que vos está preparado desde a fundação do mundo* (25.34). John Charles Ryle diz que, nesse dia, os verdadeiros cristãos serão, por fim, reunidos. Os santos de todos os séculos e de todos os idiomas serão recolhidos entre todas as nações. Todos estarão lá, desde o justo Abel até a última alma que se converter a Deus, desde o mais antigo patriarca até a criança que é salva.[20]

Jesus virá também para julgar aqueles que o traspassaram (24.30). Ele virá julgar vivos e mortos. Aqueles que escaparam da justiça dos homens não poderão escapar do tribunal de Cristo. Naquele dia, o dinheiro não os livrará. Naquele dia, o poder político não os ajudará. Eles terão de enfrentar o cordeiro a quem rejeitaram. Naquele tribunal, os ímpios terão testemunhas que se levantarão contra eles: suas palavras os condenarão. Suas obras os condenarão. Seus pensamentos os condenarão. Seus pecados escreverão sua sentença de morte eterna.

A preparação para a segunda vinda de Cristo

No que concerne à preparação para a segunda vinda de Cristo, destacamos a seguir cinco pontos.

Em primeiro lugar, *a segunda vinda será precedida por avisos claros* (24.32,33). Quando essas coisas começarem a acontecer, devemos saber que está próxima a nossa redenção. A figueira já começou a brotar, e os sinais já estão gritando aos nossos ouvidos. O livro de Apocalipse nos mostra que Deus não derrama as taças do seu juízo sem antes tocar a trombeta. Os sinais da segunda vinda são trombetas de Deus embocadas para dentro da história. Jesus está avisando que ele virá. Ele fez esta promessa: *Eis que venho sem demora* (Ap 3.11). Ele prometeu que, assim como foi para o céu, também voltará. A Bíblia diz que Jesus virá em breve. Os sinais apontam que sua vinda está próxima. A Palavra de Deus não pode falhar. Passarão o céu e a terra, mas a Palavra não há de passar. Essa Palavra é verdadeira. Prepare-se para encontrar com o Senhor, seu Deus!

Em segundo lugar, *a segunda vinda será imprevisível* (24.36). A série de eventos que precederá o retorno de Cristo já foi descrita. No entanto, o momento preciso desse grande evento não é indicado.[21] Ninguém pode decifrar esse dia. Ele pertence exclusivamente à soberania de

Deus. Quando os discípulos perguntaram a Jesus sobre esse assunto, ele respondeu: *Não vos compete conhecer tempos ou épocas que o Pai reservou pela sua exclusiva autoridade* (At 1.7). Daquele dia nem os anjos nem o filho sabem. Aqueles que marcaram datas da segunda vinda de Cristo fracassaram. Aqueles que se aproximam das profecias com curiosidade frívola e com o mapa escatológico nas mãos são apanhados laborando em grave erro. Se não sabemos o dia nem a hora, seremos tidos por loucos se vivermos despercebidamente. Muitos críticos das Escrituras tentam desacreditar a pessoa de Cristo por essa informação. Como resolvemos esse problema? R. C. Sproul esclarece:

> Não há nada a ser resolvido se tivermos uma compreensão ortodoxa da encarnação. Jesus é verdadeiramente homem e verdadeiramente Deus. Em Jesus a verdadeira humanidade é unida à verdadeira divindade. A encarnação não resultou em uma mistura, na qual a divindade e a humanidade estão fundidas de tal forma que o divino não é realmente divino e o humano não é realmente humano. Uma natureza humana deificada deixaria de ser humana, e uma natureza divina humanizada deixaria de ser divina. Portanto, as únicas pessoas que têm problemas com a profecia de Jesus são aquelas que desejam deificar a natureza humana de Jesus.[22]

Em terceiro lugar, *a segunda vinda será inesperada* (24.37-39). Quando Jesus voltar, os homens estarão desatentos como esteve a geração antediluviana. A. T. Robertson diz que nos dias de Noé havia muita advertência, mas total despreparo. Hoje, de igual modo, a maioria das pessoas é indiferente quanto à segunda vinda de Cristo.[23] Quando Jesus voltar, as pessoas estarão entregues aos seus próprios interesses, sem se aperceberem da hora.

Comer, beber, casar e dar-se em casamento não são coisas más. Fazem parte da rotina da vida. Mas viver a vida sem se aperceber de que Jesus está prestes a voltar é viver como a geração antediluviana. Quando o dilúvio chegou, pegou a todos de surpresa. Muitos hoje estão comprando, vendendo, casando, viajando, descansando, jogando, brincando, pecando; esses continuarão vivendo despercebidamente até o dia em que Jesus virá. Então, será tarde demais. Não há nada de mal no que essas pessoas estão fazendo. Mas, quando estiverem tão envolvidas em coisas boas em si mesmas a ponto de se esquecerem de Deus, essas pessoas estarão maduras para o juízo.

Em quarto lugar, *a segunda vinda será para o juízo* (24.40,41). Naquele dia, será tarde demais para se preparar. Haverá apenas dois grupos: os que desfrutarão das bem-aventuranças eternas e os que ficarão para o juízo. Dois estarão no campo, um será levado e o outro, deixado. Duas estarão trabalhando no moinho, uma será tomada e a outra, deixada. Tomados para Deus, deixados para o juízo eterno. A divisão entre os piedosos e os ímpios, na segunda vinda de Cristo, será exata. Companheiros de trabalho serão separados para sempre naquele dia. John Charles Ryle descreve essa cena assim:

> No presente, o piedoso e o ímpio estão misturados e convivem juntamente. Nas igrejas, nas cidades, nos campos e por toda a parte, os filhos de Deus e os filhos deste mundo estão lado a lado. Mas isto não será para sempre assim. No dia do retorno de Jesus, haverá uma completa divisão. Em um momento, num piscar de olhos, ao ressoar a última trombeta, cada um desses grupos será separado do outro para sempre. Esposas serão separadas dos maridos, os pais dos filhos, os irmãos das irmãs, os patrões de seus empregados, os pregadores

> de seus ouvintes. Não haverá tempo para palavras de despedida nem para arrependimento quando o Senhor Jesus voltar.[24]

A lição aqui é a mesma. Os anjos tomarão uns para viverem com o Senhor para sempre, e os outros serão deixados para o juízo de condenação eterna. A segunda vinda de Cristo põe fim a todas as esperanças. Não há segunda chamada. Não há mais chance de salvação. Naquele dia, a porta da oportunidade estará fechada. Em vão as virgens néscias baterão. Em vão os homens clamarão por clemência. A segunda vinda de Cristo é única e, logo em seguida, ele se assentará no trono da sua glória para o grande julgamento.

Em quinto lugar, *na segunda vinda será necessário vigilância* (24.42-44). A palavra de ordem de Jesus é: Vigiai! Esse dia será como a chegada de um ladrão: Jesus vem de surpresa, sem aviso prévio, uma mensagem digital ou um anúncio pelas mídias. É preciso vigiar. É preciso estar preparado. Não sabemos nem o dia nem a hora. Precisamos viver apercebidos. Aqueles que andam em trevas serão apanhados de surpresa. Nós, porém, somos filhos da luz. Devemos viver em santa expectativa da segunda vinda de Cristo, orando sempre: "Maranata, ora vem, Senhor Jesus".

Uma parábola sobre a necessidade da preparação para a segunda vinda (24.45-51)

Jesus termina seu discurso profético contando uma parábola acerca do senhor que viajou e deixou seus bens e seus servos nas mãos de dois encarregados. A preparação para a vinda do Senhor é servi-lo com fidelidade. A parábola fala sobre dois tipos de servos, como vemos a seguir.

Em primeiro lugar, *o servo fiel.* Um deles cuidou com zelo de tudo, sabendo que haveria de prestar contas ao seu senhor. Seu senhor chegou e o recompensou com privilégios. O servo fiel é livre por ser escravo de Cristo, uma vez que, quanto mais servos dele formos, mais livres seremos. Quanto mais lealdade prestarmos a ele, mais eficazes e bem-aventurados seremos.

Em segundo lugar, *o servo infiel*. O outro pensou: *Meu senhor demora-se*. Então, passou a espancar os companheiros e a comer e beber com os ébrios. O seu senhor, então, virá em um dia que ele não espera e o castigará, e sua sorte será com os hipócritas, onde há choro e ranger de dentes. Esse servo demonstrou três atitudes: 1) despreocupação; 2) insensibilidade; 3) dissipação.

Como você está vivendo: em santidade ou desprezando o seu senhor, porque julga que ele vai demorar? Acerte sua vida com Jesus. Em breve, ele chamará você para prestar contas de sua administração. Viva hoje como se ele fosse voltar amanhã. O dia final se aproxima!

NOTAS

[1] ROBERTSON, A. T. *Comentário de Mateus*, p. 263.
[2] BROADUS, John A. *Comentário de Mateus.* Vol. II, p. 229.
[3] SPROUL, R. C. *Mateus*, p. 612.
[4] RICHARDS, Lawrence O. *Comentário histórico-cultural do Novo Testamento*, p. 76.
[5] HENDRIKSEN, William. *Mateus.* Vol. 2, p. 424.
[6] SPURGEON, Charles H. *O evangelho segundo Mateus*, p. 530.
[7] HENDRIKSEN, William. *Mateus.* Vol. 2, p. 425-426.
[8] SPURGEON, Charles H. *O evangelho segundo Mateus*, p. 528.
[9] ROBERTSON, A. T. *Comentário de Mateus*, p. 264.
[10] IBIDEM, p. 266.

[11] Spurgeon, Charles H. *O evangelho segundo Mateus*, p. 527.
[12] Rienecker, Fritz. *Evangelho de Mateus*, p. 391.
[13] Spurgeon, Charles H. *O evangelho segundo Mateus*, p. 527.
[14] Sproul, R. C. *Mateus*, p. 627.
[15] Spurgeon, Charles H. *O evangelho segundo Mateus*, p. 533.
[16] Rienecker, Fritz. *Evangelho de Mateus*, p. 395.
[17] Hendriksen, William. *Mateus.* Vol. 2, p. 433.
[18] Ryle, John Charles. *Meditações no evangelho de Mateus*, p. 209.
[19] Spurgeon, Charles H. *O evangelho segundo Mateus*, p. 534.
[20] Ryle, John Charles. *Meditações no evangelho de Mateus*, p. 210.
[21] Hendriksen, William. *Mateus.* Vol. 2, p. 442.
[22] Sproul, R. C. *Mateus*, p. 637-638.
[23] Robertson, A. T. *Comentário de Mateus*, p. 270.
[24] Ryle, John Charles. *Meditações no evangelho de Mateus*, p. 212.

Capítulo 65

Parábolas e símile escatológicos

(Mt 25.1-46)

Jesus ainda estava assentado com seus discípulos no monte das Oliveiras quando proferiu duas parábolas e usou uma figura de linguagem chama símile. Essas parábolas e ensino registrados no capítulo 24 tratam da parousia, com ênfase no juízo. Têm aspectos diferentes, mas enfatizam a mesma verdade central: a necessidade de estar preparado para o encontro com o Senhor. A parábola das dez virgens tem como foco principal a vigilância, a parábola dos talentos objetiva a diligência e a fidelidade, enquanto a figura de linguagem (símile) comparando cabritos e ovelhas com não salvos e salvos no dia do juízo evidencia a separação final entre os salvos e os não salvos.

A parábola das dez virgens — o noivo vem: esteja preparado (25.1-13)

Jesus compara o reino dos céus com uma festa de casamento. Esse é o pano de fundo dessa parábola. No tempo de Jesus, normalmente havia três estágios no processo matrimonial. Primeiro, vinha o compromisso, quando era feito um contrato formal entre os respectivos pais da noiva e do noivo. Segundo, seguia-se o noivado, cerimônia realizada na casa dos pais da noiva, quando promessas mútuas eram feitas pelas partes contratantes diante de testemunhas, e o noivo dava presentes à sua noiva. Terceiro, o casamento, no qual o noivo, acompanhado dos seus amigos, buscava a noiva na casa de seu pai e a levava em cortejo de volta para sua casa, onde se fazia a festa do casamento.

No mundo antigo, as amigas da noiva iam até a casa dela para aguardar a chegada do noivo. Então, dava-se início a uma procissão da casa da noiva até a casa do noivo. É bem provável que esse seja o cortejo em que as dez virgens da história são retratadas como indo encontrar o noivo.

Robertson diz, com razão, que não há ponto especial quanto ao número dez. A cena gira em torno da casa da noiva, em direção da qual o noivo está indo para as festividades de casamento.[1] É óbvio que o noivo, no caso, é o Senhor Jesus, retratado em sua gloriosa e inesperada segunda vinda. O noivo promete buscar sua noiva, mas a hora não é marcada. A noiva precisa estar pronta, preparada. Portanto, o propósito primário dessa parábola é acentuar a importância de estar preparado para a vinda do noivo.

Essas dez virgens, portanto, representam a igreja à espera do retorno de seu Senhor. A igreja tem em seu seio, como está implícito, os que estão preparados e os que não estão.[2] Essa parábola ensina que a igreja está dividida em dois grandes grupos: não os ricos e os pobres, os capitalistas e os socialistas, os sábios e os ignorantes, os homens e as mulheres, mas os que estão preparados para a segunda vinda de Cristo e os que não estão. Os últimos nunca nasceram de novo. Sua fé em Cristo é meramente intelectual, e não fé salvadora. Por ocasião da segunda vinda de Cristo, muitos que se dizem cristãos serão deixados de fora das bodas, como as cinco virgens néscias. Hoje, muitos são batizados, membros da igreja, participam dos cultos, trabalham na igreja, mas nunca se converteram verdadeiramente. Quando Jesus voltar, esses ficarão de fora. R. C. Sproul diz que essa parábola deixa claro que havia uma enorme diferença entre essas virgens, assim como há uma profunda diferença entre os membros da igreja, a mesma que há entre o joio e o trigo, entre os que são crentes nominais e os que são verdadeiramente convertidos.[3]

Tendo considerado esse pano de fundo cultural à guisa de introdução, vamos, agora, examinar a passagem em tela. B. C. Caffin aborda essa parábola da seguinte maneira: Jesus convida sua igreja para desfrutar de sua alegria (25.1); nós necessitamos de preparação para participarmos da alegria do Senhor (25.2-5); é possível fazer uma preparação inadequada (25.6-8); a segurança no futuro depende de diligência no passado (25.9,10); o Senhor não receberá aqueles que estiverem despreparados (25.11,12); e o cristão precisa cultivar um espírito vigilante (25.13).[4]

Vamos seguir essa mesma direção, destacando a seguir essas lições.

Em primeiro lugar, *Jesus convida sua igreja para desfrutar de sua alegria* (25.1). Como já enfatizamos, essa parábola compara o reino dos céus a uma festa de casamento. Essa festa é o casamento do nosso Senhor, o noivo da igreja. Ao mesmo tempo que somos a noiva, somos também os convidados para a festa. A figura da noiva está implícita e somos representados explicitamente como os convidados. A vida cristã é uma expectativa constante da vinda do nosso Senhor, o amado de nossa alma. Ele prometeu voltar para buscar sua igreja.

Em segundo lugar, *a igreja precisa de adequada preparação para participar da alegria do Senhor* (25.2-5). Todas eram virgens, todas tomaram sua lâmpada e todas saíram ao encontro do noivo. Todas fizeram a profissão de que seguiriam o noivo, o que as levou a se separarem de suas outras companheiras e conhecidas.[5] Todas aguardam a vinda do noivo. Havia, porém, uma diferença vital e essencial entre elas: cinco eram prudentes, e cinco eram néscias. As cinco néscias só têm lâmpadas, mas não levaram azeite nas vasilhas. Elas podem ter pensado que, por terem lâmpadas, estavam seguras. Ou talvez tenham acreditado que, sendo o depósito secreto de azeite invisível, ele era desnecessário.

Hendriksen diz que a insensatez dessas cinco virgens consistia na inteira ausência de preparo pessoal.[6] Rienecker observa que o óleo, aqui, significa um bem espiritual imprescindível, insubstituível por nenhum outro, com o qual devemos nos abastecer logo no início da vida de fé. Esse bem espiritual é o Espírito Santo. Sendo o óleo o símbolo do Espírito Santo, a prudência consiste em começar no Espírito, seguir a vida no Espírito e completá-la no Espírito.[7] Ninguém pode entrar no céu com azeite alheio. O apóstolo Paulo escreveu: ... *E, se alguém não tem o Espírito de Cristo, esse tal não é dele* (Rm 8.9). A graça salvadora é uma possessão pessoal intransferível. A preparação do pai não serve para o filho, nem a do marido serve para a esposa. Ninguém entra no céu por procuração. Concordo com R. C. Sproul quando ele diz: "Não podemos compartilhar o Espírito Santo com aqueles que não o têm. Ninguém pode entrar no reino de Deus pegando carona com quem tem fé genuína. Não é possível confiar na fé do pai, da mãe, da esposa ou de qualquer outra pessoa".[8]

Spurgeon diz corretamente que é a falta do óleo da graça a falha fatal na lâmpada de muitos que professam ser cristãos. Muitos têm um nome [Cristo] pelo qual viver, mas não têm a vida de Deus dentro de sua alma. Fazem uma profissão de que seguirão Cristo, mas não têm o suprimento interior do Espírito de graça para mantê-los. Há um brilho ou luz passageira, mas não há luz permanente, nem pode haver, pois, embora tenham lâmpadas, não levam nenhum azeite consigo.[9]

Em virtude de o noivo tardar, todas adormeceram. Mesmo aquelas virgens que tinham o azeite da graça não estavam sempre bem acordadas para servir ao seu Senhor e vigiar para a sua vinda. As prudentes, porém, esperavam com provisão, enquanto as néscias esperavam com presunção. As primeiras estavam prevenidas; as últimas, desassistidas. As prudentes tiveram uma preparação adequada; as néscias, um despreparo evidente. Lâmpadas não possuem nenhuma utilidade quando desprovidas de azeite.

Em terceiro lugar, *é possível fazer uma preparação inadequada* (25.6-8). Foi no grito da meia-noite que o despreparo das néscias se tornou notório. Foi à meia-noite que só as aparências não se mostraram suficientes. A chegada do noivo não representou alegria para as néscias, mas o seu desespero. Esse dia para elas foi um dia de trevas, e não de luz. O preparo delas era insuficiente. Estavam sem azeite em suas lâmpadas. Estavam imersas em densa escuridão. Spurgeon alerta: "É uma pena que alguns somente buscarão abastecer sua lâmpada quando estiverem para morrer ou quando o sinal do filho do homem aparecer no céu; mas, se buscarmos fazer esse trabalho sem o Espírito ou a graça de Deus, isso resultará em uma falha eterna".[10]

As virgens néscias pediram azeite às virgens prudentes, com uma justificava: *porque as nossas lâmpadas estão se apagando* (25.8). Elas começaram agora a valorizar o que haviam outrora desprezado. O pavio seco ardeu por um tempo e depois desapareceu na escuridão, como o pavio de uma vela. Essas virgens néscias pensaram que tudo estava pronto, confiando em suas lâmpadas, mesmo sem a provisão do azeite. Fica aqui o alerta: aqueles que estão adiando o seu arrependimento para a hora de sua morte são como essas virgens néscias ou insensatas. Essa hora pode ser tarde demais. John Charles Ryle diz, com razão, que a segunda vinda de Cristo, qualquer que seja o tempo em que aconteça, pegará os homens de surpresa. Os negócios estarão seguindo normalmente, na cidade e no campo, exatamente como agora. A política, o comércio, a agricultura, a compra, a venda e a busca do prazer estarão controlando a atenção dos homens, exatamente como agora. As igrejas ainda estarão cheias de divisões e disputando acerca de insignificâncias, e as controvérsias teológicas ainda estarão em voga. Pregadores ainda estarão chamando os homens ao arrependimento, e o povo continuará adiando o dia da decisão.[11]

Em quarto lugar, *a segurança no futuro depende de diligência no presente* (25.9,10). Concordo com Spurgeon quando ele diz que nenhum crente tem mais graça do que realmente precisa: as virgens prudentes não tinham azeite para dar.[12] As néscias pediram emprestado aquilo que é individual e intransferível. Não se empresta piedade. Não se compra relacionamento com Deus. Ou alguém tem essas realidades ou não alcança isso entre os homens. Essas bênçãos vêm do céu, não as adquirimos na terra. A única maneira de ter segurança quanto ao futuro é ter diligência quanto ao presente. A graça salvadora, ensina-se aqui, é uma possessão pessoal intransferível. Quando chegar o dia final da salvação, ninguém poderá livrar o seu irmão. Cada qual será o árbitro de seu próprio destino.[13] A mera religião externa não tem o poder de iluminar.

Em quinto lugar, *a porta da festa estará fechada para aqueles que deixaram o preparo para a última hora* (25.11,12). As virgens néscias não encontraram azeite para comprar. Chegaram atrasadas. A porta estava fechada. O clamor delas não foi atendido. O Senhor não as reconheceu como participantes da festa. Elas estavam excluídas para sempre do gozo do Senhor. Quando a porta é fechada uma vez, jamais será aberta. A porta estará fechada para sempre (25.10). Portanto, qualquer esperança maior do que a revelada na Palavra de Deus é uma ilusão e um laço, diz Charles Spurgeon.[14] Naquele grande dia, aqueles que viveram sem azeite em sua lâmpada gritarão por misericórdia, como os diluvianos gritaram a Noé, mas descobrirão que é tarde demais. Fica aqui o alerta: "Que importa invocá-lo com a palavra, quando as obras o negam?"[15] Manter a aparência de crente sem ser crente é um risco fatal. No dia em que Jesus voltar, a porta estará fechada para sempre. John Charles Ryle acrescenta: "A porta será fechada, enfim – fechada sobre toda dor e tristeza, fechada para todo este mundo malvado e ímpio, fechada para as tentações do diabo, fechada para todas as dúvidas e temores – fechada para nunca mais ser aberta".[16]

Em sexto lugar, *precisamos aguardar a volta do nosso Senhor com permanente vigilância* (25.13). Fritz Rienecker diz que as bodas são o arrebatamento dos fiéis vivos, o ressuscitar dos crentes adormecidos e a unificação de ambos com o Senhor nos ares.[17] Jesus voltará certamente, brevemente, pessoalmente, visivelmente, audivelmente, inesperadamente, repentinamente, inescapavelmente, gloriosamente, mas não sabemos o dia nem a hora. Precisamos viver na ponta das pés, aguardando ansiosamente sua vinda. Precisamos estar prontos quando a trombeta soar, proclamando: "Eis o noivo, saí ao seu encontro!"

A parábola dos talentos – como administrar os recursos de Deus (25.14-30)

Depois de falar de si mesmo como noivo, agora Jesus se apresenta como um homem de negócios que partiu para fora de sua terra. Depois de mostrar a necessidade de estarmos preparados para sua vinda, ele mostra como devemos ser diligentes enquanto o aguardamos.[18] As virgens e os servos representam um só e o mesmo povo. A vigilância é a nota-chave da primeira parábola, e a diligência é a ênfase da segunda. A história sobre as virgens exorta a igreja a vigiar; a história sobre os talentos conclama a igreja a trabalhar.[19]

A viagem que Jesus fez quando voltou para o céu e até seu retorno é realmente longa, mas ele não deixou seus servos sem suprimento e trabalho nesse tempo de ausência.[20] Tanto a parábola das dez virgens como a parábola dos talentos têm a ver com os cristãos meramente nominais e os cristãos verdadeiros. Ambas dizem respeito à maneira pela qual os crentes devem viver no intervalo entre a primeira e a segunda vindas de Cristo. As virgens esperam; os servos trabalham.

A palavra "talento" nessa parábola não se refere a habilidade, mas a uma unidade de peso. No mundo antigo, um talento era uma unidade de 35 quilos de ouro, prata ou bronze.[21] Tratava-se, portanto, de um valor exponencial.

O tema principal dessa parábola é como devemos administrar os bens que o Senhor nos confiou até a sua volta. É uma parábola sobre mordomia. Jesus é o dono dos bens; nós somos seus mordomos. Fritz Rienecker entende que esses talentos representam tudo o que recebemos de Deus como dádivas naturais e sobrenaturais. Ele entende por dádivas naturais nosso corpo, nossos dons, nossos talentos, nossa boa educação, nossa vida profissional; e, por dádivas sobrenaturais, o próprio Espírito Santo, a salvação, a oração, a Palavra e a graciosa direção diária.[22] O texto pode ser dividido assim: a distribuição dos talentos (25.14,15), o uso diversificado feito dos talentos (25.16-18), a prestação de contas quando do regresso do senhor (25.19-27), a lição ensinada (25.28-30).[23]

Como administrar os recursos que Deus colocou em nossas mãos?

Em primeiro lugar, *reconheça o Senhor como aquele que lhe confiou os seus tesouros* (25.14-18). O senhor, dono dos bens, ausenta-se do país e confia tesouros a seus servos. Que privilégio sermos achados dignos de cuidar dos bens do nosso Senhor! Que honra sermos objetos de sua confiança! É pura generosidade do Senhor confiar às nossas mãos os seus tesouros. O Senhor, sendo generoso conosco, não deixa também de ser justo, uma vez que confia seus talentos a cada servo de acordo com sua própria capacidade (25.15). O Senhor não exige o mesmo de todos nem confia mais a alguém do que essa pessoa pode realizar. Deus nunca nos cobrará além daquilo que ele mesmo nos deu. Ele não exigirá de nós além de nossa capacidade.[24]

Em segundo lugar, *trabalhe com zelo e fidelidade para honrar o Senhor* (25.19-23). Você demonstra sua fidelidade multiplicando os recursos que seu Senhor colocou em suas mãos (25.20,21a,22,23a). Essa fidelidade será recompensada pelo Senhor (25.21,23). Você terá o elogio do Senhor, maiores responsabilidades e, ainda, a alegria da sua intimidade.

Em terceiro lugar, *não seja negligente com os recursos do Senhor* (25.24-30). O servo mau e negligente nutriu um pensamento errado acerca de seu senhor. Considerou-o severo e injusto. Em vez de fazer render os recursos colocados em suas mãos, enterrou-os. Foi movido pelo medo, e não pelo zelo fiel. Sua negligência covarde resultou em esterilidade (25.24,25). O que foi colocado em suas mãos não apenas estagnou, mas retrocedeu, porque, se ele tivesse aplicado os recursos de seu senhor, pelo menos teria o lucro da correção monetária. Concordo com Fritz Rienecker quando ele diz que aquele que pensa somente em si não apenas prejudica a obra do Senhor, mas prejudica a si próprio também.[25] Ao servo inútil, o talento é tomado e transferido a outro. Vale destacar que a negligência é solenemente penalizada (25.26-30). É penalizada com a repreensão do Senhor (25.26,27), com a perda de responsabilidade (25,28,29) e com o banimento eterno da proximidade com o Senhor (25.30).

O símile dos cabritos e das ovelhas — o julgamento das nações (25.31-46)

Nós temos a própria descrição de Jesus, o Rei dos reis, no dia do juízo. Hendriksen diz que esse texto não é uma parábola, embora contenha elementos parabólicos.[26] Trata-se mais de um símile, contendo descrição poética da maneira pela qual a profecia de Jesus se cumprirá: *O filho do homem há de vir na glória de seu Pai, com os seus anjos, e, então, retribuirá a cada um conforme as suas obras* (16.27).[27] Ele não é um juiz duro, destituído de compaixão, mas um juiz que ficou comovido pelo sentimento das nossas enfermidades.[28]

O texto enseja-nos algumas lições, que comentamos a seguir.

Em primeiro lugar, *Cristo julgará o mundo* (25.31-33). Aqui Jesus se apresenta como filho do homem e como Rei, pois se assentará no trono de sua glória. Jesus se apresenta ainda como o juiz de todos os povos que estão reunidos com todos os anjos diante do seu trono de glória. O ajuntamento será imediatamente seguido por uma separação. Ele, que foi julgado pelas pessoas, julgará as pessoas. O condenado condenará. Seus juízes serão acusados, e ele, o acusado, julgará.[29]

R. C. Sproul observa que esse tipo de ensinamento é muito difícil para aqueles que estão imersos na cultura ocidental moderna, a qual defende o pluralismo, o relativismo e o universalismo e sofre de uma alergia incurável a qualquer insinuação de exclusão. No entanto, alguns entrarão na bem-aventurança eterna no céu, e o restante entrará no sofrimento perpétuo do juízo no inferno.[30] John Charles Ryle descreve essa cena da seguinte maneira:

> Todos os julgados serão divididos em duas grandes categorias. Não haverá mais distinção nenhuma entre reis e súditos, patrões e empregados, clérigos ou leigos. Não se fará menção alguma de denominações ou partidos religiosos, porquanto todas as distinções do passado terão sido eliminadas. Graça ou nenhuma graça, conversão ou não conversão, fé ou nenhuma fé, estas serão as únicas distinções que prevalecerão naquele dia.[31]

Neste mundo, os tribunais podem ser corrompidos. Juízes podem ser subornados. Testemunhas podem ser compradas. Nos tribunais dos homens, inocentes são condenados e culpados são inocentados. Mas um dia todos comparecerão perante o reto juiz, para um julgamento reto e justo. Ninguém escapará. As nações se reunirão em sua presença. Ele, que a todos sonda e a tudo vê, separará uns dos outros com meticulosa justiça. Nesse último grande dia do Senhor, todas as nações que já existiram e as que agora existem serão reunidas diante do tribunal de Cristo. No início, serão reunidas em uma massa homogênea, mas a miríade de multidões será rapidamente dividida em dois grupos: *ele separará uns dos outros*. O Rei é quem fará a separação naquele dia terrível, *como o pastor separa dos cabritos as ovelhas*. Nenhum cabrito ficará entre as ovelhas, e nenhuma ovelha permanecerá entre os cabritos. A divisão será muito direta e pessoal: *uns dos outros*.

Aqueles não serão separados em nações, nem mesmo em famílias, mas cada indivíduo será colocado em seu devido lugar entre as ovelhas ou entre os cabritos.[32]

Em segundo lugar, *o julgamento de Cristo resultará numa clara e justa distinção* (25.34-43). A grande distinção dos homens naquele grande dia do juízo não será entre ricos e pobres, doutores e analfabetos, religiosos e ateus, brancos e negros, mas entre os que são benditos do Pai e os que são malditos, os quais acabarão banidos para o fogo eterno. Nesse dia, os homens serão não apenas julgados com justiça, mas separados eternamente para destinos distintos e opostos. Hoje, justos e ímpios, santos e pervertidos, generosos e avarentos, todos vivem juntos. Naquele dia, uns entrarão no gozo do Senhor e outros sofrerão penalidade de eterna destruição.

Todos os homens são enquadrados em apenas dois grupos: ovelhas e cabritos, salvos e perdidos, bem-aventurados ou condenados. As ovelhas são identificadas como *os justos* (25.37). Esses são colocados à direita do trono do juiz. Os cabritos, por sua vez, são chamados de *malditos* (25.41).

Os justos são os eleitos, agora reunidos dos quatro cantos da terra. Asseguraram a sua eleição não por dizerem constantemente *Senhor, Senhor*, nem por repetidas expressões verbais da sua fé, mas por numerosos atos de serviço em autossacrifício, prestados discretamente aos seus semelhantes. Jesus chama essas pessoas assistidas de *meus pequeninos irmãos* (25.40). Assistir essas pessoas é como assistir o próprio Senhor (25.34-40). Portanto, alimentando os famintos, dando de beber aos sedentos, acolhendo os forasteiros em casa, vestindo os nus, cuidando dos doentes e visitando os encarcerados, os justos inconscientemente prestam serviço a seu Senhor.[33] Assim, Cristo se identifica com os necessitados e sofredores. Concordo com Spurgeon quando ele escreve:

> Cristo tem muito mais simpatia com a tristeza de seus irmãos do que às vezes pensamos. Eles estão com fome? Ele diz: "Eu tive fome". Será que eles têm sede? Ele diz: "Eu tive sede". A simpatia de Cristo é contínua, e em todos os tempos vindouros ele perpetuamente se identificará com os sofrimentos de seu povo tentado e aflito. Daí a oportunidade de servi-lo desde já.[34]

Em terceiro lugar, *os homens serão julgados por aquilo que fizeram ao seu próximo* (25.34-45). Começando pelo grupo escolhido à sua mão direita, a grande multidão, a qual ninguém podia contar (Ap 7.9), o Rei lhes dirá: *Vinde*. Eles haviam aceitado seu convite *Vinde a mim* (11.28); agora Jesus lhes acena com outro e mais glorioso *Vinde*. O Rei chama seus amados por um nome excelente: *benditos de meu Pai*. Informa-lhes ainda que pertence a eles uma herança que foi preparada desde a fundação do mundo.[35]

Jesus se dirige aos que estiverem à sua esquerda: *Apartai-vos de mim*. Chama-os de *malditos*. Envia-os para *o fogo eterno, preparado para o diabo e seus anjos*. Os motivos? Os pecados de omissão! Vale destacar que Jesus menciona aqui apenas os pecados de omissão. Os homens podem pensar que sua falta de amor por Cristo e sua negligência em cuidar de seus irmãos pobres são algo fútil, mas sua conduta será vista de outra forma no último grande dia. Mesmo assim, eles tentam se justificar.

As pessoas não serão julgadas por sua profissão religiosa nem por seu credo, nem mesmo por seu desempenho na adoração. O critério é o que fizemos para o nosso próximo. Socorrer os pequeninos irmãos do Senhor é o mesmo que socorrê-lo. Desamparar os pequeninos é desamparar o próprio Senhor.

Se as lâmpadas com azeite apontam para o preparo íntimo do crente, e se a multiplicação dos valores trata de seu serviço abnegado, o presente ensino mostra a necessidade de transformarmos nosso discurso religioso em prática. A melhor maneira de servir a Cristo é servir aos necessitados ao alcance das nossas mãos.

Concordo, entretanto, com a posição de R. C. Sproul quando ele diz que a justificação é unicamente pela fé e que as obras não desempenham papel algum na salvação. No entanto, a justificação não é por fé desacompanhada. Todos os que têm fé salvadora passam imediatamente a realizar boas obras. Somos justificados não *pelas* obras, mas *para* as boas obras. Assim sendo, o maior teste que determina se estamos ou não em Cristo é a presença ou a ausência de frutos. Não somos justificados por nossas obras, mas, se não tivermos obras, haverá uma clara evidência de que não temos fé salvadora.[36]

Em quarto lugar, *o julgamento final resultará em bem-aventurança e punição eterna* (25.34,41,46). O dia do juízo será dia de luz para uns e dia de trevas para outros. Dia de bem-aventurança para uns e dia de severo juízo para outros. Dia de alegria para uns e dia de tormento eterno para outros. Só há dois destinos: céu de glória e inferno de fogo, gozo eterno e castigo eterno, comunhão com o Senhor e tormento com o diabo e seus anjos. Por contraste, aqueles que estavam vazios de amorosa bondade não poderão receber a amorosa bondade do Senhor.

Jesus conclui: *E irão estes* [os cabritos] *para o castigo eterno, porém os justos* [as ovelhas] *para a vida eterna.* O tormento é da mesma duração que a vida. A separação entre os bodes e as ovelhas será eterna e imutável. John Charles Ryle resume a questão: "Tão certo quanto Deus é eterno, também o céu é um dia interminável, sem noite, e o inferno é uma noite interminável, sem dia".[37]

NOTAS

[1] ROBERTSON, A. T. *Comentário de Mateus*, p. 275.
[2] TASKER, R. V. G. *Mateus: introdução e comentário*, p. 184-185.
[3] SPROUL, R. C. *Mateus*, p. 648.
[4] CAFFIN, B. C. "St. Matthew". In: *The Pulpit Commentary.* Vol. 15. Grand Rapids, MI: Wm. B. Eerdmans Publishing Company, 1980, p. 494-495.
[5] SPURGEON, Charles H. *O evangelho segundo Mateus*, p. 546.
[6] HENDRIKSEN, William. *Mateus.* Vol. 2, p. 450.
[7] RIENECKER, Fritz. *Evangelho de Mateus*, p. 402.
[8] SPROUL, R. C. *Mateus*, p. 651.
[9] SPURGEON, Charles H. *O evangelho segundo Mateus*, p. 547.
[10] IBIDEM, p. 548.
[11] RYLE, John Charles. *Meditações no evangelho de Mateus*, p. 215.
[12] SPURGEON, Charles H. *O evangelho segundo Mateus*, p. 549.
[13] TASKER, R. V. G. *Mateus: introdução e comentário*, p. 185.
[14] SPURGEON, Charles H. *O evangelho segundo Mateus*, p. 550.
[15] BROADUS, John A. *Comentário de Mateus.* Vol. II, p. 254.
[16] RYLE, John Charles. *Meditações no evangelho de Mateus*, p. 216.
[17] RIENECKER, Fritz. *Evangelho de Mateus*, p. 403.
[18] SPROUL, R. C. *Mateus*, p. 654.
[19] RYLE, John Charles. *Meditações no evangelho de Mateus*, p. 217.
[20] SPURGEON, Charles H. *O evangelho segundo Mateus*, p. 554.
[21] SPROUL, R. C. *Mateus*, p. 654.

[22] RIENECKER, Fritz. *Evangelho de Mateus*, p. 406.
[23] HENDRIKSEN, William. *Mateus*. Vol. 2, p. 454-455.
[24] RIENECKER, Fritz. *Evangelho de Mateus*, p. 405.
[25] IBIDEM, p. 406.
[26] HENDRIKSEN, William. *Mateus*. Vol. 2, p. 462.
[27] TASKER, R. V. G. *Mateus: introdução e comentário*, p. 188.
[28] IBIDEM.
[29] RIENECKER, Fritz. *Evangelho de Mateus*, p. 408.
[30] SPROUL, R. C. *Mateus*, p. 661.
[31] RYLE, John Charles. *Meditações no evangelho de Mateus*, p. 220.
[32] SPURGEON, Charles H. *O evangelho segundo Mateus*, p. 561.
[33] TASKER, R. V. G. *Mateus: introdução e comentário*, p. 189.
[34] SPURGEON, Charles H. *O evangelho segundo Mateus*, p. 563.
[35] IBIDEM, p. 562.
[36] SPROUL, R. C. *Mateus*, p. 663.
[37] RYLE, John Charles. *Meditações no evangelho de Mateus*, p. 222.

Capítulo 66

Jesus à sombra da cruz

(Mt 26.1-35)

Tendo concluído suas palavras sobre a destruição de Jerusalém, sobre a sua segunda vinda e o juízo final, Jesus volta sua atenção para a sua morte iminente. Mateus 26 registra os eventos da quarta e quinta-feiras da última semana da vida de Jesus. O filho de Deus está mergulhando na sombra da cruz. O cenário já estava montado (26.2). A entrada triunfal de Jesus em Jerusalém deu-se no período de maior fluxo de pessoas na cidade santa, a festa da Páscoa. A população da cidade quintuplicava nessa época.[1] Como já escrevemos, a Páscoa era a alegria dos judeus e o terror dos romanos. Essa festa tinha forte conotação política e seria a ocasião ideal para algum pretenso messias tentar subverter o domínio romano. Isso explica por que o rei Herodes e o governador Pôncio Pilatos estavam em Jerusalém, e não em Tiberíades e Cesareia, respectivamente. Sua grande preocupação era manter a paz.

A festa da Páscoa e a festa dos Pães Asmos corriam juntas e podiam ser consideradas a mesma festa (Lc 22.1). A festa dos Pães Asmos era seguida pelo dia em que acontecia o sacrifício do cordeiro. Então, a celebração se prolongava por sete dias. A ligação entre a ceia da Páscoa e a festa dos Pães Asmos é tão grande que o termo "Páscoa", algumas vezes, cobre ambas (22.1).

Judeus de todos os recantos do império romano subiam a Jerusalém para uma semana inteira de festejos. Nesse tempo, o povo judeu celebrava sua libertação do Egito. A festa girava em torno do cordeiro que devia ser morto, bem como dos pães asmos que relembravam os amargos sofrimentos do êxodo.

Jesus escolhe essa festa para morrer, pois ele é o cordeiro de Deus que tira o pecado do mundo (Jo 1.29), o nosso cordeiro pascal que foi imolado (1Co 5.7).

O texto em apreço, apresenta diversas atitudes em relação a Jesus. Vejamos a seguir.

A trama costurada contra Jesus (26.1-5)

Enquanto Jesus profetizava, as autoridades religiosas de Israel, como uma máfia, estavam tramando e conspirando contra ele.[2] Assim diz a profecia: *Os reis da terra se levantam, e os príncipes conspiram contra o* SENHOR *e contra o seu Ungido* (Sl 2.2). Mateus registra a profecia de Jesus acerca da conspiração dos principais sacerdotes e anciãos do povo, dois dias antes da Páscoa, para prendê-lo à traição e matá-lo depois da festa (26.1-5). Marcos, por sua vez, diz que foram os principais sacerdotes e os escribas que procuravam descobrir como o prenderiam à traição e o matariam depois da festa (Mc 14.1,2). Quando os homens pensam que estão no controle, estão apenas cumprindo uma agenda estabelecida por Deus.

William Hendriksen aponta que a colisão entre o conselho de Deus e a conspiração humana é clara. Essas passagens mostram que, enquanto as autoridades judaicas insistiam em que a prisão, o julgamento e a morte de Jesus não deviam ocorrer durante a festa, triunfou o decreto divino de que certamente ela devia ocorrer nesse tempo em particular. "Não durante a festa", dizem os conspiradores. "Durante a festa", declarou o Todo-poderoso.[3]

Esse plano não era novo, já vinha de certo tempo. Eles já tinham escolhido a forma de fazê-lo, à traição. Mas aguardavam uma ocasião oportuna para o matarem e decidiram que deveria ser depois da festa. Isso não porque tivessem escrúpulos, mas porque temiam o povo. Altas posições no ministério da igreja não protegem aqueles que as ocupam da cegueira espiritual e do pecado. É incrível que esses homens religiosos tenham cometido o maior crime da história no feriado mais sagrado de Israel.

Vale ainda destacar que a iniciativa de se opor a Jesus é tomada pelos principais sacerdotes e os anciãos do povo, na sala de Caifás, o sumo sacerdote (26.3). Robert Mounce explica que, numa época anterior, o cargo de sumo sacerdote era hereditário e perpétuo, e seu titular o ocupava por toda a vida. Durante o domínio romano, os sacerdotes entravam e saíam de acordo com o gosto de seus senhores seculares. Caifás esteve nesse cargo de 18 a 36 d.C.[4]

Em todos os evangelhos, os fariseus eram os oponentes principais de Jesus no decurso de todo o seu ministério, mas o partido sumo sacerdotal, o partido saduceu, assumiu a liderança disso no fim. Eram eles que detinham o poder político.

Os líderes da religião judaica temiam uma insurreição a favor de Jesus.

O jantar oferecido a Jesus em Betânia (26.6-13)

Jesus desperta sentimentos opostos entre as pessoas. Enquanto uns querem prendê-lo e matá-lo, outros querem honrá-lo, oferecendo-lhe um jantar. Robert Mounce é da opinião de que o relato paralelo de João coloca a cena do jantar na casa de Maria, Marta e Lázaro (Jo 12.1-8). Pode até ser que Simão tenha sido o pai de Lázaro e suas irmãs.[5] Jesus é amado por uns e odiado por outros; é adorado por uns e rechaçado por outros.

Esse jantar aconteceu na casa de Simão, o leproso. Não sabemos com segurança quem é esse homem, mas é curioso que ele receba o epíteto de "leproso". Certamente, ele não era mais leproso, mas um homem que fora curado da lepra por Jesus. Todavia, o rótulo ficou. Rotular pessoas não é sensato, pois o enfermo está curado, o cativo está liberto, o perdido está salvo, mas o rótulo permanece.

Nesse jantar, uma mulher se destaca. Aqui em Mateus, como em Marcos e Lucas, essa mulher é incógnita, mas em João ela tem nome. É Maria, irmã de Marta e Lázaro. Destacamos a seguir alguns fatos acerca de sua atitude.

Em primeiro lugar, *ela fez o seu melhor* (26.6,7). O que no conceito dos discípulos era desperdício, Jesus interpretou como unção preparatória para seu sepultamento.[6] Maria veio com um vaso de alabastro, cheio de um perfume preciosíssimo, de nardo puro, contendo uma libra de perfume (aproximadamente meio litro), e ela não abriu o vaso, mas o quebrou e derramou todo o perfume sobre a cabeça de Jesus. Toda a casa encheu-se com a fragrância do perfume. A ação nobre de Maria deve ser contraposta à ação vil de Judas Iscariotes.

O frasco de alabastro, um carbonato de cal ou sulfato de cálcio hidratado, era uma pedra branca ou amarela. Recebia o nome de alabastro por causa da cidade do Egito onde era encontrado em abundância. Era o material usado no fabrico de frascos caros para guardar unguentos e perfumes preciosos, como mostram os escritos de escritores antigos, além de inscrições e papiros. Em geral, os recipientes de alabastro tinham a forma de pera e possuíam uma tampa cilíndrica, como um botão de rosa fechado.[7] Lawrence Richards diz que os vasos de perfume de alabastro eram tão valiosos no século 1, que eram frequentemente comprados como investimento.[8]

Ao quebrar o vaso, em vez de abri-lo, Maria estava dizendo que não queria que sobrasse nem uma gota. Estava colocando o seu melhor, por completo, a serviço de Jesus. O perfume foi avaliado por Judas Iscariotes em mais de trezentos denários. Um denário era o salário diário de um trabalhador. Se o perfume tinha uma libra, e uma libra representa 2,2 litros, isso significa que cada grama desse perfume custava um dia de serviço. Maria não reteve nada. Entregou tudo para expressar sua gratidão a Jesus. A. T. Robertson observa que um vaso de alabastro de nardo era um presente para um rei.[9]

Em segundo lugar, *ela o fez sacrificialmente* (26.8,9). Esse perfume não era encontrado numa loja de perfumaria. Essa essência, chamada nardo, não tinha nenhuma mistura. Era nardo puro. Essa essência era raríssima e caríssima. O preço de uma libra romana desse perfume perfazia trezentos denários, o que correspondia ao salário anual de um trabalhador.[10] Essa essência só era encontrada na época na cordilheira do Himalaia, de um arbusto seco e moído, transportado no lombo de camelos. Essa jovem pobre, de uma família pobre, que morava numa aldeia pobre, comprou esse perfume gota a gota, grama a grama, para o dia mais esperado de sua vida, o dia de suas núpcias. Ela colocou a serviço de Jesus não apenas o seu melhor, mas o fez de forma sacrificial.

Em terceiro lugar, *ela o fez apesar das críticas* (26.8,9). Não devemos esperar aplausos dos homens nem mesmo reconhecimento dos líderes da igreja quando estamos prestando nosso melhor serviço a Cristo. Maria enfrentou crítica por parte daqueles que deveriam ser seus imitadores. Quem criticou Maria, deveria estar feliz com sua atitude. Os discípulos de Jesus indignaram-se com Maria (Mc 14.4), murmuraram contra ela (Mc 14.5) e a molestaram (Mc 14.6). Maria só tinha um vetor que governava sua vida: agradar a Jesus. Ela não se importou com as críticas, pois sua motivação era expressar seu amor e sua gratidão a Jesus. É impossível fazer a obra de Deus sem receber críticas. Quem tem medo de críticas, não serve a Deus. Quem tem medo de críticas, está mais interessado no aplauso dos homens do que na aprovação de Deus. Judas, que era ladrão, queria esse valor e ficou indignado com Maria por esse desperdício (Mc 14.4,5). Maria e Judas são colocados lado e lado em opostos extremos, ela gastando livremente em amor, ele vendendo o mestre por dinheiro. O ato de amor de Maria e a repreensão de Jesus, além de outras motivações, provocaram Judas a praticar a sua ação desprezível.[11]

Em quarto lugar, *ela o fez à pessoa certa* (26.10,11). Maria fez o seu melhor e o fez para Jesus. Ela recebeu a crítica de Judas Iscariotes, porque este era um falso filantropo. Foi desse banquete que ele saiu para procurar os principais sacerdotes e entregar Jesus por trinta moedas de prata, um décimo do valor do perfume que Maria dedicou a Jesus. Em face da proposta dos discípulos de empregar esses valores para socorrer os pobres, Jesus afirmou que eles teriam outras oportunidades para ajudar os necessitados, uma vez que nunca haverá na história um tempo em que os pobres deixarão de existir, mas ele iria deixá-los e voltar para o céu, e essa oportunidade passaria para sempre.[12] É importante ressaltar que Jesus sempre cuidou dos pobres. Ele mesmo foi pobre, pregou aos pobres, alimentou os famintos pobres e curou os doentes pobres. Ele sempre requereu do seu povo que mostrasse amor por ele cuidando dos pobres;[13] agora, porém, era a hora de sua partida, e Maria, como nenhuma outra pessoa, antecipou-se a ungi-lo para a sepultura. Por isso, Jesus evitou que os discípulos continuassem a molestar Maria e defendeu sua ação generosa.

Em quinto lugar, *ela o fez no tempo certo* (26.12). Embora o gesto de Maria tivesse sido fruto da prodigalidade de seu amor e de sua profunda gratidão, ela é lembrada não especialmente por sua generosidade, mas por sua visão. Enquanto os discípulos se recusavam a ouvir o que Jesus dizia sobre sua iminente crucificação, essa mulher compreendeu e agiu [preparando-me] *para o* [m]*eu sepultamento*.[14]

Em sexto lugar, *ela o fez com reflexos para a eternidade* (26.13). O que Maria fez no recôndito de uma casa humilde, na humilde aldeia de Betânia, tem sido contado dos outeiros da História e anunciado aos ouvidos do mundo. O que ela fez tem impactado todas as gerações. Sua ação reverbera até os dias atuais. Seu exemplo ainda haverá de inspirar futuras gerações.

A traição é urdida contra Jesus (26.14-16)

O mesmo Judas que avaliou o perfume usado por Maria em mais de trezentos denários e ficou indignado com ela, porque queria apropriar-se desse valor, uma vez que era ladrão, saiu de Betânia para entregar Jesus aos principais sacerdotes (Jo 12.3-6). Judas negou seu nome, seu apostolado e seu Mestre. Vendeu-o por trinta moedas de prata, um mês de salário para um trabalhador diarista,[15] e passou a buscar uma ocasião oportuna para entregá-lo.

Não há consenso acerca dos motivos que levaram Judas a trair Jesus. Alguns dizem que ele traiu Jesus porque era um mercenário. Outros dizem que sua motivação foi a desilusão com a atitude política de Jesus, que a seu ver abdicou de um reino terreno para implantar um reino espiritual. Outros ainda dizem que Judas traiu Jesus porque lhe faltou coragem quando viu o perigo ao seu redor. As Escrituras, entretanto, registram que foi a ganância que levou Judas a cometer esse terrível pecado (26.15). As trinta peças de prata são uma referência a Zacarias 11.2. Se o boi escornasse um servo, o dono do boi tinha de pagar essa quantia (Êx 21.32). Podia-se comprar um escravo por esse preço. Não há dúvida de que o preço espelhava deliberadamente o desprezo que o Sinédrio e Judas tinham por Jesus.[16]

Destacamos a seguir cinco fatos sobre Judas Iscariotes.

Em primeiro lugar, *Judas, um homem dominado por Satanás* (Lc 22.3). Judas, embora apóstolo, nunca foi convertido. Ele era ladrão (Jo 12.6). Suas motivações não eram puras. Dominado pela ganância, ele é então possuído por Satanás, que doravante governa sua mente, seu coração, suas palavras e suas ações. Satanás agora renova o seu ataque contra Jesus, que havia suspenso temporariamente (Lc 4.13). Ele havia retornado usando Simão Pedro (16.23). Agora usa Judas. Evidentemente, Judas abriu a porta do seu coração e permitiu a entrada de Satanás. Então, Satanás assumiu o controle, e Judas se tornou um demônio, como Jesus disse (Jo 6.70). Essa rendição a Satanás, entretanto, de modo algum isenta Judas da sua responsabilidade moral. A vida de Judas é um solene alerta. Quão profundamente uma pessoa pode cair depois de ter feito uma sublime confissão a respeito de Cristo! De apóstolo a ladrão. De ladrão a traidor. De traidor a possesso pelo diabo. É importante ressaltar que a possessão de Judas não o fez mudar o tom da voz nem revirar os olhos, mas o levou a vender Jesus por trinta moedas de prata.

Em segundo lugar, *Judas, um entreguista* (26.14,15). Judas Iscariotes era um dos doze. Andou com Jesus, ouviu Jesus, viu os milagres de Jesus, mas perdeu a maior oportunidade da sua vida. Sabendo da trama dos principais sacerdotes e dos capitães do templo para prenderem e matarem Jesus, procurou-os para entregá-lo.

Em terceiro lugar, *Judas, um avarento* (26.15). Judas entrega Jesus por dinheiro, movido pela ganância. Os principais sacerdotes de bom grado deram dinheiro para ele. Compraram sua consciência e sua lealdade. O evangelista Mateus deixa meridianamente claro que a motivação de Judas em procurar os principais sacerdotes era a ganância: *Que me quereis dar, e eu vo-lo entregarei? E pagaram-lhe trinta moedas de prata* (26.15). A motivação de Judas em entregar Jesus era o amor ao dinheiro. Ele era ladrão (Jo 12.6). Seu deus era o dinheiro. Ele vendeu sua alma, sua consciência, seu ministério, suas convicções, sua lealdade. Tornou-se um traidor. A recompensa pela traição representou somente um décimo do valor do óleo da unção usado por Maria para ungir Jesus (Mc 14.3,4). O dinheiro recebido por Judas era o preço de um escravo ferido por um boi (Êx 21.32). Por essa insignificante soma de dinheiro, Judas traiu o seu mestre. Judas constitui-se numa solene advertência contra os perigos do amor ao dinheiro (1Tm 6.10).

Em quarto lugar, *Judas, um dissimulado* (26.20-25). Jesus vai com seus discípulos até o cenáculo, para comer a Páscoa. E Judas está entre eles. No cenáculo, Jesus demonstrou seu amor por Judas, lavando seus pés (Jo 13.5), mesmo sabendo que o diabo já tinha posto em seu coração o propósito de traí-lo (Jo 13.2). Judas não se quebranta nem se arrepende. Ao contrário, finge ter plena comunhão com Cristo, ao comer com ele (26.23). Jesus pronuncia um "ai" de juízo sobre Judas, que dissimuladamente estava à mesa da comunhão, depois de ter recebido dinheiro para traí-lo (26.24). Nesse momento, Satanás entra em Judas (Jo 13.27), que sai da mesa para unir-se aos inimigos de Cristo, a fim de entregá-lo a eles.

Jesus já havia dito que seria traído (17.22,23; 20.17-19), mas agora declara especificamente que será traído por um amigo. O traidor não é nomeado; pelo contrário, a ênfase está na participação dele na comunhão como um dos doze (26.20-25). Toda comunhão à mesa é, para o oriental, concessão de paz, fraternidade e confiança.

Comunhão à mesa é comunhão de vida. A comunhão à mesa com Jesus tinha o significado de salvação e comunhão com o próprio Deus. Abalados e entristecidos com isso, os discípulos estão confusos. Cada um se preocupa com a acusação como se fosse contra si: *E eles, muitíssimo contristados, começaram um por um a perguntar-lhe: Porventura, sou eu, Senhor?* (26.22). A autoconfiança dos discípulos foi abalada.

Em quinto lugar, *Judas, o advertido* (Lc 22.21,22). Judas trai Jesus à surdina, na calada da noite, mas Jesus o desmascara à mesa da comunhão. Jesus acentua a ingratidão de Judas, de estar traindo seu mestre. Jesus diz: *Todavia, a mão do traidor está comigo à mesa* (Lc 22.21). Aqui o supremo bem e o supremo mal se encontram lado a lado à mesa. O mal parece vitorioso na morte de Jesus, mas o bem é justificado na ressurreição.

Jesus declara que Judas sofrerá severa penalidade por atitude tão hostil ao seu amor: ... *ai daquele por intermédio de quem ele está sendo traído!* (Lc 22.22). Marcos acrescenta: *Melhor lhe fora não haver nascido!* (Mc 14.21). John Charles Ryle diz que é melhor nunca viver do que viver neste mundo sem ter fé, e morrer sem a graça divina. É melhor não existir do que não existir em Cristo.[17]

Todos os escritores sinóticos registram que essa traição era, de fato, parte do plano divino (26.24; Mc 14.21; Lc 22.22). Lucas sustenta que o mal triunfa somente segundo a permissão divina e que os homens assumem plena responsabilidade por suas más escolhas. Assim, o traidor participa cumprindo o plano de Deus. Ele o faz por livre vontade, e não como um robô. A soberania divina não diminui a responsabilidade humana. Somos responsáveis por nossos próprios pecados. Judas foi seduzido pelo amor ao dinheiro. O fato de que Deus exerce sua providência sobre o mal que homens maus praticam, enquanto ele leva a efeito o seu propósito, não os torna menos maus. Eles permanecem sendo homens responsáveis.

A Páscoa é celebrada (26.17-25)

A Páscoa era a maior festa de Israel. Olhando para o passado, remete à libertação do cativeiro egípcio, quando Deus desbancou as divindades do Egito e tirou de lá seu povo com mão forte e poderosa. Olhando para o futuro, a Páscoa apontava para a cruz, onde Jesus abriria as portas da nossa escravidão e nos declararia livres. A cidade de Jerusalém está em total efervescência. Chegou a Páscoa! A grande hora havia chegado, a hora marcada na eternidade. A festa da Páscoa, seguida da festa dos Pães Asmos, era o tempo histórico do cumprimento desse plano eterno. Dois fatos nos chamam a atenção, como vemos a seguir.

Em primeiro lugar, *a preparação para a Páscoa* (26.17-19). Jesus manda Pedro e João preparar a Páscoa (Lc 22.8). O cordeiro, o pão sem levedo, o vinho e as ervas amargas não podiam faltar. O cenáculo, um local espaçoso, já tinha sido escolhido. Jesus demonstra seu conhecimento sobrenatural acerca do local, do dono do local e das circunstâncias (Lc 22.8-13; Mc 14.12-16). Tudo foi encontrado rigorosamente conforme o que havia sido predito por Jesus.

Em segundo lugar, *o traidor é desmascarado* (26.20-25). Jesus já estava à mesa quando declarou que entre eles havia um traidor. Essa informação caiu como uma bomba, como um raio do céu, que os deixou aturdidos, exatamente no momento em que estavam prestes a comer o cordeiro da Páscoa.[18] Concordo, entretanto, com Spurgeon quando ele diz que, embora fosse um acontecimento desagradável para uma festa, era apropriado para a Páscoa, pois o mandamento de Deus para Moisés sobre o primeiro cordeiro pascal foi: [com] *ervas amargas* [o] *comerão* (Êx 12.8; Nm 9.11).[19] Os discípulos não suspeitaram uns dos outros, mas cada um perguntou: *Porventura, sou eu, Senhor?* Spurgeon está certo ao afirmar: "Não podemos fazer qualquer bem em suspeitar de nossos irmãos, mas podemos fazer um grande serviço por suspeitar de nós mesmos. Suspeitar de si mesmo é o parente mais próximo da humildade".[20]

Jesus dá a senha para indicar Judas como traidor. Era aquele que metia a mão no prato com Jesus. Judas estava perto de Jesus, desfrutando de um tempo de comunhão com ele, e mesmo assim o traiu. Judas era o tesoureiro do grupo apostólico, gozando de confiança dos seus pares, e mesmo assim traiu a Jesus. Judas não chama Jesus de Senhor, mas de mestre. Jesus profere um ai de maldição sobre ele, demonstrando que a não existência de Judas seria melhor do que existência no caminho da traição. Spurgeon está certo quando diz que Judas primeiro tinha se vendido a Satanás antes de ter vendido o próprio Senhor.[21]

A ceia do Senhoir é instituída (26.26-30)

A Páscoa chega ao seu fim. Ela foi feita para culminar na ceia do Senhor, como as estrelas da manhã são ofuscadas pela luz solar.[22] William Hendriksen diz, com razão, que a Páscoa aponta para o sacrifício de Cristo prospectivamente; a ceia do Senhor aponta para ele retrospectivamente.[23] Não há mais necessidade de sacrificar cordeiros, pois o cordeiro sem defeito e sem mácula, o cordeiro de Deus que tira o pecado do mundo, será imolado, como um sacrifício único, perfeito, eficaz e irrepetível. Jesus institui o sacramento da ceia como memorial de sua morte, até a sua gloriosa volta. A nova aliança é inaugurada. Um novo pacto passa a vigorar. Alguns pontos devem ser destacados, como vemos a seguir.

Em primeiro lugar, *os símbolos do pacto* (26.26,27). Jesus abençoa e parte o pão, toma o cálice e dá graças. Pão e vinho são os símbolos de seu corpo e de seu sangue. Com esses dois elementos, Jesus instituiu a ceia do Senhor. O sacramento é o símbolo visível de uma graça invisível. Por meio do pão e do vinho, contemplamos o corpo e o sangue de Cristo e nos apropriamos pela fé de seus benefícios. A linguagem da nova aliança aqui é a única referência à nova aliança nos sinóticos (26.28; Mc 14.24; Lc 22.20). Ela foi adotada também por Paulo como uma referência ao evangelho (1Co 11.25; 2Co 3.6). O derramamento do sangue indica para nós a morte de Jesus na cruz, na qual uma nova aliança será inaugurada. Sua morte iminente substituirá os sacrifícios da lei antiga como novo modo de aproximação de Deus. Em virtude das muitas disputas e das acirradas brigas entre as denominações quanto ao significado da ceia do Senhor, Fritz Rienecker, citando Johannes Gossner, alerta sobre o fato de que Jesus, ao instituir a ceia, não nos deu seu corpo e seu sangue para mergulharmos em disputas doutrinárias, para quebrarmos a cabeça, para explicarmos ou duvidarmos, mas simplesmente para desfrutarmos dele, para comermos e bebermos, para usufruirmos do crescimento na graça e no amor, e acima de tudo para alcançarmos a unidade dos fiéis uns com os outros e consigo mesmo.[24]

Olhando os demais evangelhos sinóticos, encontramos cinco verdades preciosas sobre a ceia do Senhor, que comentamos a seguir.

Primeiro, a ceia do Senhor é uma ordenança (Lc 22.19). *Fazei isto...* Até que Jesus volte, a igreja deve comer o pão e beber o cálice em memória de Cristo.

Segundo, a ceia do Senhor é uma comemoração (Lc 22.19). *... em memória de mim.* O sacramento da ceia é para recordamos quem Jesus foi, o que Jesus fez por nós e o que Jesus representa para nós.[25]

Terceiro, a ceia do Senhor é um agradecimento (26.26,27; Lc 22.19). Mateus destaca que Jesus abençoou o pão e, ao tomar o cálice, deu graças. Lucas registra: *E, tomando um pão, tendo dado graças, o partiu...* Jesus não parte o pão, símbolo de sua dolorosa morte, com lamentos e gemidos, mas com ações de graças.

Quarto, a ceia do Senhor é uma comunhão (26.26; Lc 22.19). *... Isto é o meu corpo oferecido por vós...* Jesus se refere a uma coletividade. A igreja deve se reunir para celebrar a ceia. É um ato comunitário.

Quinto, a ceia do Senhor é uma garantia (26.28; 22.20). Mateus diz que o sangue é derramado em favor de muitos, e não de todos, para remissão de pecados.[26] Lucas registra: *Semelhantemente, depois de cear, tomou o cálice, dizendo: Este é o cálice da nova aliança no meu sangue derramado em favor de vós.* O sangue da nova aliança lembra Êxodo 24.8, em que o aspergir do sangue era um sinal de que o povo estava incluído no relacionamento proposto pela aliança.[27] Jesus inaugura a nova aliança em seu sangue (Jr 31.31). Somos aceitos não por aquilo que fazemos para Deus, mas por aquilo que ele fez por nós. Pelo sangue, temos livre acesso à presença de Deus.

O significado da ceia do Senhor tem sido motivo de acirrados debates na história da igreja. Não é unânime o entendimento desses símbolos. Há quatro linhas de interpretação, como vemos a seguir.

A transubstanciação. A Igreja Romana crê que o pão e o vinho se transubstanciam na hora da consagração dos elementos e se transformam em corpo, sangue, nervos, ossos e divindade de Cristo.

A consubstanciação. A Igreja Luterana crê que os elementos não mudam de substância, mas Cristo está presente fisicamente nos elementos e sob os elementos.

O memorial. O reformador Zuínglio entendia que os elementos da ceia são apenas símbolos e que ela é apenas um memorial para nos trazer à lembrança o sacrifício de Cristo.

O meio de graça. O calvinismo entende que a ceia é mais do que um memorial; é também um meio de graça, de tal forma que somos edificados pela participação na ceia, pois Jesus está presente espiritualmente, e nos alimentamos espiritualmente dele pela fé.

Em segundo lugar, *o significado do pacto* (26.28). O que Jesus quis dizer quando afirmou: *Isto é o meu sangue, o sangue da [nova] aliança, derramado em favor de muitos, para remissão de pecados*? A palavra "aliança", ou "pacto", é comum na religião judaica. A base da religião judaica consistia no fato de Deus ter entrado num pacto com Israel. A aceitação do antigo pacto está registrada em Êxodo 24.3-8. O pacto dependia inteiramente de Israel guardar a lei. A quebra da lei implicava a quebra do pacto entre Deus e Israel. Era uma relação totalmente dependente da lei e da obediência à lei. Deus era o juiz. E, posto que ninguém podia guardar a lei, o povo sempre estava em débito. Mas Jesus introduz e ratifica um novo pacto, uma nova classe de relacionamento entre Deus e o homem. E esse pacto não depende da lei, mas do sangue que Jesus derramou. O antigo pacto era ratificado com o sangue de animais, mas o novo pacto é ratificado no sangue de Cristo.

A nova aliança está firmada no sangue de Jesus, derramado em favor de muitos. Na velha aliança, o homem buscava fazer o melhor para Deus e fracassava. Na nova aliança, Deus fez tudo pelo homem. Jesus se fez pecado e maldição por nós. Seu corpo foi entregue, seu sangue foi vertido. Ele levou sobre o seu corpo, no madeiro, nossos pecados.

A redenção não é universal. Ele derramou seu sangue para remir a muitos, e não para remir a todos (Is 53.12; 1.21; 20.28; Mc 10.45; Jo 10.11,14,15,27,28; 17.9; At 20.28; Rm 8.32-35; Ef 5.25-27). Se fosse para remir a todos, ninguém poderia se perder. A morte de Cristo foi vicária, substitutiva. Ele não morreu para possibilitar a salvação do seu povo; ele morreu para efetivá-la (Ap 5.9).

Em terceiro lugar, *a consumação do pacto* (26.29,30). A ceia do Senhor aponta para o passado, e ali vemos a cruz de Cristo e seu sacrifício vicário em nosso favor. Mas ela também aponta para o futuro, e ali vemos o céu, a festa das bodas do cordeiro, quando ele vai nos receber como Anfitrião para o grande banquete celestial. A ênfase está na reunião festiva com ele, e não na duração ou dificuldade do tempo de espera. O Crucificado, agora ressurreto, glorificado e entronizado, será o centro do banquete que Deus vai oferecer (Is 25.6; 65.13; Ap 2.7), e o sem-número de ceias desembocará na *ceia das bodas do cordeiro* (Ap 19.9).

A ceia do Senhor não é um sacrifício, mas é uma cerimônia eminentemente celebrativa. Não é um funeral, mas uma festa. Não é apenas uma lembrança, mas um meio de graça. Não pode ser interrompida ao longo dos anos; deve ser realizada até que Jesus volte. Jesus estava com uma canção em seus lábios quando se encaminhou para aquela mais sombria hora, na qual travaria, para a nossa redenção, uma luta de sangrento suor.

O perigo da autoconfiança (26.31-35)

Pedro foi um líder incontestável entre seus pares. Foi líder antes de sua queda e depois de sua restauração. Pedro, porém, estava demasiadamente seguro de si. Era capaz de alçar os voos mais altos, para depois despencar das alturas. Era capaz de fazer os avanços mais audaciosos, para depois dar marcha a ré com a mesma velocidade. Era capaz de prometer fidelidade irrestrita, para depois cair nas malhas da covardia mais vergonhosa. Vejamos a seguir alguns pontos.

Em primeiro lugar, *uma advertência solene* (26.31). Tendo Jesus saído do cenáculo rumo ao jardim de Getsêmani, alertou todos os discípulos acerca do que iria acontecer. Eles se escandalizariam e se dispersariam covardemente. Esse fato fora profetizado por Zacarias (Zc 13.7). Observemos que Jesus disse a seus discípulos *todos vós vos escandalizareis comigo* (26.31) que Pedro responde a Jesus que jamais o abandonaria e que *todos os discípulos disseram o mesmo* (26.35). O resultado foi: *... então, os discípulos todos, deixando-o, fugiram* (26.56).

Em segundo lugar, *uma promessa consoladora* (26.32). Jesus não apenas alerta seus discípulos da fraqueza e dispersão deles, mas reafirma a sua vitória sobre a morte e sua liderança sobre eles depois de ressurreto.

Em terceiro lugar, *uma autoconfiança perigosa* (26.33,34). A despeito do alerta de Jesus, Pedro estava desprovido de discernimento espiritual. Confiado em si mesmo, considerou-se melhor do que seus condiscípulos e prometeu a Jesus lealdade total. Pensou que era mais crente, mais forte e mais confiável que seus pares. Ele queria ser uma exceção na totalidade apontada por Jesus. Pensou jamais se escandalizar com Cristo. Achou que estava pronto para enfrentar a prisão e até a morte. Jesus, entretanto, revela a Pedro que, naquela mesma noite, sua fraqueza seria demonstrada e suas promessas, quebradas. Os outros falharam, mas a falta de Pedro foi maior. Aquele que se sente seguro e se considera superior aos demais cairá ainda mais profundamente.[28] O apóstolo Paulo exorta: *Aquele, pois, que pensa estar em pé, veja que não caia* (1Co 10.12). A Palavra de Deus alerta: *O que confia no seu próprio coração é insensato* (Pv 28.26).

Em quarto lugar, *Pedro no palco da negação* (26.34,35). Diante da arrogante autoconfiança de Pedro, Jesus expõe sua fraqueza extrema e seu completo fracasso. Pedro veria sua valentia carnal se transformar em covardia vergonhosa. Pedro desceria vertiginosamente do topo de sua autoconfiança para as profundezas de sua queda. Ele, que afirmara com vívido entusiasmo *Tu és o Cristo, o filho do Deus vivo* (16.16), agora dirá àqueles que escarneciam de seu Senhor, com juras e praguejamentos: *Não conheço tal homem* (26.72; cf. tb. v. 74). O termo grego usado aqui, *aparneomai*, significa "negar completamente".[29]

NOTAS

[1] RICHARDS, Lawrence O. *Comentário histórico-cultural do Novo Testamento*, p. 83.
[2] SPROUL, R. C. *Mateus*, p. 667.
[3] HENDRIKSEN, William. *Mateus.* Vol. 2, p. 474, 476.
[4] MOUNCE, Robert H. *Mateus*, p. 249.
[5] IBIDEM, p. 250.
[6] IBIDEM.
[7] ROBERTSON, A. T. *Comentário de Mateus*, p. 287.
[8] RICHARDS, Lawrence O. *Comentário histórico-cultural do Novo Testamento*, p. 83.
[9] ROBERTSON, A. T. *Comentário de Mateus*, p. 287.
[10] RIENECKER, Fritz. *Evangelho de Mateus*, p. 413.
[11] ROBERTSON, A. T. *Comentário de Mateus*, p. 288.
[12] SPROUL, R. C. *Mateus*, p. 670.
[13] SPURGEON, Charles H. *O evangelho segundo Mateus*, p. 571.
[14] RICHARDS, Lawrence O. *Comentário histórico-cultural do Novo Testamento*, p. 83.
[15] IBIDEM.
[16] ROBERTSON, A. T. *Comentário de Mateus*, p. 289.
[17] RYLE, John Charles. *Meditações no evangelho de Mateus*, p. 227-228.
[18] HENDRIKSEN, William. *Mateus.* Vol. 2, p. 486.
[19] SPURGEON, Charles H. *O evangelho segundo Mateus*, p. 577.
[20] IBIDEM.
[21] IBIDEM, p. 578.
[22] IBIDEM.
[23] HENDRIKSEN, William. *Mateus.* Vol. 2, p. 490.
[24] RIENECKER, Fritz. *Evangelho de Mateus*, p. 418.
[25] HASTINGS, James. *The Great Texts of the Bible – Luke.* Vol. 10. Grand Rapids, MI: Wm. B, Eerdmans, n. d., p. 434.
[26] Isaías 53.12; Mateus 1.21; 20.28; Marcos 10.45; João 10.11,14,15,27,28; 17.9; Atos 20.28; Romanos 8.32-35; Efésios 5.25-27.
[27] MOUNCE, Robert H. *Mateus*, p. 252.
[28] SPURGEON, Charles H. *O evangelho segundo Mateus*, p. 583.
[29] MOUNCE, Robert H. *Mateus*, p. 253.

Capítulo 67

A angústia do Rei

(Mt 26.36-46)

O relato da agonia do Senhor Jesus no jardim de Getsêmani é uma profunda e misteriosa passagem das Escrituras. Contém coisas que os mais sábios expositores não puderam expor plenamente. Ninguém jamais passou pelo que Jesus experimentou no Getsêmani. Seu sacrifício total, em completa obediência à vontade do Pai, era o único tipo de morte que poderia salvar os pecadores. O inferno, como ele é, veio até Jesus no Getsêmani e no Gólgota, e o Senhor desceu até ele, experimentando todos os seus terrores.

À guisa de introdução, destacamos a seguir três fatos.

Em primeiro lugar, *o local onde Jesus agonizou é indicado* (26.36). O jardim de Getsêmani fica no sopé do monte das Oliveiras, do outro lado do ribeiro de Cedrom, defronte do monte Sião, onde estava o glorioso templo. Getsêmani significa "prensa de azeite, lagar de azeite".

Foi nesse lagar de azeite, onde as azeitonas eram esmagadas, que Jesus experimentou a mais intensa agonia. Ali ele travou uma luta de sangrento suor. Ali o eterno Deus feito carne dobrou sua fronte e, com o rosto em terra, orou com forte clamor e lágrimas. Ali o bendito filho de Deus se rendeu incondicionalmente à vontade do Pai para remir um povo por meio do seu sangue. Ali ele foi traspassado, esmagado e moído pelos nossos pecados. Seu corpo foi golpeado. Ele parecia suar sangue. Ali ele desceu ao inferno. Enquanto o primeiro Adão perdeu o paraíso num jardim, o segundo Adão o reconquistou noutro.

Em segundo lugar, *o contexto da agonia é descrito* (26.36). O evangelista João nos informa que Jesus saiu do cenáculo para o jardim (Jo 18.1). Não foi uma saída de fuga, mas de enfrentamento. Ele não saiu para esconder-se, mas para preparar-se. Ele não saiu para distanciar-se da cruz, mas para caminhar em sua direção. Concordo com Fritz Rienecker quando ele diz que a luta no Getsêmani foi travada em torno da aceitação clara e espontânea da morte na cruz. O mesmo Jesus que havia recusado o domínio sobre nós sem Deus, na tentação do deserto, agora concorda em morrer por nós com Deus no jardim de Getsêmani.[1] O Getsêmani, portanto, fala a respeito de tristeza, oração, lágrimas, solidão, submissão, consolação e vitória.

No cenáculo, Jesus ensinou os discípulos sobre a humildade, lavando seus pés. No cenáculo, Jesus lhes deu um novo mandamento, desmascarou o traidor e alertou Pedro de sua negação. No cenáculo, Jesus consolou os discípulos, falando-lhes acerca do envio do Espírito Santo e de sua gloriosa segunda vinda. No cenáculo, Jesus orou por eles. Só depois desse cuidado pastoral, é Jesus travou a sua mais renhida luta no jardim de Getsêmani.

Em terceiro lugar, *o propósito da agonia é evidenciado* (26.36-39). Jesus admite sua angústia para si (26.37), para seus discípulos mais achegados (26.38) e para o Pai (26.39). Jesus sabia que a hora agendada na eternidade havia chegado (Mc 14.35). Não havia improvisação nem surpresa. Essa hora passaria pelas angústias do Getsêmani e pela agonia do Calvário.

Destacamos a seguir as mensagens centrais desse drama doloroso de Jesus no Getsêmani.

A angústia avassaladora (26.36-38)

O profeta Isaías descreveu Jesus como homem de dores e que sabe o que é padecer (Is 53.3). Jesus sentiu tristeza, e não foi só no Getsêmani. Ele ficou triste com a morte de Lázaro, e essa tristeza o levou a chorar. Contemplando a cidade de Jerusalém, assassina de profetas, rebelde e impenitente, Jesus chorou com profundos soluços sobre ela.

Agora, entre a ramagem soturna das oliveiras, sob o manto da noite trevosa, Jesus começou a sentir-se tomado de pavor e angústia (Mc 14.33) e declarou: *A minha alma está profundamente triste até à morte* (26.38). Egidio Gioia aponta que, no Getsêmani, Jesus viu a negra nuvem da tormenta que se aproximava, célere, ao seu encontro, e, tão aterrorizantes eram os seus prenúncios, que o Senhor, na sua natureza humana, sentiu profunda necessidade até da companhia e simpatia de seus queridos discípulos Pedro, Tiago e João, a quem disse: *Ficai aqui e vigiai comigo* (Mt 26.38).[2] Spurgeon escreveu: "A dor de sua alma era a alma de sua tristeza".[3] Esses mesmos discípulos já haviam sido testemunhas do poder de seu mestre na ressurreição da filha de Jairo, e também testemunhas da glória de seu mestre no monte da transfiguração; mas, agora, eram testemunhas da agonia de seu mestre, no jardim de Getsêmani.[4]

É importante destacar dois pontos aqui, como vemos a seguir.

Primeiro, no que *não* consistia a angústia de Jesus. Sua angústia não foi causada pelo medo do sofrimento e da morte. Por que Jesus estava triste, então? Era porque ele sabia que Judas estava se aproximando com a turba assassina? Era porque estava dolorosamente consciente de que Pedro o negaria? Era porque sabia que o Sinédrio o condenaria? Era porque sabia que Pilatos o sentenciaria? Era porque sabia que o povo gritaria diante do pretório romano: "Crucifica-o, crucifica-o"? Era porque sabia que seus inimigos cuspiriam em seu rosto e lhe esbordoariam a cabeça? Era porque sabia que o seu povo preferiria Barrabás a ele? Era porque sabia que os soldados romanos rasgariam sua carne com açoites, feririam sua fronte com uma zombeteira coroa de espinhos e o encravariam numa cruz no Gólgota? Era porque sabia que seus discípulos o abandonariam na hora da sua agonia e morte? Certamente, essas coisas estavam incluídas na sua tristeza, mas não era por essas razões que Jesus estava triste até a morte. Jesus estava tomado de pavor e angústia pela antevisão de que seria desamparado pelo Pai (27.46). Este era o cálice amargo que estava prestes a beber (Jo 18.11) e que o levou ao forte clamor e lágrimas (Hb 5.7). O mestre provou a borra amarga do cálice da morte pelo pecado. Rendeu-se completamente à vontade do Pai e bebeu o cálice da ira de Deus contra o pecado até a última gota.[5]

Segundo, no que consistia a profunda tristeza de Jesus. Egidio Gioia diz que a essência dessa profundíssima tristeza de Jesus estava no seu extremo horror ao pecado. Jesus sentia que a pureza imaculada de sua alma seria manchada e completamente enegrecida pelo pecado não dele, mas dos pecadores. Ele sentia a realidade da maldição da cruz. Sentia que seria maldito pela justíssima lei de Deus. Sentia que a espada da justiça divina cairia, inexorável, sobre ele, traspassando-lhe o coração.[6] Muitas pessoas já o haviam deixado (Jo 6.66), e os seus discípulos também o abandonariam (26.56). Pior de tudo era que, na cruz, ele clamaria: *Deus meu, Deus meu, por que me desamparaste?* (27.46). Robert Mounce diz, com razão, que a agonia de Jesus no Getsêmani não foi a antecipação da dor e crueldade da crucificação, mas a verdade horripilante de que ele era o cordeiro prestes a ser sacrificado pelos pecados do mundo.[7]

A tristeza de Jesus era porque sua alma pura estava recebendo toda a carga do nosso pecado. O Getsêmani foi o prelúdio do Calvário. Ele foi a porta de entrada para a cruz. Foi no Getsêmani que Jesus travou a maior de todas as guerras. Ele se entristeceu porque sorveu o cálice da ira de Deus e sofreu a condenação que nós deveríamos sofrer.

A solidão perturbadora (26.39)

No Getsêmani, Jesus sofreu sozinho. Muitas coisas ele disse às multidões. Quando, porém, falou a respeito de um traidor, já foi apenas para os doze. E unicamente para três de seus doze discípulos que ele disse: *A minha alma está profundamente triste até à morte*. Por fim, quando começou a suar sangue, já estava completamente sozinho. Os discípulos estavam dormindo. Mas ali ele ganhou a batalha.

A oração triunfante (26.36,39,42,44)

No Getsêmani, Jesus orou humildemente, agonicamente, perseverantemente e triunfantemente. O tempo todo é Jesus quem vigia, quem ora e, também, por isso, quem é preservado. Por causa da sua condição de testemunhas é que os discípulos deveriam ficar com ele, orando por si mesmos (26.41). Mounce é oportuno quando escreve: "No mais cruento e importante conflito da existência humana, Jesus demonstrou a vitória do espírito sobre a carne, enquanto seus discípulos demonstraram a vitória da carne sobre o espírito".[8]

Jesus não apenas orou no Getsêmani, mas também ordenou que os discípulos orassem e apontou a vigilância e a oração como um modo de escapar da tentação (26.41). Consideremos a seguir alguns aspectos especiais dessa oração de Jesus.

Em primeiro lugar, *a posição com que Jesus orou* (26.39). O Verbo eterno, o criador do universo, o Sustentador da vida, está de joelhos, com o rosto em terra, prostrado em humílima posição. Jesus se esvaziou, descendo do céu à terra. Agora, aquele que sempre esteve em glória com o Pai está de joelhos, prostrado, angustiado, orando com forte clamor e lágrimas.

Em segundo lugar, *a atitude com que Jesus orou* (26.39, 42,44). Três coisas nos chamam a atenção sobre a atitude de Jesus na oração, como vemos a seguir.

Primeiro, *submissão.* Jesus orou: *Pai, se possível, passe de mim este cálice! Todavia, não seja como eu quero, e sim como tu queres* (26.39). Lucas registra assim: *Pai, se queres, passa de mim este cálice; contudo, não se faça a minha vontade, e sim a tua* (Lc 22.42). Tanto a "hora" como o "cálice" se referem à mesma coisa: o derramar da ira de Deus! É a entrega do filho do homem nas mãos dos pecadores, à mercê da ação deles. Aquele que estava ligado a Deus como nenhum outro haveria de tornar-se alguém abandonado por Deus como nenhum outro.

O "seja feita a minha vontade, e não a tua" levou o primeiro Adão a cair. Mas "o seja feita a tua vontade, e não a minha" abriu a porta de salvação para os pecadores. Jesus não apenas teve de sofrer, mas no fim também quis sofrer. Sua cruz foi, a cada momento, apesar das lutas imensas, sua própria ação e seu caminho trilhado conscientemente (Jo 10.18; 17.19). Ele foi entregue, mas também entregou a si mesmo (Gl 1.4; 2.20).

Segundo, *perseverança.* Jesus orou três vezes, sempre focando o mesmo aspecto. Ele suou gotas como de sangue não para fugir da vontade de Deus, mas para fazer a vontade de Deus. Oração não é buscar que a vontade do homem seja feita no céu, mas desejar que a vontade de Deus seja feita na terra. O evangelista Lucas esclarece que a persistência de Jesus era dupla: ele orou não apenas três vezes, mas mais intensamente (Lc 22.44).

Terceiro, *agonia.* Jesus não apenas foi tomado de pavor e angústia (26.37), não apenas disse que sua alma estava profundamente triste até a morte (26.38), mas o evangelista Lucas registra: *E, estando em agonia, orava mais intensamente. E aconteceu que o seu suor se tornou como gotas de sangue caindo sobre a terra* (Lc 22.44). A ciência médica denomina esse fenômeno de *diapédesi*, dando como causa uma violenta comoção mental. E foi esse, realmente, o ponto culminante do sofrimento de Jesus, à sombra da cruz.[9]

Em terceiro lugar, *o triunfo da oração* (26.45,46). Depois de orar três vezes e mais intensamente pelo mesmo assunto, Jesus se apropriou da vitória. Ele encontrou paz para o seu coração e estava pronto a enfrentar a prisão, os açoites, o escárnio, a morte. Marcos registra o que Jesus disse a seus discípulos: *Basta! Chegou a hora* (Mc 14.41). Jesus se levantou não para fugir, mas para ir ao encontro da turba (Jo 18.4-8). Ele estava preparado para o confronto. Jesus não mais falará de seu sofrimento. A preparação para o sofrimento e a morte de Jesus está concluída; a paixão começa. Nesse momento, as mãos de Deus se retiram, e os pecadores põem as mãos nele (26.57; Mc 14.46). Spurgeon, nessa mesma linha de pensamento, escreve: "O esmagamento na prensa de azeite estava acabado. A longa espera pela hora da traição terminou; e Jesus se levantou calmamente, divinamente fortalecido para passar pelas terríveis provações que ainda esperavam por ele antes que cumprisse plenamente a redenção do seu povo eleito".[10]

Os discípulos de Jesus não oraram nem vigiaram, por isso dormiram. Os seus olhos estavam pesados de sono, porque o seu coração estava vazio de oração. Porque não oraram, caíram em tentação e fugiram (26.56). Sem oração, a tristeza nos domina (Lc 22.45). Sem oração, agimos na força da carne (Jo 18.10). Pedro, aquele que acabara de se apresentar para o martírio, não possui nem mesmo a força de manter os olhos abertos. A queda de Pedro passou por vários degraus: a justiça própria, o sono, a fuga e a negação.

A consolação restauradora

Jesus entrou cheio de pavor e angustiado no jardim de Getsêmani e saiu consolado. Sua oração tríplice e insistente trouxe-lhe paz depois da grande tempestade. Ele se dirigiu ao Pai, clamando: *Aba, Pai* (Mc 14.36). Lucas menciona o suor de gotas como de sangue e também a consolação angelical (Lc 22.43). Jesus se levanta da oração sem pavor, sem tristeza, sem angústia. A partir de agora, ele caminha para a cruz como um rei caminha para a coroação. Ele triunfou de joelhos no Getsêmani e está pronto a enfrentar os inimigos e a morrer vicariamente na cruz.

Notas

[1] Rienecker, Fritz. *Evangelho de Mateus*, p. 420.
[2] Gioia, Egidio. *Notas e comentários à harmonia dos evangelhos*, p. 344.
[3] Spurgeon, Charles H. *O evangelho segundo Mateus*, p. 587.
[4] Broadus, John A. *Comentário de Mateus*. Vol. II, p. 299.
[5] Robertson, A. T. *Comentário de Mateus*, p. 295.
[6] Gioia, Egidio. *Notas e comentários à harmonia dos evangelhos*, p. 344.
[7] Mounce, Robert H. *Mateus*, p. 254.
[8] Ibidem, p. 255.
[9] Gioia, Egidio. *Notas e comentários à harmonia dos evangelhos*, p. 345.
[10] Spurgeon, Charles H. *O evangelho segundo Mateus*, p. 589.

A consolação restauradora

Jesus entrou cheio de pavor e angustiado no jardim do Getsêmani e saiu consolado. Sua oração tríplice e insistente trouxe-lhe paz depois da grande tempestade. Ele se dirigia ao Pai, chamando-o: *Aba, Pai* (Mc 14.36). Lucas menciona o suor de gotas como de sangue e também a consolação angelical (Lc 22.43). Jesus se levanta da oração sem pavor, sem tristeza, sem angústia. A partir de agora ele caminha para a cruz como um rei caminha para a coroação. Ele triunfou de joelhos no Getsêmani e está pronto a enfrentar os inimigos e triunfar vicariamente na cruz.

Notas

1 Rienecker, Fritz. *Evangelho de Mateus*, p. 420.
2 Gioia, Egidio. *Notas e comentários à harmonia dos evangelhos*, p. 344.
3 Spurgeon, Charles H. *O evangelho segundo Mateus*, p. 387.
4 Broadus, John A. *Comentário de Mateus*. Vol. II, p. 290.
5 Robertson, A. T. *Comentário de Mateus*, p. [illegible].
6 Gioia, Egidio. *Notas e comentários à harmonia dos evangelhos*, p. 344.
7 Mounce, Robert H. *Mateus*, p. 25[illegible].
8 Idem, p. 25[illegible].
9 Gioia, Egidio. *Notas e comentários à harmonia dos evangelhos*, p. 345.
10 Spurgeon, Charles H. *O evangelho segundo Mateus*, p. 389.

Capítulo 68

A noite do pecado, a hora das trevas

(Mt 26.47-75)

A hora das trevas havia chegado. Foi o próprio Jesus quem definiu a sua prisão como a hora dos seus inimigos e o poder das trevas (Lc 22.53). Jesus foi preso no Getsêmani, abandonado pelos seus discípulos, condenado pelos líderes religiosos e negado por Pedro. Não foi preso porque sucumbiu ao poder de Roma nem porque caiu nas teias de uma orquestração do Sinédrio. Os homens maus vêm com espadas e porretes para prenderem Jesus como se ele fosse um bandido ou revolucionário. Mas, agindo assim, estavam cumprindo rigorosamente as Escrituras (26.56).

Destacamos a seguir três fatos solenes nessa noite do pecado, a hora das trevas.

A prisão de Jesus no Getsêmani (26.47-56)

Várias pessoas fizeram parte da trágica cena da prisão de Jesus no Getsêmani. Analisamos a seguir a participação de cada uma delas, para o nosso ensino.

Em primeiro lugar, *o próprio Jesus* (26.55,56). Jesus mostrou à turba, bem como a seus discípulos, que nada estava acontecendo de improviso nem de forma acidental em sua prisão, mas para que se cumprissem as Escrituras (26.56).

Todas as etapas da caminhada de Jesus do Getsêmani ao Calvário foram prenunciadas séculos antes de Jesus vir ao mundo (Sl 22; Is 53). A ira de seus inimigos, a rejeição pelo seu próprio povo, o tratamento que Jesus recebeu como um criminoso, tudo foi conhecido e profetizado antes.

Jesus revela que o seu reino é espiritual e suas armas não são carnais. A hora da sua paixão havia chegado, por isso ele não foi preso, mas se entregou (Jo 18.4-6). Em toda essa desordenada cena, Jesus é o único oásis de serenidade. Foi Jesus, e não a polícia do Sinédrio, quem dirigiu as coisas. A luta no jardim de Getsêmani havia terminado, e Jesus agora experimentava a paz de quem tinha a convicção de que estava fazendo a vontade de Deus.

Em segundo lugar, *Judas Iscariotes* (26.47-50). Destacamos a seguir quatro fatos acerca de Judas Iscariotes.

Primeiro, Judas Iscariotes, o ingrato (26.47). Mateus diz que Judas Iscariotes era um dos doze. Ele foi chamado por Cristo. Recebeu deferência especial entre os doze a ponto de cuidar da bolsa como tesoureiro do grupo. Ele ouviu os ensinos de Jesus e viu seus milagres. Foi amado por Cristo e desfrutou do grande privilégio de ter comunhão com ele. Jesus lavou seus pés e advertiu-o à mesa da comunhão. Mas Judas, dominado pelo pecado da avareza, abriu brecha para o diabo entrar em sua vida e, agora, ele se associa aos inimigos de Cristo para prendê-lo.

Segundo, Judas Iscariotes, o traidor (26.48). A traição é uma das atitudes mais abomináveis e repugnantes. O traidor é alguém que aparenta ser inofensivo. É um lobo com pele de ovelha. Traz nos lábios palavras aveludadas, mas no coração carrega setas venenosas. Já na primeira menção de sua pessoa, Judas foi marcado como aquele que entregaria Jesus (10.4). Na segunda referência, nós o encontramos de tocaia, aguardando sua oportunidade (26.14-16). Nessa terceira e última menção, ele tem a sua chance e entrega Jesus (26.48-50). Depois sai de cena, pois nos interrogatórios já não precisam mais dele. Judas Iscariotes é "aquele que entregou".

Terceiro, Judas Iscariotes, o enganado (26.48). Judas disse para os líderes religiosos e a turba que os acompanhava: *Aquele a quem eu beijar, é esse; prendei-o*. Marcos acrescenta: *... levai-o com segurança* (Mc 14.44). Judas sabia que haviam fracassado todas as tentativas utilizadas até então para prender Jesus em palavras ou mesmo para matá-lo. Ele pensou que Jesus reagiria à prisão ou que seus discípulos lutariam por ele. Não havia compreendido ainda que Jesus viera ao mundo para essa hora. Judas nada compreendia do plano eterno de Jesus de dar sua vida em resgate do seu povo.

Quarto, Judas Iscariotes, o dissimulado (26.48-50). A senha de Judas para entregar Jesus era um beijo (26.48). Era costume saudar a um rabino com um beijo. Era um sinal de afeto e respeito por um superior amado. Quando Judas disse: *Aquele a quem eu beijar, é esse; prendei-o* (26.48) *e levai-o em segurança* (Mc 14.44), ele usou a palavra *filein,* que é o termo comum. Mas, quando o texto diz que Judas, aproximando-se, o beijou (26.49), a palavra é *katafilein*. A palavra *kata* está na forma intensiva, e *katafilein* é o termo para beijar como um amante beija a sua amada. Assim, Judas não apenas beija Jesus, mas o beija efusiva e demoradamente. A palavra *katafilein* significa não apenas beijar fervorosamente, mas prolongadamente.

O verbo grego *kataphileo* é aglutinação dos verbos amar/beijar mais o pronome intensivo. Isso sugere um espetáculo esmerado de afeição. É utilizado por exemplo para o beijo do pai no filho pródigo que voltou para casa (Lc 15.20) e para a afeição dos presbíteros de Éfeso a Paulo, na sua despedida em Mileto (At 20.37).[1] O beijo prolongado de Judas tinha a intenção de dar à multidão uma oportunidade de ver a pessoa que devia ser presa. Judas usa o símbolo da amizade e do amor para trair o filho de Deus, e Jesus mais uma vez tirou-lhe a máscara, dizendo-lhe: *Judas, com um beijo trais o filho do homem?* (Lc 22.48). Esta frase deve ter ressoado nos ouvidos de Judas como uma marcha fúnebre durante o breve período de estéril remorso que precedeu sua vergonhosa morte.

É digno de nota que, à mesa da comunhão, todos os discípulos chamaram Jesus de Senhor, e apenas Judas o chamou de mestre. Agora, Judas, semelhantemente, não ousa chamá-lo de Senhor. Na verdade, nenhum homem pode dizer que Jesus é o Senhor a não ser pelo Espírito Santo (1Co 12.3). Enquanto Judas trai Jesus com um beijo, este o chama de amigo. De fato, Jesus era amigo dos pecadores. O amor divino estava abrindo a porta da última oportunidade de arrependimento e salvação para Judas. Mas Judas estava completamente obcecado por Satanás, ao qual havia voluntariamente permitido entrar em seu coração (Lc 22.3). Lawrence Richards, nessa mesma linha de pensamento, escreve: "A palavra grega para amigo aqui é *hetaire*. Essa palavra sugere que Jesus ainda mantém a porta aberta para Judas. Este, porém, tinha rejeitado a Cristo, mas Cristo ainda não o tinha rejeitado".[2]

Em terceiro lugar, *a grande turba* (26.47). A grande turba capitaneada por Judas Iscariotes, destacada para prender Jesus, vinha da parte dos principais sacerdotes e anciãos do povo. Entre a turba, estavam também esses principais sacerdotes, capitães do templo e anciãos (Lc 22.52). O Sinédrio tinha a seu dispor um grupo de soldados para manter a ordem do templo. João menciona uma "escolta" que consistia em seiscentos homens, um décimo de uma legião (Jo 18.3). O Sinédrio entendeu que um destacamento de soldados seria prudente e necessário. As autoridades romanas, por outro lado, estavam muito desejosas de evitar tumultos em Jerusalém durante a celebração das festividades, e rapidamente concordaram em fornecer o apoio da escolta de soldados.

Esse grupo foi armado até os dentes com tochas, lanternas, espadas e porretes para prender Jesus (Mc 14.43). Até então, não tinham conseguido "apanhá-lo" nem com palavras (22.15); agora, o próprio Deus o entrega. Jesus encara sozinho seus inimigos, sofre sozinho nas mãos deles e sozinho vai dar a sua vida em resgate de seu povo.

Em quarto lugar, *Pedro* (26.51-54). O Pedro dorminhoco (26.40,43,45) é agora o Pedro valente que saca da espada para desferir golpes (26.51-54). Mateus, Marcos e Lucas não mencionam o nome de Pedro, mas João afirma que o discípulo que feriu Malco com a espada foi Pedro (Jo 18.10,11). Por que somente João menciona o nome de Pedro e de Malco? Fritz Rienecker interpreta o fato corretamente quando escreve:

> Os autores sinóticos não dizem nem o nome do discípulo que ataca nem o do servo atingido. João cita o nome dos dois. Por quê? Enquanto o Sinédrio ainda detinha poder, a sabedoria determinava que não se mencionasse o nome de Pedro. Por isso também a tradição oral observou silêncio sobre o assunto. Contudo, escrevendo após a morte de Pedro e a destruição de Jerusalém, João não foi mais detido por esse temor.[3]

Porque Pedro não havia orado nem vigiado, agora estava travando a batalha errada, com as armas erradas. Pedro fez uma coisa tola ao atacar Malco, pois não devemos usar armas carnais em batalhas espirituais (2Co 10.3-5). Ele usou a arma errada, no tempo errado, para o propósito errado, com a motivação errada. Não tivesse Jesus curado Malco, e Pedro poderia ter sido preso também; e, em vez de três, poderia haver quatro cruzes no Calvário. Pedro ainda não havia compreendido que Jesus viera para aquela hora e estava decidido a beber o cálice que o Pai lhe dera (Jo 18.11).

Em quinto lugar, *os discípulos* (26.56). A falta de oração, vigilância e discernimento dos discípulos transformou-se em medo e covardia. Eles, que haviam prometido fidelidade irrestrita a Jesus horas antes (26.35), agora fogem assombrados na penumbra daquela noite fatídica. A promessa deles foi quebrada. Abandonaram Jesus no coração e, agora, distanciam-se dele geograficamente. Spurgeon diz que Jesus não se surpreendeu pelo fato de todos os discípulos o terem abandonado e fugido, pois ele havia predito que eles agiriam dessa forma. Jesus os conhecia melhor do que eles conheciam a si mesmos, por isso profetizou que o rebanho seria espalhado quando o pastor fosse ferido. Nem o amado João nem o prepotente Pedro resistiram ao teste daquele momento solene.[4]

O julgamento de Jesus no Sinédrio (26.57-68)

O processo que culminou na sentença da morte de Jesus estava eivado de muitos e gritantes erros. As autoridades judaicas tropeçaram nas próprias leis e atropelaram todas as normas legais no julgamento de Jesus. Tanto sua prisão no Getsêmani como seu interrogatório na casa de Caifás, o sumo sacerdote, revelaram grandes deficiências na condução do processo.

Na verdade, as autoridades já haviam decidido matar Jesus antes mesmo de interrogá-lo (26.1-4; Mc 14.1,2; Jo 11.47-53). Eles tinham planejado fazer isso depois da festa, para evitar uma revolta popular (26.4), mas a atitude de Judas de entregá-lo antecipou o intento deles (26.14-16). O proceso era apenas um simulacro de justiça, pois, do princípio ao fim, não tinha outra finalidade senão dar uma aparência de legalidade ao crime já predeterminado.

Suas leis não permitiam a um prisioneiro ser interrogado pelo Sinédrio à noite. No dia anterior ao sábado ou de uma festa, todas as sessões estavam proibidas. Nenhuma pessoa podia ser condenada a não ser por meio do testemunho de duas testemunhas, mas eles contrataram testemunhas falsas. O anúncio de uma pena de morte só podia ser feito um dia depois do processo. Nenhuma condenação podia ser executada no mesmo dia, mas eles sentenciaram Jesus à morte durante a noite, e logo cedo o levaram a Pilatos para que este lavrasse sua pena de morte. A reunião acusatória do Sinédrio, portanto, foi ilegal, uma vez que ocorreu à noite, e o método usado também foi ilegal, visto que eles ouviram apenas testemunhas contra Jesus, e ainda testemunhas falsas.

Jesus passou por dois julgamentos: um eclesiástico e outro civil. O primeiro aconteceu nas mãos dos judeus; o segundo, nas mãos dos romanos. Tanto o julgamento judaico quanto o romano tiveram três estágios. O julgamento judaico foi aberto por Anás, o antigo sumo sacerdote (Jo 18.13-24). Em seguida, Jesus foi levado ao tribunal pleno para ouvir as testemunhas (26.57-68) e, então, à sessão matutina do dia seguinte para o voto final de condenação (27.1,2). Jesus foi depois enviado a Pilatos (27.2; Mc 15.1-5; Jo 18.28-38), que o enviou a Herodes (Lc 23.6-12), que o mandou de volta a Pilatos (Mc 15.6-15; Jo 18.39–19.6). Pilatos atendeu ao clamor da multidão e entregou Jesus para ser crucificado.

Os juízes de Jesus foram: Anás, o ganancioso, vingativo e venenoso como uma serpente (Jo 18.13); Caifás, rude, hipócrita e dissimulado (Jo 11.49,50); Pilatos, supersticioso e egoísta (Jo 18.29); e Herodes Antipas, imoral, ambicioso e superficial. Vejamos a seguir quais foram os passos nesse processo. Para uma melhor compreensão de todo o cenário do julgamento de Jesus, vamos recorrer também ao registro dos demais evangelistas.

Em primeiro lugar, *Jesus diante de Anás* (Jo 18.13). Antes de ser levado ao Sinédrio, Jeus foi conduzido manietado pela escolta, o comandante e os guardas dos judeus até Anás. Este era sogro de Caifás, o sumo sacerdote. Apesar de ter sido destituído pelos romanos, muitos judeus consideravam Anás o verdadeiro sumo sacerdote, pois esse cargo era vitalício e sumamente honroso; como cabeça de toda a família, ele exercia enorme influência na direção da política da nação por meio do seu genro Caifás. O interrogatório de Jesus por esse potentado tinha por objeto orientar o sumo sacerdote, ao mesmo tempo que oferecia tempo suficiente para a convocação de um quórum do Sinédrio durante as altas horas da noite.

Em segundo lugar, *Jesus diante do Sinédrio* (26.57-68). O Sinédrio era a suprema corte dos judeus, composta por 71 membros. Entre eles, havia saduceus, fariseus, escribas e homens respeitáveis, que eram os anciãos. O sumo sacerdote presidia o tribunal. Nessa época, os poderes do Sinédrio eram limitados porque os romanos governavam o país. O Sinédrio tinha plenos poderes nas questões religiosas. Parece que tinha também certo poder de polícia, embora não para aplicar a pena de morte. Suas funções não eram condenar, mas preparar uma acusação pela qual o réu pudesse ser julgado pelo governador romano.

Embora ilegalmente, o Sinédrio se reuniu naquela noite da prisão de Jesus para o interrogatório. Eles já tinham a sentença, mas precisavam de uma forma de efetivá-la. Os membros do Sinédrio eram movidos pela inveja (27.18), pela mentira (26.59,60), pelo engano (26.62-66) e pela violência (26.67,68). Resta claro que aqueles que interrogaram Jesus não buscavam a verdade, mas, sim, evidências contra ele.

Destacamos a seguir alguns pontos importantes.

Primeiro, as testemunhas (26.59-61). De acordo com a lei, não era lícito condenar ninguém à morte a não ser pelo testemunho concordante de duas testemunhas (Nm 35.30), de modo que não havia "causa legal" contra ninguém até que se houvesse cumprido esse requisito. As primeiras testemunhas se desqualificaram, pois suas histórias não concordavam entre si (Dt 17.6; Mc 14.59). Quão trágico é que um grupo de líderes religiosos estivesse encorajando o povo a mentir!

Segundo, o testemunho (26.59,60). Os principais sacerdotes e todo o Sinédrio procuraram testemunho falso contra Jesus, a fim de condená-lo à morte, mas não acharam. Muitos testemunharam contra Jesus, mas os testemunhos não eram coerentes (Mc 14.56,59). Outros testemunharam falsamente, baseando-se nas palavras do Senhor em João 2.19: *Jesus lhes respondeu: Destruí este santuário, e em três dias o reconstruirei.* O próprio evangelista João interpreta as palavras de Jesus: *Ele, porém, se referia ao santuário do seu corpo* (Jo 2.21). Mas os acusadores torceram as palavras de Jesus, acrescentando algo que Jesus não havia dito: *Este disse: Posso destruir o santuário de Deus e reedificá-lo em três dias* (26.61). Marcos é mais enfático no seu registro: *Nós o ouvimos declarar: Eu destruirei este santuário EDIFICADO POR MÃOS HUMANAS e, em três dias, construirei OUTRO, NÃO POR MÃOS HUMANAS* (Mc 14.58, destaques nossos).

Como vimos, essas falsas testemunhas mantiveram a velha e falsa versão dos judeus (Jo 2.20), dando a ideia de que Jesus havia planejado uma conspiração, um atentado militar contra o santuário de Jerusalém, destruindo, assim, o centro religioso da nação. Essa acusação foi explosiva porque, naquela época, a profanação de templos era um dos delitos mais monstruosos. Marcos nos informa que nem assim o testemunho deles era coerente (Mc 14.59). Aliás, Mateus e Marcos classificam essas acusações de "falso testemunho" (26.59; Mc 14.57-59), porque Jesus nunca dissera que ele destruiria o templo em Jerusalém. Não havendo testemunho contra Jesus, ele devia ser solto.

Terceiro, o solene juramento (26.62-64). Diante das falsas acusações, Jesus guardou silêncio e não se defendeu, cumprindo, assim, a profecia: ... *como ovelha muda perante os seus tosquiadores, ele não abriu a boca* (Is 53.7; cf. tb. 1Pe 2.23). O complô estava em risco de fracassar, mas Caifás estava determinado a condenar Jesus. Então, ele deixa de lado toda diplomacia e, sob juramento, faz a pergunta decisiva a Jesus: *Eu te conjuro pelo Deus vivo que nos digas se tu és o Cristo, o filho de Deus* (26.63). Jesus respondeu: *Tu o disseste; entretanto, eu vos declaro que, desde agora, vereis o filho do homem assentado à direita do Todo-poderoso e vindo sobre as nuvens do céu* (26.64). Lawrence Richards está correto quando diz que Jesus não somente afirmou sua divindade, mas também advertiu o Sinédrio. Estava diante deles em uma condição de fraqueza; era um prisioneiro a quem eles afirmavam ter o direito de julgar. Mas o direito de julgamento definitivo pertence a Deus. Quando os juízes do Sinédrio virem Jesus novamente, ele estará no lugar de autoridade, à direita de Deus Pai. Então, Jesus irá julgá-los.[5]

Mateus registra esta pergunta sob juramento: *Eu te conjuro pelo Deus vivo que nos digas se tu és o Cristo, o filho de Deus.* Robert Mounce assevera que era contra todos os procedimentos da lei judaica exigir que uma pessoa se autoincriminasse.[6] A resposta tão elevada e digna do Senhor a Caifás foi a primeira declaração pública na qualidade de Messias que o Senhor dera ao povo, e isso no momento em que, humanamente falando, a afirmação significava a morte. Essa declaração majestosa de Jesus constitui o "clímax cristológico" do evangelho de Mateus. À declaração, acrescentou o Senhor a profecia da sua segunda vinda em glória. Com essa resposta, Jesus demonstra seu valor e sua confiança, pois ele sabia que sua resposta significava sua morte, mas não titubeou em dá-la com clareza, uma vez que tinha a total confiança do seu triunfo final. Assim, Jesus proporciona ao Sinédrio todas as evidências que eles buscavam para o condenar à morte. Fritz Rienecker é oportuno quando escreve:

> A controvérsia sobre a pessoa de Cristo persiste até hoje. Mais de cinquenta gerações passaram desde que Jesus declarou sob juramento que ele é o filho de Deus. Em cada geração esta questão foi levantada, houve lutas a favor e contra ela, e assim será até o fim – até que ele, no seu glorioso retorno, porá fim à controvérsia para sempre. Ou Cristo testemunhou a verdade e é filho de Deus ou ele cometeu perjúrio. Neste caso, o cristianismo seria o mais grandioso golpe que enganou o mundo. Uma posição intermediária seria um absurdo e uma inverdade por excelência.[7]

Quarto, a condenação (26.65,66). A condenação de Jesus por blasfêmia da parte do Sinédrio foi tão ilegal quanto a pergunta sob juramento feita por Caifás, pois a lei exigia larga meditação antes de promulgar uma sentença condenatória. Não deram a Jesus nenhum direito de defesa, pois já haviam fechado os olhos contra a luz que resplandecia da vida do Senhor, como também os ouvidos contra a palavra divina que saía da sua boca (At 13.27).

Quinto, os insultos (14.67,68). Havia pouca consideração para um réu condenado, e imediatamente depois da sentença condenatória os servidores dos sacerdotes começaram a cuspir no rosto de Jesus e a lhe dar murros e bofetadas. Ainda escarneceram dele, perguntando: *Profetiza-nos, ó Cristo, quem é que te bateu!* (26.68). Inicia-se aqui o cumprimento dos desprezos e dos sofrimentos físicos que ele havia de sofrer (Is 50.6; 52.14–53.10). Embora Roma proibisse o Sinédrio de exercitar a penalidade de morte, seus membros manifestam sua ira contra Jesus. Alguns cospem, enquanto outros batem nele. Alguns zombam e exigem que ele profetize. Os guardas o espancam. Ironicamente, as ações deles só confirmam o papel profético e a messianidade de Jesus, cumprindo as predições que ele msmo fizera (16.21; 20.18,19).

A negação de Pedro (26.69-75)

Pedro foi um homem ambíguo e paradoxal. Sua biografia foi marcada por fortes contrastes. Ele tinha arroubos de intensa ousadia e atitudes de extrema covardia. Era um homem de altos e baixos, de escaladas e quedas, de bravura e fraqueza. O texto em tela nos fala sobre alguns aspectos da vida de Pedro, que comentamos a seguir.

Em primeiro lugar, *Pedro, o fugitivo* (26.56). O mesmo Pedro que prometera fidelidade irrestrita, num grau maior do que seus condiscípulos (26.33), agora abandona Jesus e foge com eles na noite fatídica da prisão de Cristo.

Em segundo lugar, *Pedro, o que segue a Jesus de longe* (26.58a). A queda de Pedro foi progressiva. Ele desceu o primeiro degrau nessa queda quando, fundamentado na autoconfiança, quis ser mais espiritual que os outros. Agora, ele desce mais um degrau quando, depois da fuga covarde, tenta remediar a situação seguindo a Jesus de longe. Seguir a Jesus de longe é preparar-se para negá-lo.[8]

Em terceiro lugar, *Pedro, o que se assenta na roda dos escarnecedores* (26.58b). Pedro desce mais um degrau na sua queda quando se esgueira na noite escura e se infiltra no pátio da casa do sumo sacerdote, onde Jesus estava sendo interrogado, e busca o aconchego de uma fogueira na presença dos escarnecedores (Mc 14.54). Aquele ambiente tornou-se um terreno escorregadio para seus pés e um laço para sua alma. Enquanto Jesus está sofrendo abuso físico e psicológico, não longe dali, no pátio do palácio, Pedro está se aquentando ao fogo.

Em quarto lugar, *Pedro, o covarde* (26.69,70). Uma criada identifica Pedro e lhe diz: *Também tu estavas com Jesus, o galileu*, mas Pedro nega isso peremptoriamente, declarando: *Não sei o que dizes*. O Pedro seguro da saída do cenáculo torna-se um homem medroso e covarde no pátio da casa do sumo sacerdote. O Pedro autoconfiante, que prometera ir com Jesus à prisão e sofrer com ele até a morte, agora nega a Jesus diante dos seus inimigos. O Pedro que pensou ser mais forte do que seus condiscípulos cava agora um abismo na sua alma, agredindo sua consciência e negando o que de mais sagrado possuía. Ele estava negando seu nome, sua fé, seu apostolado, seu Senhor.

Em quinto lugar, *Pedro, o perjuro* (26.71,72). Pedro não apenas nega que é discípulo de Jesus, mas faz isso com juramento. Pedro deixa o ambiente da primeira negação, saindo do pátio para o alpendre. Ali, outra criada o reconhece, dizendo aos circunstantes: *Este também estava com Jesus, o nazareno*. Pedro negou outra vez, com juramento: *Não conheço tal homem*. Pedro empenha sua palavra, sua honra e sua fé para negar sua relação com Jesus. Qual era a função dos juramentos na cultura judaica? A Bíblia diz que *todo homem é mentiroso* (Sl 116.11). Basicamente, fazemos juramentos sagrados para enfatizar que estamos falando a verdade. Então, quando Pedro negou a Jesus com um juramento, foi como se ele estivesse dizendo: "Deus é testemunha de que eu não conheço esse homem".[9]

Em sexto lugar, *Pedro, o praguejador* (26.73,74). Além de negar a Jesus com juramento, Pedro desce o último degrau da sua queda quando começa a praguejar e a jurar na tentativa de esquivar-se de Jesus. O verbo grego traduzido aqui por "praguejar" tem relação com a palavra grega *anathema,* que significa "maldição". Pedro estava proferindo uma maldição sobre aqueles que o associavam a Jesus, dizendo que tais acusadores mereciam ser amaldiçoados. Ele disparou uma série de insultos diante da sugestão de que era um seguidor de Jesus, insistindo que não conhecia seu Senhor.[10]

Quanto mais Pedro negava, mais ele se denunciava. Mateus registra que, logo depois da segunda negação de Pedro, aproximaram-se dele os que ali estavam e sem rodeios disseram-lhe: *Verdadeiramente, és também um deles, porque o teu modo de falar o denuncia* (26.73). Os galileus falavam aramaico com um sotaque considerado horroroso pelos habitantes de Jerusalém. Reconhecendo agora que estava sem saída, Pedro começou a praguejar e a jurar, dizendo: *Não conheço esse homem!* Ele quis ser o mais forte e tornou-se o mais fraco. Ele quis ser melhor que os outros e tornou-se o pior. Ele quis colocar seu nome no topo da lista dos fiéis e caiu de forma mais vergonhosa para o último lugar. Pedro, abalado com as acusações, começou a praguejar e a jurar, negando o seu mais sagrado relacionamento. Spurgeon diz que mentir leva a jurar, e jurar, a praguejar; ninguém, a não ser o Senhor, sabe quão mais longe Pedro teria caído se não tivesse sido divinamente detido em sua carreira pecaminosa.[11]

Em sétimo lugar, *Pedro, o arrependido* (26.74b,75). Mesmo não tendo falado contra Jesus, Pedro o nega de três modos: pleiteando ignorância, negando fazer parte da comunidade dos discípulos e refutando qualquer relação com Jesus. Diferentemente de Judas, Pedro e os outros discípulos não tentam destruir Jesus para se salvar. Eles não estão contra Jesus, mas falham em ser por ele.

Há três coisas acerca da negação de Pedro que servem de alerta para nós. A primeira delas é quão profunda e vergonhosamente um cristão pode cair. Pedro era um apóstolo, um homem que conhecia o Senhor e tinha intimidade com ele, mas negou o seu Senhor. A segunda coisa é como uma pequena tentação pode provocar uma grande queda. Pedro nega o Senhor diante de uma servente, e não diante de um austero tribunal. A terceira lição é que a queda traz aos salvos grande sofrimento. Pedro chorou, e chorou amargamente.

John Charles Ryle diz que a queda de Pedro ocorreu em cinco passos. O primeiro para a queda de Pedro foi a autoconfiança. Ele disse: *Ainda que venhas a ser um tropeço para todos, nunca o serás para mim* (26.33). O segundo passo foi a indolência. Seu Senhor lhe havia dito para vigiar e orar; em vez de obedecer, Pedro dormiu. O terceiro passo foi acomodar-se covardemente. Em lugar de ficar ao lado de seu Senhor, ele primeiro o abandonou e, depois, *o seguia de longe*. O quarto passo foi expor-se desnecessariamente a más companhias. Ele foi ao pátio do sumo sacerdote e *assentou-se entre os serventuários*, como se fosse apenas um deles. Então, veio a queda final – o juramento, os impropérios e a tríplice negação.[12]

Três coisas conduziram Pedro ao arrependimento. A primeira delas foi o olhar penetrante de Jesus (Lc 22.61). O olhar de Cristo foi de repreensão e também de amor. Jesus tirou uma radiografia da alma de Pedro com seu olhar. A segunda coisa foi lembrar-se da palavra de Cristo ao cantar do galo (26.74b; Mc 14.72). Jesus havia alertado a Pedro naquela noite que, antes de o galo cantar, ele o negaria (26.34). Isso de fato aconteceu. Robert Mounce diz que a mudança da guarda romana na fortaleza Antônia, às três horas da madrugada, era marcada por um toque de trombeta conhecido como *gallicinium,* em latim "canto do galo". A referência de Mateus pode ter sido a esse toque instrumental, ou ao canto de um galo mesmo.[13] A terceira coisa é que Pedro caiu em si e desatou a chorar, e chorou amargamente (26.75). Em vez de engolir o veneno como Judas, Pedro o vomitou. Esse foi o choro do arrependimento, da vergonha pelo pecado, da tristeza segundo Deus. Pedro foi restabelecido à comunhão e ao ministério (Mc 16.7; Jo 21.15-17).

NOTAS

[1] MOUNCE, Robert H. *Mateus*, p. 255.
[2] RICHARDS, Lawrence O. *Comentário histórico-cultural do Novo Testamento*, p. 87.
[3] RIENECKER, Fritz. *Evangelho de Mateus*, p. 424.
[4] SPURGEON, Charles H. *O evangelho segundo Mateus*, p. 594.
[5] RICHARDS, Lawrence O. *Comentário histórico-cultural do Novo Testamento*, p. 84.
[6] MOUNCE, Robert H. *Mateus*, p. 258.
[7] RIENECKER, Fritz. *Evangelho de Mateus*, p. 427.
[8] BROADUS, John A. *Comentário de Mateus*. Vol. II, p. 307.
[9] SPROUL, R. C. *Mateus*, p. 705.
[10] IBIDEM, p. 706.
[11] SPURGEON, Charles H. *O evangelho segundo Mateus*, p. 601.
[12] RYLE, John Charles. *Meditações no evangelho de Mateus*, p. 241.
[13] MOUNCE, Robert H. *Mateus*, p. 261.

segundo Deus, Pedro foi restabelecido à comunhão e ao ministério (Mc 16.7; Jo 21.15-19).

Notas

1 MOUNCE, Robert H. *Marcos*, p. 258.
2 RICHARDS, Lawrence O. *Comentário histórico-cultural do Novo Testamento*, p. 87.
3 RIENECKER, Fritz. *Evangelho de Marcos*, p. 4[illegible].
4 SPURGEON, Charles H. *O evangelho segundo Marcos*, p. 69[illegible].
5 RICHARDS, Lawrence O. *Comentário histórico-cultural do Novo Testamento*, p. 88.
6 MOUNCE, Robert H. *Marcos*, p. 258.
7 RIENECKER, Fritz. *Evangelho de Marcos*, p. 4[illegible].
8 BROADUS, John A. *Comentário de Mateus*. Vol. II, p. [illegible].
9 SHEDD, R. P. *Marcos*, p. 70[illegible].
10 Ibidem, p. 706.
11 SPURGEON, Charles H. *O evangelho segundo Marcos*, p. 69[illegible].
12 RYLE, John Charles. *Meditações no evangelho de Marcos*, p. 2[illegible].
13 MOUNCE, Robert H. *Marcos*, p. 261.

Capítulo 69

A humilhação do Rei

(Mt 27.1-66)

A humilhação de Jesus, o Cristo, passou por vários estágios. Ele desceu do céu à terra; sendo Deus, fez-se homem; sendo o Rei dos reis e o Senhor dos senhores, fez-se servo; sendo santo, fez-se pecado; sendo bendito, fez-se maldição; sendo glorificado pelos anjos, foi cuspido pelos homens. No Getsêmani, suou gotas como de sangue; no Sinédrio, foi cuspido, acusado falsamente e espancado; no pretório, foi açoitado e condenado à morte; no Calvário, foi pregado na cruz. Foi morto e sepultado. O apóstolo Paulo diz que ele se humilhou até a morte, e morte de cruz (Fp 2.8).

Destacamos alguns pontos sobre a humilhação de Cristo a seguir.

Jesus no Sinédrio judaico (27.1,2)

Em seu livro *O julgamento de Jesus, o Nazareno,* Haim Cohn afirma que, no século 20, cerca de sessenta mil livros foram escritos sobre a vida de Jesus, porém poucos dedicaram atenção especial ao seu julgamento e pouquíssimos foram escritos por juristas e de um ponto de vista jurídico. Isso é intrigante porque não existe nenhum outro julgamento que tenha gerado consequências tão profundas, concretas e reais como esse.[1]

Dois fatos nos chamam a atenção, como vemos a seguir.

Em primeiro lugar, *a ilegalidade da reunião anterior do Sinédrio* (26.57-68). Segundo as leis dos judeus, o Sinédrio não podia reunir-se à noite para interrogar uma pessoa nem mesmo para ouvir testemunhas contra ela. Mas Jesus foi preso, interrogado e sentenciado à morte numa reunião feita às pressas, na calada da noite.

Em segundo lugar, *a formalização de uma nova acusação* (27.1,2). O Sinédrio voltou a reunir-se na manhã de sexta-feira para planejar sua estratégia. Ele precisava dar validade à reunião ilegal da noite anterior e também formalizar contra Jesus uma nova acusação que pudesse encontrar guarida diante da corte romana. As autoridades religiosas julgaram Jesus digno de morte por causa de blasfêmia (26.65,66), mas essa era uma questão religiosa e teológica que não tinha importância para os romanos. Então, os principais sacerdotes, junto com os anciãos, os escribas e todo o Sinédrio, formalizaram uma acusação política contra Jesus (Jo 19.12). Lucas menciona uma acusação tripartida de ensino sedicioso, embargo aos impostos e aspiração à realeza (Lc 23.2,3).[2]

Caifás considerava Jesus culpado de antemão e somente buscou um pretexto; Pilatos considerou Jesus inocente e buscou uma saída. Nos dois casos, Jesus foi "entregue", silenciou-se diante das acusações, recebeu a sentença de morte e foi cuspido e escarnecido.

No tribunal judaico, apresentou-se uma acusação teológica contra Jesus: blasfêmia. No tribunal romano, a acusação era política: sedição. Assim, acusaram Jesus de delito contra Deus e contra César. John Stott diz que tanto no tribunal judaico como no romano seguiu-se certo procedimento legal: 1) a vítima foi presa; 2) a vítima foi acusada e examinada; 3) chamaram-se testemunhas; 4) então, o juiz deu o seu veredicto e pronunciou a sentença. Mas Marcos esclarece que: 1) Jesus não era culpado das acusações; 2) as testemunhas eram falsas; 3) a sentença de morte foi um horrendo erro judicial.[3]

Fritz Rienecker diz que, ao ser transferido para o procurador romano, Pôncio Pilatos, Jesus passa da esfera de Israel para a esfera do império mundial. Por meio dessa medida, Jesus foi expulso da comunidade de Israel. A partir do momento em que Cristo foi entregue nas mãos dos romanos, ele deixou a história de Israel e entrou na história mundial. A partir de agora, ele, com seu sofrimento e sua morte, pertence ao mundo todo.[4] É óbvio que Jesus foi conduzido perante Pilatos porque o Sinédrio não tinha direito, sem a aprovação romana, de executar seu decreto (Jo 18.31).

O suicídio de Judas Iscariotes (27.3-10)

Mateus interrompe a narrativa a fim de relatar o fim de Judas Iscariotes. O dinheiro que Judas recebeu não satisfez seu coração avarento. Ele não só não aproveitou o dinheiro, como perdeu a própria vida. Vendo que Jesus fora condenado, tomado de remorso, Judas devolveu as trinta moedas de prata aos principais sacerdotes e confessou ter traído sangue inocente. R. C. Sproul diz que Judas não apenas devolveu as moedas, mas as atirou ao santuário. Ele estava com ódio não somente das moedas de prata, mas dele próprio. Portanto, decidiu dar cabo não só das moedas, como também de si mesmo.[5]

Judas reconheceu seu erro e penitenciou-se por isso, mas não chegou ao verdadeiro arrependimento. Não basta estar convencido do erro e sentir tristeza por ele. É preciso dar meia-volta e retornar para o Senhor. Em vez de correr para Jesus, Judas correu para a morte. Em vez de buscar a vida, mergulhou no abismo do suicídio. John A. Broadus mostra o trágico curso descendente de Judas, o homem que começou como um apóstolo: 1) avareza; 2) furto; 3) traição; 4) remorso; 5) suicídio; 6) seu próprio lugar (At 1.25).[6] Nas palavras de John Charles Ryle, "Judas, um apóstolo de Cristo, um ex-pregador do evangelho, um companheiro de Pedro e João, comete suicídio, e assim se precipita à presença de Deus, sem preparo e sem perdão".[7]

O suicídio é uma grande tragédia. É a eliminação do ser na tentativa equivocada de reparar um erro ou mesmo por causa de total desilusão da vida, nenhuma saída da condição em que se está. O suicídio é uma usurpação de uma prerrogativa divina. Só Deus dá a vida e só ele tem autoridade para tirá-la.

O valor devolvido não serve como oferta, mas, para cumprir a profecia, foi usado na compra do campo do oleiro, transformado em cemitério para os forasteiros. Spurgeon diz que o campo de sangue se tornou o memorial perpétuo da infâmia de Judas.[8]

Jesus no pretório romano (27.11-31)

Destacamos a seguir alguns pontos importantes no trato dessa matéria.

Em primeiro lugar, *os judeus acusam Jesus diante de Pilatos* (27.11,12). Os principais sacerdotes e anciãos, por ciúmes e inveja, acusaram Jesus porque não queriam perder a popularidade nem abrir mão do poder. Jeitosamente haviam criado mecanismos para se enriquecerem por meio da religião e estavam mais interessados na glória pessoal do que na salvação. Como eles não tinham poder para matar ninguém (Jo 18.31), levaram Jesus a Pilatos, o quinto governador romano da Judeia (26 a 37 d.C.).

Logo que levaram Jesus ao pretório, Pilatos saiu para lhes falar e disse: *Que acusação trazeis contra este homem?* (Jo 18.29). Os principais sacerdotes acusaram Jesus de muitas coisas (Mc 15.3) e com grande veemência (Lc 23.10). Jesus, porém, ficou em silêncio e não abriu a boca. O silêncio de Jesus foi ruidosamente eloquente. Durante as últimas horas de sua vida, em quatro ocasiões diferentes, Jesus *não abriu a boca* (Is 53.7) na presença de Caifás (26.62,63), de Pilatos (27.13,14), de Herodes (Lc 23.9) e, novamente, de Pilatos (Jo 19.9). Isso falou mais alto do que qualquer palavra que pudesse ter dito. Esse silêncio se transformou em condenação para seus atormentadores e era prova de sua identidade como o Messias.

Mateus acentua a pluralidade das acusações levadas contra Cristo pelos principais sacerdotes e anciãos (27.13). O evangelista Marcos diz que os principais sacerdotes acusaram Jesus de muitas coisas (Mc 15.3), sem informar, porém, o conteúdo dessas acusações. Podemos, entretanto, buscá-las nos outros evangelistas.

Primeiro, acusaram Jesus de ser um malfeitor (Jo 18.30). Os acusadores inverteram a situação. Eles eram malfeitores, mas Jesus havia andado por toda parte fazendo o bem (At 10.38).

Segundo, acusaram Jesus de insubordinação (Lc 23.2). Eles disseram a Pilatos que encontraram Jesus pervertendo a nação, vetando pagar tributo a César e afirmando ser ele o Cristo, o Rei.

Terceiro, acusaram Jesus de agitador do povo (Lc 23.5,14). Eles afirmaram: *Ele alvoroça o povo, ensinando por toda a Judeia, desde a Galileia, onde começou, até aqui.*

Quarto, acusaram Jesus de blasfêmia (Jo 19.7). Eles disseram a Pilatos que Jesus se autoproclamava filho de Deus e, segundo a lei judaica, isso era blasfêmia, um crime capital para os judeus.

Quinto, acusaram Jesus de sedição (Jo 19.12). Os judeus clamavam a Pilatos: *Se soltas a este, não és amigo de César; todo aquele que se faz rei é contra César*. Por inveja, acusaram Jesus de sedição política. Colocaram-no contra o Estado, contra Roma, contra César. Questionaram as suas motivações e a sua missão. A acusação contra Cristo é que ele era o "Rei dos judeus". Embora Jesus tenha admitido que era Rei, explicou que o seu reino não era deste mundo, de forma que não constituía nenhum perigo ou ameaça para César em Roma. Seja o que for que "rei dos judeus" tenha significado para Jesus, pelo menos não era derramar o sangue de outros, mas o seu sangue pelos outros (20.28; 26.28). Essa acusação foi pregada em sua cruz em três idiomas: hebraico, grego e latim (Jo 19.19,20). O hebraico é a língua da religião; o grego é a língua da filosofia; e o latim é a língua da lei romana. Tanto a religião como a filosofia e a lei se uniram para condenar Jesus.

Antonio Vieira, comentando sobre esse episódio, afirma que Jesus foi acusado de que queria ser rei dos judeus, mas foi precisamente condenado porque não quis ser rei dos judeus. No pretório, Pilatos perguntou a Jesus se ele era rei. Qual o conceito de rei para Pilatos, para os acusadores, para o povo e para o próprio Jesus? Se o conceito de realeza era o entendido pelos acusadores, o crime era religioso. Se o conceito de realeza era o entendido por Pilatos, caracterizava-se como crime político. Havia, pois, o conceito de realeza do próprio Jesus, quando ele diz solenemente que o seu reino não é deste mundo. Ali não era uma escola filosófica ou academia jurídica para discutir os conceitos doutrinários sobre realeza. Jesus estava ali para construir com o próprio sangue esse reinado de amor e justiça. O primeiro governo e autoridade existente no mundo foi instalado por Deus, ainda no paraíso, quando ele criou o homem à sua imagem e semelhança e ordenou que ele dominasse sobre os peixes do mar, as aves do céu e os animais selvagens. Para governar animais irracionais, quis Deus que o homem tivesse entranhas divinas, fosse feito à sua imagem e semelhança, tão sublime e tão grande era aos olhos de Deus a missão de governar. Mas Adão foi contaminado pelo orgulho e pela autossuficiência e quis ser igual a Deus. Este é o grande pecado dos que governam: tornar-se grandes como deuses para governarem os homens como demônios. Historicamente, todos aqueles que atribuíram a si mesmos poderes divinos e se tornaram absolutos governaram como se Deus não existisse. Quando Jesus disse diante de Pilatos que seu reino não era deste mundo, ele traçava as coordenadas que o distinguiriam de todos os poderes terrenos, ou seja, seu reino não teria as características dos impérios humanos.[9]

Em segundo lugar, *Pilatos estava convicto da inocência de Jesus* (27.18). Pilatos estava convencido da inocência de Jesus e demonstrou isso três vezes. Pilatos percebeu a intenção maldosa dos principais sacerdotes. Ele sabia que as acusações contra Jesus eram meramente para proteger a instituição religiosa, e não o trono de César. Faltou a Pilatos coragem para sustentar aquilo em que ele cria. Para melhor compreendermos a inocência de Jesus nesse julgamento, buscaremos informações nos outros evangelistas.

Primeiro, no início do julgamento (Lc 23.4). Quando o Sinédrio lhe apresentou o caso, Pilatos disse: *Não vejo neste homem crime algum.*

Segundo, no meio do julgamento (Lc 23.13-15). Quando Jesus voltou, depois de ter sido examinado por Herodes, Pilatos disse aos sacerdotes e ao povo: *Apresentastes-me este homem como agitador do povo; mas, tendo-o interrogado na vossa presença, nada verifiquei contra ele dos crimes de que o acusais. Nem tampouco Herodes, pois no-lo tornou a enviar. É, pois, claro que nada contra ele se verificou digno de morte.*

Terceiro, no final do julgamento (Lc 23.22). O evangelista Lucas nos informa que pela terceira vez Pilatos perguntou ao povo: *Que mal fez este? De fato, nada achei contra ele para condená-lo à morte.* O evangelista João registra com grande ênfase o drama vivenciado por Pilatos nesse julgamento. Chegou um momento em que ele temeu (Jo 19.8) e procurou soltar Jesus (Jo 19.12).

Em terceiro lugar, *Pilatos tentou soltar Jesus e pacificar os judeus* (27.15-26). Pilatos estava plenamente convencido de duas coisas: a inocência de Jesus e a inveja dos judeus. Sua mulher alertou-o de não se envolver na condenação de Jesus, por ser ele justo (27.19). Mas, por covardia e conveniência política, Pilatos abafou a voz da consciência e condenou Jesus; antes, porém, fez quatro tentativas evasivas, segundo John Stott.[10]

Primeiro, ele transferiu a responsabilidade da decisão (Lc 23.5-12). Ao ouvir que Jesus era da Galileia, enviou-o para Herodes. Este, porém, devolveu Jesus sem sentença.

Segundo, ele tentou meias medidas. Pilatos disse aos judeus: *Portanto, depois de o castigar, soltá-lo-ei* (Lc 23.16; cf. tb. v. 22). Essa foi uma ação covarde, pois, se Jesus era inocente, tinha de ser imediatamente solto, e não primeiramente açoitado. O açoite romano era algo terrível. O réu era atado e dobrado de tal maneira que suas costas ficavam expostas. O chicote era uma larga tira de couro, com pedaços de chumbo, bronze e ossos nas pontas. Por meio desses açoites, as vítimas tinham o corpo rasgado; às vezes, um olho chegava a ser arrancado. Alguns morriam durante o açoitamento, e outros ficavam loucos. Poucos eram os que suportavam esses castigos sem desmaiar. A flagelação romana era, de fato, executada de maneira bárbara. O delinquente era desnudado e amarrado a uma estaca ou coluna, e às vezes também simplesmente jogado no chão, para ser chicoteado por vários carrascos até que estes se cansassem e pedaços de carne ensanguentada ficassem pendurados no corpo das vítimas.

Terceiro, ele tentou a coisa certa pela forma errada (27.16-21). Pilatos tentou fazer a coisa certa (soltar Jesus) pela forma errada (pela escolha da multidão). Propôs anistiar um prisioneiro criminoso, esperando que a multidão escolhesse Jesus, mas o povo preferiu Barrabás, um terrorista assassino. Marcos descreve Barrabás como homicida e tumultuador (Mc 15.7), enquanto Mateus o chama de *um preso muito conhecido* (27.16), e João o descreve como um salteador (Jo 18.40). A decisão da multidão por Barrabás revela as escolhas do homem sem Deus: a ilegalidade em lugar da lei; a guerra em lugar da paz; o ódio e a violência em lugar do amor. R. C. Sproul diz que Barrabás significa "filho do pai". Assim, de um lado havia Barrabás – filho do pai – e, de outro, Jesus – o filho do Pai.[11]

Quarto, ele tentou protestar sua inocência (27.24). Pilatos lavou as mãos, dizendo: *Estou inocente do sangue deste* [justo]. Pilatos não conseguiu livrar-se de sua consciência. No tempo do imperador Caio (37-41), ele caiu em tão grande desgraça que praticou o suicídio.[12]

Em quarto lugar, *Pilatos cedeu, entregando Jesus para ser crucificado* (27.22-26). Embora Pilatos tenha reconhecido a inocência de Jesus, sucumbiu à pressão e entregou Jesus para ser crucificado (Lc 23.23-25). Robert Mounce diz que a exigência da crucificação tinha origem no desejo dos líderes religiosos de demonstrar que a vida e a mensagem de Jesus estavam sob a maldição de Deus.[13] Eles disseram a Pilatos: *Caia sobre nós o seu sangue e sobre nossos filhos!* (27.25). Para Hendriksen, a impressão que se tem é que eles falaram isso de forma petulante e displicente. Além disso, sua resposta foi unânime: *o povo todo*. Com tal resposta, o Israel daqueles dias estava rejeitando a Cristo e, no mesmo fôlego, assumindo a plena responsabilidade por tê-lo feito.[14] Essa imprecação terrível deve ter sido lembrada por muitos quando os soldados de Tito não pouparam nem idade nem sexo, e a capital judaica se tornou o verdadeiro campo de sangue.[15] Fritz Rienecker registra:

> Jamais foi dita uma maldição mais horrenda. E jamais uma maldição se cumpriu de maneira tão terrível. Se aqueles que a proferiram naquela manhã na fortaleza Antônia pudessem ver quarenta

> anos à frente, o seu sangue teria congelado nas veias. Mesmo antes do cerco de Jerusalém o sangue jorrava torrencialmente no país. No final do ano 66 foram trucidados 20.000 judeus em Cesareia por seus concidadãos gentios. Em Citópolis os sírios enfurecidos massacraram 13.000 judeus. Algo semelhante aconteceu em outras cidades e aldeias. Em Alexandria, onde os judeus administravam para si dois bairros através de um etnarca, foram chacinados 50.000 deles, parcialmente pelos gregos, parcialmente por soldados romanos, e suas casas reduzidas a cinzas. Na conquista de Gamala pelos romanos foram mortos até mesmo os bebês. Mais cruel foi o massacre em Jerusalém. Diariamente morriam 500 ou mais na cruz, até que não houvesse mais madeira para confeccionar cruzes. Quando enfim, a cidade foi conquistada, a espada romana grassou sem piedade contra tudo o que a fome e a peste ainda tinham deixado com vida, quer criança ou velho, quer homem ou mulher.[16]

John Stott aponta quatro razões que levaram Pilatos a entregar Jesus para ser crucificado. Primeiro, o clamor da multidão (Lc 23.23). O clamor da multidão prevaleceu. Segundo, o pedido da multidão (Lc 23.24). Pilatos decidiu atender-lhes o pedido. Terceiro, a vontade da multidão (Lc 23.25). Quanto a Jesus, entregou-o à vontade deles. Quarto, a pressão da multidão (Jo 19.12). Os judeus disseram a Pilatos: *Se soltas a este, não és amigo de César*. A escolha era entre a verdade e a ambição, entre a consciência e a conveniência.[17] A. T. Robertson diz que o herói do domingo se tornou o criminoso condenado à morte de sexta-feira.[18]

Depois de açoitar a Jesus, Pilatos o entregou para ser crucificado (27.26). Como já deixamos claro, o azorrague romano consistia em um curto cabo de madeira ao qual eram presas várias correias com os extremos providos de presilhas de chumbo ou bronze e pedaços de ossos muito afiados. Os açoites eram desferidos especialmente nas costas da vítima, que ficava nua e encurvada. Com esses açoites, a carne era lacerada a ponto de ficarem profundamente expostas veias e artérias, e às vezes mesmo as entranhas e os órgãos internos se expunham entre os cortes.[19] Fica claro o que escreveu Isaías: *Mas ele foi traspassado pelas nossas transgressões e moído pelas nossas iniquidades; o castigo que nos traz a paz estava sobre ele, e pelas suas pisaduras fomos sarados* (Is 53.5).

Em quinto lugar, *os soldados escarnecem de Jesus* (27.27-31). Os soldados se reuniram por esporte para ver o açoitamento. Esses soldados pagãos gostavam de mostrar desprezo pelos judeus e os condenados à morte.[20] Os soldados escarneceram de Jesus principalmente em relação às duas principais acusações apresentadas contra ele: a acusação política de que ele se fazia rei e a acusação religiosa de que ele se fazia filho de Deus. Jesus foi escarnecido pelas acusações de blasfêmia e sedição.

Primeiro, zombaram dele como rei (27.27-31). O manto escarlate e a coroa de espinhos eram uma maneira de ridicularizar Jesus como rei.

Segundo, zombaram dele como filho de Deus (Mc 15.19,20). Esbordoaram-lhe a cabeça e cuspiram nele e, pondo-se de joelhos, o adoravam. Depois de todo esse escárnio, conduziram Jesus para fora, com o fim de crucificá-lo. Açoitar antes da crucificação era um costume romano brutal e desumano. Fazia parte da pena de morte.

Jesus no Calvário (27.32-56)

Há vários pontos dignos de destaque aqui, como vemos a seguir.

Em primeiro lugar, *a caminhada para a cruz* (27.32-34). Jesus já estava com as forças esgotadas. Desde a noite anterior, ele estivera preso, sendo castigado. No pretório de Pilatos, acabara de ser açoitado e escarnecido. Seu corpo estava sangrando. Sob o peso da cruz, Jesus marcha do pretório para o Gólgota sob os apupos da multidão tresloucada e sanguissedenta e os açoites crudelíssimos dos soldados (Jo 19.16,17). Não aguentando mais o desmesurado castigo, Jesus cai exangue sob o lenho maldito. O fardo do pecado pelo mundo também lhe estava partindo o coração.

Nesse ínterim, os soldados obrigaram Simão Cireneu a carregar a cruz (27.32). Simão Pedro orgulhosamente dissera que iria com Jesus até a prisão e até a morte (26.35; Lc 22.33), mas foi Simão Cireneu, e não Simão Pedro, que veio ajudar o mestre. Esse homem foi a Jerusalém para participar da festa da Páscoa e se encontrou com o cordeiro de Deus. Sua vida foi transformada, seus filhos Alexandre e Rufo se converteram ao evangelho, e sua esposa se tornou como uma mãe para o apóstolo Paulo (Rm 16.13). John A. Broadus, citando Calvino, diz: "À vista dos homens, esta tarefa trouxe-lhe a mais baixa degradação, mas à vista de Deus, a mais excelsa honra".[21]

Em segundo lugar, *a crucificação* (27.35-44). A crucificação era uma forma cruel e degradante de punição. Parece que os romanos a tomaram por empréstimo dos fenícios e cartagineses, e só a usavam contra escravos, estrangeiros e criminosos da pior espécie. A crucificação era a tortura mais cruel e horrível.[22] A morte de Cristo foi o mais horrendo crime. Judeus e gentios, religiosos e políticos, se uniram para condenar Jesus. Pedro denunciou as autoridades judaicas por matarem o Autor da vida (At 3.15) e o crucificarem por mãos de iníquos (At 2.23). Destacamos alguns pontos importantes a seguir.

Primeiro, o local da crucificação (27.33). Gólgota, o local onde Jesus foi crucificado, era também conhecido como Lugar da Caveira. Naquele tempo, os criminosos condenados à morte de cruz não tinham direito a um sepultamento digno. Muitos deles eram deixados apodrecendo na cruz. Talvez o local tenha recebido esse nome não apenas por causa da sua aparência de caveira,[23] mas, também, por causa do horror de haver sempre ali corpos putrefatos.

Segundo, a dor física da crucificação. A morte de cruz era a forma de os romanos aplicarem a pena de morte. Os judeus consideravam maldito aquele que era dependurado na cruz (Gl 3.13). A pessoa morreria de câimbras, asfixiada e com dores crudelíssimas. A morte vinha por sufocação, esgotamento ou hemorragia.

Terceiro, a dor moral e espiritual da crucificação. Jesus foi escarnecido como profeta (Mc 15.29), como salvador (27.40-42) e como rei (Mc 15.32). Spurgeon diz que eles zombaram de Jesus como salvador: *Salvou os outros, a si mesmo não pode salvar-se*. Zombaram dele como rei: *É rei de Israel! Desça da cruz, e creremos nele*. Zombaram dele como crente: *Confiou em Deus; pois venha livrá-lo*. E zombaram dele como o filho de Deus: *... porque disse: Sou filho de Deus*".[24]

Jesus foi crucificado entre dois ladrões como um criminoso. A palavra grega aqui não é *kleptes* (ladrão batedor de carteira), mas *lestes* (salteador), a mesma usada para descrever Barrabás (Jo 18.40).[25] Jesus foi despido de suas vestes, que foram repartidas pelos soldados. Ele foi zombado quando pregaram em sua cruz a acusação que o levou à morte (27.37). Essa inscrição dava o nome e o lugar de origem: "JESUS NAZARENO", e a acusação pela qual ele fora condenado: "O REI DOS JUDEUS", com a identificação: "ESTE É".[26] Jesus foi escarnecido pelos transeuntes que ainda alimentavam as mentiras espalhadas pelas falsas testemunhas (27.39,40). Ele foi vilipendiado pelos principais sacerdotes e escribas que o acusaram de impotente para ajudar a si mesmo (27.41,42). Ele foi insultado até mesmo por aqueles que com ele foram crucificados (27.44).

Tasker, nessa mesma linha de pensamento, diz que havia três grupos de adversários ao redor da cruz: 1) os pecadores ignorantes – os que por ali passavam e meneavam a cabeça, em desprezo (27.39,40); 2) os pecadores religiosos – os membros do Sinédrio, que continuavam a insultar o Senhor, em parte para reprimir quaisquer sinais de sentimentalismo em seu favor que pudessem levar a uma mudança de veredicto (27.41-43); 3) os pecadores condenados – os ladrões que insultavam Jesus do mesmo modo (27.44).[27]

Quarto, a última cartada de Satanás (27.39,40; Mc 15.30,32). Satanás sempre tentou desviar Jesus da cruz. Agora, ele dá sua última cartada. O povo gritou para Jesus salvar a si mesmo (27.40), e os principais sacerdotes e escribas o desafiaram: *Desça agora da cruz o Cristo, o rei de Israel, para que vejamos e creiamos"* (Mc 15.32). Se Jesus salvasse a si mesmo, não poderia salvar-nos. Se ele descesse da cruz, desceríamos ao inferno. Porque ele não desceu da cruz, podemos subir ao céu. De acordo com Spurgeon, porque Jesus era o filho de Deus, ele não desceu da cruz, mas ficou pendurado ali até que se consumasse o sacrifício pelo pecado do seu povo. A cruz de Cristo é a escada de Jacó pela qual nós subimos ao céu.[28]

Quinto, as trevas sobre a terra (27.45). A penúltima praga que assolou o Egito antes da morte do cordeiro pascal foram três dias de trevas. E, antes de Jesus, o nosso cordeiro pascal, ser imolado na cruz, também houve três horas de trevas sobre a terra. É conhecida a expressão de Douglas Webster: "No nascimento do filho de Deus, houve luz à meia-noite; na morte do filho de Deus, houve trevas ao meio-dia".[29] Spurgeon diz que o sol cobriu o rosto, e houve escuridão como que de dez noites, constrangido pelo fato de o grande sol da Justiça estar em tal terrível escuridão.[30] A escuridão simboliza o julgamento de Deus sobre o nosso pecado; sua ira consumindo-se no coração de Jesus, para que ele, como nosso substituto, pudesse sofrer a agonia mais intensa, a aflição mais indescritível e o desamparo e isolamento mais terríveis. O inferno foi até o Calvário nesse dia, e o salvador desceu a ele, experimentando os seus horrores em nosso lugar.

Sexto, o grito de desamparo (27.46-49). Jesus já havia sido desamparado pelo povo, pelos líderes, pelos ladrões e agora estava sendo também desamparado pelo próprio Pai. Mateus registra: *Por volta da hora nona, clamou Jesus em alta voz, dizendo:* [...] *Deus meu, Deus meu, por que me desamparaste?* (27.46). Nesse momento, o universo inteiro se contorceu de dores. O sol escondeu o seu rosto e houve trevas sobre a terra ao meio-dia. Sede, desamparo e agonia são símbolos do próprio inferno. Foi na cruz que Cristo desceu ao inferno. Foi na cruz que ele se fez pecado e maldição por nós. Foi na cruz que ele sorveu o cálice amargo da ira de Deus contra o pecado. O que ele temeu no Getsêmani, experimenta agora na cruz. Deus fez cair sobre ele a iniquidade de todos nós. Ele foi ferido e traspassado. Terra e céu desampararam Jesus.

Em terceiro lugar, *a morte* (27.50-56). Jesus foi crucificado na terceira hora do dia, ou seja, às nove horas da manhã (Mc 15.25). Da hora sexta à hora nona, ou seja, do meio-dia às três horas da tarde, houve trevas sobre a terra (27.45). Nessas seis horas em que Jesus ficou na cruz, ele proferiu sete palavras. Três delas foram em relação às pessoas: 1) palavra de perdão – *Pai, perdoa-lhes, porque não sabem o que fazem* (Lc 23.34); 2) palavra de salvação – *Hoje estarás comigo no paraíso* (Lc 23.43); 3) palavra de afeição – *Mulher, eis aí teu filho* [...] *eis aí tua mãe* (Jo 19.26,27). Uma palavra foi em relação a Deus: *Deus meu, Deus meu, por que me desamparaste?* (27.46; Mc 15.34). E três palavras foram em relação a si mesmo: 1) palavra de agonia: *Tenho sede!* (Jo 19.28); 2) palavra de vitória: *Está consumado!* (Jo 19.30); 3) palavra de rendição: *Pai, nas tuas mãos entrego o meu espírito!* (Lc 23.46).

Em quarto lugar, *o brado de triunfo* (27.50). Jesus não morreu como uma vítima, vencido contra a sua vontade. Ele entregou sua vida porque quis, quando quis e como quis.[31] Jesus não morreu de esgotamento lento, mas com um brado alto.[32] Os evangelistas Mateus e Marcos não nos informam sobre qualquer palavra proferida por Jesus na cruz a não ser a palavra do desamparo, porém estão implícitas nesse brado a palavra de vitória e a palavra de rendição. Esse grande brado inclui o *Está consumado!* (Jo 19.30) e o *Pai, nas tuas mãos entrego o meu espírito!* (Lc 23.46), de modo que não devemos entender esse brado como um grito de desespero, mas como uma voz de triunfo de quem estava consumando a obra da redenção ao custo infinito de sua agonia. Jesus estava consumando sua obra, esmagando a cabeça da serpente, triunfando sobre o diabo e suas hostes e comprando-nos para Deus. Ele morre como um vencedor. Jesus não foi morto; ele voluntariamente deu sua vida (Jo 10.11,15,17,18). Ele não morreu como um mártir; ele se entregou como sacrifício pelos pecados do seu povo. Qualquer pensamento de derrota é abafado pela força surpreendente do grito de Jesus. As trevas acabam no momento em que Jesus morre. Com a sua morte, ele quebrou o poder das trevas.

Em quinto lugar, *o véu do santuário rasgado* (27.51). O véu rasgado indica a ab-rogação do sistema religioso judaico.[33] Significa a abolição e o término de toda a lei cerimonial judaica. Significa que o Santo dos Santos está aberto para toda a humanidade por meio da morte de Cristo (Hb 9.8). O caminho para Deus foi aberto. Jesus abriu um novo e vivo caminho para Deus (Hb 10.12-22). Ele mesmo é o caminho (Jo 14.6). Estava abolido o antigo sistema de ritos e sacrifícios. As restrições étnicas do templo em Jerusalém não mais vigoram. O resgate pago por Jesus é válido tanto para gentios como para judeus. Seu sacrifício foi perfeito, cabal e irrepetível. A porta do céu está aberta a todos em Cristo. Judeus e gentios têm livre acesso a Deus por meio de Cristo. Concordo com Spurgeon quando ele diz que a morte de Cristo foi o fim do judaísmo.[34] O judaísmo, como afluente, desaguou no rio do cristianismo e, por isso, deixa de existir como afluente. O véu foi rasgado. O acesso à presença de Deus está aberto, por meio de Cristo, a judeus e gentios.

Em sexto lugar, *os mortos ressuscitaram* (27.52,53). A morte de Cristo trouxe um terremoto a Jerusalém, e esse abalo sísmico fendeu as rochas e abriu os sepulcros; muitos corpos dos santos, que dormiam, ressuscitaram, entraram na cidade santa e apareceram a muitos.

Em sétimo lugar, *o reconhecimento do centurião romano* (27.54). O homem encarregado da centúria, a corporação de cem soldados romanos que acompanhara o séquito até o calvário, ao ouvir as palavras de Jesus, teve seu coração tocado e reconheceu que Jesus é verdadeiramente o filho de Deus.

Em oitavo lugar, *o testemunho das mulheres* (27.55,56). Enquanto os discípulos de Jesus fugiram, com exceção de João, as mulheres que tinham sustentado Jesus com seus bens (Lc 8.1-3) e o acompanhado desde a Galileia para o servirem estavam observando o drama do Calvário. Elas demonstraram mais coragem e mais compromisso do que aqueles que prometeram ir com Jesus para a prisão e a morte. Elas assistiram Jesus em seu ministério e o acompanharam até a cruz. Observaram onde e como o corpo de Jesus foi sepultado e compraram aromas para embalsamá-lo (Lc 23.55,56). E foram as primeiras a ver o Cristo ressuscitado e a anunciar sua ressurreição (Lc 24.1-12).

Jesus na sepultura (27.57-61)

Destacamos duas verdades importantes a seguir.

Em primeiro lugar, *a coragem de José de Arimateia* (27.57-60). Pela lei romana, os condenados à morte perdiam o direito à propriedade e até mesmo o direito de serem enterrados. Frequentemente, o corpo dos acusados de traição permanecia apodrecendo na cruz. É digno de nota que nenhum parente ou discípulo tenha reivindicado o corpo de Jesus.

José de Arimateia era um ilustre membro do Sinédrio, o tribunal que havia condenado Jesus à morte. Ele certamente não fez parte daquela decisão ensandecida (Lc 23.51). Era um homem rico, mas esperava o reino de Deus (Mc 15.43). E sabia quem era Jesus. Por isso, dirigiu-se resolutamente a Pilatos e pediu o corpo de Jesus para sepultá-lo. Quando fez o pedido, usou a palavra grega *soma* (Mc 15.43); porém, quando Pilatos cedeu o corpo, a palavra grega usada foi *ptoma* (Mc 15.45). A primeira palavra se refere à personalidade total, fato que implica o cuidado e amor de José de Arimateia. A palavra usada por Pilatos dá ao corpo apenas o significado de cadáver ou carcaça. Esses diferentes termos representam atitudes diferentes dos homens acerca da vida e da morte.

Depois de baixar o corpo da cruz, José de Arimateia o envolveu num pano limpo de linho e o depositou no seu túmulo novo, que fizera abrir na rocha; e rolou uma grande pedra para a entrada do sepulcro. Só então, ele se retirou. José de Arimateia não se intimidou de ser vinculado a Jesus, um homem sentenciado à morte. Ele teve coragem para se posicionar.

Outras pessoas tinham honrado e confessado nosso Senhor quando o viram fazendo milagres, mas José o honrou e confessou ser seu discípulo quando o viu ensanguentado e morto. Outros tinham demonstrado amor a Jesus enquanto ele estava falando e vivendo, mas José de Arimateia demonstrou amor quando Jesus estava silencioso e morto. Há verdadeiros cristãos sobre a terra de quem nada conhecemos, em lugares que jamais esperávamos encontrar.

Em segundo lugar, *a presença das mulheres* (27.61). Algumas mulheres não apenas subiram o Gólgota, mas desceram ao lugar da tumba. Elas tudo viram e de tudo testemunharam (Lc 23.55). Mateus diz que Maria Madalena e a outra Maria se achavam ali, sentadas em frente da sepultura. Elas serviram a Jesus em vida e devotaram amor a ele depois de morto e sepultado.

A guarda do sepulcro (27.62-66)

Os principais sacerdotes e os fariseus fazem uma nova investida, rogando a Pilatos uma atitude enérgica, a fim de evitarem que a profecia de Jesus de que ressuscitaria ao terceiro dia induzisse os discípulos a roubarem seu corpo e espalharem entre o povo o boato de sua ressurreição. Pilatos atende ao pedido deles e monta uma escolta especial para guardar o sepulcro.

A segurança do sepulcro, porém, não pôde deter o filho de Deus, nem a morte pôde retê-lo. O túmulo foi aberto de dentro para fora. O lacre foi quebrado, a pedra foi rolada, a escolta foi envergonhada e Jesus ressuscitou, matando a morte e triunfando sobre ela.

Notas

[1] Cohn, Haim. *O julgamento de Jesus, o Nazareno.* Rio de Janeiro, RJ: Imago, 1990, p. 9.
[2] Mounce, Robert H. *Mateus*, p. 263.
[3] Stott, John. *A cruz de Cristo.* Miami, FL: Vida, 1991, p. 40-41.
[4] Rienecker, Fritz. *Evangelho de Mateus*, p. 430.
[5] Sproul, R. C. *Mateus*, p. 710.
[6] Broadus, John A. *Comentário de Mateus.* Vol. II, p. 317.
[7] Ryle, John Charles. *Meditações no evangelho de Mateus*, p. 245.
[8] Spurgeon, Charles H. *O evangelho segundo Mateus*, p. 607.
[9] Vieira, Antonio. *Mensagem de fé para quem não tem fé*, p. 144-147.
[10] Stott, John. *A cruz de Cristo*, p. 43-44.
[11] Sproul, R. C. *Mateus*, p. 715.
[12] Broadus, John A. *Comentário de Mateus.* Vol. II, p. 319.
[13] Mounce, Robert H. *Mateus*, p. 266.
[14] Hendriksen, William. *Mateus.* Vol. 2, p. 549.
[15] Spurgeon, Charles H. *O evangelho segundo Mateus*, p. 612.
[16] Rienecker, Fritz. *Evangelho de Mateus*, p. 434-435.
[17] Stott, John. *A cruz de Cristo*, p. 44.
[18] Robertson, A. T. *Comentário de Mateus*, p. 314.
[19] Hendriksen, William. *Mateus.* Vol. 2, p. 550.
[20] Robertson, A. T. *Comentário de Mateus*, p. 316.
[21] Broadus, John A. *Comentário de Mateus.* Vol. II, p. 338.
[22] Mounce, Robert H. *Mateus*, p. 268.
[23] Rienecker, Fritz. *Evangelho de Mateus*, p. 438.
[24] Spurgeon, Charles H. *O evangelho segundo Mateus*, p. 623.

[25] Richards, Lawrence O. *Comentário histórico-cultural do Novo Testamento*, p. 84.
[26] Robertson, A. T. *Comentário de Mateus*, p. 319.
[27] Tasker, R. V. G. *Mateus: introdução e comentário*, p. 210.
[28] Spurgeon, Charles H. *O evangelho segundo Mateus*, p. 622.
[29] Webster, Douglas. *In the Debt of Christ*. Jacksonville, FL: Highway Press, 1957, p. 46.
[30] Spurgeon, Charles H. *O evangelho segundo Mateus*, p. 623.
[31] Mounce, Robert H. *Mateus*, p. 270.
[32] Robertson, A. T. *Comentário de Mateus*, p. 323.
[33] Pinto, Carlos Osvaldo Cardoso. *Foco & desenvolvimento no Novo Testamento*, p. 60.
[34] Spurgeon, Charles H. *O evangelho segundo Mateus*, p. 626.

Capítulo 70

A ressurreição e o comissionamento do Rei

(Mt 28.1-20)

A morte de Jesus não foi um acidente, nem sua ressurreição foi uma surpresa. O evangelista Mateus registra quatro ocasiões em que Jesus previu sua morte e sua ressurreição (16. 21-23; 17.22,23; 20.17-19;26.2). Ele morreu pelos nossos pecados segundo as Escrituras. Foi sepultado e ressuscitou segundo as Escrituras (1Co 15.1-3).

As melhores notícias que o mundo já ouviu vieram do túmulo vazio de Jesus. Sem a ressurreição, o evangelho teria terminado como "más notícias". A história da Páscoa não termina em um funeral, mas, sim, com uma festa. O túmulo vazio de Cristo foi o berço da igreja. Não pregamos um Cristo que esteve vivo e agora está morto; pregamos o Cristo que esteve morto e está vivo pelos séculos dos séculos. Sua ressurreição é o alicerce da nossa fé. Nas palavras de Robert Mounce, "a ressurreição representa a pedra angular da fé cristã".[1]

A ressurreição de Cristo e o cristianismo permanecem em pé ou caem juntos. Sem a ressurreição de Cristo, o cristianismo seria uma religião vazia de esperança, um museu de relíquias do passado.

Paulo diz que, sem a ressurreição de Cristo, 1) nossa fé seria vã; 2) nossa pregação seria inútil; 3) nossa esperança seria vazia; 4) nosso testemunho seria falso; 5) nossos pecados não seriam perdoados; 6) seríamos os mais infelizes de todos os homens.

Sem a ressurreição de Cristo, a morte teria a última palavra, e a nossa esperança do céu seria um pesadelo. Sem a ressurreição de Cristo, o cristianismo seria o maior engodo da história, a maior farsa inventada pelos cristãos. Os mártires teriam morrido por uma mentira, e uma mentira teria salvado o mundo. Mas de fato Cristo ressuscitou. A grande diferença entre o cristianismo e as grandes religiões do mundo é que o túmulo de Jesus está vazio. Você pode visitar o túmulo de Buda, Confúcio, Maomé, Alan Kardec, mas o túmulo de Jesus está vazio. Ele venceu a morte e está vivo pelos séculos dos séculos. Destacamos três verdades preciosas a seguir.

Primeiro, a ressurreição de Jesus é um fato histórico incontroverso. Muitas foram as tentativas de destruir as evidências desse fato auspicioso. Alguns disseram que Jesus não chegou a morrer na cruz e, ao ser colocado no túmulo cavado na rocha, reanimou-se. Outros, conforme registra Mateus, disseram que os discípulos subornaram os guardas e roubaram o seu corpo (28.11-15). Outros ainda disseram que as mulheres foram ao túmulo errado e espalharam a notícia de que ele havia ressuscitado. Há até mesmo aqueles que disseram que os romanos removeram o corpo para outro túmulo. As muitas aparições de Jesus ressurreto, porém, deitam por terra todas essas falaciosas alternativas (1Co 15.1-11). Nesse mais auspicioso fato da história, o céu se moveu, a natureza se agitou, a terra festejou e o inferno tremeu.

Segundo, a ressurreição de Jesus é, também, um fato psicológico inegável. Os discípulos, acuados pelo medo, desânimo e pessimismo, foram poderosamente transformados. Tornaram-se ousados, valentes e poderosos no testemunho. Enfrentaram ameaças, açoites, prisões e martírio sem jamais recuar. Eles não teriam morrido por uma mentira. A mudança dos discípulos é uma prova incontroversa da ressurreição de Jesus.

Muitos dos discípulos morreram como mártires por causa dessa verdade. Ao longo dos quatro primeiros séculos, uma multidão de crentes morreu nas arenas e muitos foram queimados vivos por causa dessa verdade: Pedro foi crucificado; André foi crucificado; Tiago, filho de Zebedeu, foi morto à espada; João, filho de Zebedeu, foi banido para a ilha de Patmos; Filipe foi crucificado; Bartolomeu foi crucificado; Tomé foi morto por uma lança; Mateus foi morto à espada; Tiago, filho de Alfeu, foi crucificado; Tadeu foi morto por flechas; Simão, o zelote, foi crucificado.

Terceiro, a ressurreição de Jesus é um fato sociológico notório. Uma igreja cristã foi estabelecida sobre a rocha dessa verdade incontestável. Pessoas de todas as nações, raças, línguas e povos uniram-se em torno dessa verdade suprema. A melhor prova da ressurreição é a existência da igreja cristã. Nenhum outro fato poderia ter transformado homens e mulheres tristes e desesperados em pessoas radiantes de alegria e inflamadas de um novo valor. De fato, o túmulo vazio de Cristo foi o berço da igreja. Por isso, o mundo odeia a Jesus. Ninguém odeia quem está morto. A oposição hostil a Jesus é porque ele está vivo. O mundo nos odeia porque odeia Cristo em nós!

As mulheres vão ao sepulcro (28.1)

No relato da ressurreição, as mulheres têm o papel principal. As mulheres foram as últimas a saírem do Calvário e as primeiras a chegarem ao sepulcro.[2] Maria Madalena e a outra Maria tiveram cinco experiências naquela manhã de domingo: um desejo (28.1), um temor (28.5), uma consolação (28.6), uma comissão (28.7,8) e um encontro (28.9,10). Quando lemos os demais evangelhos, constatamos que havia, também, outras mulheres junto com Maria Madalena e essa outra Maria. Eram aquelas que haviam sustentado financeiramente o ministério de Jesus em sua itinerância pelas mais de duzentas cidades e aldeias da Galileia (Lc 8.1-3). Essas mulheres acompanharam Jesus até Jerusalém, mesmo sabendo que ele havia profetizado sua morte. Elas honraram Jesus em vida, quando da sua morte e depois de sua ressurreição.

É digno de nota que as mulheres tenham ido ao sepulcro no primeiro dia da semana (28.1). Jesus levantou-se da morte no primeiro dia da semana (28.6). Ele derramou o seu Espírito no Pentecoste no primeiro dia da semana (At 2.1-4). No primeiro dia da semana, a igreja cristã passou a reunir-se para entrar em comunhão (At 20.7) e fazer suas ofertas (1Co 16.2). João viu o Cristo glorificado na ilha de Patmos no primeiro dia da semana (Ap 1.10). O primeiro dia da semana tornou-se o dia da celebração do povo de Deus, a celebração da vitória sobre a morte.

Um grande terremoto (28.2-4)

A casa da morte estava fortemente guardada por uma grande pedra e pelo sinete de Pilatos. Um lacre estatal e um destacamento militar são, porém, insignificâncias diante de Deus. O poder do céu triunfa sobre o poder da terra.[3] Mateus nos informa acerca do grande terremoto que houve naquele primeiro dia da semana. Um anjo do Senhor desceu do céu, removeu a pedra e assentou-se sobre ela (28.2). É claro que o anjo não abriu a porta para Jesus sair, pois seu corpo ressurreto não tinha mais nenhuma limitação. Nessa mesma toada, A. T. Robertson diz que a pedra foi removida não para deixar sair o Senhor, mas para que as mulheres entrassem e comprovassem o fato do túmulo vazio.[4]

Mateus descreve esse anjo como um relâmpago e sua veste, como a neve (28.3). Em face do grande terremoto e da abertura do sepulcro por um poder sobrenatural, os guardas tremeram, cheios de pavor, a ponto de ficarem como se estivessem mortos. Spurgeon escreve: "A morte estava sobrepujada e tudo que prendia Jesus à sepultura estava sendo removido. Quando o Rei despertou do sono da morte, fez o mundo tremer; o dormitório em que descansou por um tempo estremeceu quando o herói celeste se ergueu de sua cama".[5]

William Hendriksen explica que a pedra, o selo, a guarda – tudo isso dera certo senso de segurança aos principais sacerdotes e aos fariseus. Todavia, pelo prisma do céu, toda essa demonstração de força não passava de mera futilidade. No jardim de José de Arimateia, o

Todo-poderoso estava rindo (Sl 2.4). Ele fez ouvir sua voz, e a terra se derreteu.[6]

A pedra removida é um memorial da vitória de Cristo sobre a morte. Jesus arrancou o aguilhão da morte e triunfou sobre ela. O túmulo não é o fim da nossa existência. A morte não tem mais a última palavra. A cruz não é o fim da história. A sexta-feira da paixão não é o fim do drama. Cristo ressuscitou!

A pedra removida é o fundamento sobre o qual erigimos nossa vida. A ressurreição de Cristo é a pedra de esquina da fé cristã, a coluna mestra do cristianismo. Nosso redentor não está no túmulo. Ele ressuscitou!

O anjo proclama a ressurreição de Jesus às mulheres (28.5-7)

O anjo não se dirige aos guardas, mas às mulheres que foram ao sepulcro. Mateus nos informa que o anjo está assentado na própria pedra removida do túmulo. Enquanto os guardas estão desmaiados, o anjo está sobranceiro proclamando que Jesus não está mais no túmulo. O túmulo foi aberto de dentro para fora. Nenhum poder conseguiu deter o filho de Deus (Sl 16.10). A ressurreição de Jesus é uma obra do próprio Deus Pai (At 3.15; 4.10; Rm 4.24; 8.11; 10.9; 1Co 6.14; 15.15; 2Co 4.14; 1Pe 1.21).

Alguns fatos são dignos de nota, como vemos a seguir.

Em primeiro lugar, *as mulheres ocupam lugar especial no ministério de Jesus* (28.5). As mulheres sustentaram o ministério de Jesus, estiveram com ele em sua agonia e participaram de seu sepultamento, honrando-o na vida e na morte. Agora, são as primeiras a ir ao túmulo, as primeiras a ser testemunhas da sua ressurreição, as primeiras a adorar o Cristo ressurreto e as primeiras mensageiras da vitória de

Cristo sobre a morte. John A. Broadus diz que as mulheres buscavam o Crucificado, mas acharam o Ressuscitado.[7] Aquelas que foram as últimas junto à cruz e as primeiras junto ao túmulo agora são as primeiras a ver o Cristo ressurreto e as primeiras a proclamar sua ressurreição.

Em segundo lugar, *as mulheres são encorajadas pelo anjo* (28.5,6a). O anjo conhece o sentimento de temor e a motivação da estada daquelas mulheres no sepulcro. Sua mensagem para elas é de encorajamento: *Não temais; porque sei que buscais Jesus, que foi crucificado. Ele não está aqui; ressuscitou como tinha dito* (28.5,6a).

Em terceiro lugar, *as mulheres são convidadas a ser testemunhas do túmulo vazio* (28.6b). Depois de dar uma ordem para elas não temerem, o anjo dá agora outra ordem, para elas virem ver onde o corpo de Jesus estava depositado. Elas foram convidadas a ser as primeiras testemunhas oculares do fato mais auspicioso do cristianismo, a ressurreição do Rei dos reis.

Em quarto lugar, *as mulheres são enviadas aos discípulos de Jesus* (28.7). Depois de o anjo dar a primeira ordem, *Vinde*, ele dá agora a segunda ordem, *Ide*. Todo aquele que é testemunha da vitória de Jesus sobre a morte deve proclamar essa notícia. A ordem do anjo tem um caráter de urgência: *Ide, pois, depressa...* Tem também um público e uma mensagem certa: *... e dizei a seus discípulos que ele ressuscitou dos mortos...* Tem ainda uma agenda a ser cumprida, para o encontro com o Ressuscitado: *... e vai adiante de vós para a Galileia; ali o vereis. É como vos digo!* Lawrence Richards diz que essa ordem dada às mulheres é excepcional porque o testemunho das mulheres não podia ser aceito nas cortes judaicas.[8] Dessa forma, o reino de Cristo mais uma vez inverte os valores e instrumentaliza aquelas que não eram aceitas.

Em quinto lugar, *as mulheres e os discípulos de Jesus devem compreender que o Cristo ressurreto vai à nossa frente* (28.7). Não precisamos temer o futuro, porque aquele que morreu e venceu a morte por nós vai à nossa frente. O cristianismo não é apenas um corolário de doutrinas e dogmas, mas a pessoa bendita do Cristo ressurreto. O cristão não é aquele que apenas recita um credo, mas o que segue uma pessoa. Como cristãos, pertencemos a um movimento, e não apenas a uma instituição. Ser cristão é seguir as pegadas do Cristo ressurreto que vai à nossa frente. Ser cristão é estar a caminho. O cristianismo é a religião do caminho, e Cristo é esse caminho.

Jesus já havia dito a seus discípulos que, depois da sua ressurreição, se encontraria com eles na Galileia (26.32). Agora, ele confirma seu encontro com eles na Galileia, onde eles viviam. Jesus se encontra conosco dentro da nossa rotina diária. Ele está presente com seu povo não apenas quando eles estão juntos em adoração, mas também quando estão dispersos na jornada da vida.[9]

Jesus ressurreto aparece às mulheres (28.8-10)

É digno de nota que uma dessas duas mulheres é Maria Madalena. Vemos nisso dois pontos a observar, como comentamos a seguir.

Primeiro, o milagre da transformação (Mc 16.9). A primeira testemunha da ressurreição de Jesus não foi Maria ou Pedro ou João, nem mesmo os onze discípulos, mas Maria Madalena, aquela de quem Jesus expulsara sete demônios. Naquele tempo, o testemunho das mulheres não era aceito pelos judeus, mas Jesus quebra esse paradigma e se manifesta a essa mulher, evidenciando o milagre da transformação operada em sua vida. Aquele a quem muito é perdoado, muito ama. Jesus restaurou essa mulher do submundo demoníaco para a visão beatífica da sua gloriosa ressurreição.

Segundo, a prodigalidade da graça (Mc 16.10). Maria Madalena não foi apenas a primeira pessoa a ver o Cristo ressurreto, mas foi a primeira a anunciar a sua ressurreição. Aquela que estava possuída de demônios transforma-se agora na embaixadora das boas-novas do evangelho.

Sem detença, as mulheres atendem à ordem angelical. Saem às pressas do sepulcro para encontrar os discípulos e contar a eles as boas-novas. Um misto de medo e alegria inunda o coração delas enquanto cumprem essa gloriosa missão (28.8). É no meio dessa agenda da obediência à comissão do anjo que Jesus foi ao encontro delas, fazendo-lhes a seguinte saudação: *Salve!* Elas o reconheceram imediatamente e prontamente aproximaram-se dele, abraçando-lhe os pés. As mulheres foram as primeiras a adorar o Cristo vivo, o vencedor da morte.

Jesus reitera às mulheres a mesma ordem angelical. Elas não deveriam temer, mas ir aos seus discípulos, a quem ele chama de *meus irmãos*, ordenando que se dirijam à Galileia, pois, na mesma geografia em que eles foram chamados para o ministério, eles agora o veriam.

Jesus eleva os títulos daqueles que o seguem. A princípio, eles foram chamados de servos, depois de discípulos, pouco antes de sua morte foram chamados de amigos e, agora, depois de sua ressurreição, são chamados de irmãos.[10] Concordo com John Heading quando ele diz que a descrição *meus irmãos* é uma expressão de graça, introduzindo-os na família celestial. Jesus já os havia chamado de "meus servos" em relação a ele como Senhor, de "meus discípulos" em relação a ele como mestre, de "minhas ovelhas" em relação a ele como Pastor e de "meus amigos" em relação a ele como homem. Agora, ele os chama de "meus irmãos" em relação a ele como filho.[11]

Hendriksen destaca que Jesus não se refere aos discípulos como aqueles brigões habituais que, mesmo prometendo lealdade a ele, o deixaram e fugiram. E também não se refere a eles como aqueles que, com exceção de João, não estiveram presentes em sua crucificação, nem mesmo em seu sepultamento. Mas Jesus se refere a eles como seus irmãos, como membros da sua família, objetos do seu amor, com quem ele compartilha sua herança.[12]

Essas mulheres foram as grandes heroínas no relato dos quatro evangelistas. Enquanto os discípulos de Cristo se escondem, elas se manifestam. Enquanto eles fogem, elas aparecem. Enquanto eles estão trancados entre quatro paredes, elas estão subindo o Gólgota, descendo à tumba, vendo anjos, contemplando o Cristo ressurreto e correndo para anunciá-lo. O amor e a devoção dessas mulheres devem nos estimular, diz Paul Beasley-Murray.[13]

A grande comissão de Satanás (28.11-15)

Ao mesmo tempo que Jesus dá aos seus discípulos a grande comissão, Satanás, também, envia seus emissários para anunciar uma mentira. Onde um templo da verdade é levantado, Satanás constrói também uma sinagoga da mentira.

Os mesmos principais sacerdotes que pagaram Judas Iscariotes para levar Jesus à morte pagam agora os soldados romanos para mentirem acerca de sua vitória sobre a morte. A comissão do diabo é espalhar a mentira em lugar da verdade. Destacamos a seguir cinco características da comissão do diabo.

Em primeiro lugar, é uma comissão mentirosa (28.11-13). Os guardas, ao verem o sepulcro aberto, não foram a Pilatos, mas aos principais sacerdotes. O plano desses líderes não funcionou. A segurança montada para manter a porta do sepulcro fechada, com o lacre do governador Pilatos, não resistiu ao poder da ressurreição. Carlos Osvaldo Pinto diz, com razão, que os líderes judeus temiam a própria verdade que haviam rejeitado.[14] Agora, eles pagam uma grande soma de dinheiro a esses soldados para que eles espalhem uma mentira descabida. Concordo com John A. Broadus quando ele diz que os esforços contra a verdade, às vezes, contribuem para o seu progresso; o selo e a guarda apenas tornaram mais evidente que o Senhor ressurgira dentre os mortos.[15]

Em segundo lugar, é uma comissão contraditória (28.13-15). A mentira é manca. Não pode ficar de pé diante dos fatos. Se os guardas estavam acordados, por que deixaram os discípulos roubarem seu corpo; se estavam dormindo, não podem afirmar que os discípulos de Jesus o tenham roubado. Concordo com as palavras de Lawrence Richards: "Uma pessoa dificilmente pode testemunhar sobre o que aconteceu enquanto dorme".[16] Essa versão mentirosa, comprada, entretanto, perdurou até o tempo em que Mateus escreveu seu evangelho.

Em terceiro lugar, é uma comissão vulnerável (28.14). Os soldados receberam grande soma de dinheiro para anunciar uma mentira e receberam a promessa de proteção dos agentes do suborno. A proteção dos homens é frágil. Ainda que livre os malfeitores das consequências imediatas de seu delito, não pode livrá-los dos verdugos da consciência nem do justo tribunal de Deus.

Em quarto lugar, é uma comissão motivada pela ganância (28.15). Spurgeon diz que Cristo foi traído por dinheiro, e por dinheiro a verdade sobre a sua ressurreição foi escondida, tanto quanto foi possível.[17] O vetor que governou os soldados romanos a serem atalaias da mentira foi o amor ao dinheiro. Eles foram subornados. Venderam-se. Tornaram-se mensageiros de uma falácia para auferirem lucro. Fritz Rienecker afirma que, em troca de dinheiro, os soldados abandonaram a honra profissional, mentiram e repetiram o que lhes foi ordenado. Grande decadência![18]

Tasker informa que os soldados aceitaram o suborno e fizeram circular tão amplamente a história tramada que ela continuava sendo propagada entre os judeus nos dias em que o evangelista estava escrevendo.[19] Spurgeon é oportuno quando escreve: "Nada vive tanto tempo quanto uma mentira, exceto a verdade".[20]

Em quinto lugar, é uma comissão fracassada (28.13). Lawrence Richards diz que um decreto promulgado por César e preservado no que é conhecido como "a inscrição de Nazaré" afirma que violar sepulcros é uma ofensa terrível que em certos casos poderia merecer a pena de morte. Os discípulos desmoralizados e oprimidos dificilmente poderiam ter reunido a coragem necessária para violar o sepulcro naquela semana santa. E, se houvesse alguma evidência para apoiar a acusação, o Sinédrio certamente teria tentado sufocar o movimento cristão acusando os onze de violação e roubo de sepulcro.[21] Além disso, um soldado romano preferiria cometer suicídio a confessar que havia dormido em seu posto de sentinela.[22]

A grande comissão de Jesus (28.16-20)

Carlos Osvaldo Pinto ressalta que esse último parágrafo do evangelho (28.16-20) deve ser comparado em primeiro lugar ao capítulo 10, para que a mudança seja vista em toda a sua magnitude. Ali (cap. 10), Cristo, o filho de Davi, delegou seu poder para a evangelização de Israel. Aqui, Cristo, o filho de Abraão, delega sua autoridade para a evangelização do mundo.[23]

Os onze discípulos atenderam à ordem de Jesus e deixaram Jerusalém, rumando para a Galileia, e ali, no monte designado pelo Senhor, ele se deu a conhecer a eles. Logo que o viram, eles o adoraram. Alguns, porém, duvidaram. É nesse cenário, num dos montes da Galileia, que Jesus entrega a seus discípulos a grande comissão.

Todos os quatro evangelistas deram ênfase à grande comissão. Lucas ainda a repete no livro de Atos. Fica evidente, na grande comissão, que o propósito de Deus é o evangelho todo, por toda a igreja, em todo o mundo, a toda criatura. R. C. Sproul destaca o fato de que Jesus não está dando uma grande sugestão, mas uma grande comissão, ou seja, trata-se de uma ordem expressa do Rei dos reis, o qual possui toda a autoridade no céu e na terra.[24] Tasker, citando H. B. Swete, é oportuno, quando escreve:

> Este evangelho começou com uma afirmação de que Jesus era da linhagem real de Davi, e registrou que, enquanto criança, foi reconhecido como "Rei dos judeus" pelos astrólogos vindos do oriente. Agora, depois de ser crucificado como "Rei dos judeus", ressuscitou dos mortos; e em seu estado glorificado como o Cristo ressurreto, sem reservas arroga-se a posse de completa autoridade no céu e na terra. Com esta conotação termina o evangelho.[25]

Cinco verdades devem ser aqui ressaltadas, como vemos a seguir.

Em primeiro lugar, *a competência do comissionador* (28.18). Que constrate havia nessa cena na Galileia com os gemidos no Getsêmani e com a escuridão do Gólgota! Jesus afirmou a sua onipotência e soberania universal. Na cruz, ele foi proclamado "rei dos judeus", mas, quando João o vê glorificado em sua visão apocalíptica, na sua cabeça havia muitos diademas, e em seu manto e em sua coxa havia um nome escrito: "Rei dos reis e Senhor dos senhores".[26] Jesus tem toda a autoridade (*ARA*) e todo o poder (*ARC*). *Exousia,* "autoridade", nesse contexto, refere-se ao poder e à jurisdição absolutos. Nada existe fora do controle soberano do Cristo ressurreto. É nesse fundamento que os discípulos deverão ir, fazendo discípulos de todos os povos.[27]

Essa declaração mostra que quem dá a ordem tem autoridade e competência para fazê-lo. Havia autoridade em seus ensinamentos (7.29); ele exerceu autoridade para curar (8.1-13) e até mesmo para perdoar pecados (9.6). Jesus tinha autoridade sobre Satanás e delegou autoridade a seus apóstolos (10.1). Ao final de seu evangelho, Mateus deixa claro que Jesus tem *toda a autoridade* (28.18).[28] A. T. Robertson diz que o Cristo ressurreto, sem dinheiro, ou exército, ou estado governamental, comissiona esse grupo num dos montes da Galileia para conquistar o mundo.[29] Esse é o maior empreendimento que os seres humanos foram chamados a executar.

É condição básica de êxito, no cumprimento da grande comissão, sabermos que Jesus nos dará as condições de enfrentar o inimigo e as circunstâncias adversas sem temer e vacilar. Qualquer ordem dada pela autoridade máxima do universo exige atenção e respeito total. Portanto, ao proferir a ordem, Jesus quer ser obedecido de forma clara, completa e urgente.

Em segundo lugar, *o cerne da grande comissão* (28.19). A. T. Robertson diz corretamente que aqui está o programa mundial do Cristo ressurreto.[30] Todos os verbos desse versículo estão no gerúndio, mas fazer discípulos é uma ordem. Indo + batizando + ensinando = fazei discípulos. Robert Mounce apresenta assim essa ideia: "Tanto *baptizontes* quanto *didaskontes* são particípios governados pelo imperativo *matheteusate*. A ideia principal da sentença é 'fazer discípulos mediante o batismo e o ensino'".[31]

Fica claro que Jesus não mandou fazer fãs. Quem precisa de fãs são os artistas. Jesus não mandou fazer admiradores. Os atores e jogadores de futebol é que buscam admiradores. Jesus não mandou apenas evangelizar e ganhar almas, abandonando os bebês espirituais. Ele quer discípulos. Jesus não mandou apenas recrutar crentes e encher as igrejas de pessoas. Ele quer convertidos maduros.

Um discípulo é um seguidor. Isso implica: 1) fazer do reino de Deus seu tesouro; 2) renunciar a tudo por amor a Jesus; 3) guardar as palavras de Jesus. Hoje, temos muita adesão e pouca conversão. Temos grandes ajuntamentos e pouco quebrantamento. Temos igrejas cheias de pessoas vazias de Deus e vazias de pessoas cheias de Deus. Temos grandes multidões que buscam as bênçãos, mas não a Deus. São religiosos, mas não discípulos de Cristo.

Em terceiro lugar, *o alcance da grande comissão* (28.19). A ordem de Jesus é: *Fazei discípulos de todas as nações*. A palavra "nações" significa "etnias". Onde houver um povo, com sua língua, cultura e raça, ali o evangelho deve chegar. Deus comprou com o sangue de Cristo aqueles que procedem de toda tribo, língua, povo e nação (Ap 5.9). Esses devem ser chamados e discipulados. Concordo com John A. Broadus quando ele diz que o cristianismo é essencialmente uma religião missionária.[32]

Em quarto lugar, *as implicações da grande comissão* (28.19). Há duas implicações no cumprimento da grande comissão. A primeira delas é a integração dos novos convertidos. Fazer discípulo implica integrar o indivíduo à igreja, por meio do sacramento do batismo em nome do Pai, do filho e do Espírito Santo. David Stern é oportuno quando escreve: "O Novo Testamento não ensina o *triteísmo*, que é a crença em três deuses. Ele não ensina o *unitarismo*, que nega a divindade de Jesus, o filho, e do Espírito Santo. Não ensina o *modalismo*, que diz que Deus aparece às vezes como o Pai, às vezes como o filho, e às vezes como o Espírito Santo, como um ator trocando as máscaras".[33] Embora a palavra "Trindade" não apareça nas Escrituras, o conceito dela está por toda a Bíblia.

Todo convertido deve ser batizado e integrado à igreja. A igreja é importante. Não existe crente isolado, "desigrejado", fora do corpo. Uma ovelha fora do rebanho é presa fácil do devorador. Uma brasa fora do braseiro logo se cobre de cinzas. A igreja foi instituída por Cristo, e os novos crentes devem ser integrados a ela pelo batismo.

A segunda implicação é que a grande comissão envolve ensino aos novos convertidos. Três coisas merecem destaque nesse ensino. Primeiro, ensinar o que Jesus mandou (28.19). Não se trata de ensinar doutrinas de homens, modismos, tradições humanas e legalismo, mas ensinar o que Jesus ordenou. Segundo, ensinar todas as coisas (28.19). Ensinar não apenas as coisas mais agradáveis. Devemos ensinar toda a verdade, toda a Palavra, e dar não apenas o leite, mas também o alimento sólido. Terceiro, ensinar a guardar (28.19). Russell Norman Champlin tem razão ao dizer que devemos observar que o ensino precisa incluir os ensinamentos morais e éticos do Senhor Jesus, além de quaisquer outros ensinamentos que formam o corpo de doutrinas que ele nos deixou.[34] Robert Mounce explica que o ensino aqui está estabelecido como algo ético, mais do que doutrinário.[35] Ensinar não é apenas guardar na cabeça doutrinas certas, mas é obedecer a essas doutrinas. O discípulo é aquele que obedece. Hoje, as pessoas querem conhecer, mas não querem obedecer. Jesus disse: *Vós sois meus amigos, se fazeis o que eu vos mando* (Jo 15.14).

Em quinto lugar, *motivos para cumprir a grande comissão* (28.18-20). Jesus oferece três motivos eloquentes para cumprirmos a grande comissão, como vemos a seguir.

Primeiro, o poder de Jesus à nossa disposição (28.18). Jesus expressou sua *exousia,* sua autoridade e liberdade absoluta de ação para enviar os apóstolos.[36] Se Jesus tem todo o poder e toda a autoridade, não sobrou nada para o diabo. O diabo é astuto, ardiloso e sagaz, mas Jesus tem todo o poder no céu e na terra. O poder do diabo foi tirado na cruz (Cl 2.15). Ele foi despojado. Está oco, vazio. O diabo não tem poder nem no inferno. As chaves da morte e do inferno estão nas mãos de Jesus (Ap 1.18). As portas do inferno não prevalecem contra a igreja (16.18). Toda a suprema grandeza do seu poder está à nossa disposição (Ef 1.19).

Segundo, a ordem de Jesus (28.19). Se o Jesus ressurreto, o Rei soberano do universo, deu uma ordem, cabe-nos obedecer a ela de modo intransferível e impostergável. A grande comissão não pode transformar-se na grande omissão.

Terceiro, a presença de Jesus (28.20). O discipulado não constitui uma estrada solitária, porque o Senhor ressurreto promete que estará com os discípulos sempre, todos os dias, até a consumação dos séculos.[37] Champlin esclarece que Jesus está conosco não meramente como um rádio orientador, mas como amigo e salvador.[38] A presença de Jesus é contínua, em todo lugar. Ele nunca nos desampara, nunca nos deixa. Ele é como sombra à nossa direita. Ele é o vigia que não dormita nem dorme. Não há situação em que sua presença não esteja conosco. Ele está conosco na vida e na morte, no tempo e na eternidade. John Charles Ryle escreve da seguinte forma sobre a presença de Jesus conosco:

> Cristo está conosco todos os dias. Cristo está conosco em todo lugar que vamos. Ele está conosco diariamente para perdoar e absolver; conosco diariamente para santificar e fortalecer; conosco diariamente para defender e guardar; conosco diariamente para conduzir e guiar; conosco em tristezas e alegrias; conosco em saúde ou enfermidade; conosco na vida e na morte; conosco no tempo e na eternidade.[39]

A. T. Robertson diz que Jesus emprega aqui o presente profético. Ele está conosco todos os dias até que volte em glória. Ele há de estar com os discípulos quando for embora; estará com todos os discípulos, com todo o conhecimento, com todo o poder, com eles todos os dias (todos os tipos de dias: dias de fraqueza, tristeza, alegria e poder).[40] O mesmo autor é oportuno quando alerta sobre o fato de que essa bem-aventurada esperança não é um sedativo para uma mente ociosa e uma consciência complacente. Trata-se de um incentivo ao mais pleno esforço de prosseguirmos energicamente, apesar das dificuldades, até os rincões mais distantes do mundo, para que todas as nações conheçam Jesus e o poder da sua vida ressurreta. Assim, o evangelho de Mateus se encerra em uma chama de glória.[41]

O Cristo ressurreto garante, assim, a seus discípulos e a todos os seus seguidores ao longo da história a maior conclusão que qualquer livro poderia ter. A Jesus, o Rei dos reis, glória pelos séculos sem fim. Amém!

Notas

[1] Mounce, Robert H. *Mateus*, p. 275.
[2] Spurgeon, Charles H. *O evangelho segundo Mateus*, p. 638.
[3] Rienecker, Fritz. *Evangelho de Mateus*, p. 450-451.
[4] Robertson, A. T. *Comentário de Mateus*, p. 332.
[5] Spurgeon, Charles H. *O evangelho segundo Mateus*, p. 638.
[6] Hendriksen, William. *Mateus*. Vol. 2, p. 588.
[7] Broadus, John A. *Comentário de Mateus*. Vol. II, p. 350.
[8] Richards, Lawrence O. *Comentário histórico-cultural do Novo Testamento*, p. 91.
[9] Beasley-Murray, Paul. *The message of the resurrection*. Westmont, IL: InterVarsity Press, 2000, p. 32.
[10] Broadus, John A. *Comentário de Mateus*. Vol. II, p. 351.
[11] Heading, John. *Mateus*, p. 518.
[12] Hendriksen, William. *Mateus*. Vol. 2, p. 592.
[13] Beasley-Murray, Paul. *The message of the resurrection*, p. 28.
[14] Pinto, Carlos Osvaldo Cardoso. *Foco & desenvolvimento no Novo Testamento*, p. 60.
[15] Broadus, John A. *Comentário de Mateus*. Vol. II, p. 351.
[16] Richards, Lawrence O. *Comentário histórico-cultural do Novo Testamento*, p. 92.
[17] Spurgeon, Charles H. *O evangelho segundo Mateus*, p. 646.
[18] Rienecker, Fritz. *Evangelho de Mateus*, p. 453.
[19] Tasker, A.V. G. *Mateus: introdução e comentário*, p. 217.
[20] Spurgeon, Charles H. *O evangelho segundo Mateus*, p. 647.

[21] RICHARDS, Lawrence O. *Comentário histórico-cultural do Novo Testamento*, p. 92.
[22] SPURGEON, Charles H. *O evangelho segundo Mateus*, p. 646.
[23] PINTO, Carlos Osvaldo Cardoso. *Foco & desenvolvimento no Novo Testamento*, p. 60.
[24] SPROUL, R. C. *Mateus*, p. 745.
[25] TASKER, A.V. G. *Mateus: introdução e comentário*, p. 217.
[26] SPURGEON, Charles H. *O evangelho segundo Mateus*, p. 648.
[27] MOUNCE, Robert H. *Mateus*, p. 278.
[28] WIERSBE, Warren W. *Comentário bíblico expositivo*, p. 140.
[29] ROBERTSON, A. T. *Comentário de Mateus*, p. 336.
[30] IBIDEM.
[31] MOUNCE, Robert H. *Mateus*, p. 279.
[32] BROADUS, John A. *Comentário de Mateus.* Vol. II, p. 354.
[33] STERN, David H. *Comentário judaico do Novo Testamento*, p. 111.
[34] CHAMPLIN, R. N. *O Novo Testamento interpretado versículo por versículo.* Vol. 1, p. 750.
[35] MOUNCE, Robert H. *Mateus*, p. 279.
[36] HEADING, John. *Mateus*, p. 521.
[37] MOUNCE, Robert H. *Mateus*, p. 279.
[38] CHAMPLIN, R. N. *O Novo Testamento interpretado versículo por versículo.* Vol. 1, p. 751.
[39] RYLE, John Charles. *Meditações no evangelho de Mateus*, p. 263.
[40] ROBERTSON, A. T. *Comentário de Mateus*, p. 337.
[41] IBIDEM.

Sua opinião é importante para nós.
Por gentileza, envie seus
comentários pelo e-mail
editorial@hagnos.com.br

Visite nosso site:
www.hagnos.com.br

Esta obra foi impressa na
Imprensa da Fé.
São Paulo, Brasil.
Inverno de 2021.